KB014169

GRRM

: A RRetrospective

GRRM : A RRetrospective

9 **The Heart in Conflict**

Copyright ©2003 by George R. R. Martin
Translated by Kim, Sang-hoon
Korean edition ©2017 by EunHaeng NaMu Publishing Co., Ltd.
All rights reserved.
Published by agreement with The Lotts Agency, Ltd.
through Danny Hong Agency, Seoul.
이 책의 한국어판 저작권은 Danny Hong Agency를 통한 The Lotts Agency, Ltd.와의 독점계약으로
(주)은행나무 출판사가 소유합니다.
저작권법에 의해 한국 내에서 보호를 받는 저작물이므로 무단전재와 무단복제를 금합니다.

이 도서의 국립중앙도서관 출판시도서목록(CIP)은 서지정보유통지원시스템 홈페이지(http://seoji.nl.go.kr)와
국가자료공동목록시스템(http://www.nl.go.kr/kolisnet)에서 이용하실 수 있습니다. (CIP제어번호: CIP2017011753)

GEORGE R. R. MARTIN

GRRM

: A RRetrospective

조지 R. R. 마틴 걸작선

꿈의 노래 **4**

갈등하는
마음

김상훈 옮김

은행나무

일러두기
1. 본문의 주는 모두 옮긴이의 주입니다.
2. 작가가 만든 고유명사는 〈 〉로 표시했습니다.

서문

나이 든 SF 독자들과 열성 팬들은 여전히 용맹무쌍한 우주 모험왕 배트 더스턴(Bat Durston)의 추억을 고이 간직하고 있다. 1950년대 초에 그는 〈갤럭시〉지의 단골 출연자였다.

당시 배트는 언제나 이 잡지의 표지를 장식했다. 앞표지가 아니라 뒤표지를 말이다. 뒤표지에는 「갤럭시에서는 절대로 이런 글을 찾아볼 수 없습니다」라는 제목으로 시작되는 광고가 아래처럼 더블 칼럼으로 인쇄되어 있었다.

배트 더스턴은 말발굽 소리를 울리며 툼스톤에서 4백 마일 북쪽에 있는 작은 금광 마을 이글걸치를 향해 질주했다. 좁은 고갯길을 지

배트 더스턴은 제트 분사의 굉음과 함께 태양에서 70억 광년 떨어진 조그만 행성 브블쯔나지의 대기권으로 돌입했다. 그가 착륙하

난 그가 벼랑 가장자리의 오버행을 향해 박차를 가한 순간…… 키가 크고 호리호리한 카우보이가 볕에 그은 손에 6연발 권총을 쥐고 높다란 바위 뒤에서 걸어 나왔다. "뒤로 물러난 다음 말에서 내려, 배트 더스턴." 낯선 사내는 나직하게 명령했다. "넌 몰랐겠지만, 말을 타고 이 지방을 제멋대로 들쑤시고 돌아다니는 것도 이번으로 끝이야."

기 위해 우주선의 슈퍼 하이퍼 드라이브를 끈 순간…… 키가 크고 호리호리한 우주 비행사가 우주방사선에 그은 손에 양자파괴총을 쥐고 선미 쪽에서 걸어 나왔다. "조종 장치 뒤로 물러나, 배트 더스턴." 키가 큰 낯선 사내는 나직하게 명령했다. "넌 몰랐겠지만, 우주선을 몰고 이쪽 성역(星域)을 제멋대로 휘젓고 돌아다니는 것도 이번으로 끝이야."

"왠지 비슷해 보이지 않습니까?" 편집장인 호러스 L. 골드는 위의 글 아래에 이렇게 적어 놓았다. "당연합니다. 우측 칼럼의 글은 좌측의 서부극을 어딘가의 황당무계한 외계 행성에 이식해 놓은 것에 불과하니까요. 과학소설이란 모름지기 이런 것이라고 생각하신다면 얼마든지 그러셔도 무방합니다. 하지만 저희 **갤럭시에서는 절대로 이런 글을 싣지 않습니다!** 〈갤럭시〉는 과학소설을 잘 알고 사랑하는 작가들이 쓴 조리에 맞고 사려 깊은 최상급의 정통 과학소설만을 제공하며…… 무늬만 외계 침략물인 범죄소설과도 무관하고…… 과학소설을 잘 알고 사랑하는 독자들을 대상으로 한 잡지입니다."

이 광고는 1950년 9월에 나온 〈갤럭시〉 창간호에 실렸고, 그 후에도 여러 번 뒤표지에 등장했다. 당시 나는 두 살배기 꼬마였다. (못 믿겠다면 증명사진을 보여 줄 용의도 있다.) 〈로키 존스〉[1] 조차도 아직 구경하지 못했고, (로키와 배트는 필시 우주 경비대 학교의 동기였음이 틀림없다) 하인라인, 하워드, 톨킨, 러브크래프트, 마블 코믹스의 〈판타스틱 4〉 또한 아직면 미래의 일이었다.

내가 내 손으로 SF를 쓸 무렵 〈갤럭시〉지의 H. L. 골드 시대는 이미 과거의 추억이 되어 있었다. 골드는 1961년에 자동차 사고를 당한 뒤에 이 잡지의 고삐를 (타륜을? 우주선 조종간을?) 놓았고, 명편집자 프레드릭 폴이 그를 대체했다. 1960년대 말에는 에일러 재콥슨이 바통을 이어받았고, 가드너 도즈와를 고용해서 잔뜩 쌓인 투고작들을 읽도록 했다. 앞에 실린 서문들의 해설을 읽은 독자들에게는 주지의 사실이겠지만, 그 뒤에 일어난 일들은 내게는 역사 그 자체다.

재콥슨이 편집장이었던 시절 내가 〈갤럭시〉에 판 단편은 결국 데뷔작한 편뿐이었지만, 한두 번은 다른 작품을 게재하기 직전까지 간 적도 있다. 그러다가 〈판타스틱〉과 〈어메이징 스토리즈〉의 편집장이었던 테드 화이트가 후속 단편들을 사 주었고, 이것들 대다수는 전자가 아닌 후자에 게재되었다. 그러나 SF상 후보에 오른 나의 초기 작품들을 실어 줌으로써 내 이름이 업계에 알려지는 계기를 마련해 준 것은 〈아날로그〉였다. 전설적인 편집장 존 W. 캠벨 Jr.의 산하에서 몇십 년 동안이나 과학소설계를 선도하며 하드 SF[2]를 상징하는 존재가 되었던 바로 그 잡지다.

캠벨 Jr.는 내가 작가로서 첫발을 디디려는 바로 그 시기에 작고했고,

---

1 Rocky Jones, Space Ranger. 1954년에 TV 방영된 우주 활극 시리즈.
2 Hard SF. 기술주의적인 입장에서 과학 이론 내지 가설의 정합성을 중시하는 과학소설의 하위장르.

벤 보버가 그 뒤를 이어 〈아날로그〉지의 편집장이 되었다. 위대한 편집자라는 캠벨 Jr.의 명성은 합당하다. 그는 1930년대에 〈어스타운딩〉지의 편집장을 맡아 과학소설 분야를 완전히 재창조함으로써 SF의 황금시대를 주도했으며, 새로운 작가들을 발굴 육성하는 뛰어난 수완으로도 유명했다. 그러나 내가 1970년대 초에 쓰던 우울하고 로맨틱하고 비관적인 중단편들에 대해 그가 보버만큼 우호적인 반응을 보였을 것 같지는 않다. 캠벨이 10년만 더 살아 있었더라면, 내 작가 인생도 많은 동료 작가들과 더불어 전혀 다른 방향으로 나아가지는 않았을까 하는 생각도 든다.

벤 보버는 흠잡을 데 없는 과학소설 작가라는 홍보 문구와 함께 〈아날로그〉지의 편집장 자리를 꿰찼다. 벤은 흔히 '진짜' SF로 간주되던 하드 SF를 쓰는 작가로 잘 알려져 있었고, 지금은 옛 추억이 된 올드웨이브와 뉴웨이브[3] 사이의 전쟁이 여전히 격렬하게 벌어지고 있던 당시에는 이런 사실이 중요하게 작용했다. 그러나 벤은 편집장으로 등극하자마자 문호를 개방했다. 그 결과 존 캠벨 Jr. 아래에서는 결코 게재되지 못했을 작품들이 〈아날로그〉의 신성한 지면에 등장하기 시작했고…… 그중에는 내 작품도 있었다.

당시의 〈아날로그〉 독자편지란을 잠깐 훑어보면 알겠지만, 이런 과정이 완전히 순조로웠던 것만은 아니었다. 애독하던 잡지 지면에 외설적인 단어나 노골적인 섹스 장면, 또는 별로 유능하지 못한 주인공 따위가

---

3 New Wave. 1960년대의 영어권 SF를 휩쓴 문예사조. 내적 우주와 심리 묘사에 초점을 맞춤으로써 과학소설의 문학적, 문화적 완성도를 높이는 데 주력했다.

등장하는 것을 보고 격분한 독자들이 보낸 '정기 구독 취소'를 알리는 편지가 매호마다 한두 통은 꼭 실려 있었다. 다행히 이런 사람들은 소수였지만 말이다. 환골탈태한 1970년대의 〈아날로그〉는 SF 작가에게는 최고의 마켓이 되어 주었다. 1973년에서 1977년 사이에 벤 보버는 5년 연속으로 휴고상 최우수 편집자 부문을 수상했고, 1979년에도 또 수상했다.

내가 보버에게 처음으로 판 작품은 내가 쓴 것으로는 도합 세 번째에 해당한다. 상대방이 사 주기 전에 분실하지 않았던 첫 번째 글이었고, 실제로는 컴퓨터 체스에 관한 '과학 자료'를 다룬 기사였다. 노스웨스턴 대학에서 저널리즘을 공부하던 시절 나는 대학 체스팀의 주장이었고, 그때 알고 지내던 몇몇 친구들이 우리 대학의 거대한 중앙 컴퓨터인 CDC 6400 — 온도 조절 장치를 갖추고 완전 밀폐된 전용 건물을 차지하고 있었다 — 을 위해 체스 프로그램을 짰다. 체스4.0이라고 명명된 이 프로그램이 다른 대학들이 개발한 여섯 개의 경합 프로그램들을 이기고 세계 컴퓨터 체스 선수권의 사상 첫 번째 우승자가 되었을 때 나는 이것이 기삿감임을 직감했고, 실제로도 그렇게 되었다.

그것은 내가 〈아날로그〉에 팔았던 유일한 과학 기사이자 내가 쓴 유일한 과학 기사였다. 나는 저널리스트였지 과학자가 아니었기 때문이다. 그러나 일단 내가 〈아날로그〉에 과학 기사를 게재한 뒤에는, 《오비트(Orbit)》나 《뉴 디멘션》 등의 앤솔러지 시리즈에 작품을 판 뉴웨이브 작가들에게 물러 터질 정도로 "소프트"하다며 곧잘 딴죽을 걸던 독자들도 내 자격에 대해서만큼은 이의를 제기하지 못했다. 이렇게 벤 보버가 〈아날로그〉의 지평선을 넓힌 것은 사실이지만, 이 잡지는 여전히 콧대가 높고, 철옹성 같으며, 과학적으로 엄밀하고, 조금 금욕주의적이라는 명성을 계속 유지했다. 가드너 도즈와는 당시 내가 쫓아다니던 여자한테 나하고 자 봤자 아무 의미도 없다고 말한 적이 있다. 일단 〈아날로그〉에 몸을 판 위인은 자기 집 앞에 멈춰 선 하얀 밴에서 걸어 나온 은빛 작업복 차림의 사내 두 명에게 다짜고짜 페니스를 몰수당하기 때문이란다. (이 주장의 진위 여부에 대해 왈가왈부할 생각은 없지만, 가드너 본인이 훗날 〈아날로그〉지에 원고를 팔았고, 2012년 현재 그 편집장인 스탠 슈미트와 사무실을 공동 사용하고 있다는 사실만은 지적해야겠다. 참고로 나는 스탠의 책상 뒤에 자리 잡은 꼭꼭 잠긴 커다란 서류장 안에 무엇이 들어 있는지 한 번도 물어본 적이 없다.)

데이비드 슬레이트와 그가 개발한 챔피언 체스 프로그램을 다룬 나의 과학 기사는 〈컴퓨터는 물고기였다〉라는 제목이었고, 곧 〈새벽이 오면 안개는 가라앉고〉, 〈두 번째 종류의 고독〉, 〈리아에게 바치는 노래〉 등등의 중단편들이 그 뒤를 이었다. 물론 〈아날로그〉 이외의 잡지들도 내 작품을 실어 주었다. 테드 화이트는 벤 보버 못지않게 많은 중단편을 사 주었다. 화이트 체제하의 〈어메이징〉과 〈판타스틱〉은 실로 근사한 잡지였다. 나는 〈매거진 오브 판타지 앤드 사이언스 픽션(F&SF)〉지에도 작품을 팔았고, 당시 유행하던 창작 앤솔러지 다수에도 작품을 싣는 데 성공했다.

그러나 채택을 거절당한 원고들도 있었다. 거절 통고를 받는 것을 좋아하는 작가는 없지만, 소설을 써서 먹고살려면 응당 감수해야 하는 일이므로 익숙해지는 수밖에 없다. 그러나 몇몇 작품을 그렇게 거절당했을 때는 나도 분통이 터졌다. 편집자들은 이 작품들의 플롯이나 성격 묘사, 문장 스타일에는 아무 문제도 없다고 보증했고, 실은 재미있게 읽었다고 실토하기까지 했지만, 결국 채택해 주지 않았던 것이다……. 그것들이 진짜 과학소설이 아니라는 이유로.

〈야간 당직〉은 발착하는 우주선들로 붐비는 우주항(宇宙港)에서의 야간 당직을 다룬 소설이지만, 우주선을 트럭으로 바꿔도 전혀 위화감이 없을 거라는 지적을 받았다. 〈새벽이 오면 안개는 가라앉고〉를 읽고 네스 호 괴물을 찾으려는 시도가 떠올랐다고 말한 편집자도 있었다. 〈두 번째 종류의 고독〉조차도 비판을 비켜 가지는 못했다. 이 단편을 읽은 편집자는 등대지기를 다룬 일반소설과 별 차이가 없어 보인다는 답변을 보내왔다. 스타링이나 널스페이스 소용돌이에 초점을 맞추는 대신 "어째좀 한심해 보이는" 주인공의 희망과 꿈과 두려움 쪽을 부각시켰다는 것이다.

아니 그러니까 뭔가. 이 작자들은 도대체 나한테 무슨 소리를 하고 싶은 걸까? 나는 천하무적 〈아날로그〉의 작가가 아니던가. 거기에 과학 기사를 신기까지 했는데……. 그런 내가 배트 더스턴류의 작품을 썼다고?

물론 부두 노동자로 일한 적이 있는 우리 아버지의 경험과 트럭 파견 사무소에서 몇 주 동안 일한 적이 있는 나 자신의 경험을 토대로 〈야간 당직〉을 쓴 것은 사실이지만…….

음파탐지기를 장비한 배들로 네스 호를 샅샅이 훑어서 네시를 은신처에서 쫓아내거나 아니면 네시가 존재하지 않는다는 확증을 얻으려는 과학자를 다룬 신문 기사를 보고 〈새벽이 오면 안개는 가라앉고〉의 단초를 얻은 것도 사실이지만…….

〈두 번째 종류의 고독〉이나 〈리아에게 바치는 노래〉의 등장인물들은 나 자신의 고통스러운 추억에 기인한 것이며, 내가 직접 겪은 사건들과 사람들에 기반을 둔 것도 사실이다.

따지고 보면 몇 년 뒤에 나온 〈샌드킹〉조차도 수조에서 피라니아를 잔뜩 키우던 대학 시절의 지인에게서 힌트를 얻어 쓰기 시작했다.

하지만 그게 뭐 어때서? 소설을 쓰면서 나는 그들을 다른 행성으로 이주시키고 외계인들과 우주선을 집어넣었다. 빌어먹을, 이 이상 얼마나 더 과학소설적일 수가 있단 말인가?

소싯적에 판타지와 호러와 과학소설을 읽으면서 나는 내가 읽고 있는 작품이 어느 장르에 들어가며 어느 장르가 그 작품을 포함하는지, 경계선을 어디에 그어야 할지, 또 그 작품이 진짜 과학소설인지 진짜 판타지인지 진짜 호러인지 한 번도 고민해 본 적이 없었다. 1950년대 당시 나는 페이퍼백과 만화책을 주식으로 삼고 있었다. SF 잡지라는 희한한 물건이 있다는 것은 알고 있었지만 실물을 접하는 일은 매우 드물었기 때문에 배트 더스턴의 존재나 배트를 향한 호러스 골드의 맹비난 따위에 대해서도 까맣게 모르고 있었다. 너무 어린 탓에 장르나 하위 장르의 정식 명칭이 무엇인지조차도 모르고 있었으니까 말이다. 그런 나에게 그것들은 괴물 이야기나 우주 이야기나 검과 마법이 나오는 이야기, 혹은 '신기한 이야기'였다. 우리 아버지가 그것들을 싸잡아서 신기한 이야기(weird stuff)[4]라고 불렀기 때문이다. 실은 아버지는 웨스턴 소설의 애독자였다. 하지만 아들인 나는 그런 '신기한 이야기'들을 좋아했던 것이다.

하지만 나는 어엿하게 등단한 전업 작가, 그것도 〈아날로그〉의 작가

---

4 이 경우 weird라는 단어에는 '요상하다'라는 뉘앙스가 섞여 있다.

였으므로 (이건 노파심에서 하는 얘긴데 내 페니스는 멀쩡하게 달려 있다) 진짜 과학소설이란 무엇인지를 알아낼 의무가 있었다. 그래서 나는 데이먼 나이트의 《경이로움을 찾아서》(1956)와 제임스 블리시의 《당면한 문제들》(1964)과 L. 스프레이그 디캠프의 《과학소설 편람》(1975) 등의 평론서를 읽었고, SF 비평의 요람인 〈로커스〉지와 〈사이언스 픽션 리뷰〉지를 읽어 보았다. 〈어메이징〉지에 실리는 알렉세이 팬신의 연재 칼럼 〈SF의 차원〉에도 많은 주의를 기울였다. 올드웨이브와 뉴웨이브 작가들 사이에서 벌어지는 논쟁도 흥미롭게 경청했다. 올드웨이브 작가들에 따르면 뉴웨이브 어쩌고 하는 허섭스레기 또한 진짜 SF가 아니었기 때문이다. 물론 나는 과학소설의 다양한 정의에 관해서도 깊은 주의를 기울였다.

과학소설의 정의는 여러 가지가 있었고, 그중 다수는 서로 모순되는 것이었다. L. 스프레이그 디캠프가 《과학소설 편람》에서 정의한 SF는 킹슬리 에이미스가 《지옥의 새로운 지도》(1958)에서 정의한 SF와는 달랐다. 시오도어 스터전도 SF의 독자적인 정의를 내놓았다. 프레드릭 폴도 독자적으로 SF를 정의했고, 레지널드 브레트너와 데이비드 G. 하트웰도 마찬가지였다. 알렉세이 팬신도 독자적으로 SF를 정의했고, 데이먼 나이트도 길모퉁이에 서서 어딘가 다른 쪽을 가리키고 있었다. 올드웨이브와 뉴웨이브도 각기 독자적인 장르의 정의를 내놓고 열성적으로 자기주장을 옹호했다. H. L. 골드 역시 배트 더스턴은 SF가 아니라고 했으므로 나름대로의 정의를 가지고 있었음이 틀림없다. 나는 최선을 다해 이 모든 것들을 흡수했고, 당시 내가 쓰던 작품들과는 대비되는 진짜 과학소설의 형태가 무엇인지를 마침내 식별해 냈다.

진정한 과학소설 작품의 궁극적인 템플릿[型]은 1939년에 〈어메이징〉지에 게재된 아이작 아시모프의 단편 〈베스타에서 표류하다(Marooned off Vesta)〉였다. 아시모프는 훗날 더 유명하고 더 나은 작품들을 썼지만—흐음, 솔직히 말해서 이 단편 이후 그가 쓴 작품 대부분이 그렇다고 할 수 있다—〈베스타에서 표류하다〉는 누가 뭐래도 진짜배기 과학소설이다. 소설 전체가 진공에서는 물의 비등점이 더 낮다는 사실에 전적으로 의존하고 있기 때문이다.

내 입장에서는 정신이 번쩍 드는 발견이었다. 다음 해, 그다음 해, 또 그다음 해에 쓰고 싶은 이야기들을 끼적거려 놓은 두꺼운 노트가 있었음에도 불구하고, 물의 비등점에 관련된 것은 단 한 편도 없었기 때문이다. 솔직히 말하자면, 아시모프는 이 특정 주제에 관해 쓸 수 있는 이야기를 모조리 써 버렸기 때문에 우리 후배 작가들이 쓸 만한 이야깃거리는 아예 남아 있지도 않다는 생각이 들었다. 그러니까, 배트 더스턴풍의 이야기를 제외하면 말이다.

그러나 배트를 위시해서 아시모프, 하인라인과 캠벨, 웰스와 베른, 밴스와 앤더슨과 르귄과 브래킷과 윌리엄슨과 디캠프와 커트너와 무어와 코드웨이너 스미스와 독 스미스와 조지 O. 스미스, 노스웨스트 스미스[5] 그리고 그 밖의 스미스와 존스 들에 관해 생각하면 생각할수록 나는 H. L. 골드가 미처 깨닫지 못했던 어떤 사실을 깨닫게 되었다.

독자 여러분에게 단언컨대, 이들의 작품 모두가 배트 더스턴풍의 이

---

5 Northwest Smith. 그의 경우는 SF 작가가 아니라 위에서 언급된 C. L. 무어가 쓴 환상 SF 시리즈의 무법자 주인공이다.

야기였던 것이다.

내가 읽은 모든 작품, 독자 여러분이 읽은 모든 작품들 모두가.

호러스 L. 골드 산하의 〈갤럭시〉에서 《그레이비 행성》이라는 제목으로 연재되었던 《우주 상인》(1953)은 1950년대의 메디슨 애비뉴[6]에 관한 소설이었다. 《영원한 전쟁》(1974)은 베트남 전쟁에 관한 소설이고, 《뉴로맨서》(1984)는 화려한 산문으로 치장된 케이퍼[犯罪] 소설이며, 아시모프의 소설에 등장하는 은하 제국은 오래전에 로마인들이 세웠던 제국과 매우 수상쩍은 유사성을 가지고 있다. 그게 아니라면, 벨 라이오즈란 인물이 등장할 때마다 왜 자꾸 벨리사리우스[7]가 뇌리에 떠오른단 말인가? 또 〈베스타에서 표류하다〉를 정말로, 정말로 깊게 파고든다면, 결국 이 작품은 물의 비등점에 관한 것이 아니라 절망적인 상황에 놓인 사내들이 생존하기 위해 고투하는 이야기임을 깨닫게 될 것이다.

자, 뒤로 한 걸음 물러나서 눈을 가늘게 뜨고 〈갤럭시〉 창간호의 뒤표지를 뚫어지게 쳐다보라. 그럼 좌우 칼럼의 위치가 얼마나 쉽게 뒤바뀔 수 있는지를 깨달을 것이다. 문장에 살짝 손을 대기만 하면 서부극 잡지에도 똑같은 광고를 올릴 수 있다는 뜻이다. **식스건 스토리즈에서는 절대로 이런 글을 찾아볼 수 없습니다** 편집장은 제목에서 대뜸 이렇게 선언했을 것이 뻔하다. "왠지 비슷해 보이지 않습니까? 당연합니다. 우측 칼럼의 글은 좌측의 공상과학소설을 어딘가의 황야에 이식해 놓은 것에 불과하니까요. 서부극이란 모름지기 이런 것이라고 생각하신다면 얼마든지

---

6 광고 대행사 사무실들이 밀집해 있는 맨해튼 거리.
7 Belisarius(500?~565). 동로마 제국의 명장.

그러셔도 무방합니다. 하지만 저희 **식스건 스토리즈에서는 절대로 이런 글을 싣지 않습니다!** 〈식스건 스토리즈〉는 서부극을 잘 알고 사랑하는 작가들이 쓴 조리에 맞고 사려 깊은 최상급의 정통 웨스턴 소설만을 제공하며…… 서부극을 잘 알고 사랑하는 독자들을 대상으로 한 잡지입니다."

그러니까 골드 편집장님, 저는 계속 배트 더스턴 소설을 쓰겠습니다. 윌리엄 포크너도 초대하고, 〈카사블랑카〉도, 에이번의 시인[8]도 마음 내키는 대로 인용할 겁니다.

영화 〈굿바이 걸〉(1977)에서 리처드 드레이퍼스는 '천재' 감독에 의해 혀짤배기 말을 하는 여성적인 동성애자로 리처드 3세를 묘사하라고 강요받는 연극배우 역할을 연기했다. 그러나 요즘에는 이런 식의 설정도 옛날만큼 뚜렷하게 패러디라는 느낌이 들지 않는다. 런던 연극계의 데릭 자먼이 크리스토퍼 말로[9]의 원작을 영화화한 〈에드워드 2세〉(1991)는 등장인물들의 현대적 복장으로 악명이 높다. 이 영화에서 콘월 백작 피어스 게이브스턴의 주요 의상은 쇠 징을 박은 가죽제 국부 보호대였다. 내가 가장 최근에 웨스트엔드의 극장가를 둘러보았을 때는 프랑스혁명의 공포정치를 배경으로 셰익스피어의 《코리올레이너스》를 재해석한 연극이 걸려 있었다. 《로미오와 줄리엣》의 최신 영화판은 서로 적대하는 도시의 갱단들 이야기로 바꿔 놓은 데다가 자동차, 헬리콥터, TV 리포터까지 총출동한다. 만약 당신이 이언 맥켈런이 주연한 영화 〈리처드 3세〉(1995)를 아직도 못 보았다면 정말 환상적인 아트 디렉션과 영상미를 향

8　The Bard (of Avon). 셰익스피어의 애칭.
9　Christopher Marlowe(1564~1593). 영국의 극작가, 시인.

유할 기회를 놓친 것이다. 특히 곱사등이 디키[10] 역할을 맡은 맥켈런의 고
혹적인 연기는 왕년의 로렌스 올리비에의 그것에 맞먹는다.

혹자는 셰익스피어의 사극을 원작으로 하는 맥켈런판 〈리처드 3세〉
가 1930년대 영국의 파시스트 운동이 아니라 장미전쟁을 다룬 것으로
보아야 마땅하다고 반론할지도 모른다. 혹자는《코리올레이너스》의 배
경은 혁명 시대의 파리가 아니라 응당 고대 로마여야 한다고 주장할지
도 모르고, 로미오의 친구 머큐시오는 절대로 흑인 드래그 퀸 따위가 아
니라고 강하게 항의할 수도 있다. 모두 어느 정도까지는 사실이다.

하지만 셰익스피어 작품은 괴짜 감독들에 의해 아무리 괴상한 모습으
로 치장되었다 하더라도 의외로 잘 굴러가는 경우가 종종 있고, 이언 맥
켈런의 〈리처드 3세〉처럼 성공한 걸작의 반열에 들어가는 경우도 가끔
볼 수 있다.

영화 얘기가 나왔으니까 말인데, 내가 가장 좋아하는 SF 영화는
〈2001년 스페이스 오디세이〉가 아니고, 〈에일리언〉이나 〈스타워즈〉도
아니고, 〈블레이드러너〉도 아니고, 그렇다고 (어흠) 〈매트릭스〉도 아니
라, 다름 아닌 〈금지된 행성〉(1956)임을 밝혀야겠다. 우리 같은 애호가
들에게는 '견우성 4번 행성에서의《템페스트》'라는 별칭으로 알려진 이
영화에는 레슬리 닐슨, 앤 프랜시스, 월터 피전…… 그리고 배트 더스턴
이 출연했다.

하지만 어떻게? 비평가, 연극 애호가, 셰익스피어 학자를 막론하고,
본래의 적절한 배경에서 억지로 뜯어낸 배트 더스턴풍의《템페스트》에

---

10 극중에서 리처드 3세의 별명.

대해 어떻게 켕기지도 않고 갈채를 보낼 수 있단 말인가?

대답은 단순하다. 자동차를 타든 말을 타든, 삼각모를 쓰든 토가를 입든, 광선총을 쏘든 6연발 권총을 쏘든, 인간이 존재하는 한 그런 것들은 전혀 중요하지 않기 때문이다. 이따금 우리는 경계선을 긋고 꼬리표를 붙이는 일에 정신이 팔린 나머지 정작 중요한 진리를 망각하곤 한다.

〈카사블랑카〉에서 간단명료하게 표현되었듯이, 그것은 "여전히 예전 그대로의 낡은 이야기, 사랑과 명예를 위한 투쟁, 행동하거나 아니면 죽거나 둘 중 하나"의 상황인 것이다.

윌리엄 포크너도 노벨 문학상 수상식 연설에서 거의 같은 이야기를 했다. 그는 "가슴속에서 우러나오는 고래의 진리와 진실, 사랑과 명예와 자긍심과 동정심과 희생정신으로 이루어진 보편적 진실을 결여한다면 그 어떤 이야기도 오래가지 못하고 실패할 운명"임을 지적했고, "스스로에 대해 갈등하고 있는 인간의 마음이야말로 좋은 글의 유일한 원천이자 유일하게 쓸 가치가 있는 주제"임을 밝혔다.

당신이 원한다면 과학소설, 판타지, 호러의 정의를 마음 내키는 대로 실컷 만들어 내는 것도 가능하다. 그러나 그런 식으로 아무리 경계선을 그어 대고 꼬리표를 갖다 붙이더라도, 결국 모든 것은 여전히 예전 그대로의 낡은 이야기, 스스로에 대해 갈등하고 있는 인간 마음에 관한 이야기로 귀속되는 법이다.

단언컨대, 나머지는 모두 가구에 불과하다.

판타지 가문의 집은 석재와 나무로 지어졌고, 중세 성기(盛期)의 가구들이 들어차 있다. 여기 속한 사람들은 말과 갤리선을 타고 이동하고, 장검과 주문과 전투용 도끼를 써서 싸우며, 팔란티르[11]나 큰까마귀를 써서 서로와 통신하고, 엘프 및 드래곤 들과 빵을 나눠 먹는다.

과학소설 가문의 집은 듀랄로이 합금과 플라스틱으로 지어졌고 미래 풍의 가구들이 들어차 있다. 여기 속한 사람들은 우주선과 에어카로 이동하고, 핵폭탄과 맞춤 배양된 세균으로 싸우며, 앤서블[12]과 레이저를 이용해서 서로와 통신하고, 외계인들과 단백질 블록을 나눠 먹는다.

호러 가문의 집은 뼈와 거미줄로 이루어져 있고 섬뜩한 고딕풍 가구들이 들어차 있다. 여기 속한 사람들은 밤에만 여행을 하고, 시도 때도 없이 죽이려고 달려드는 상대를 만나면 무조건 싸우고, 절규와 비명과 횡설수설한 말로 의사소통을 하고, 흡혈귀 및 늑대인간 들과 함께 피를 빤다.

나는 이것들을 가구의 규칙이라고 부른다.

이제 장르의 정의 따위는 잊어도 된다. 가구의 규칙만 알면 되니까.

필리스 에이젠스틴은 앨러릭이란 이름의 음유시인을 주인공으로 한 일련의 멋진 이야기를 썼지만, 앨러릭이 유랑하는 중세 왕국의 이름이 무엇인지를 밝힌 적이 한 번도 없었다……. 하지만 컨벤션에서 만나 그 머나먼 왕국 이름이 뭔지 끈질기게 물어본다면 그녀는 당신의 귀에 대고 아마 이렇게 속삭여 줄지도 모른다. "독일." 앨러릭 연작에 포함된 유일하게 환상적인 요소는 텔레포테이션, 즉 순간 이동이며, 이것은 보통 SF의 장치로 분류되는 정신 능력이다. 아, 그러나 우리의 앨러릭은 류트

---

11 palantir. J. R. R. 톨킨의 《반지의 제왕》에 등장하는 마법 도구.
12 ansible. 여러 작가의 SF 소설에 곧잘 등장하는 초광속 통신기. 어슐러 K. 르귄이 창안했다.

를 가지고 다니며, 성에서 잠을 자고, 그의 주위에 있는 사람들은 장검을 찬 귀족들이다. 따라서 백 명의 독자가 있다면 그중 아흔아홉 명은 (대다수의 출판사들과 마찬가지로) 이 시리즈를 판타지로 간주할 것이다. 이것이 가구의 규칙이다.

월터 존 윌리엄스에게 물어보라. 장편 《메트로폴리탄》(1995)과 《불타는 도시》(1997)에서 그는 톨킨의 미들어스에 맞먹을 만큼 치밀한 설정을 가진 2차 세계를 만들어 냈다. 이 세계는 전적으로 월터가 '플라즘(plasm)'이라고 부르는 마법에 의해 동력을 얻고 있다. 그러나 문제의 세계는 쇠락해 가는 단 하나의 거대한 도시, 그것도 부패한 정치와 인종간 갈등이 만연한 도시이고, 플라즘은 플라즘 당국에 의해 수송되고 규제되며, 마법사들은 성이 아니라 고층 건물에 살고 있다. 바로 그런 이유에서 비평가와 리뷰어와 독자 들은 이 두 작품을 하나같이 과학소설이라고 부른다. 역시 가구의 규칙이다.

SF 평론가 피터 니콜스는 이렇게 썼다. "……SF와 판타지가 장르라고 가정한다면, 불순물이 많은 장르라고 해야 할 것이다……. 그 과일은 SF일지도 모르지만 뿌리는 판타지이고, 꽃과 잎사귀는 아마 또 다른 것에 속해 있을지도 모르므로." 니콜스의 의견은 어느 쪽인가 하면 너무 신중한 축에 속한다. 그 밖의 장르인 웨스턴이나 미스터리, 로맨스, 역사소설 역시 전혀 순수하지 않기 때문이다. 대뜸 핵심까지 파 들어간다면 마지막으로 남는 것은 이야기들이다. 그냥 이야기 말이다.

그리고 이 책의 마지막 장에 들어 있는 작품들이 바로 그런 이야기에 해당한다. 내가 쓴 이야기들. 여기저기서 취사선택한. 이것들은 신기한 이야기입니다, 독자 여러분. 그냥 신기한 이야기로 봐 주시기를.

첫 번째 단편인 〈포위전〉을 예로 들어 보자. 시간 여행 소설이다. 그래서 당연히 과학소설의 범주에 들어가지만 (그러나 시간 여행 자체가 상당히 비과학적인 판타지가 아니던가?) 원래는 주류 역사소설로 쓰기 시작했던 작품이었다. 만약 독자 여러분이 이 걸작선을 첫 번째 장부터 읽기 시작했고 (응당 그랬어야 한다!) 나의 소싯적 습작들을 건너뛰지 않았다면 이 소설의 어떤 측면들이 묘하게 낯익다는 느낌을 받을 것이다. 당연하다. 〈포위전〉은 프랭클린 D. 스코트 교수와 에릭 J. 프리스 씨의 호의로 내게 A학점과 최초의 불채택 통지를 안겨 준 그리운 옛 친구 〈요새〉를 기반으로 삼고 있기 때문이다. 1968년에 〈요새〉는 서랍 속에서 동면에 들어갔다. 1984년에 나는 이것을 다시 꺼내서 드워프와 약간의 시간 여행을 가미한 다음 〈포위전〉으로 명명했고, 〈옴니〉지의 편집장 엘렌 대틀로우에게 팔았다. (뭐든 버리지 말고 일단 보관해 두면 좋은 일이 생긴다.)

그다음 작품인 〈스킨 트레이드〉는 사립탐정 랜디 웨이드와 늑대인간 겸 채무 회수 에이전트인 윌리가 등장하는 시리즈의 첫 번째 (그리고 유일한) 작품이다. 나는 다크 하비스트 사(社)의 연간 호러 앤솔로지의 1988년도판에 넣기 위해 이 중편을 썼다. 당시 나는 로스앤젤리스에서 TV판 〈미녀와 야수〉 시리즈의 각본을 쓰던 중이었는데, 《나이트비전 5》라는 제목의 이 앤솔러지에 스티븐 킹과 댄 시먼즈와 함께 작품을 싣게 되었던 것이다. 이 두 명의 고수와 같은 경기장에서 경합하려면 크게 분발할 필요가 있다는 사실을 알고 있었다. 결국 수어드 가(街)에 있는 〈미녀와 야수〉의 옛 사무실에서 모두가 퇴근한 뒤에도 컴퓨터 앞에 죽치고 앉아 졸음을 쫓기 위해 커피를 몇 주전자씩 들이켜며 글을 썼다. 비틀거리며 집에 돌아갈 무렵에는 너무나도 신경이 곤두선 탓에 침대에 털썩 누운 뒤에도 제대로 눈을 붙이지 못하는 날이 계속되었다. 소설 주인공인 윌리 플램보의 말투가 TV 드라마 주인공인 빈센트 말투를 닮거나, 아니면 그 반대의 일이 벌어지지 않은 것은 실로 놀랍다고밖에는 할 수 없다. 마감 일자가 다가왔다가 떠나갔지만, 나는 킹과 시먼즈가 탈고한 원고를 보낸 지 몇 달 후에도 여전히 이 중편을 쓰고 있었다. 다크 하비스트의 편집장인 폴 마이컬이 좀 더 원고 쓰는 속도가 빠른 누군가에게 내 자리를 내어 주고 싶은 유혹에 시달렸다는 점에는 의심의 여지가 없다. 그러나 마침내 탈고한 원고를 보내자 폴은 내게 이런 편지를 보내왔다. "좋습니다. 이런 얘긴 죽어도 하고 싶지 않았지만, 기다린 보람이 있군요." 1989년에 〈스킨 트레이드〉는 세계 환상 문학상의 최우수 중편상을 수상했고, 나는 간 윌슨[13]이 직접 디자인한 너무나도 근사하고 음울한 러브크래프트의 흉상을 트로피로 받아 와서 우리 집 벽난로 선반을 장식할 수 있었다. 나는 이따금 그 흉상에 조그만 모자를 씌워 주곤 한다.

〈불완전한 베리에이션〉은 내가 쓴 체스 이야기다. 물론 시간 여행도 약간 들어가 있지만, 대부분은 체스 이야기다. 뉴멕시코 주의 샌타페이로 이주하고 나서 얼마 되지 않았을 무렵, 나는 체스를 다룬 과학소설과 판타지를 엮은 앤솔러지를 낸다는 근사한 아이디어를 떠올렸다. 프리츠 라이버의 〈모피 시계의 밤 12시〉, 진 울프의 〈경이로운 황동제 체스 자동기계〉 그리고 〈체스 리뷰〉지에 처음 실린 러프크래프트풍의 기상천외한 단편 〈폰 굼의 갬빗〉을 복각하면 정말 멋지지 않겠는가. 남은 부분은 새로 쓴 작품들로 채워 넣으면 된다. 나는 체스를 정말 좋아하는 작가들

---

13 Gahan Wilson. 미국의 저명한 일러스트레이터, 카투니스트.

을 많이 알고 있었다.

프레드 세이버헤이겐도 그런 작가들 중 한 사람이었다. 그래서 내가 구상 중인 앤솔러지에 참가하지 않겠느냐는 편지를 그에게 보냈는데, 얄궂게도 프레드 자신이 이미 그런 앤솔러지를 편찬할 계약을 에이스 출판사와 맺은 참이라는 답장이 돌아왔다. 게다가 그는 그 앤솔러지에 서 〈모피 시계의 밤 12시〉와 〈경이로운 황동제 체스 자동기계〉와 〈폰 굼의 갬빗〉을 복각할 예정이었다. 그래서 내 앤솔러지를 위해 프레드가 새 작품을 써 주는 대신, 내가 그의 앤솔러지인 《폰(Pawn)에서 영원까지》를 위해 노스웨스턴 대학의 체스팀 주장 시절의 경험을 살린 중편을 쓰는 것으로 낙착되었다. 물론 〈불완전한 베리에이션〉은 픽션이며, 생존 중이거나 작고한 인물들과 등장인물들 사이의 유사점은 순전히 우연의 일치에 불과하지만…… 내가 전미 대학 체스 선수권에서 주장 자격으로 여섯 팀을 출전시켰고, 이 기록이 30년 가까이 깨지지 않았다는 사실은 짚고 넘어가야겠다.

그에 비하면 중편 〈유리꽃〉에는 좀 슬픈 내력이 있다. 내가 몇십 년 전 창조한 SF 미래 역사인 〈천 개의 세계〉 연작을 위해 쓰인 마지막 작품이기 때문이다. 등장인물인 클레로노마스는 스테판 코발트 노스스타, 에리카 스톰존스, 토모와 월버그 등과 함께 이 미래 역사의 시금석이 되어 준 이름 중 하나이며, 나는 진작 무대에 세웠어야 할 이 전설적 인물의 이야기를 세상에 내놓을 때가 되었다고 판단했다. 〈유리꽃〉은 〈아시모프스 사이언스 픽션〉지의 1986년 9월호에 실렸다. 내가 《왕좌의 게임》 (1996)과 TV 시리즈 〈도어웨이즈〉에 덜미를 잡히기 전에 쓰기 시작했다가 돈좌한 장편소설 《아발론》의 경우를 제외하면, 〈유리꽃〉 이래 나는

〈천 개의 세계〉를 한 번도 방문하지 않았다. 언젠가는 다시 그곳으로 가게 될까? 약속할 수는 없다. 아마 그럴지도 모른다. 이것이 현재 내가 팬들에게 할 수 있는 최선의 대답이다. 아마 그럴지도 모른다는 표현이 가장 정확하다.

〈떠돌이기사〉는 나의 대하 판타지 시리즈 〈얼음과 불의 노래〉의 프리퀄[前篇]에 해당하는 중편이며, 제1장편인 《왕좌의 게임》의 시점에서 90년 전의 웨스테로스 7왕국을 배경으로 삼고 있다[14]. 아시다시피 이 대하소설은 끝나려면 아직 멀었기 때문에 동료 SF 작가인 로버트 실버버그에게서 그가 편찬 중인 초대형 판타지 앤솔러지 《레전드(Legends)》(1998)에 작품을 투고해 달라는 전화를 받지 않았다면 프리퀄을 쓴다는 아이디어는 아예 떠오르지도 않았을 것이다. 물론 예전에도 두꺼운 판타지 앤솔러지들은 있었지만, 실버버그는 스티븐 킹, 테리 프래쳇, 어슐러 K. 르귄을 위시한 세계적인 판타지의 대가들로 이루어진 올스타 캐스트를 구성한 참이었다. 이 책이 큰 반향을 불러일으키리라는 점은 명백했기 때문에 나도 작가 입장에서 꼭 참가하고 싶었다. 그러나 〈얼음과 불의 노래〉 시리즈의 결말이라든지 주요 등장인물들의 운명에 관한 정보를 미리 흘리고 싶지는 않기 때문에 이 경우는 프리퀄이 적당하다는 생각이 들었다. (《레전드》에 투고한 다른 동료 작가들 몇몇도 나와 같은 길을 택했다는 사실이 나중에 판명되었다.)

〈떠돌이기사〉가 하이[大河] 판타지라는 점은 의심의 여지가 없이 명

---

14 〈떠돌이기사〉는 은행나무에서 출간된 〈얼음과 불의 노래〉 시리즈의 오리지널 중편집 《세븐킹덤의 기사》에 따로 포함됩니다. -편집부

백하다. 아니, 그럴까? 모름지기 판타지에는 뭐랄까…… 마법이 필요하지 않나? 〈떠돌이기사〉에는 드래곤이 나온다. 확실하게 등장한다. 그러니까, 투구뿔과 깃발 장식에 말이다. 거기에 톱밥을 채운, 끈에 매달려 춤추는 드래곤도 한 마리 나온다. 아, 그리고 덩크는 나이 든 알란 경에게서 진짜로 살아 있는 드래곤을 한 번 보았다는 얘기를 들은 적이 있다. 아마 그걸로 충분할 것이다. 그래도 충분하지 않다면, 흐음……. 그럼 〈떠돌이기사〉는 진짜 판타지라기보다는 역사 모험물에 더 가깝다고 주장할 수도 있겠다. 문제의 역사가 모두 가상이라는 점을 제외하면 말이다. 그렇다면 이 작품을 뭐라고 불러야 할까? 나한테 묻지는 마시기를. 난 그냥 붓이 가는 대로 썼을 뿐이다. 이 중편을 쓴 이래 나는 〈맹약기사〉라는 속편을 하나 더 썼다. 크리스마스 시즌에 나올 실버버그의 《레전드 II》에 실릴 예정이니 기대하시기를. 내가 지나가던 버스나 더 나은 아이디어에 깔리지 않는 한, 앞으로도 덩크와 에그의 이야기는 계속될 예정이다.

걸작선의 대미를 장식하는 것은 〈아이들의 초상〉이며, 나는 이 노벨레트[短中篇]로 1986년의 네뷸러상을 탔고 휴고상은 못 탔다. 이것은 글쓰기 그리고 우리 같은 작가가 자기 꿈과 공포와 추억을 채굴하면서 지불하는 대가에 관한 이야기다. 〈아이들의 초상〉이 위의 SF상들의 후보로 올랐을 때, 장르적으로 적절한지 아닌지에 대해 활발한 토론이 벌어졌다. 이 소설은 판타지일까, 아니면 인간의 광기를 다룬 일반소설에 불과할까? 어느 쪽도 아닐까, 아니면 양쪽 다일까? 판단은 독자의 몫이다. 좋은 이야기를 쓸 수 있다면 그걸로 나는 만족하니까 말이다. 스스로에 대해 갈등하고 있는 인간의 마음에 관한 이야기는 시대와 장소와 설정을 초월한다. 사랑과 명예와 자긍심과 동정심과 희생정신이 존재하는 한, 키가 크고 호리호리한 예의 낯선 사내가 양자총을 쥐고 있든 6연발 권총을 쥐고 있든 전혀 상관이 없다. 혹은 장검을 쥐고 있다든지?

더스턴 경은 갑옷을 쩔걱거리며 인간의 영역에서 몇천 리그나 떨어진 음산한 땅에 자리 잡은 '공포의 호수' 기슭에서 말을 달렸다. 그의 목적지인 다 무너져 가는 고성(古城)이 가까워지자 그는 고삐를 당겼고…… 바로 그 순간, 키가 크고 호리호리한 엘프 귀족이 달처럼 창백한 손에 빛을 발하는 장검을 쥐고 동굴 입구에서 걸어 나왔다. "검을 버리시오, 더스턴 경." 키가 큰 낯선 사내는 나직하게 명령했다. "그대는 몰랐겠지만, 앞으로 경은 더 이상 요정의 땅을 마음대로 돌아다니지 못할 것이오."

이건 판타지일까, 과학소설일까, 호러일까?
나라면 그냥 이야기라고 부르겠다. 그 뒤의 일은 내가 관여할 바 아니다.

포위전

Under Siege

벵트 안토넨 대령은 바라귄 성의 높은 성벽 위에 홀로 서서 빙원 위를 난무하는 허깨비들을 바라보았다.

눈과 바람과 살을 에는 듯한 추위가 전 세계를 뒤덮고 있었다. 헬싱키 주변의 겨울 바다는 꽁꽁 얼어붙었고, 스베아보리(Sveaborg)라고 불리는 거대한 요새를 이루는 여섯 개의 섬 성채들을 차갑게 에워싸고 있었다. 삭풍이 얼음 칼집에서 뽑은 칼날처럼 안토넨의 군복을 가르고 들어왔다. 뺨이 얼얼해지고 눈물이 핑 돈다. 얼굴을 따라 흘러내린 눈물은 금세 얼어붙었다. 사납게 몰아치는 바람은 깎아지른 듯한 잿빛 화강암 성벽 주위를 돌며 포효했고, 문이든 벽의 균열이든 포좌(砲座)든 가리지 않고 틈새라는 틈새를 모조리 비집고 들어왔다. 바람은 얼어붙은 바다 너머의 러시아 군 대포들을 난타하고 절규하며 눈보라를 일으켰다. 희미하게 반짝이는 새하얀 눈보라는 마치 기이한 짐승처럼 보였고, 잠시 어떤 모습을 취하는가 싶다가도 곧 다른 모습으로 변해 빙원 위를 질주하고, 소용돌이쳤다.

안토넨의 속마음만큼이나 변화무쌍한 존재들. 바람과 눈 사이에서 태어나서 저토록 빠르게 움직이는 저 몽롱한 허깨비들은 다음 순간에는 어떤 형태를 취하는 것일까. 혹시 길들여서 러시아 군을 공격하게 할 수는 없을까. 안토넨은 눈으로 된 짐승들이 적을 덮치는 광경을 상상하며 미소 지었다. 기묘하고, 종잡을 수 없는 생각. 벵트 안토넨 대령은 결코 상상력이 풍부한 인물이 아니었지만, 웬일인지 최근 들어서는 이런 변덕스런 생각에 사로잡히는 일이 잦았다.

안토넨은 또다시 삭풍을 향해 얼굴을 돌렸다. 살을 에는 냉기를 오히려 환영하고 싶은 기분이었다. 그의 가슴을 뚫고 들어와서 그곳에서 들끓고 있는 분노를, 격정을 식혀 줄지도 모르니까 말이다. 그렇게라도 해서 마비되고 싶었다. 냉기는 사납게 요동치던 바다조차도 고요하게 침묵하는 빙판으로 바꿔 놓았다. 냉기여, 이제 이 벵트 안토넨 내부의 격렬한 동요를 가라앉혀 주지 않겠는가. 입을 열고 숨을 길게 내뿜자 증기처럼 하얀 김이 붉게 상기한 그의 뺨 위로 상승했고, 숨을 깊게 들이마시자 액체산소처럼 차가운 공기가 그의 기도를 타고 내렸다.

그러나 이런 사념은 공황을 몰고 왔다. 또, 또 일어나고 있다. 액체산소란 도대체 무엇이란 말인가? 차갑다는 것을 알고 있다. 얼음보다 차갑고, 이 바람보다 더 차갑다. 액체산소는 톡 쏘며 새하얗고, 김을 뿜으며 물처럼 흐른다. 안토넨은 그런 사실을 자기 이름만큼이나 뚜렷하게 알고 있었다. 하지만 어떻게?

안토넨은 성벽에서 몸을 돌렸다. 넓은 보폭으로 성큼성큼 걷기 시작하면서, 마치 그의 마음을 침략한 악마들에 대한 방어책을 찾으려는 듯이 칼자루에 손을 갖다 댔다. 다른 장교들 말이 옳다. 그는 미쳐 가고 있는 것이 틀림없다. 오늘 오후의 참모 회의에서 몸소 증명해 보였듯이 말이다.

회의는 최근 그랬던 것과 마찬가지로 최악의 방향으로 흘러갔다. 안토넨은 예전처럼 다른 참모들을 큰 소리로 매도했던 것이다. 절망적으로, 우직하게. 그러나 그는 옳았다. 그는 알고 있었다. 하지만 다른 사람들을 설득할 가망은 없으며, 그런 말을 입 밖에 낼 때마다 자신의 지위가 위태로워지고, 군인으로서의 경력에 한층 더 악영향을 끼친다는 사실 또한 잘 알고 있었다.

회의에서 예거호른은 또 그 얘기를 꺼냈다. F. A. 예거호른 대령은 안토넨과는 정반대의 인물이었다. 가무잡잡하게 잘생겼고, 세련되었고 신중하며, 귀족적인 자제심을 갖춘 귀족. 예거호른은 연줄이 든든했고, 유력한 친척들을 가지고 있었고, 지금까지 군인으로서도 승승장구해 왔다. 그 무엇보다도 중요한 것은, 예거호른이 스베아보리의 사령관인 카를 올로프 크론스테트 해군 중장에게 신임받고 있다는 점이었다.

예거호른은 회의에 보고서 한 뭉치를 들고 왔다.

"보고서 쪽이 틀렸습니다." 그때 안토넨은 이렇게 고집을 부렸다. "러시아 군 병력은 우리보다 많지 않으니까요. 게다가 제독님, 러시아 인들의 대포는 겨우 40문밖에 되지 않습니다. 우리 스베아보리 요새에는 그 열 배에 달하는 대포가 설치되어 있지 않습니까."

크론스테트는 안토넨의 확신에 찬 말투와 고집스러움에 충격을 받은 기색이었다. 예거호른은 단지 싱긋 웃었을 뿐이었다. "어떻게 그런 정보를 얻을 수 있었는지 물어봐도 되겠나, 안토넨 대령?" 그는 물었다.

이것은 벵트 안토넨이 결코 대답할 수 없는 질문이었다. "난 알아." 그는 고집스럽게 말했다.

예거호른은 손에 든 서류를 소리 내어 흔들어 보였다. "나 자신의 정보는 클릭 중위한테서 온 거라네. 중위는 헬싱키에 있고, 적의 작전 계획, 이동, 병력 상황에 관한 신뢰할 만한 보고서를 직접 입수할 수 있는 위치에 있지." 예거호른은 크론스테트 쪽을 보았다. "제독님, 저는 이 정보가 안토넨 대령의 불가사의한 확신보다 훨씬 더 신뢰할 만하다고 감히 말씀드리겠습니다. 클릭 중위가 보고한 바에 따르면 러시아 군은 이미 병력 면에서 아군을 압도하고 있고, 사령관인 쉬크텔렌 장군은 아군에 대해 주공(主攻)을 펼치기에 충분한 증원군을 곧 받아들일 예정이라고 합니다. 게다가 러시아 군은 지금도 만만찮은 수의 대포를 보유하고 있습니다. 적어도 안토넨 대령이 줄기차게 주장하는 40문보다 더 많은 것만은 확실합니다."

크론스테트는 고개를 끄덕이며 동의했다. 그러나 이런 상황에서도 안토넨은 침묵할 수가 없었다. "제독님." 그는 끈질기게 말했다. "클릭의 보고서는 무시해야 합니다. 그자는 믿을 수가 없습니다. 적군에게 매수됐든가, 아니면 현혹당하고 있는 겁니다."

크론스테트는 미간을 찌푸렸다. "그건 매우 중대한 비난이로군, 대령."

"클릭은 우매할 뿐만 아니라 빌어먹을 아니알라 역도입니다!"

예거호른은 이 말을 듣고 발끈했고, 크론스테트와 몇몇 하급 장교들은 아연실색한 표정을 지었다. "안토넨 대령." 크론스테트가 말했다. "예거호른 대령의 친족들이 아니알라 동맹'의 일원이었다는 건 주지의 사실이지 않나. 귀관의 그런 발언은 모욕이야. 전황이 이토록 엄중한 마당에 내 휘하의 장교들이 사소한 정치적 견해차를 가지고 다투는 건 용납할 수 없네. 당장 사과하게."

선택의 여지가 없어진 안토넨은 어색한 사과의 말을 늘어놓았다. 예거호른은 짐짓 깔보는 듯한 태도로 고개를 까닥하며 동료의 사죄를 받아들였다.

크론스테트 제독은 다시 보고서로 눈길을 돌렸다. "지극히 설득력이 있는 동시에 지극히 걱정스러운 정보로군. 내가 우려했던 대로야. 아군은 궁지에 몰렸어." 제독이 마음을 정했다는 점은 명백했으므로, 더 이상 안토넨이 반박해 보았자 아무 소용도 없었다. 도대체 어떤 광기에 사로잡혔는지 의아한 마음이 드는 것은 바로 이런 때였다. 참모 회의에 들어오기 전에는 앞뒤를 가려 신중하게 처신하자고 굳게 마음먹었건만, 자리에 앉기가 무섭게 기묘한 오만함의 포로가 되는 것은 왜일까. 안토넨은 상식을 무시하면서까지 끈질긴 반론을 전개했고, 신뢰할 만한 서면 보고서에 의해 확인된 명백한 사실들조차 부인했고, 경솔한 언사로 사방에 적을 만들었던 것이다.

"아닙니다, 제독님." 안토넨은 말했다. "제발 클릭의 정보 따윈 무시해 주십시오. 봄에 반격하려면 스베아보리 요새는 필수 불가결합니다. 얼음이 녹을 때까지만 버틴다면 우려할 일은 전혀 없습니다. 일단 바닷길이 열리기만 하면, 스웨덴 본토에서 반드시 원군을 보내 줄 겁니다."

크론스테트 제독의 얼굴은 핼쑥했고, 피곤해 보였다. 노인의 얼굴이

---

1 Anjala League. 제1차 러시아-스웨덴 전쟁(1788~1790) 당시 스웨덴의 속령이자 주요 전쟁터가 된 핀란드에 연고가 있는 고급 장교들이 주축이 되어 적국 러시아의 예카테리나 2세에게 휴전을 탄원하는 밀서를 보낸 사건. 핀란드 민족주의 운동의 효시로 간주된다.

다. "도대체 몇 번이나 같은 얘기를 되풀이해야 만족할 건가? 귀관의 그 논쟁적인 태도엔 이제 넌더리가 나네. 봄의 반격을 위해 스베아보리가 얼마나 중요한지는 나도 잘 알아. 하지만 상황은 명명백백하지 않나. 우리 요새의 방어망에는 치명적인 결점이 있고, 바다가 얼어붙은 탓에 성벽은 사방에 노출되었어. 게다가 우리 스웨덴 군은 패주를 거듭하고 있고—."

"제독님, 그건 러시아 인들이 반입을 허용한 신문의 정보에 불과합니다." 안토넨은 참지 못하고 말했다. "프랑스와 러시아의 신문 아닙니까. 그런 것들이 전하는 소식은 신뢰할 수 없습니다."

마침내 크론스테트의 인내심도 한계에 도달했다. "조용히 해!" 그는 손바닥으로 탁자를 세게 내리치며 말했다. "안토넨 대령, 나는 귀관의 비타협적인 태도를 더 이상 용납할 수가 없네. 자네의 열렬한 애국심에는 경의를 느끼지만, 자네의 판단에 대해서는 그렇지 않아. 앞으로 자네 의견이 듣고 싶을 때는 내가 먼저 그렇다고 말하겠네. 알겠나?"

"예, 제독님." 안토넨은 말했다.

예거호른은 미소 지었다. "보고를 계속해도 되겠습니까?"

크론스테트의 질책은 삭풍만큼이나 쓰라렸다. 회의가 끝난 후 차가운 고독을 곱씹기 위해 쫓기듯이 흉벽 위로 나온 것도 하등 이상할 것이 없었다.

자기 방으로 돌아온 벵트 안토넨 대령의 마음은 암울하고 혼란스러웠다. 어둠이 강림하고 있다는 사실을 그는 알고 있었다. 얼어붙은 바다 위로, 스베아보리 요새 위로, 스웨덴과 핀란드 위로. 그리고 미국 위로. 그는 생각했다. 그러나 나중에 떠오른 이런 생각은 구토감과 현기증을 몰고 왔을 뿐이었다. 안토넨은 양손으로 머리를 싸매고 간이침대 위에 털썩 앉았다. 미국. 미국. 도대체 이건 무슨 미친 소리란 말인가. 스웨덴과 러시아 사이에서 벌어지고 있는 전쟁이 까마득하게 먼 곳에 있는 그런 신생국에게 도대체 어떤 영향을 줄 수 있단 말인가?

그는 일어섰고, 마치 불빛으로 이런 뒤숭숭한 생각을 쫓으려는 듯이 램프에 불을 붙인 다음 간소한 경대 위의 대야에 담긴 탁한 물을 얼굴에 끼얹었다. 대야 뒤에는 그가 수염을 깎을 때 쓰는 거울이 세워져 있었다. 약간 일그러지고 부식된 탓에 뿌옇게 변했지만 쓰는 데는 지장이 없다. 뼈마디가 튀어나온 커다란 손의 물기를 닦다가 문득 거울에 비친 자기 얼굴이 눈에 들어왔다. 낯익은 동시에 묘하게, 소름 끼치게 낯선 얼굴을. 헝클어진 잿빛 머리카락, 암회색 눈, 좁고 곧고 가느다란 코, 약간 홀쭉한 뺨, 네모난 턱. 거의 수척해 보일 정도로 비쩍 마른 얼굴이다. 고집이 엿보이지만 흔해 빠진 얼굴. 지금까지 줄곧 가지고 살아 온 얼굴이다. 벵트 안토넨은 이미 오래전에 자신의 이런 외모를 체념과 함께 받아들였다. 최근까지만 해도 외모 따위에는 아예 신경을 쓰지 않았다는 쪽이 옳다. 그러나 지금은 눈도 깜박이지 않고 스스로의 모습을 응시하고 있었다. 그는 매혹에 가까운 뒤숭숭한 감정이 마음속에서 솟구쳐 오르는 것을 자각했다. 모종의 만족감, 스스로의 형상을 향한 이질적이고 불안한 기쁨이.

병적이고 남자답지 않은 이런 허영심은 광기의 또 다른 징후다. 안토넨은 거울에서 억지로 시선을 떼어 냈고, 의지력을 총동원해서 침대에 누웠다.

오랫동안 잠을 이루지 못했다. 공상적이거나 환상적인 광경이 질끈

감은 눈꺼풀 뒤에서 춤추듯이 어른거린다. 강풍이 만들어 낸 동물들 허상 못지않게 기괴한 것들. 처음 보는 깃발, 반질반질하게 연마된 금속 벽, 폭풍처럼 몰아치는 불길의 소용돌이, 불타오르는 액체의 침대에 누워 잠든 악귀 못지않게 흉측한 모습을 한 남녀들. 갑자기 이 모든 사념이 화상을 입은 살갗의 층이 벗겨지듯이 홀연히 사라졌다. 벵트 안토넨은 잠결에 불안한 듯이 한숨을 내쉬고, 몸을 뒤척이며⋯⋯.

●○

⋯⋯각성 전에는 언제나 고통을 느낀다. 그리고 고통은 언제나 먼저 찾아온다. 오감 너머에 존재하는 여전히 텅 빈 세계의 유일한 현실이. 한순간, 내가 어디 있는지를 모르는 시간이 흐르고, 나는 두려움을 느낀다. 조금 뒤 깨달음이 찾아온다. 돌아오고 있다. 나는 돌아오고 있다. 돌아올 때는 언제나 고통을 느낀다. 돌아오고 싶지 않지만, 돌아와야 한다. 나는 얼음과 눈의 달콤하고 깨끗한 순수함을, 겨울바람의 차갑고 상쾌한 감촉을, 벵트 얼굴의 건강한 윤곽을 원한다. 그러나 그것은 사라진다. 절규하고 그것을 움켜잡으려고 하며, 울고, 흐느껴도 소용이 없다. 그것은 스러지고, 스러지다가, 급기야는 완전히 사라진다.

움직임. 침액(浸液)이 썰물처럼 빠져나가며 사방에서 소용돌이친다. 얼굴이 먼저 노출된다. 넓은 콧구멍으로 공기를 들이마시고, 피를 흘리는 입에서 호흡관들을 뱉어 낸다. 액체가 귀 아래 높이까지 내려가자 콸콸거리며 탐욕스럽게 빨아들이는 소리가 들린다. 흡혈귀 같은 기계들이 내가 있는 자궁의 수액을, 내 두 번째 삶의 검은 피를 빨아 먹고 있다. 살갗에 와 닿는 차가운 공기의 감촉이 고통스럽다. 나는 비명을 지르지 않으려고 노력하고, 훌쩍거림 수준까지 소리를 죽이는 데 성공한다.

위쪽, 내가 누워 있는 수조의 천장은 반들반들한 금속에 들러붙은 엷고 새까만 막으로 덮여 있다. 그것에 비친 내 모습을 볼 수 있다. 실로 뒤숭숭한 모습이다. 튀어나온 긴 코털이 코가 없는 얼굴 위에서 부들부들 떨리고, 오른쪽 뺨은 녹색을 띤 종양으로 퉁퉁 부어 있다. 정말 끝내주는 미남이 아닌가. 내가 미소 짓자 세 줄로 겹친 썩은 아랫니들이 드러나고, 그것들 사이를 비집고 나온 앞니들은 노란 독버섯 밭에 박힌 날카로운 말뚝처럼 튀어나온다. 해방되기를 기다린다. 이 빌어먹을 수조는 너무 작아서 관이나 마찬가지다. 생매장당한 것이나 마찬가지인 나를 실체를 가진 공포가 무겁게 짓누른다. 그들은 나를 싫어하지 않는가. 그래서 내가 여기서 그냥 질식해 죽을 때까지 내버려 둔다면? "열어 줘!" 나는 이렇게 속삭였지만, 들어 주는 사람은 아무도 없다.

마침내 뚜껑이 열리고 당번병들이 나타난다. 레이프와 슬림. 크고 우람한 사내들이다. 희끄무레하고 흐릿한 거인들. 가슴 호주머니 위에 국기를 박아 넣은 제복 차림이다. 그들의 얼굴에 눈의 초점을 맞출 수가 없다. 나는 상태가 좋을 때조차도 시력이 젬병이고, 지금처럼 귀환 직후에는 더더욱 그렇다. 가무잡잡한 쪽이 레이프라는 것은 안다. 점적용 튜브와 원격 측정 장치를 떼어 낸 사람이 바로 레이프였고, 그동안 슬림은 내게 주사를 놓는다. 아아아. 좋다. 통증이 사라진다. 억지로 양손을 움직여 수조 가장자리를 잡았다. 금속의 촉감이 묘하다. 서투르고, 느릿느릿한 동작. 몸이 말을 듣는 데는 한참 걸린다. "왜 이렇게 오래 걸렸어?" 나는 물었다.

"비상사태." 슬림이 말했다. "롤린스." 이 녀석은 퉁명스럽고 말수가 적은 타입이었고, 나를 싫어했다. 더 정보를 얻으려면 질문에 이은 질문을 하는 수밖에 없다. 그러나 내게 그럴 힘은 없었다. 그러는 대신 나는 몸을 일으켜 앉는 일에 집중했다. 내가 있는 방은 청백색의 밝은 형광등 빛에 잠겨 있었다. 너무 오랫동안 어둠 속에 있었던 탓에 눈이 부셔 눈물이 고일 지경이었다. 당번병들은 내가 귀환의 기쁨을 이기지 못하고 울고 있다고 생각했을지도 모르겠다. 이들은 덩치는 클지 몰라도 머리 회전이 그리 빠르다고 할 수는 없었다. 공기는 톡 쏘는 소독약 냄새를 풍겼고 에어컨디셔너가 돌아가고 있는 탓에 차가웠다. 레이프가 관에서 나를 안아 올렸다. 줄지어 늘어선 은빛 관의 수는 여섯 개고, 내 것은 다섯 번째였다. 각각의 관은 방 주위를 에워싼 컴퓨터에 연결되어 있다. 다른 관들은 모두 비어 있는 것을 보니 오늘 밤에 가장 늦게 일어난 흡혈귀는 나인 듯했다. 그러자 생각이 났다. 네 명은 이미 오래전에 죽고 없었다. 남은 것은 롤린스와 나뿐이었지만, 롤린스에게 무슨 일이 일어난 것이다.

당번병들은 나를 휠체어에 앉혔다. 슬림은 내 휠체어를 밀고 관들 옆을 지나 경사로를 올라갔다. 보고하러 갈 시간이다. "롤린스?" 나는 그에게 물었다.

"죽었어."

나는 롤린스가 싫었다. 녀석은 나보다 한층 더 추했다. 팔다리가 없는 뒤틀린 동체와 부어오른 듯한 거대한 두개골을 가진 쭈글쭈글한 난쟁이. 엄청나게 큰 눈은 눈꺼풀이 없는 탓에 감을 수조차 없다.

그래서 자고 있을 때조차 이쪽을 빤히 쳐다보는 듯한 인상을 주곤 했다. 게다가 롤린스는 유머 감각이 전무했다. 그런 것은 눈을 씻고도 찾아볼 수 없었다. 기크는 유머 감각이 없으면 살아갈 수 없다. 그러나 결점이 있든 없든 간에 롤린스는 나의 유일한 동료였다. 그런 그도 지금은 죽었다. 슬프지는 않았다. 그냥 마비된 느낌이다.

내가 보고를 하는 회의실은 어수선하면서도 왠지 살풍경했다. 다들 탁자 너머에서 내가 오기를 기다리고 있었다. 당번병들은 그들 반대편에 내 휠체어를 정지시키고 방에서 나갔다. 탁자는 나와 내 상관들 사이를 가로막는 포마이카제의 긴 벽이다. 일종의 방역선(防疫線)일지도 모르겠다. 나한테 너무 접근했다가 전염되기라도 하면 큰일이니까 말이다. 그들은 정상인이다. 나는…… 나는 뭘까? 징집됐을 때 나는 HM으로 분류되었다. 휴먼 뮤테이션(인간 돌연변이), 제3범주로. 속칭 휴-3다. 휴-1은 성장하지 못하고 사산되거나 영아일 때 사망하거나 식물인간이 되는 경우에 해당한다. 몇백만, 몇천만 명이 이런 식으로 태어났다. 휴-2는 성장하긴 하지만 아무 쓸모도 없는 경우, 즉 여분의 발가락이 달렸거나 손가락 사이에 물갈퀴가 있거나 눈동자가 괴상하거나 하는 경우다. 이런 작자들은 몇천, 몇만 명이나 있다. 그러나 우리 같은 휴-3들은 빌어먹을 엘리트다. 이 작자들 말에 따르면 말이다. 그래서 징집당한 것이다. 이곳, 지하에 자리 잡은 그레이엄 프로젝트 벙커로 온 우리는 새로운 이름을 얻었다. 찰리 그레이엄 옹 본인은 저 세상으로 가기 전에 우리를 '타임라이더'라고 불렀지만, 살라사르 소령에게 그런 명칭은 너무 로맨틱했다. 살라사르는 정부의 공식 명칭인 G. C., 즉 그레이엄 크로노노트[時間飛行士] 쪽을 선호한다. 당번병들과 징집병들은 당연히 이 G. C.를 기크(geek)라는 멸칭으로 바꿔 불렀고, 우리들, 나와 당시에는 살아 있던 낸과 크리퍼는 그 작자들에게 그걸 고스란히 되돌려주었다. 발군의 유머 감각을 발휘, 우리들 자신을 킬러 기크로 명명했던 것이다. 개연성이라는 거대한 닭의 대가리를 잘라 숨통을 끊어 놓기 위해, 시간류(時間流)를 타고 과감하게 돌진하는 여섯 명의 조그만 킬러 기크의 늠름한 모습을 보라. 야호!

이젠 한 명밖에는 없지만.

살라사르는 탁자 위의 서류를 뒤적거리고 있었다. 어딘가 아픈 듯한 기색이다. 가무잡잡한 얼굴은 불건강한 녹색을 띠고 있고, 코의 미세 혈관이 피하출혈을 일으킨 듯하다. 이곳 지하 벙커에서 건강한 사람은 아무도 없지만, 살라사르는 대다수 사람들보다 상태가 더 안 좋아 보인다. 체중도 계속 불어나서 보기 안 좋고, 군복도 너무 꽉 끼어 보인다. 이제 새 군복은 입수할 수 없는데도 말이다. 군의 매점과 공장은 폐쇄된 지 오래고, 몇 년 뒤에는 우리 모두 누더기를 걸치고 있을 게 뻔하다. 나는 살라사르에게 살을 빼라고 충고했지만, 기크의 충고에 귀를 기울이는 사람은 아무도 없다. 대화 주제가 예의 닭일 경우를 제외하면 말이다. "그래서?" 살라사르는 딱딱거리듯이 말했다. 보고를 받으면서 이 따위 태도라니. 3년 전에 이 프로젝트가 시작되었을 때는 그도 체력과 활력이 넘쳐흘렀고, 군인답게 각이 잡혀 있었다. 그랬던 메이지[2]조차도 이제는 예의범절을 따질 여력이 없는 것이다.

"롤린스는 어떻게 된 거야?" 나는 물었다.

베로니카 저코비 박사는 살라사르 옆에 앉아 있었다. 원래 그녀는 이 지하 기지의 주임 정신과의였지만, 그레이엄 크래커[3]들이 모두 저 세상

---

2 Maje. 소령 계급의 속칭.

으로 간 뒤로는 이 프로젝트의 과학 업무를 한 몸에 떠맡고 있다. "사망 트라우마." 직업적인 말투였다. "아마 숙주가 갑자기 전사했을 가능성이 가장 높아 보여."

나는 고개를 끄덕였다. 흔해 빠진 얘기다. 닭 쪽에서 거꾸로 이쪽을 쪼는 경우도 있는 것이다. "그 전에 뭔가 수확을 얻은 건 없고?"

"우리가 아는 한은 없었네." 살라사르는 침울한 어조로 말했다.

내가 예상했던 대로다. 롤린스는 칼 12세[4] 휘하 보병대의 일원이던 어떤 무지한 졸병과 라포르[5]를 형성하는 데 성공했다. 롤린스에게 등을 떠밀린 이 졸병이 왕이라는 그 미치광이 10대 소년 앞으로 가서 폴타바로 가면 안 된다고 설득하려고 하는 우스꽝스러운 광경을 뇌리에 뚜렷하게 떠올릴 수 있었다. 칼 왕은 아마 그 자리에서 그 작자의 목을 매달았을 것이 틀림없다. 아니, 잘 생각해 보면 뭔가 더 극적인 죽음을 맞았을지도 모르겠다. 죽는 데 시간이 걸렸다면 롤린스에게는 공명 상태를 풀고 이탈할 여유가 있었을 테니까 말이다.

"어서 보고해." 살라사르가 재촉했다.

"알았어, 메이지." 나는 느릿느릿하게 말했다. 당사자는 내가 이렇게 부르는 걸 싫어하지만, 크리퍼가 썼던 샐리라는 호칭만큼은 아니었다. 오만무례하기로는 남에게 뒤지지 않는다, 우리 킬러 기크들은. "아무 소

---

3 그레이엄 지하 기지의 과학자들을 통밀로 만든 사각형 비스킷인 그레이엄 크래커에 빗댔다. 원래는 통밀과 밀기울과 곡실눈을 빻아 만든 밀가루만으로 만들며, 1829년에 뉴저지 주의 장로교 목사 실베스터 그레이엄에 의해 자위행위 등의 "육욕을 억제"할 목적으로 발명되었다.
4 Karl XII. 스웨덴 국왕(1682~1718). 발트 해 연안의 패권을 둘러싼 대북방 전쟁 초기 러시아 군을 상대로 승리를 거두었지만 우크라이나의 폴타바 전투에서 대패하고 주도권을 잃었다.
5 rapport. 치료자와 피치료자 사이의 감정적, 무의식적 상호 교류를 가리키는 심리학 용어. 공명.

용도 없었어." 나는 말했다. "크론스테트는 쉬크텔렌 장군을 만나서 항복 협상을 할 작정이야. 벵트가 무슨 말을 하든 꿈쩍하지 않을 거야. 내가 너무 세게 밀어붙인 건지도 모르겠군. 벵트는 자기가 미쳐 간다고 생각하고 있어. 그러다가 맛이 가 버리는 게 아닌지 걱정되는군."

"타임라이더는 그럴 위험을 감수하는 수밖에 없어." 저코비가 말했다. "라포르가 오래 지속되면 지속될수록 숙주에 대한 당신의 영향력은 더 커지고, 상대방이 당신의 존재를 감지할 가능성도 더 커지니까. 그런 자각을 받아들일 수 있는 숙주는 많지 않고." 로니[6]는 듣기 좋은 목소리를 가지고 있고, 언제나 나를 깍듯하게 대한다. 외모가 말쑥하고 키가 큰 그녀는 침착하고 우호적이었고, 무엇보다도 태도가 이루 말할 수 없을 정도로 정중했다. 모두가 지하 깊숙한 곳에 있는 이 벙커로 들어온 이래, 내가 자위할 때 머리에 떠올리는 판타지의 주인공 자리에 등극했다는 사실을 깨닫는다 해도 저렇게 예의 바를 수 있을까? 크래커 상자로 불리는 이 지하 기지에 들어온 여자는 다섯 명에 불과했다. 나머지는 남자 서른두 명에 기크 여섯 명이었고, 여자들 중에서는 그녀가 제일 마음에 든다.

크리퍼도 그녀를 마음에 들어 했다. 그녀의 일거수일투족을 구경하기 위해 그녀의 방에 감시 장치를 설치하기까지 했다. 당사자는 결코 눈치채지 못했다. 크리퍼는 그런 쪽에 천부적인 재능이 있었고, 자기 작업대에서 직접 제작한 조그만 음성 영상 중계기를 기지 안의 온갖 장소에 몰래 설치하곤 했다. 정상적인 삶을 살 수 없다면 적어도 구경이라도 해야

---

6 베로니카의 애칭.

겠다는 것이 그가 댄 이유였다. 어느 날 밤 그는 나를 자기 방으로 초대해서 로니가 기지의 보안 책임자인 핼리버튼 대위―빨강머리를 한 거구의 사내고, 당시 그녀의 애인이었다―를 환대하는 광경을 구경시켜 주었다. 그래, 나도 구경했다. 그 점은 인정하지 않을 수 없다. 그러나 그런 뒤에는 화를 냈다. 나는 로니든 누구든 간에 다른 사람을 몰래 감시할 권리는 없다고 크리퍼에게 내뱉었다. "병신아, 그 자식들도 우리 숙주를 몰래 감시하게 하잖아." 크리퍼는 이렇게 대꾸했다. "그것도 빌어먹을 머릿속으로 들어가서 직접. 은혜를 되갚아 주는 게 뭐 어때서." 나는 이 경우는 다르다고 반론했지만, 워낙 화가 났던 탓에 제대로 설명할 수가 없었다.

크리퍼와 다툰 것은 그때가 유일했다. 긴 안목에서 보면 별 의미가 없는 일이었지만 말이다. 크리퍼는 나 없이도 계속 훔쳐보았기 때문이다. 그러나 크리퍼의 이 은밀한 취미가 들통 나는 일은 결코 없었다. 어차피 상관없는 일이다. 어느 날 타임라이딩에 나선 크리퍼는 다시는 돌아오지 못했기 때문이다. 거구의 굴강한 핼리버튼 대위도 죽었다. 아마 그놈의 보안 순찰을 돌다가 방사능에 과도하게 노출되었기 때문인지도 모르겠다. 내가 아는 한 크리퍼의 감시 장치는 여전히 그 자리에 남아 있었다. 이따금 그의 방으로 가서 로니에게 새 애인이 생겼는지 슬쩍 훔쳐볼까 하는 생각을 하곤 한다. 하지만 그것을 실행에 옮긴 적은 한 번도 없었다. 알고 싶지 않다는 것이 솔직한 심정이다. 그냥 나만의 판타지를 간직하면서 몽정할 수 있도록 내버려 달라. 어차피 그쪽이 훨씬 낫다.

살라사르의 살진 손가락이 탁자를 두들겼다. "어떤 일을 했는지 완전히 설명해 줘." 그는 퉁명스럽게 말했다.

나는 한숨을 쉬고 주문받은 대로 지루한 세부까지 하나도 빠뜨리지 않고 설명해 주었다. 보고를 마친 후 나는 말했다. "문제를 푸는 열쇠는 예거호른이야. 크론스테트의 신임을 받고 있으니까 말이야. 안토넨하고 는 달라."

살라사르는 찌푸린 표정이었다. "예거호른하고 라포르를 확립할 수 있으면 좋으련만." 그는 툴툴거렸다. 또 저렇게 징징거리는 꼴이라니. 무익한 짓이다. 그게 불가능하다는 건 본인도 잘 알고 있으니까 말이다.

"상황을 있는 그대로 받아들여." 나는 말했다. "어차피 불가능한 소원을 말할 생각이라면, 왜 예거호른으로 만족하는 거지? 크론스테트면 어때? 염병할. 차라리 빌어먹을 차르였으면 좋을 거라고 하지그래."

"이 친구 말이 맞아요, 소령님." 베로니카가 말했다. "안토넨하고 접속됐다는 사실에 감사해야죠. 적어도 대령이잖아요. 목표로 삼은 다른 시대들과 비교해도 이만큼 좋은 결과를 얻은 적은 없어요."

살라사르는 여전히 불만스러운 표정이었다. 그의 전공은 전쟁사다. 웨스트포인트 내지는 웨스트포인트였던 것의 잔해에서 여기로 전출되었을 때는 쉬운 업무라고 생각했으리라. "안토넨은 주변 인물에 불과해." 그는 주장했다. "우린 핵심 인물들에 도달해야 해. 그런데도 당신의 크로노노트들은 각주에나 나오는 구경꾼들밖에는 찾아내지 못하니. 부적절한 시기에 부적절한 장소에서 부적절한 인물을 찾아내는 꼴이지. 이런 식으로는 되는 일이 없어."

"이 직업이 위험하다는 건 너도 잘 알고 있었을 거 아냐." 나는 말했다. 이런. 킬러 기크인 내가 슈퍼치킨'의 상투적인 대사를 인용해 버렸다. 발각되면 기크 조합에서 쫓겨나는 건 시간문제다. "우리에겐 고르고 선택할 여지 따위 없어."

살라사르는 오만상을 찌푸리고 나를 보았다. 나는 하품을 했다. "난 지쳤어. 뭔가 먹어야겠군. 아이스크림은 어때. 오늘은 로키로드 아이스크림[8]이 당기는군. 근데 좀 웃기지 않아? 빌어먹을 얼음에 갇혀 있다가 돌아와서 원하는 게 아이스크림이라니." 물론 아이스크림 따위는 없다. 이들이 세계라고 부르는 이 우울한 폐허에서, 지난 반 세대 동안 아이스크림을 맛본 사람은 없었다. 그러나 낸에게 그 얘기를 들은 적은 있었다. 낸은 우리들 사이에서는 가장 연장자였고, 〈대파국〉이 닥치기 전에 태어난 유일한 기크였다. 그리고 그녀는 전쟁 전에는 세계가 어땠는지에 관해 많은 얘기를 해 주었다. 난 그녀가 아이스크림 얘기를 해 줄 때가 제일 좋았다. 그건 매끄럽고 차갑고 달콤했어, 하고 그녀는 말했다. 혓바닥 위에서 살살 녹으면, 입안 가득히 차갑고 맛있는 액체가 넘치지. 그녀는 이따금 성경책을 낭독하는 토드 군목 못지않게 엄숙한 어조로 아이스크림 종류를 열거해 주곤 했다. 바닐라와 딸기와 초콜릿, 퍼지 스월에 프랄린, 럼 레이진에 헤븐리 해시, 바나나 셔벗과 오렌지 셔벗에 민트 초콜릿칩, 피스타치오와 버터 스카치와 커피와 시나몬과 버터 피컨 따위를. 크리퍼는 엉터리 맛을 지어내서 낸을 놀리곤 했지만, 낸은 끄덕도 하지 않고 엉터리 맛까지 자기 목록에 포함시켰다. 그런 뒤로는 애정이 담긴 어조로 안초비 아몬드에 간(肝) 칩에 방사능 리플을 언급했던 것이다. 급기야 나는 진짜 맛과 엉터리 맛을 구별할 수도 없게 되었지만, 그

---

7 1967년에 미국 ABC TV에서 방영된 만화영화 시리즈의 슈퍼히어로 주인공.
8 견과류와 마시멜로가 든 초콜릿 아이스크림.

런 건 전혀 문제가 되지 않았다.

우리는 낸을 가장 먼저 잃었다. 1917년의 상트페테르부르크에는 아이스크림이 있었을까? 그랬으면 좋겠다. 그럼 낸도 죽기 전에 한두 접시쯤 먹을 수 있었을 테니까.

나는 살라사르 소령이 여전히 뭐라고 말하고 있다는 사실을 깨달았다. 한동안 그러고 있었던 듯하다. "……우리의 마지막 기회야." 그는 이렇게 말하고는 스베아보리에 관해 두서없는 소리를 늘어놓기 시작했다. 우리가 여기서 수행하고 있는 일은 정말로 중요하고, 소비에트연방이 생겨나는 것 자체를 막기 위해서는 지금 당장 뭔가를 바꿔야 할 필요가 있으며, 그럼으로써 전 세계를 황폐하게 만든 전쟁을 미연에 방지한다는 식이었다. 예전에도 여러 번 들은 탓에 암기하고 있을 정도다. 소령은 병적 다변증(多辯症) 말기였고, 나도 생긴 것만큼 멍청하지는 않다.

이 모든 것은 그레이엄 크래커들이 내놓은 아이디어에서 비롯되었다. 전쟁에서 이기거나, 아니면 역병과 폭탄과 유독한 바람으로부터 우리만이라도 살아남기 위한 마지막 기회였다. 그러나 역사학자는 소령 한 사람이었기 때문에 컴퓨터가 모든 개연성 분석을 끝낸 뒤에 모든 표적을 선택하는 사람도 그였다. 여섯 명의 기크를 써서 여섯 번 시도한 것이다. 그는 그것들을 '결합점'이라고 불렀다. 역사의 중요 시점이다. 물론 중요도에서는 차이가 났다. 롤린스는 대(大)북방 전쟁[9]에 당첨됐고, 낸은 러시아혁명을 맡았고, 크리퍼는 무려 뇌제(雷帝) 이반의 시대까지 거슬러

9 1700년에서 1721년 사이에 발트 해 연안의 패권을 둘러싸고 스웨덴 제국과 러시아를 주축으로 한 북방 동맹 사이에서 벌어진 전쟁. 스웨덴의 패배로 끝났다.

올라갔던 것이다. 그리고 나는 스베아보리에 당첨됐다. 난공불락의 무적의 요새, 북방의 지브롤터라고 불리는 스베아보리를.

"스베아보리는 적군에게 항복할 하등의 이유가 없어." 소령이 말하고 있었다. 소령 자신의 아이스크림 환상이라고나 할까. 버터 브리키에서 낸이 얻은 종류의 위안을 역사와 전술에서 얻는 것이다. "요새 주둔군은 7천 명에 달하고, 포위 중인 러시아 인들을 병력 수에서 완전히 압도하고 있지. 요새 내부의 대포도 훨씬 더 성능이 좋고 말이야. 탄약도 풍부하고, 식량도 풍부해. 그러니까 바닷길이 열릴 때까지만 버텨 준다면 스웨덴 군은 반격을 개시할 거고, 포위도 쉽게 풀릴 거야. 그러면 전쟁의 추이 자체가 바뀌는 거야! 그러니까 크론스테트가 이성적인 판단을 하도록 반드시 설득해야 해."

"거기로 역사책을 가져가서 자기가 후세에 어떤 평가를 받고 있는지를 보여 줄 수만 있다면, 그 작자는 서커스처럼 불타는 고리로 뛰어들겠지." 나는 말했다. 이런 얘기는 이제 넌더리가 난다. "난 피곤해." 나는 선언했다. "먹을 게 필요해." 그러자 별다른 이유도 없이 갑자기 울고 싶은 충동을 느꼈다. "빌어먹을, 뭔가를 먹어야겠다고. 난 더 이상 말하고 싶지 않아. 알겠어? 난 먹을 게 필요해."

살라사르는 나를 노려보았지만, 베로니카는 내 목소리에 깃든 스트레스를 알아차리고 일어서서 탁자를 돌아왔다. "그거야 쉽지." 그녀는 이렇게 말하고는 소령을 돌아보았다. "이번에 할 수 있는 일은 다 했잖아요. 우선 먹을 걸 좀 가져다줘야겠어요." 살라사르는 불만스러운 듯이 끙 하는 소리를 냈지만 거부할 엄두를 내지 못했다. 베로니카는 내 휠체어를 밀고 나가서 식당 쪽으로 갔다.

퀴퀴한 냄새가 나는 커피와, 정체 모를 고기와 너무 익힌 채소가 담긴 접시 너머로 그녀는 나를 위로해 주었다. 그리 나쁜 솜씨는 아니었다. 결국 그녀는 프로이기 때문이다. 아마 옛 시절에는 딱히 미인이라는 소리를 들을 외모는 아니었을지도 모른다. 옛날 잡지에 실린 여자 사진은 나도 보았기 때문이다. 이런 우중충한 지하 기지에도 오래된 〈플레이보이〉지, 오래된 비디오테이프, 오래된 소설, 오래된 레코드 앨범, 오래된 유머 책 들은 있었다. 물론 헌것들이었고 최근 것은 전무했지만, 오래된 잡동사니들은 잔뜩 쌓여 있다. 나는 당연히 알고 있다. 나는 실질적으로 그런 것들을 먹고 살기 때문이다. 벵트의 두개골 안에서 갈팡질팡하고 있지 않을 때는 언제나 브라운관 앞에 죽치고 앉아서 오래된 TV 프로그램이나 영화를 본다. 페이퍼백을 읽을 때도 있다. 그러면서 모든 것이 아작나기 전에 살던 사람들의 삶이란 어떤 것이었을지 상상해 보곤 한다. 그래서 나는 옛 기준들에 관해 모르는 것이 없다. 그래, 로니는 예를 들어 보, 매릴린, 브리지트, 가르보 같은 여배우들에겐 미치지 못할지도 모른다. 하지만 이 오수 정화조 안에 사는 그 어떤 작자들에 비하더라도 훨씬 나아 보인다는 것이 내 생각이다. 우리 기크들도 기준 미달이라는 점에서는 매한가지다. 크리퍼는 아무리 노력한다 한들 그루초[10]는 될 수 없다. 난 영화배우 지미 캐그니를 빼닮았지만, 뺨의 커다란 녹색 종양과 여분의 노란 치열, 그리고 코가 없다는 사실이 그런 인상을 망쳐 놓고 있다. 아주 조금.

나는 음식을 반쯤 남기고 포크를 내려놓았다. "아무 맛도 안 나. 과거

---

10 그루초 마르크스(1890~1977). 미국의 희극 배우.

로 돌아갔을 때 먹은 음식에서는 맛이 났는데."

베로니카는 웃음을 터뜨렸다. "넌 그래도 운이 좋은 거야. 여기 남아 있는 우리에겐 그런 것밖에 없다고."

"운이 좋다고? 하하. 난 싫든 좋든 차이를 느껴, 로니. 당신은 안 느끼고. 한 번도 느껴 본 적이 없는 걸 어떻게 그리워할 수 있겠어?" 하지만 이런 얘기는 이제 넌더리가 난다. 모든 것이 다 싫다. "체스 둘래?"

로니는 미소 짓고 의자에서 일어나 우리 체스 세트를 가지러 갔다. 한 시간 후 그녀는 첫 번째 게임에서 승리를 거뒀고, 우리는 두 번째 게임을 시작했다. 지하의 이 크래커 상자 안에는 십여 명의 체스 플레이어가 있다. 그레이엄과 크리퍼가 죽은 지금은 로니를 제외하면 나는 그들 모두를 쉽게 이길 수 있었다. 재미있는 건 1808년에 돌아가면 나는 아마 세계 챔피언이 될 수 있다는 점이었다. 지난 2백 년 동안 체스는 장족의 발전을 이뤘고, 나는 당시의 플레이어들은 꿈에도 생각 못 할 오프닝[11]들을 알고 있었다.

"체스는 책에 나와 있는 정석 이상의 게임이야." 베로니카가 말했다. 그제야 나는 방금 한 생각을 무심코 입 밖에 내서 중얼거리고 있었다는 사실을 깨달았다.

"그래도 내가 이겨." 나는 주장했다. "염병할, 몇 세기 동안이나 죽어 있던 작자들이잖아. 날 이겨 보려고 해도 기력이 딸려서 안 될걸."

로니는 미소 짓고 나이트를 움직였다. "체크." 그녀는 말했다.

나는 또 졌다는 사실을 깨달았다. "명색이 세계 챔피언인데, 언젠가는

---

11 opening. 체스 초반의 정석.

각 잡고 한번 제대로 배워야겠어." 나는 말했다.

베로니카는 체스 말들을 다시 상자에 집어넣기 시작했다. "이번 스베아보리 건도 일종의 체스 게임이야." 그녀는 잡담하듯이 말했다. "시간을 초월한 체스 게임, 우리와 스웨덴 인들 대 러시아 인들과 핀란드 민족주의자 사이의 대결이지. 우리가 크론스테트를 상대로 어떤 수를 둬야 한다고 생각해?"

"왜 대화가 다시 이쪽으로 돌아올 거라는 예감이 들었던 걸까?" 나는 말했다. "낸들 어떻게 알겠나. 아마 소령에겐 뭔가 묘안이 있을지도 모르지."

로니는 고개를 끄덕였다. 이제는 심각한 표정을 짓고 있었다. 희고 부드러운 얼굴을 테 두른 검은 머리카락. "절망 속에서 나온 묘안이라고나 할까. 워낙 상황이 절망적이니."

혹시 내가 성공하면 어떤 일이 일어날까? 내가 뭔가를 바꿔 놓는다면? 그럼 베로니카와 살라사르와 레이프와 슬림과 그 밖의 작자들에게는 무슨 일이 일어날까? 어둠에 감싸인 관 안에 누워 있는 나한테는 무슨 일이 일어날까? 물론 가설들은 존재하지만, 무엇이 사실인지 아는 사람은 아무도 없었다. "나도 절망적인 수단에 호소할 준비가 되어 있는 절망적인 사내랍니다, 선생님." 나는 그녀에게 말했다. "은근한 수단을 써 봤지만 쓸모없는 결과밖에 안 나오는 것 같으니 이젠 까놓고 얘기하자고. 내가 벵트한테 뭘 시켰으면 좋겠어? 기관총을 발명하게 할까? 러시아 놈들한테 망명시킬까? 성벽 위에 서서 은밀한 부위를 노출시키게 할까? 뭘 원해?"

베로니카는 말해 주었다.

나는 미덥지 않았다. "성공할 가능성이 없는 건 아냐. 하지만 벵트를 거기서 가장 깊은 곳에 있는 지하 감옥에 처넣는 결과를 가져올 가능성이 더 높아 보이는군. 정말로 돌아 버렸다고 생각할 테니까 말야. 예거호른은 아예 그 자리에서 그 친구를 쏴 버릴지도 몰라."

"아냐." 로니는 말했다. "예거호른은 나름 이상주의자야. 원칙주의자라고나 할까. 위험한 도박이라는 데는 나도 동의해. 하지만 체스 게임에서도 위험을 감수하지 않으면 이길 수 없잖아. 해 주겠어?"

그녀의 미소는 정말 근사하다. 아무래도 나를 좋아하는 것 같다. 나는 어깨를 으쓱했다. "해 보지 뭐. 추지도 못하는 춤을 추는 덴 나도 이제 진력이 났어."

●○

"……국왕에게 두 명의 특사를 파견할 것을 허락한다. 한 사람은 북쪽 길을, 다른 한 사람은 남쪽 길을 통과하게 될 것이다. 특사들은 통행 허가증과 개인적인 안전을 보장받으며, 각자 여정을 완수할 수 있도록 모든 편의가 제공될 것이다. 로난 섬에서 1808년 4월 6일 작성."

합의서를 읽던 장교의 단조로운 목소리가 갑자기 멈췄다. 참모 회의가 열린 방에 죽음과 같은 정적이 깔렸다. 몇몇 스웨덴 군 장교들이 의자 위에서 불안한 듯이 몸을 뒤척였지만, 입을 여는 사람은 아무도 없었다.

크론스테트 제독은 천천히 일어섰다. "이게 우리가 받은 합의서 내용이네. 우리가 놓인 위태로운 상황을 감안하면, 기대했던 것보다 나은 조건이라고 해야겠지. 우리는 화약의 3분의 1을 이미 소비했고, 바다가 얼

어붙은 탓에 요새의 방벽은 사방으로 노출되어 있네. 아군은 병력 수로
도 압도당했고, 피치 못하게 받아들인 피난민들이 우리의 비축 식량을
빠르게 소진시키고 있어. 쉬크텔렌 장군은 즉각 항복하라고 요구할 수
도 있었네. 하지만 신의 은총 덕에 그러지 않았지. 그러는 대신 우리는
스베아보리 요새를 이루는 여섯 개의 섬 중 세 개에 그대로 머물러도 좋
다는 허락을 받았고, 우리를 돕기 위해 파견된 다섯 척의 스웨덴 해군 전
함이 5월 3일까지 도착하는 경우에는 두 개를 되돌려받을 거라는 확약
을 받았어. 만약 스웨덴이 그 날짜를 지키지 못한다면 항복해야 하네. 하
지만 함대는 전쟁 종결과 함께 다시 스웨덴으로 반환될 거고, 이 즉각적
인 휴전 덕에 더 이상의 인명 피해를 막을 수 있네."

크론스테트는 의자에 앉았다. 그 옆에 앉아 있던 예거호른 대령이 뻣
뻣한 동작으로 일어섰다. "스웨덴 전함들이 정해진 날짜에 맞춰 도착하
지 못하는 경우에 대비해서, 질서 정연하게 요새를 넘기기 위한 계획을
짤 필요가 있어." 그는 세부를 논하기 시작했다.

벵트 안토넨은 조용히 앉아 있었다. 이미 예상하고 있던 일이었다. 어
떤 이유에서인지는 모르겠지만, 그렇게 되리라는 것을 알고 있었던 것
이다. 그렇다고 해서 그가 느낀 낭패감이 줄어드는 것은 아니었다. 크론
스테트와 예거호른은 파멸로 이어지는 협상에 동의해 버렸다. 어리석은
짓이었다. 비겁하고, 돌이킬 수 없는 절망적인 선택이었다. 베스테르-스
바르토, 랑고른, 오스테르-릴라-스바르토 섬의 성채들을 당장 적에게
넘겨주고, 나중에 나머지 성채들도 내주어야 하며, 조건부 항복이 한 달
무의미하게 연기된다는 얘기에 불과하지 않는가. 역사는 이들을 매도할
것이다. 학교 수업에서 아이들은 이들의 이름을 저주할 것이다. 그리고

안토넨 본인은 무력했다.

마침내 회의가 끝나자 참석자들은 나가려고 일제히 의자에서 일어났다. 안토넨도 함께 일어났다. 아무 말도 하지 않고, 이번만은 조용히 방에서 나가려고 굳게 결심하고 있었다. 은전 서른 닢[12]에 스베아보리를 팔고 싶어 한다면 팔게 놓아두자. 그러나 몸을 돌리려고 했을 때 그는 강박적인 충동에 사로잡혔고, 방에서 나가는 대신 크론스테트와 예거호른이 꾸물거리고 있는 곳으로 갔다. 두 사람 모두 그가 다가오는 것을 바라보았다. 넌더리를 내는 반면, 체념한 듯한 기색이었다.

"이러면 안 됩니다." 안토넨은 무거운 말투로 말했다.

"이미 끝난 일일세." 크론스테트는 대꾸했다. "이 문제는 더 이상 토의의 대상이 아냐, 대령. 이제 자넨 경고를 받았네. 가서 자네 책무를 다하게." 크론스테트는 일어서서 나가려고 했다.

"당신은 러시아 인들에게 속은 겁니다." 안토넨은 불쑥 내뱉었다.

크론스테트는 동작을 멈추고 그를 쳐다보았다.

"제독님, 제발 제 말을 들어 주십시오. 그 조건, 만약 5월 3일까지 전함 다섯 척이 도착한다면 우리가 요새를 점유해도 좋다는 합의는 협잡입니다. 5월 3일까지 얼음은 녹지 않을 겁니다. 따라서 어떤 배도 우리 요새에는 도달할 수 없습니다. 이 정전협정은 전함들이 5월 3일 정오까지 스베아보리 항구로 들어와야 한다는 조건을 내걸고 있습니다. 쉬크텔렌 장군은 휴전으로 번 시간을 써서 대포를 이동시키고 해상 접근로를 장악할 작정입니다. 그런다면 스베아보리에 접근을 시도하는 어떤

---

12 신약 성서에서 가롯 유다가 예수를 팔고 받은 대가이다.

배도 러시아 군의 맹공격에 노출됩니다. 그것 말고도 또 있습니다. 국왕 폐하에게 보낸다는 그 특사들 말인데―."

크론스테트의 얼굴이 얼어붙은 화강암처럼 차갑게 경직했다. 그는 손을 들어 올렸다. "이제 들을 만큼 들었네. 예거호른 대령, 이 광인을 구금하게." 그는 안토넨의 얼굴을 외면한 채로 탁자 위의 서류를 긁어모았고, 분노한 기색으로 방에서 성큼성큼 걸어 나갔다.

"안토넨 대령, 귀관은 구금 상태에 놓였네." 예거호른은 의외일 정도로 부드러운 목소리로 말했다. "미리 경고하겠는데 저항하지는 말게. 그래 봤자 사태는 더 악화될 뿐이니까."

안토넨은 몸을 돌려 동료 장교를 마주 보았다. 가슴이 미어터질 듯한 느낌이다. "자넨 귀를 기울일 생각이 없어. 아무도 귀를 기울이려고 하지 않아. 지금 자네가 무슨 짓을 하고 있는지 아나?"

"안다고 생각하네." 예거호른은 말했다.

안토넨은 손을 뻗어 상대방의 군복 앞섶을 움켜잡았다. "자넨 몰라. 예거호른, 자네 정체를 내가 모를 거라고 생각하나? 자넨 빌어먹을 민족주의자야. 우린 위대한 민족주의의 시대에 살고 있지. 자네와 그 아니알라 동맹, 자네의 그 빌어먹을 핀란드 귀족들 모두가 핀란드 민족주의자야. 자네들은 스웨덴의 통치에 분개하고 있지. 차르는 핀란드를 자기 비호하의 자주 국가로 인정하겠다고 약속했어. 그래서 자네들은 스웨덴 국왕에 대한 충성 맹세를 저버린 거야."

F. A. 예거호른 대령은 눈을 깜박였다. 그가 다시 평정을 되찾기 직전에 기묘한 표정이 그의 얼굴을 가로질렀다. "자네가 그걸 알 리가 없어." 그는 말했다. "아무도 그 조건에 관해 아는 사람은 없고, 나는―."

안토넨은 상대방의 몸을 마구 흔들었다. "예거호른, 자넨 역사의 웃음
거리가 될 거야. 스웨덴은 이번 전쟁에서 패할 거고. 바로 자네 때문에.
자네가 스베아보리를 포기했기 때문에. 그리고 자넨 소원을 이루겠지.
핀란드는 차르 밑에서 자주 국가가 될 거니까. 하지만 스웨덴 밑에 있는
지금보다 더 자유로워지거나 하진 않을걸. 결국은 벼룩시장에서 중고
의자를 맞바꾸듯이 자네의 국왕을 거대한 분노[13]와 맞바꾼 꼴밖에는 안
돼. 전혀 남는 게 없는 무의미한 거래를 한 거지."

"결국은…… 벼룩을 위한 시장이라고? 그게 무슨 뜻이지?"

안토넨은 양미간을 찌푸렸다. "벼룩 시장은. 벼룩을…… 모르겠어."
그는 예거호른에게서 손을 떼고 몸을 돌렸다. "하느님, 나도 몰라. 그건
물건을…… 팔거나 교환하는 장소야. 일종의 장터지. 벼룩하고는 전혀
상관이 없지만, 묘한 기계들로 가득 차 있고, 묘한 냄새를 풍겨." 그는 손
가락으로 머리를 그러모으며 비명을 지르지 않으려고 악전고투했다.
"예거호른, 내 머릿속에는 악귀들이 가득 차 있어. 하느님, 이제 고백해
야겠어. 목소리, 작게 속삭이는 목소리들이 밤낮으로 들리는 거야. 그 프
랑스 소녀, 처녀 전사 잔(Jeanne)처럼 말이야. 난 앞으로 어떤 일들이 일
어날지를 알아." 그는 예거호른의 눈을 들여다보았고, 그것에 깃든 공포
를 보고는 간원하듯이 양손을 들어 올렸다. "믿어 줘, 내가 원해서 그런
게 아냐. 난 조용하게 해 달라고, 날 놓아 달라고 기도했지만 속삭임은
계속됐고, 난 계속 이런 기이한 발작에 사로잡혔어. 절대로 내가 시작한

---

13 Great Wrath. 대북방 전쟁 말기인 1714년에서 1721년 사이에 있었던 러시아 군에 의한 핀
란드 정복을 의미한다. 이 기간 동안 많은 핀란드 인들이 목숨을 잃거나 강제로 끌려갔다.

일이 아니지만, 뭔가 이유가 있어서 나한테 들려오는 거고, 사실임이 틀림없어. 그게 아니라면 신이 왜 나를 이토록 괴롭혔겠나? 예거호른, 부탁이니 이런 나를 저버리지 말게. 동정심을 가지고, 내 말을 들어 줘!"

예거호른은 도움을 청하는 눈으로 안토넨 너머를 보았다. 그러나 방에 남아 있는 사람은 그들뿐이었다. "응." 그는 말했다. "그 프랑스 소녀처럼 목소리가 들린다, 이거지. 무슨 얘긴지 몰랐던 거야."

안토넨은 고개를 세게 저었다. "듣기는 들었지만, 믿지 않으려는 거야. 자넨 애국자고, 영웅이 되는 걸 꿈꾸고 있지. 하지만 영웅 따위는 결코 될 수 없을 거야. 핀란드의 평민들은 그런 꿈을 자네와 공유하지 않아. 거대한 분노를 기억하고 있으니까. 그들에게 러시아 인들은 오래된 적이고, 증오의 대상에 불과해. 그들은 자네도 그렇게 증오할걸세. 크론스테트도. 아, 가련한 크론스테트 제독. 그는 앞으로 자라날 모든 세대의 핀란드 인들과 스웨덴 인들에게 매도당할 거야. 그는 신생 핀란드 대공국에서 러시아 인의 녹을 먹으며 근근이 여생을 보낼 거고, 1820년 4월 7일에 실의에 빠진 채로 죽어. 로난 섬에서 쉬크텔렌을 만나 러시아에게 스베아보리를 고스란히 넘긴 지 정확히 12년하고 하루가 되는 날에 말이야. 훗날, 몇십 년이 지난 뒤에, 루네베리[14]라는 사내가 이번 전쟁에 관한 연작시를 쓸 거야. 그 친구가 크론스테트에 대해 뭐라고 했는지 아나?"

"몰라." 예거호른은 이렇게 대꾸하고 불안한 미소를 떠올렸다. "자네의 그 목소리들이 말해 주던가?"

---

14 Johan Ludvig Runeberg(1804~1877). 스웨덴 계 핀란드 인 국민 시인.

"암송할 수 있을 때까지 가르쳐 주더군." 벵트 안토넨이 말했다. 그러고는 이렇게 읊기 시작했다.

우리가 굳게 믿었건만 압제 앞에서
움츠러든 팔이라고 그를 부르라
환란, 경멸, 죄악 그리고
죽음과 비통함이라고 그를 부르라
하지만 결코 그의 옛 이름으로 부르지는 말라
같은 이름을 가진 자들이 적면(赤面)하지 않도록

"자네와 크론스테트가 쟁취하려고 하는 영광이란 바로 이런 걸세, 예거호른." 안토넨은 쓰디쓴 어조로 말했다. "이게 자네가 받게 될 역사적 평가야. 맘에 드나?"

예거호른 대령은 안토넨 주위를 슬금슬금 우회해서 이제는 방해받지 않고 문에 도달할 수 있는 위치에 가 있었다. 그러나 여기서 그는 주저했다. "그런 미친 소리를 나더러 믿으라는 건가. 하지만 — 하지만 — 어떻게 차르가 그런 약속을 했다는 걸 알고 있는 거지? 나도 거의 믿어 버리기 직전까지 갔어. 목소리라고? 그 프랑스 소녀처럼? 신의 목소리를 들었다는 건가?"

안토넨은 한숨을 쉬었다. "신이라고? 나도 모르겠네. 목소리가 맞아, 예거호른. 내게 들리는 건 목소리들뿐일세. 자네 말대로 난 미쳤는지도 몰라."

예거호른은 미간을 찡그렸다. "우리를 매도할 거라고 했나? 우리를 배신자라고 하며 탄핵하는 시가 나올 정도로?"

안토넨은 아무 말도 하지 않았다. 광기는 사라진 뒤였다. 이제 그의 마음을 가득 채우고 있는 것은 무력한 절망감이었다.

"아냐." 예거호른은 고집스럽게 말했다. "어차피 때가 늦었네. 휴전 협약에는 이미 서명을 해 버렸어. 우리 명예가 걸린 일이 된 거야. 크론스테트 제독은 완전히 자신감을 잃었고. 가족들이 모두 여기 있고, 그들의 안위를 걱정하고 있는 거지. 쉬크텔렌은 그런 그를 능수능란하게 조종했고, 우리도 맡은 역할을 다했어. 그런 일을 되돌릴 수는 없어. 난 자네의 그런 광기를 믿지 않지만, 설령 믿는다 해도 이젠 아무 희망도 없고, 할 수 있는 일도 없어. 전함들은 날짜에 맞춰 도착하지 못할 거야. 스베아보리는 항복하는 수밖에 없고, 이 전쟁도 스웨덴의 패배로 끝나는 수밖에 없어. 달리 어떤 결과가 나올 수 있단 말이지? 보나파르트 본인과 동맹을 맺고 있는 차르에게 어떻게 대항한단 말인가!"

"그 동맹은 그리 오래가지 않을걸세." 안토넨은 암울한 미소를 지으며 말했다. "프랑스 군은 모스크바로 진군할 거고, 그 과정에서 칼 12세와 마찬가지로 패망하게 되네. 동장군이 폴타바 역할을 하는 거지. 하지만 핀란드 입장에서는 너무 늦은 패망이야. 스베아보리 입장에서도."

"지금조차도 이미 늦었어." 예거호른이 말했다. "이젠 그 무엇도 바꿀 수 없어."

벵트 안토넨은 처음으로 희미하게나마 한 가닥의 희망을 보았다. "아직 완전히 늦지는 않았네."

"그렇다면 우리더러 어떻게 하라는 건가? 크론스테트는 이미 결단을 내렸잖나. 반란을 일으키란 말인가?"

"우리가 참가하든 안 하든 간에 스베아보리에서는 어차피 반란이 일어나게 되어 있어. 실패할 운명이지만."

"그럼 어떻게 하라는 건가?"

벵트 안토넨은 고개를 들고 예거호른의 눈을 똑바로 보았다. "협약서에는 우리가 국왕에게 두 명의 특사를 보내서 휴전 조건에 대해 보고할 수 있다고 명기되어 있네. 늦기 전에 스웨덴 배들을 보낼 수 있도록 말이야."

"응. 크론스테트는 오늘 밤 특사들을 선발할 거야. 내일 보고서를 지니고 쉬크텔렌이 제공한 안전한 경로로 떠날 예정이네."

"자넨 크론스테트의 신임을 받고 있어. 내가 특사 중 한 사람으로 뽑힐 수 있도록 힘을 써 줘."

"자네를?" 예거호른은 미심쩍어하는 기색이었다. "그런다고 무슨 소용이 있단 말인가?" 그는 얼굴을 찡그렸다. "아마 자네가 들었다는 그 목소리는 자네 자신의 두려움이 내는 목소리였는지도 몰라. 너무 오랫동안 여기서 농성하고 있었던 탓일 수도 있겠군. 그 탓에 망가져 버렸고, 이젠 자유의 몸이 되고 싶어 하는 거 아닌가."

"내가 들은 목소리가 진실임을 증명할 수 있네." 안토넨이 말했다.

"어떻게?" 예거호른은 힐문했다.

"내일 새벽 에렌스바드의 묘소에서 만나자고. 거기서 크론스테트가 오늘 밤 선발한 특사들의 이름을 말해 주겠네. 내 말이 사실인 걸로 판명 난다면, 특사들 중 한 사람 대신 나를 보내라고 크론스테트를 설득해 줘. 기꺼이 자네 청을 들어줄 거야. 제독은 나를 쫓아내고 싶어서 안달이니까."

예거호른은 생각에 잠긴 표정으로 턱을 문질렀다. "누굴 골랐는지 아는 사람은 크론스테트 본인밖에는 없어. 공평한 시험인 것 같군." 그는 손을 내밀었다. "동의하겠네."

그들은 악수를 나눴다. 예거호른은 방에서 나가려고 하다가 문득 문간에서 멈춰 서서 뒤를 돌아보았다. "안토넨 대령. 내 임무를 깜박했군. 난 자넬 연금해야 해. 자네 방으로 가서 새벽까지는 거기에 있게."

"기꺼이 그러지." 안토넨은 말했다. "새벽이 되면 내 말이 옳았다는 걸 알게 될 거야."

"그럴지도 모르지." 예거호른이 대꾸했다. "하지만 우리들 모두를 위해서라도 자네 말이 틀렸기를 간절히 기원하겠네."

●○

……그리고 기계는 나를 감싸고 있는 액체 어둠을 빨아들였고, 나는 절규한다. 슬림이 경계하는 듯한 표정으로 흠칫 물러섰을 정도로 크게. 나는 줄줄이 늘어선 썩고 누런 이를 드러내며 기크스럽게 히죽 웃어 보였다. "어이, 또라이, 빨리 여기서 꺼내 줘." 나는 고함을 질렀다. 고통이 온몸을 거미줄처럼 옥죄어 오지만, 지난번보다는 낫다. 이번에는 거의 참을 수 있을 정도다. 적어도 뭔가를 위한 고통이었기에.

당번병들은 내게 주사를 놓고 휠체어에 앉혔지만, 이번에는 나도 빨리 보고를 하고 싶어서 근질근질했다. 나는 의자 바퀴를 움켜쥐고 앞으로 밀었고, 레이프의 손에서 벗어나 옛날 크리퍼와 경주를 하던 시절에 그랬던 것처럼 빠르게 복도를 굴러갔다. 어떤 경사로에서 조금 지체하다가 따라잡혔다. 아이스크림 슈트에 (하여튼 낸은 이런 표현을 썼다) 몸을 감싼 말이 없는 굴강한 사내들. 하지만 나는 손을 떼라고 절규했다. 그들은 손을 뗐다. 정말로 그러는 걸 보고 간이 떨어질 정도로 놀랐다.

내가 혼자서 방으로 굴러오는 걸 보고 메이지는 좀 놀란 기색이었다. 그는 일어서려고 했다. "너 설마……."

"앉아, 샐리." 나는 말했다. "좋은 소식이야. 벵트는 마침내 예거호른을 제대로 홀렸어. 바지에 오줌을 지리는 게 아닐까 하는 생각이 들었을 정도라니까. 이번엔 제대로 맞춘 것 같아. 내일 새벽에 예거호른을 만나서 못을 박을 예정이라고." 나는 내 목소리가 이렇게 말하는 것을 들으며 히죽거렸다. 내일이라. 어이, 넌 1808년 얘기를 하고 있잖아. 하지만 내일처럼 느껴지는 것은 어쩔 수 없다. "자, 이제 6만 4천 불어치 질문[15]을 할 시간이군. 크론스테트가 스웨덴 국왕에게 파견할 특사 두 사람의 이름을 알아야 해. 증거로 말이야. 내가 설득력 있는 증거를 내놓으면 예거호른은 나를 특사로 보내 주겠다고 했어. 그러니까 메이지, 그 이름들이 뭔지 알아내라고. 일단 그 마법의 단어들을 말하면, 아귀가 딱 들어맞으면서 스베아보리는 우리 수중에 떨어질 거야."

"너무 모호한 정보잖나." 살라사르가 불평했다. "특사들은 몇 주나 억류당했고, 항복한 날에야 겨우 스톡홀름에 도착했어. 그런 위인들의 이름은 역사 속에 묻혀 버렸다고 해도 이상할 것이 없어." 징징거리기는. 나는 생각했다. 이 작자가 만족하는 걸 한 번도 못 봤다.

그러나 로니가 구원에 나섰다. "살라사르 소령님, 역사에 묻혔다거나

---

15 The $64,000 Question. 1950년대 미국에서 방영된 TV 게임 쇼.

우리는 모른다거나 하는 대답은 용납될 수 없어요. 여기서 군사학자(軍
史學者)는 소령님밖에 없잖아요. 목표로 삼은 시대를 철저하게 연구하
는 건 소령님 몫이지 않나요." 로니 말투만 듣는다면 그 누구도 살라사
르가 보스라고는 미처 생각하지 못할 것이다. "그레이엄 프로젝트는 최
우선 사항입니다. 우리 컴퓨터 파일하고 스베아보리에 있던 군인들에
관한 자료는 모두 그쪽에 넘겼고, 뉴 웨스트포인트의 군사 대학과도 연
락을 취할 수도 있어요. 잘하면 스웨덴이었던 장소의 생존자들과 접촉
할 수도 있겠고. 어떤 수단을 강구하든 그건 내가 알 바 아니지만, 무조
건 알아내야 해요. 프로젝트 전체, 아니 전 세계의 운명이 그 정보에 달
려 있을 수 있으니까. 우리의 과거와 우리의 미래도 달려 있다는 건 말할
나위도 없겠고." 그녀는 나를 돌아보았다. 내가 박수를 치자 그녀는 미
소 지었다. "잘했어." 그녀가 말했다. "상세하게 설명해 주겠어?"

"물론." 나는 말했다. "누워서 케이크 먹기나 마찬가지였어. 아이스크
림까지 얹은 걸 말이야. 그렇게 얹은 걸 뭐라고 불렀더라?"

"알라모드."

"스베아보리 알라모드." 나는 이렇게 말하고 보자기를 펼쳐 보였다.
쉬지도 않고 말했다. 마침내 내 이야기가 끝나자, 살라사르조차도 떨떠
름하게나마 만족한 기색을 보였을 정도였다.

기크치고는 대단하지 않아? 나는 생각했다. "오케이." 보고를 끝내고
나는 말했다. "그다음엔 어떻게 할까? 벵트가 특사로 임명되는 거 맞지?
그럼 어떻게든 예의 메시지를 전달할 수 있겠군. 쉬크텔렌을 피하고, 억
류당하지 않으면, 스웨덴 군은 기병대를 보내 줄 거고."

"기병대?" 샐리는 당혹스러운 표정을 지었다.

"비유적으로 그렇다는 얘기야." 나는 평소의 나답지 않게 참을성을 발휘했다.

살라사르는 알았다는 듯이 고개를 끄덕였지만, "아냐"라고 대꾸했다. "특사들 말인데 — 쉬크텔렌이 약속을 깨고 여분의 보험 삼아서 그들을 억류했던 건 사실이네. 얼어붙은 바다가 녹을 가능성은 여전히 있었으니까 말이야. 증원 함대도 늦기 전에 도착했을 수 있고. 하지만 특사를 억류한 건 불필요한 예방책이었어. 그해에 헬싱키 주위의 바다는 최종 기한으로 정한 날까지도 녹지 않았거든." 그는 엄숙한 눈으로 나를 보았다. 일찍이 본 적이 없을 정도로 상태가 안 좋아 보였고, 피부가 불건강한 녹색을 띠고 있는 탓에 엄숙한 분위기도 그리 효과를 보지 못했다. "그러는 대신 과감한 일격을 가할 필요가 있어. 자넨 휴전기를 걸고 특사로 파견될 거야. 자네와 다른 또 한 명의 특사는 러시아 군 전선을 무사통과할 수 있는 통행증을 받아 내기 위해서 쉬크텔렌 장군과 접견하겠지. 자네가 일격을 가하는 건 바로 그 시점이야. 특사 파견은 이미 결정된 사항이고, 그 시대의 전쟁에서는 명예를 중히 여겼지. 자네가 배신할 거라고는 아무도 생각 못 할 거야."

"배신?" 나는 말했다. 어쩐지 마음에 들지 않는 단어다.

살라사르의 얼굴에 떠오른 미소는 한순간 거의 본심인 것처럼 보였다. 마침내 뭔가 만족스러운 것을 발견했다는 듯한 표정. "거기서 쉬크텔렌을 죽여."

"쉬크텔렌을 죽여?" 나는 되풀이했다.

"안토넨을 쓰는 거야. 그치의 마음속을 분노로 가득 채워서, 검을 뽑게 만들어. 그걸로 쉬크텔렌을 죽이는 거지."

나는 이해했다. 시간을 가로지르는 체스 게임에서 기사회생의 한 수를 두는 것이다. 기크를 희생시킴으로써.

"그럼 벵트는 살아남지 못할 건데." 나는 말했다.

"그 전에 떨어져 나오면 돼." 살라사르가 말했다.

"즉결 처형 당하는 수도 있어." 나는 지적했다. "바로 그 자리에서 말이야."

"그 정도 위험은 무릅써야지 않겠나. 나라를 위해 목숨을 바친 사람들을 생각해. 이건 전쟁이라고." 살라사르는 양미간을 찌푸렸다. "자네의 성공은 우리의 파멸로 이어질 수도 있어. 과거를 바꾸면 지금 있는 현재는 우리와 함께 아예 존재하는 걸 멈출 수도 있으니. 하지만 우리의 나라 자체는 살아남을 거고, 몇천만 명의 희생자들도 되돌아올 거야. 우리들의 건강하고 행복한 버전들이 우리는 결코 향수하지 못했던 풍성한 삶을 살아갈 수 있는 거지. 자네 자신도 병이나 기형화하고는 무관한 멀쩡한 몸으로 태어나게 될 거야."

"또는 이런 능력과도 무관한 몸으로." 나는 말했다. "그럴 경우에는 나는 과거로 돌아가 그런 일을 할 수 없게 되고, 그럴 경우 과거는 안 바뀐 채로 남겠지."

"그 패러독스는 이 경우엔 해당 안 돼. 이미 설명해 준 적이 있지 않나. 과거와 현재와 미래는 동시에 존재하지 않아. 그리고 그런 변화를 가져오는 건 안토넨이지 자네가 아냐. 안토넨은 그 시대에 속해 있지." 살라사르는 조바심을 내고 있는 듯했다. 굵고 거무스름한 손가락들이 탁자 위를 두들긴다. "여기서 비겁하게 물러서려는 건 아니겠지?"

"모두들 엿이나 먹으라고." 나는 내뱉었다. "아직도 모르나. 난 뭐가 어떻게 되든 상관하지 않아. 이렇게 사느니 난 차라리 죽는 편이 낫다고. 하지만 벵트가 죽잖아."

살라사르는 이마를 찌푸렸다. "그게 어쨌다는 거지?"

지금까지 내 말에 골똘히 귀를 기울이고만 있던 베로니카가 탁자 너머로 손을 뻗어 내 손을 살짝 만졌다. "난 이해해. 넌 벵트와 자신을 동일시하고 있어, 그렇지?"

"좋은 사내야." 나는 말했다. 지금 한 말은 자기방어적으로 들렸을까? 그럼 좋다. 방어적인 게 맞으니까. "멀쩡한 사내를 그렇게 미치게 만드는 것만으로도 가책을 받는 판인데, 죽게까지 할 수는 없어. 난 기형으로 태어났고, 기크야. 태어나면서부터 줄곧 이렇게 포위된 채로 살아왔고, 죽을 때도 여기서 죽겠지. 하지만 벵트에겐 그를 사랑하는 사람들이 있고, 살아가야 할 미래가 있어. 일단 스베아보리를 빠져나가기만 하면, 그 앞에는 전 세계가 가로놓여 있다고."

"죽은 지 거의 두 세기나 되는 인물이잖나." 살라사르가 말했다.

"오늘 오후에 난 그치 머릿속에 있었어." 나는 내뱉었다.

"전쟁의 희생자라고 생각해." 살라사르가 말했다. "전쟁에서 군인은 목숨을 잃는 법이야. 예나 지금이나 그건 피할 수 없는 인생의 현실이라고."

뭔가 다른 것이 마음에 걸린다. "그래, 그럴지도 모르지. 군인이니까. 그건 받아들일 수 있어. 그 직업이 위험하다는 건 본인도 잘 알고 있었을 거야. 하지만 샐리, 안토넨은 명예를 중시해. 우리가 잊어버린 사소한 세부라고나 할까. 전투 중에 죽는 거야 어쩔 수 없지. 하지만 이건 안토넨을 얼어 죽을 자객으로 만들겠다는 얘기잖아. 휴전 규칙을 억지로 위반하게 해서. 명예밖에 모르는 고결한 사내의 인생을 그렇게까지 실추시켜야겠어?"

"목적은 수단을 정당화한다는 걸 모르나." 살라사르는 퉁명스럽게 내뱉었다. "쉬크텔렌을 죽여. 그래, 휴전 법규를 무시하고 말이야. 그럼 휴전도 깨질 거야. 쉬크텔렌의 부사령관은 상관에 비하면 훨씬 덜 교활하고, 쉽게 격앙하는 성격인 데다가 화려한 승리를 갈망하고 있어. 쉬크텔렌을 베라는 명령을 받았다고 그 작자한테 말하라고. 그럼 그는 휴전을 깨고 요새에 맹공을 가하겠지. 스베아보리는 워낙 난공불락이기 때문에 쉽게 그 공격을 격퇴할 거고. 그 과정에서 러시아 군은 막심한 피해를 입을 게 뻔하고, 러시아 군이 먼저 배신했다고 지레짐작한 스웨덴 측의 철저 항전하려는 결심에도 불이 붙겠지. 러시아 군의 약속 따위는 무의미하다는 증거를 자기 눈으로 보면 예거호른도 마음을 바꿀 거야. 루오친살미 해전[16]의 영웅 크론스테트는 스베아보리의 영웅 자리도 꿰차는 거지. 요새는 함락되지 않고 끝까지 버틸 거야. 봄이 되면 스웨덴 군 함대는 스베아보리에 군대를 상륙시키겠지. 러시아 군 후방에서 말이야. 그러는 동안 북방에서 스웨덴 군 본진이 남하할 거고. 그럼 전쟁의 추이 전체가 바뀌게 돼. 나폴레옹이 모스크바로 행군할 즈음이면 스웨덴 군은 이미 상트페테르부르크를 점령할 거고. 차르는 모스크바에서 사로잡혀서 강제로 퇴위당하고 처형당하겠지. 나폴레옹은 괴뢰정부를 수립하고, 후퇴 시에도 서쪽이 아니라 동맹인 북쪽 상트페테르부르크의 스웨덴 군 쪽으로 후퇴하게 돼. 괴뢰정부는 보나파르트의 몰락을 극복하고 살아남

---

16 1790년 7월 핀란드 만에서 스웨덴 함대가 러시아 함대를 격파한 해전.

지는 못하겠지. 하지만 러시아의 왕정복고도 프랑스의 왕정복고만큼이나 단명으로 끝날 거야. 그럼 러시아는 자유주의적인 의회 민주주의를 향해 진화하게 될 거야. 소비에트연방과 미합중국 간의 전쟁은 결코 일어나지 않는 거지." 살라사르는 회의실 탁자를 주먹으로 두들기며 이 마지막 부분을 강조했다.

"그건 당신 의견일 뿐이고." 나는 무심한 어조로 말했다.

살라사르의 얼굴이 붉어졌다. "그건 컴퓨터가 내놓은 예상 결과야." 그는 고집스럽게 말했지만, 나를 외면했다. 시선을 슬쩍 피했을 뿐이지만, 나는 그걸 놓치지 않았다. 흥미롭군. 내 눈을 똑바로 쳐다보지 못하다니.

베로니카가 내 손을 쥐었다. "컴퓨터 예상이 틀렸을 수도 있어." 그녀는 시인했다. "조금 틀렸을 수도 있고, 많이 틀렸을 수도 있겠지. 하지만 우리에게 주어진 건 그게 전부야. 그리고 이번이 마지막 기회고. 안토넨을 걱정하는 네 마음도 알아. 정말로. 그러는 건 정말 자연스러운 일이니까. 몇 달 동안이나 그의 일부가 되어 그의 삶을 살면서 생각과 감정을 공유했으니까. 그런 우려는 칭찬받을 만한 일이지. 하지만 지금은 몇백만 명의 목숨하고 이 한 사람의 목숨을 저울질하는 수밖에 없는 상황이잖아. 이미 오래전에 죽은 사람의 목숨하고 말이야. 결정을 내리는 건 너지만. 아마 인간 역사상 가장 중요한 결정이 될지도 몰라. 오직 너만이 그 결정을 내릴 수 있어." 그녀는 싱긋 웃었다. "그러니까 적어도 신중하게 생각해 줘."

이런 식으로 설득하면서 줄곧 내 조그만 손을 잡는데, 어떻게 저항할 수 있단 말인가. 아, 벵트. 나는 고개를 돌려 그들의 시선을 피하고 한숨을 쉬었다. "오늘 밤에는 남은 술을 내놓아." 나는 지친 목소리로 살라사르에게 말했다. "당신이 쟁여 놓은 전쟁 전의 물건 말이야."

살라사르는 깜짝 놀라 당황하는 기색이었다. 이 싸가지 없는 위인은 자신이 전쟁 전에 제조된 글렌리빗과 아이리시 미스트와 레미마르탱을 몇 병씩 은닉해 놓았다는 사실을 아는 사람은 아무도 없다고 생각했던 모양이다. 사실 크리퍼가 예의 조그만 감시 장치를 몰래 설치해 놓기 전에는 아무도 몰랐다. 야호. "술에 취해 흥청거리는 건 적절하지 않다고 생각하네." 샐리가 말했다. 자기 보물을 지키려는 것이다. 못생기고 비열한 작자인데, 이기적이기까지 하다.

"닥치고 하라는 대로 해." 나는 말했다. 오늘 밤에는 거절당할 생각이 없었다. 난 벤트를 포기하겠으니 너도 술을 좀 포기하라는 데 어쩔 건가. "엉망진창으로 취할 거야." 나는 선언했다. "과거와 현재에 깔려 있는 빌어먹을 망자들에게 건배하고 살아 있는 사람들을 위해 축배를 올릴 때야. 염병할, 규칙에도 그렇게 나와 있어. 닭들을 만나러 가기 전에 기크는 언제나 술병을 딴다고."

●○

벤트 안토넨은 바라권 성 한복판의 안뜰에서 기다리고 있었다. 동트기 전의 추위가 매섭다. 그는 스베아보리를 건조한 사내의 마지막 안식처인 에렌스바드의 묘소를 등지고 서 있었다. 자기 창조물의 품 안에서 평화롭게 잠들어 있는 이 사내의 유골은 요새의 대포와 두꺼운 화강암 성벽 뒤에 안전하게 보관된 채로 위압적인 무력의 보호를 받고 있다. 에렌스바드는 난공불락의 요새를 건조했고, 요새는 여전히 난공불락인 채로 우뚝 서서 그의 안식을 방해하는 자들을 저지하고 있다. 그런 요새를 그들은 포기하려 하고 있었다.

바람이 분다. 검고 공허한 하늘에서 포효하며 불어온 강풍은 텅 빈 안뜰에 자란 나무들의 헐벗은 가지를 흔들었고, 안토넨의 가장 따뜻한 외투 안까지 비집고 들어왔다. 이때 그를 엄습한 한기는 다른 종류의 한기였는지도 모른다. 공포에서 비롯된 오한. 동이 트기 직전이었다. 밤하늘의 별들이 사라지고 있다. 안토넨의 머릿속은 공허했고, 조소와 반향으로 가득 차 있었다. 지평선이 곧 밝아 올 것이다. 그와 동시에 무감동하고, 오만하고, 고압적인 예거호른 대령도 올 것이다. 그러나 안토넨은 그에게 해 줄 말이 없었다.

발소리가 들렸다. 가죽 장화가 돌층계를 밟는 소리. 안토넨은 그쪽으로 몸을 돌렸고, 에렌스바드의 기념비로 이어지는 짧은 계단을 밟고 올라오는 예거호른을 보았다. 그들은 한 걸음 떨어진 곳에서 서로를 마주 보았다. 차가운 어둠 속에서 몸을 움츠리고 서 있는 두 공모자들. 예거호른은 무뚝뚝한 표정으로 고개를 까닥해 보였다. "크론스테트를 만나고 왔네."

안토넨이 입을 열자 차디찬 공기 속으로 하얀 김이 피어올랐다. 그가 그를 채운 공허함에 굴복하고 목소리들이 그를 배신했다고 말하려고 했을 때 마음속 깊은 곳에서 무엇인가가 속삭였다. 그는 두 사람의 이름을 말했다.

너무나도 오랫동안 침묵이 흐른 탓에 안토넨은 또다시 두려움을 느끼기 시작했다. 결국 그건 신의 목소리가 아니라 그의 광기에 불과했던 것일까? 그의 대답은 틀렸던 것일까? 그러나 곧 예거호른은 미간을 찌푸리며 시선을 떨궜고, 결정되었다는 듯이 장갑을 낀 두 손을 소리 내어 마주쳤다. "신이여 우리를 구원하소서." 그는 말했다. "자네를 믿겠네."

"그럼 내가 특사로 파견되는 건가?"

"크론스테트 제독에게는 이미 귀띔해 뒀네." 예거호른은 말했다. "장년에 걸친 자네의 경력과 흠결 없는 복무 기록을 감안해야 한다고 했지. 자넨 명예를 중히 여기는 훌륭한 군인이지만, 애국심이 너무 강하고 포위전의 중압에 시달린 탓에 마음의 균형을 잃었을 뿐이라고 말이야. 자넨 아무 일도 하지 않는 것을 견디지 못하고, 언제나 적극적으로 행동을 갈구하는 유형의 전사야. 그런 사내를 불명예스럽게 구금하는 건 너무 가혹한 처사가 아닌가, 그러니까 특사로 보내서 예전의 과오를 씻을 기회를 주자, 이렇게 제안했지. 나는 자네에 대해 추호도 의심을 품고 있지 않다고 장담했네. 자네를 스베아보리 밖으로 내보내면, 반란으로 이어질지도 모르는 긴장과 불만의 원천을 미리 제거할 수도 있고 말이야. 제독은 상당수의 부하들이 쉬크텔렌과의 협정을 지킬 생각이 전혀 없다는 사실을 잘 알고 있네. 그래서 설득하는 건 쉬웠어." 예거호른은 희미한 웃음을 지어 보였다. "안토넨, 나만큼 설득력이 있는 사람도 없을 거야. 난 보나파르트가 군대를 동원하듯이 반론을 동원할 수 있으니까 말이야. 그러니까 승리는 우리 편이야. 자넨 특사로 임명됐네."

"좋아." 안토넨은 말했다. 그런데도 왜 이토록 끔찍한 기분이 드는 것일까? 고양되어야 옳지 않는가?

"이제 어떻게 할 작정인가?" 예거호른이 물었다. "우린 뭘 목표로 삼아야 하는 거지?"

"그런 얘기로 자네의 마음을 짓누르지는 않겠네." 안토넨은 대답했다. 그 자신도 몰랐기 때문이다. 반드시 특사로 파견되어야 한다는 사실은 어제부터 알고 있었지만, 그 이유가 무엇인지는 여전히 명확하지 않았다. 그의 앞에 가로놓인 미래는 에렌스바드의 묘석만큼이나 차갑고, 예거호른의 흰 입김만큼이나 어슴푸레했다. 파국이 다가오고 있다는 기묘한 예감이 그를 괴롭혔다.

"알았어." 예거호른이 말했다. "내 선택이 현명한 것이었기를 간절히 기원하네." 그는 한쪽 장갑을 벗고 손을 내밀었다. "자네의 지혜와 명예에 모든 걸 맡기겠네."

"내 명예." 벵트는 되풀이했다. 그는 천천히, 너무나도 천천히, 자기 장갑을 벗고 눈앞에 서 있는 망자를 향해 손을 내밀었다. 망자라고? 망자일 리가 없다. 멀쩡하게 살아 있는, 따뜻한 피와 살을 가진 존재가 아닌가. 그러나 헐벗은 나무들 밑의 공간은 춥고 을씨년스러웠고, 안토넨과 악수를 나누는 예거호른의 손은 차갑게 식어 있었다.

"비록 의견 차이가 있긴 했지만." 예거호른이 말했다. "결국 우리 두 사람은 애국자이고 명예를 중시하는 핀란드 인이었어. 이제는 친구 사이가 됐고."

"친구." 안토넨은 되풀이했다. 그러자 그의 머릿속에서, 일찍이 경험한 적이 없는 커다란 속삭임이 들려왔다. 마치 바로 뒤에서 누군가가 속삭인 것처럼 명료하고 강한 어조의 목소리였지만, 어딘가 슬프고 비통한 인상을 주었다. 어이, 치킨 리틀[17]. 목소리가 말했다. 악수하자고. 난 네 친

---

17 Chicken Little. 영국 전래 동화에 등장하는 닭 캐릭터. 기우(杞憂)가 심한 나머지 비이성적이

구 기크라고 해.

●○

그럴 여유가 있을 때 네 송이 장미를 따 모으라, 시간은 화살처럼 날아 가며, 여기 이 기크도 오늘은 미소 짓고 있지만 내일이면 죽을지 모르니까[18]. 야호! 또 취했다. 이틀 밤을 연속해서 소령의 좋은 술을 몽땅 퍼마셨지만 상관없다. 그치는 이제 이런 걸 필요로 하지 않는다. 다음번에 살짝 타임라이드에 나가면 그 작자는 더 이상 존재하지도 않을 테니까 말이다. 적어도 내가 들은 바로는 그렇다. 정확하게 말하자면, 그는 아예 존재한 적도 없는 것이 된다. 잘 생각해 보면 정말 괴상한 얘기다. 굵고 커다란 손가락, 녹색을 띤 불건강한 안색, 시도 때도 없이 징징거리고 불평하는 매력적인 버릇을 가진 우리의 오랜 친구 샐리 살라사르 소령을 오늘 오후 열린 최종 회의에서 만났을 때는 현실 그 자체로밖에 보이지 않았는데 말이다. 그런데 이제 그런 위인은 존재한 적도 없다니 말이 되는가. 크리퍼, 레이프, 슬림이라는 인물들도 존재하지 않았고, 아이스크림에 관해 얘기해 주고 그 맛을 일일이 열거해 주던 낸도 존재한 적이 없다니. 버터 피컨에 럼 레이즌 맛이 고대 도시 니네베와 티레의 전철을 밟았다니. 야호. 그래, 그런 것들은 아예 존재하지도 않았던 것이다. 나는 또 한 잔을 단숨에 들이킨다. 코딱지만 한 방에서 대작 상대도 없이. 홀

고 파멸적인 행동에 나서는 사람들에 대한 풍자로 간주된다.

18 영국 시인 로버트 헤릭(1591~1674)의 대표작의 첫 구절인 "그럴 여유가 있을 때 장미꽃 봉오리를 따 모으라……"를 뒤튼 표현. '네 송이 장미'는 버번위스키 브랜드 Four Roses를 의미한다.

로 최후의 액체 만찬을 즐기는 구세주처럼. 도대체 빌어먹을 사도 새끼들은 어디로 갔나? 아, 다들 나처럼 술을 처먹는 중이었군. 하지만 나와 함께 그럴 생각은 없는 듯하다.

그들이 알 리 없는데. 나와 샐리와 로니를 제외하면 아무도 알 리 없는 일인데도 불구하고, 소문은 이미 쫙 퍼져 있었다. 그렇다. 복도 바깥쪽에서는 열광적인 파티가 벌어지고 있었던 것이다. 술을 먹고, 노래 부르고, 싸우고, 운 좋게도 파트너가 있는 작자들은 떡을 치느라고 정신이 없었다. 아아, 유감스럽게도 내겐 파트너 따윈 없지만. 나도 밖으로 나가 파티에 합류하고, 함께 몇 잔 들이켜고 싶었지만 소령은 안 된다며 거절했다. 너무 위험하기 때문이란다. 기지에 근무하는 어중이떠중이들 중에서는 곧 사라질 운명에 있는 자신의 한심한 인생조차도 아예 존재하지도 않은 비(非)인생보다는 낫다고 판단하는 작자가 나올지도 모른다는 것이다. 그 작자가 원흉인 기크, 즉 나를 없애 버리자고 마음먹는다면 지금까지의 모든 계획을 망쳐 놓을 수 있다. 그래서 나는 기크 구획에 있는 다섯 개의 조그만 방들에 둘러싸인 나 자신의 조그만 방에 틀어박혀 홀로 술을 들이켜고 있는 것이다. 퉁명스럽기 그지없는 표정으로 복도 끝의 출입문을 봉쇄하고 있는 경비병은 파티에 참가해서 마지막 한 잔을 맛보지 못해서 골이 잔뜩 나 있었다.

실은 로니가 여기 들러서 마지막 한 잔을 나눠 마시고, 마지막 체스 한 판에서 나를 또 이겨 주지는 않을까 내심 기대하고 있었다. 마지막으로 서로 살짝 키스를 나눈다든지, 뭐 그런 식의 상상도 했다. 겉보기에는 말도 안 되는 망상처럼 들리겠지만, 난 숫총각인 채로 죽고 싶지 않았다. 설령 진짜 죽는 것이 아니라 해도 말이다. 일단 성공한다면 나는 아예 태어나서 이런 인생을 살지 않은 것이 되기 때문이다. 적어도 이 글을 읽는 당신은 나의 이런 행위가 고결하기 짝이 없는 것임을 인정해야 할 것이다. 어차피 당신 말고는 물어볼 사람도 없다. 한 잔 더 하려고 보니 술병이 거의 비어 있었다. 소령한테 전화를 걸어 한 병 더 가져다 달라고 해야겠다. 로니가 그걸 가져다주지 말라는 법이 어디 있는가? 내일이 되면, 내일의 내일이 되면, 2백 년 전의 내일이 되면 나는 다시는 그녀를 볼 수 없게 된다. 가는 걸 거부하고 우리 유쾌한 기지 가족들을 고스란히 보존할 수도 있었지만, 로니가 그걸 원할 것 같지 않았다. 그녀는 나보다 훨씬 더 강하게 확신하고 있었다. 오늘 오후 나는 그녀에게 샐리의 분석이 부수 효과까지 예상할 수 있느냐고 물어보았다. 그러니까, 우린 이 전쟁의 추이를 바꿔 놓을 작정이 아닌가. 우리는 (아마) 스베아보리 요새를 지키고 차르와 (아마) 소비에트연방의 존재를 없애고, 우리가 겪은 세계 대전이 아예 일어나지 않기를 (아주 열렬히) 희망하고 있었다. 그럼 핵전쟁이나 방사능이나 역병 따위의 근사한 사건은 아예 없던 일이 되고, 크리퍼가 가장 좋아하던 방사능 리플 아이스크림조차도 없던 것이 될지 모르지만, 역사의 다른 부분들까지 없던 일이 된다면 어떻게 되나? 그러니까, 러시아가 그런 식으로 완전히 변해 버리면 우린 알래스카도 잃게 될까? 그럼 보드카도 못 먹는 건가? 조지 오웰도 명성을 떨칠 일이 없어지나? 칼 마르크스도 없던 것이 되나? 사실 우리는 칼 마르크스를 없애려고 시도한 적이 있었다. 기크들 중 한 명인 눈뜬 봉사 제피가 과거로 돌아가서 칼을 암살하려고 했지만, 성공하지 못했다. 아마 눈뜬 봉사에게는 너무 버거운 일이었는지도 모르겠다. 그래서 칼은 그냥 그렇게 내버려 두는 수밖에 없었는데, 잘 생각해 보니 칼 마르크스 따위가 뭐 그리 대수란 말인가? 혹시 그루초 마르크스도 잃게 될까? 아니, 그루초는 아니다. 절대 안 된다. 그런 상황은 생각하기도 싫다. 어젯밤 내가 기크를 쏘았을 때는 잠옷 바람이었는데, 기크가 어떻게 내 잠옷을 입었는지는 상상도 못 하겠다[19]. 하지만 우리 같은 기크가 어디로 튈지 누가 안단 말인가. 빌어먹을 도미노 패들이 사방으로 무너지면서 다른 도미노 패들을 넘어뜨리는 것과 뭐가 다른가. 도미노는 내 취향이 아니다. 나는 체스 플레이어다. 현세로부터 잠시 망명해 있는 체스 세계 챔피언. 그게 바로 나다. 도미노는 정말이지 멍청하기 짝이 없는 게임이다. 나는 로니에게 작전이 성공하지 않으면 어떻게 하느냐고 물었다. 러시아를 판에서 쫓아내고, 흠, 그 대신 히틀러가 2차 세계대전에서 이겨서 나치 독일과 미국이 서로에게 미사일과 세균무기와 화학무기를 퍼붓는 사태가 온다면? 영국과 그렇게 된다면? 아니면 빌어먹을 오스트리아-헝가리 제국하고 그렇게 된다면? 오스트리아-헝가리 제국이 초강대국인 세상이라니 말세도 그런 말세가 없다. 어젯밤 내가 합스부르크 왕족을 쏘았을 때는 잠옷 바람이었고, 왕족한테 그 잠옷을 입힌 건 기크들이었다. 야호.

물론 로니는 확답을 해 주지 않았다. 그녀가 내놓을 수 있었던 최선의 대답은 어깨를 으쓱하고 말에 관한 옛날얘기를 해 주는 것이었다. 옛날 옛적에 어떤 사내가 왕에게 머리를 잘릴 위기에 처했다. 그 사내는 죽기 싫다는 일념으로 1년의 말미를 준다면 왕의 애마에게 사람처럼 말하는 법을 가르칠 수 있다고 장담했다. 어떤 이유인지는 모르지만 왕은 이 아

---

19 그루초 마르크스가 한 말장난을 뒤틀었다. "어느 날 아침 [사냥터에서] 총으로 코끼리를 쏘았을 때는 잠옷 바람이었는데, 코끼리가 어떻게 내 잠옷을 입었는지는 상상도 못 하겠어."

이디어가 마음에 들었다. 〈미스터 에드〉[20]의 팬이었는지 뭔지는 모르겠지만, 하여튼 그 사내한테 1년의 유예기간을 줬던 것이다. 나중에 그 사내의 친구들이 무슨 수로 말에게 사람 말을 가르치느냐고 묻자 사내는 이렇게 대답했다고 한다. 흠, 어쨌든 난 1년을 벌었고, 1년이란 긴 시간이니까 별의별 일들이 일어날 수 있어. 그동안에 왕이 죽을지도 모르고, 내가 죽을지도 모르지. 말이 죽을 수도 있겠고. 아님 말이 정말로 말하기 시작할 수도 있어. 그걸 누가 장담하나.

취했다. 정말로 정말로 많이. 머릿속에서 기크들과 말하는 말과 무너지는 도미노 패와 짝사랑 따위가 마구 뒤섞이다가, 갑자기 꼭 그녀를 만나 봐야 한다는 충동이 몰려왔다. 술병은 비어 있었지만 나는 신중하고 신중하게 그것을 내려놓았다. 기크 방에 깨진 유리가 널려 있게 할 수는 없으니. 그런 다음 휠체어 바퀴를 움직여 천천히 복도로 나갔다. 몸이 말을 잘 듣는다고는 할 수 없었으니까. 복도 끝에 아쉬운 듯한 표정을 한 경비병이 있었다. 조금 안면이 있다. 보안 쪽을 맡은 이 거구의 흑인 사내의 이름은 덱스였다. "어이, 덱스." 나는 바퀴를 굴려 다가가며 말했다. "이런 병신 같은 짓은 집어치우고 우리도 파티하러 가자고. 우리 로니를 만나러 가야겠어." 덱스는 그냥 나를 쳐다보고 고개를 젓기만 했다. "에이, 그러지 마." 나는 이렇게 말하고 갓난애처럼 천진난만하게 눈을 깜박여 보였다. 지나가게 해 줄까? 교황 성하도 똥을 누나? 당연하…… 이런 염병할. "명령이니까 여기서 나가면 안 돼." 느닷없이 격렬한 분노가 치밀어 올랐다. 이건 공평하지 못하다. 로니를 왜 못 본다는 건가. 나는

---

20 사람처럼 말을 하는 말 미스터 에드를 주인공으로 한 1960년대의 미국 TV 시트콤.

혼신의 힘을 다해 바퀴를 돌려 덱스 곁을 지나가려고 했다. 성공할 뻔했다. 아쉽다. 몸을 홱 돌려 내 앞길을 가로막은 덱스는 휠체어를 움켜잡고 밀쳤다. 휠체어는 빠르게 뒤로 굴러가다가 바퀴가 굳으면서 빙 돌더니 뒤집혔다. 나는 바닥으로 튕겨 나왔다. 아프다. 빌어먹을, 정말 아프다. 코가 있었다면 코피가 났을 게 틀림없다. "여기서 나갈 생각 하지 마, 이 기형아 새끼." 덱스가 말했다. 나는 울기 시작했다. 나쁜 자식. 내가 휠체어를 다시 세우고 기어 올라가는 것을 그는 보고만 있었다. 나는 휠체어에 앉아 덱스를 응시했다. 덱스는 그 자리에 서서 나를 응시했다. "부탁이야." 마침내 나는 말했다. 그는 고개를 가로저었다. "그럼 여기로 데려와 줘. 내가 보고 싶어 한다고 전해 주면 돼." 그러자 덱스는 씩 웃고 "지금 바빠"라고 말했다. "지금 살라사르 소령하고 함께 있어. 너 따윈 보고 싶지 않다고 할걸."

나는 그를 계속 응시했다. 상대방의 기를 죽이는, 위협적인 눈으로. 그러나 그는 기가 죽지도 않았고 위협당하지도 않았다. 설마 그럴 리가 없다. 안 그런가? 로니가 소령하고? 로니가 녹색 상판의 샐리하고? 말도 안 된다. 샐리는 로니의 타입이 아니다. 로니는 그보다는 나은 취향을 갖고 있다는 걸 안다. 그렇지 않은가. 거짓말이라고 말해 줘, 조[21]. 나는 휠체어를 돌려 다시 내 방으로 돌아가기 시작했다. 덱스는 시선을 돌렸다. 야호. 속였다.

크리퍼의 방은 내 방 바로 뒤쪽, 복도 끝에 있다. 방 안은 그가 나갔을

---

21 "Say it ain't so, Joe." 1919년 메이저리그에서 발생한 블랙삭스 승부 조작 사건에 연루되어 영구 제명당한 화이트삭스 외야수 조 잭슨의 재판을 다룬 신문 기사 제목.

때의 상태로 고스란히 남아 있었다. 감시 장치를 켜고 빌어먹을 스위치들을 눌러 대며 어떻게 작동하는지 알아보려고 했다. 이 시간, 이 시점에서 내 마음은 그리 명료하다고 할 수 없었기 때문에 좀 시간이 걸렸지만, 마침내 성공했다. 나는 크래커 상자 안을 보여 주는 영상에서 영상으로 옮겨 다니며 크리퍼의 약은 유령이 보여 주는 미국인의 일상생활의 단면들을 만끽했다. 개개의 장면이 나름대로의 매력을 가지고 있었다. 식당에서는 난교(亂交) 파티가 진행 중이었다. 나와 로니가 체스를 두던 바로 그 탁자 위에서 말이다. 거구의 보안 요원 두 사람은 에어록 구획에서 주먹다짐을 하고 있었다. 오랫동안 그렇게 싸우고 있었던 듯하다. 두 사람 모두 얼굴에 피 칠갑을 한 탓에 누가 누군지 분간이 안 될 정도였지만, 비틀거리고 끙끙대면서 상대방을 향해 우악스러운 주먹을 무작정 휘둘러 대고 있었다. 동료들 몇몇은 그런 그들을 에워싸고 갈채를 보내고 있었다. 슬림과 레이프는 내 관에 기대 대마초를 만 것을 나눠 피우고 있었다. 슬림은 내가 타임라이딩을 하지 못하도록 내 관의 배선을 모조리 뜯어내서 완전히 작살내면 어떨까 하는 얘기를 하고 있었다. 레이프는 그냥 내 머리를 바닥에 찧어 박살내는 편이 더 쉬울 거라고 대꾸했다. 아무래도 나에 대한 사랑이 식은 모양이다. 크리스마스 선물을 보낼 사람 목록에서 지워야 하는 건가. 그러나 기크 입장에서는 다행히도, 두 사람 모두 너무 맛이 가서 몽롱해진 탓에 뭔가를 할 수 있는 상태가 아니었다. 나는 대여섯 개의 영상을 더 보았고, 조금 주저하면서도 마침내 로니 방의 영상을 불러내서 그녀가 살라사르 소령과 떡을 치는 광경을 구경했다.

　야호. 크리퍼의 말버릇처럼, 너 도대체 뭘 기대했는데?

내가 명예를 더 사랑하지 않았다면, 애당초 그대를 이만큼 사랑하지도 않았을 터이다[22]. 그녀의 걷는 모습은 아름답다, 밤처럼[23]. 하지만 실제로는 그리 예쁘지 않다. 정말은. 1808년에는 더 사랑스러운 여자들이 얼마든지 있었고, 벵트도 얼마든지 그런 여자들을 손에 넣을 수 있었을 것이다. 예거호른은 아마 더 잘 그럴 수 있었겠지만 말이다. 나의 베로니카는 부패하고 독으로 오염된 벌집 안에서 군림하는 여왕벌에 불과하다. 이제 볼일을 본 듯하다. 얘기하고 있는 걸 보니. 아니, 정확하게 말하자면 소령 혼자서 얘기하고 있다. 소령의 영혼에 신의 가호가 있기를. 그 자신의 아이스크림 장광설을 늘어놓고 있는 중이다. 방금 로니와 섹스를 하고 이제는 침대에 누워 스베아보리 얘기를 하고 있다. 염병할. "⋯⋯대학살이 일어날 가능성은 30퍼센트밖에는 안 돼." 그가 말하고 있다. "요새는 아주 견고해. 난공불락일 정도로. 하지만 러시아 군은 병력 면에서 앞서 있으니까, 증원 규모가 충분하다면 크론스테트의 우려는 현실이 될 수도 있어. 하지만 그조차도 큰 문제는 되지 않아. 사령관이 암살당하면 러시아 군은 군규 따위는 무시할 테니까 말이야. 요새를 점령한 뒤에는 안에 있는 사람들 모두를 무자비하게 학살할 거야. 하지만 스베아보리도 일종의 스웨덴판 알라모 요새가 되겠고, 분기된 역사 경로들은 다시 하나로 합쳐질 거야. 그럴 개연성은 높아. 어느 쪽이든 결과는 동일해." 그러나 로니는 그의 이런 말에 귀를 기울이고 있지 않았다. 내가 한 번도 본 적이 없는 표정을 얼굴에 떠올리고 있었다. 취해서

---

22 17세기 영국의 왕당파 시인 리처드 러브레이스의 시 'To Lucasta, Going to the Wars'에서 인용.
23 바이런의 시 'She Walks in Beauty'의 첫째 구절.

게슴츠레하고, 굶주리고, 두려움에 찬 표정을. 그리고 그녀는 그의 몸 아래로 내려가서 내가 망상밖에는 하지 못했던 어떤 짓을 하고 있었다. 이제는 더 보고 싶지 않아. 그만, 이제 그만, 그만, 이제 그만.

●○

    쉬크텔렌 장군의 사령부는 헬싱키 교외에 자리 잡고 있었다. 또 하나의 교묘한 책략이다. 스베아보리가 그의 군대를 공격하자 포탄 세 발에 한 발은 요새가 지켜야 하는 도시에 떨어졌기 때문에, 크론스테트는 결국 포격 중지 명령을 내리는 수밖에 없었다. 쉬크텔렌은 적의 이런 양보를 평소 때처럼 철저하게 이용했다. 그가 징발한 넓고 안락한 숙소의 창문을 통해, 눈으로 뒤덮인 빙원 너머에 우뚝 서 있는 스베아보리의 잿빛 성벽이 눈에 들어왔다. 크론스테트가 뽑은 또 한 사람의 특사와 함께 대기실에서 기다리고 있던 벵트 안토넨 대령은 침울한 표정으로 그것을 응시했다. 마침내 내실로 통하는 문이 열리며 가무잡잡한 러시아 군 대위가 나타났다. "장군님이 이제 보자고 하십니다." 그는 말했다.
    쉬크텔렌 장군은 폭이 넓은 목제 책상 뒤에 앉아 있었다. 오른편에는 부관이 서 있고, 위병 하나가 문간을 지키고 있었다. 대위는 스웨덴 군 특사들을 대동하고 방으로 들어갔다. 휑하고 널따란 책상 위에는 잉크병과 압지와 서명이 된 두 장의 통행 허가증이 놓여 있었다. 특사들이 러시아 군 전선을 무사통과해서 스톡홀름의 스웨덴 국왕을 만나러 갈 수 있도록 하기 위한 것이다. 한 사람은 남쪽 경로를, 다른 한 사람은 북쪽 경로를 지날 예정이었다. 쉬크텔렌이 러시아 어로 뭐라고 말했다. 부관이 통역했다. 특사들이 타고 갈 말이 준비되었고, 도중에도 새로운 말로 갈아탈 수 있도록 명령을 내려 놓았다는 내용이었다. 안토넨은 묘한 공허함과 뚜렷하게 이유를 알 수 없는 혼란을 느끼며 상대방의 말에 귀를 기울였다. 쉬크텔렌은 특사들이 가게 놓아둘 작정이었다. 그런데 나는 왜 놀라는 것일까? 쌍방의 동의하에 휴전 협약에 명시된 조건이 아니던가. 통역의 단조로운 목소리가 계속되면서 안토넨은 점점 상실감과 무력감에 시달리기 시작했다. 목소리가 명한 대로 온갖 수단에 호소해서 이렇게 이곳에 왔건만, 아직도 그 이유를 몰랐고, 이제 무엇을 해야 하는지조차도 모르고 있는 것이다.

그들은 통행 허가증 하나를 그에게 내밀었다. 손을 내밀어 그것을 받았다. 아마 종이의 감촉 때문이었던 것 같다. 아니면 뭔가 다른 것이었는지도 모른다. 돌연히 시뻘건 분노가 솟구쳐 올랐다. 너무나도 격렬하고 맹목적이고 무자비한 분노였기 때문에 한순간 주위 세계가 깜박이며 사라져 버린 것처럼 느꼈을 정도였다. 바로 그 순간 그는 어딘가 다른 장소에 가 있었고, 연한 녹색 블록을 쌓아 만든 벽으로 에워싸인 방 안에서 벌거벗은 몸들이 뒤엉키는 광경을 목격했다. 그런 다음 다시 제정신으로 돌아왔다. 마음속의 분노는 여전히 뜨거웠지만 이제는 식고 있다. 빠르게. 다들 그를 빤히 쳐다보고 있었다. 방 안에 있는 모든 사람이. 그제야 안토넨은 퍼뜩 깨달았다. 어느새 손에 든 통행 허가서를 바닥에 떨어뜨리고, 그 손으로 장검 자루를 쥐고 있었던 것이다. 칼날을 반쯤 뽑은 상태였다. 쉬크텔렌의 집무실 창문으로 쏟아져 내리는 햇살을 받고 칼날이 둔하게 번득였다. 그들이 더 빨리 반응했다면 아예 칼을 뽑기 전에 저지했을 수도 있겠지만, 워낙 느닷없는 행동이었던 탓에 모두가 허를 찔린 형세였다. 쉬크텔렌은 의자에서 일어나기 시작했다. 마치 슬로모션을 보는 것처럼 천천히. 슬로모션이라니, 그게 뭐지? 벵트는 잠시 의아해했다. 아니, 알잖아, 알잖아. 장검은 이제 완전히 칼집에서 뽑힌 상태였다. 대위가 뒤에서 뭐라고 외치는 소리가 들렸고, 부관은 피스톨을 뽑기 시작했다. 그러나 퀵드로 맥그로[24]하고는 거리가 멀다. 벵트가 제일 빠르다. 야호. 그는 씩 웃었고, 장검을 거꾸로 바꿔 쥔 뒤에 자루 쪽을 쉬크텔렌에게 내밀었다.

"제 검을 받아 주십시오, 장군님. 예거호른 대령이 안부를 전해 달랍니다." 벵트 안토넨은 외경에 가까운 감정을 느끼며 자기 목소리가 이렇게 말하는 것을 들었다. "요새는 이미 수중에 떨어진 거나 마찬가집니다. 예거호른 대령은 특사들의 출발을 한 달 늦추면 어떻겠느냐고 제안했습니다. 우리를 여기 묶어 두면 장군님의 승리는 확실해집니다. 그냥 가도록 놓아둔다면 운 나쁘게도 스웨덴 함대가 오지 않는다는 보장이 어디 있습니까? 5월 3일이 되려면 아직 멀었습니다. 그동안에 왕이 죽을 수도 있고, 말이 죽을 수도 있고, 저나 장군님이 죽을 수도 있습니다. 또는 말이 말을 하는 사태조차 올 수 있는 겁니다."

통역은 피스톨을 집어넣고 통역을 하기 시작했다. 다른 특사가 항의하려고 했지만 헛된 노력이었다. 벵트 안토넨은 자신이 동료인 예거호른조차도 부러워할 달변을 구사할 수 있다는 사실을 깨달았다. 그는 계속 말을 이어 갔다. 그러던 중에 묘하게 힘이 빠지면서 배 속이 울렁거리

---

24 Quick Draw McGraw. 1959년에서 1962년 사이에 미국에서 방영된 만화영화 시리즈. 서부의 총잡이 말이 주인공이다.

고 머리가 어질어질한 순간이 잠깐 왔지만, 걱정할 필요가 전혀 없다는 사실을 알고 있었다. 단지 알약이 효력을 발휘한 것에 불과하다. 머나먼 곳에 있는, 밤의 어둠으로 가득 찬 금속제 관 안에서 괴물 하나가 죽어 가고 있는 것에 불과하다. 그리고 아무도 없었습니다. 야호. 포위전 하나가 끝나 가고, 다른 포위전은 앞으로도 계속되겠지만, 벵트와는 아무 상관도 없는 일이다. 세계가, 나의 거대하고 아삭아삭하고 차갑고 보석으로 장식된 굴이[25], 나를 기다리고 있지 않는가. 이건 멋진 우정의 시작인 것 같아[26]. 염병할, 결국에는 그 작자들을 구원하게 되는 건지도 모르겠다. 내킨다면 말이다. 하지만 그가 원하는 방법으로 그럴 것이다.

잠시 후 쉬크텔렌 장군은 고개를 끄덕였고, 손을 뻗어 그가 내민 검을 받아 들었다.

●○

벵트 안토넨 대령은 스웨덴 왕 구스타프 4세 아돌프에게 보내는 전갈을 지니고 그리스도력 1808년 5월 3일에 스톡홀름에 도착했다. 같은 날 난공불락의 요새이자 북방의 지브롤터로 불리던 스베아보리는 그보다 열세였던 러시아 군에게 항복했다.

교전이 종료되었을 때 안토넨 대령은 스웨덴 군의 장교직을 사임하

---

25 셰익스피어의 희극 《윈저의 명랑한 아낙네들》(1602)에 나오는 대사 "세계는 나의 굴(oyster)이나 마찬가지고, 나는 그것을 칼로 비집어 열겠어"에서 비롯된 관용적 표현. 세계는 원하는 대로 개척하고 획득할 수 있는 것이라는 뜻이다.
26 영화 〈카사블랑카〉(1942) 후반부에서 주인공 릭이 말하는 유명한 대사.

고 영국으로 이주했고, 그 뒤에 다시 미국으로 이주했다. 그는 뉴욕 시에 거처를 정하고 결혼한 후 아홉 명의 자식을 낳았고, 명망 있고 유력한 저널리스트가 되었다. 그는 미래의 동향을 민감하게 포착하는 놀라운 능력으로 사람들의 존경을 샀다. 그러나 이따금 예상했던 것과 다른 결과가 나오면 언제나 놀란 기색을 보였다고 한다. 안토넨은 미 공화당의 창설자 중 한 사람이었고, 그가 쓴 글들은 존 찰스 프레몬트[27]가 1856년의 대통령 선거에서 제임스 뷰캐넌을 누르고 당선되는 데 결정적인 역할을 했다.

죽기 1년 전인 1857년에 안토넨은 뉴욕 체스 대회에서 당대 최고의 체스 마스터였던 폴 모피를 상대로 선전을 펼쳐 유명세를 탔다. 시합에서 진 뒤에 그가 한 유일한 말은 "도미노라면 이길 수 있었는데"였다. 모피의 전기 작가들은 지금도 이 말을 즐겨 인용하곤 한다.

---

27 John Charles Fremont(1813~1890). 미국의 탐험가, 군인, 정치가. 1856년 대통령 선거의 공화당 측 후보로 나섰지만 우리 역사에서는 민주당의 제임스 뷰캐넌에게 패배했다.

스킨 트레이드

The Skin Trade

여자가 사는 아파트에서 한 블록 떨어진 곳, 월리는 피 냄새를 맡았다.
잠시 망설이며 서늘한 밤공기를 향해 다시 코를 킁킁댔다. 가을이다.
강에서 바람이 불어오고, 공기에서는 축축한 비 냄새가 나는. 그러나 불
타는 듯한, 향신료처럼 코를 찌르는 이 쇳내의 정체는 의심의 여지가 없
었다. 인간의 피 냄새가 어떤지는 잘 안다.

조깅 중인 사내가 앞을 달려갔다. 주황색 운동복이 보름달 아래에서
선명하게 번득인다. 윌리는 한층 더 진한 어둠 속에 몸을 숨겼다. 이런
오밤중에 달리기를 하다니 제정신인가? 멍청한 녀석. 신경이 곤두서면
서 나직하게 으르렁거리는 소리가 자기도 모르게 입에서 새어 나왔다.
사내는 깜짝 놀란 얼굴로 주위를 둘러보았다. 윌리는 더 깊숙한 초목 아
래로 기어들어 갔다. 잠시 후 조깅하던 사내는 다시 자전거도로를 달리
기 시작했다. 아까보다는 조금 더 빠른 속도로.

윌리는 기회를 엿보다가 공원 가장자리로 이동했다. 이곳이라면 덤불

에 몸을 숨긴 채 그녀가 사는 작은 아파트 앞쪽 길을 감시할 수 있을 터였다. 건물 앞에는 요란하게 불빛을 번쩍이는 순찰차 두 대가 서 있었다. 도대체 그녀는 무슨 짓을 저지른 것일까?

어디선가 사이렌 소리가 들렸다. 빨갛고 파란 점멸등이 또 하나 다가오기 시작하는 것을 보고 윌리는 크게 동요했다. 주위를 온통 뒤덮은 진한 피 냄새 탓에 머리가 어질어질했다. 윌리는 견디지 못하고 몸을 홱 돌려 공원 안쪽을 향해 달려갔다. 이제는 누가 보든 상관하지 않았다. 단지 이곳에서 멀어지고 싶은 마음뿐이었다. 남쪽을 향해 소리 없이 질주하다가 숨이 차오른 탓에 혀를 길게 빼물고 헉헉거리기 시작했다. 이런 짓을 하기에는 체력이 달린다. 한시라도 빨리 안전한 방으로 돌아가서 안락의자에 누워 '프리마틴 미스트'를 깊게 흡입하고 싶었다.

윌리는 강가로 온 뒤에야 멈춰 섰고, 격한 숨을 몰아쉬며 몸을 떨었다. 피 냄새와 공포에 반쯤 취한 상태였다. 강을 가로지르는 다리의 교대(橋臺) 근처에 웅크리고 앉아 지나가는 차들의 헤드라이트를 응시하고, 엔진 소리에 귀를 기울이며 곤두선 신경을 다독였다.

이윽고 원기를 조금 회복하자 다람쥐 한 마리를 사냥했다. 그 피에서는 뜨겁고 풍요로운 맛이 났고, 그 살을 먹으니 새롭게 힘이 솟구치는 기분이었다. 그러나 빌어먹을 털가죽까지 삼켜 버리는 바람에 나중에 털뭉치를 게워 내야 했다.

● ○

"윌리." 랜디 웨이드는 미심쩍은 표정으로 말했다. "나하고 자고 싶어서 뭔가 엉뚱한 계략을 꾸미는 거라면 일찌감치 꿈 깨는 편이 나을 거야."

몸집이 작은 사내는 랜디의 거실 소파 위에 걸린 타원형 골동품 거울에 비친 자기 얼굴을 바라보며 이런저런 표정을 지어 보다가, 그럴듯하게 슬퍼 보이는 표정이 나온 뒤에야 비로소 몸을 돌려 여자를 마주 보았다. "아니 당신 그런 생각을 하고 있었어? 내가 정말로 그럴 거라고? 도움이 절실하게 필요해서 일부러 만나러 왔는데 이게 뭐야? 사람을 변태 취급이나 하다니 정말 실망이야, 웨이드. 세상에, 우리가 얼마나 오랜 시간을 친구로 지내 왔는지 벌써 잊었어?"

"만나자마자 나하고 자고 싶어서 줄곧 안달했으면서." 랜디가 대꾸했다. "자긴 여자만 보면 껄떡댄다는 걸 이제는 인정하면 어때, 플램보?"

윌리는 능숙하게 화제를 바꿨다. "자기 아파트를 사무실로 쓰다니 너무 아마추어스럽지 않아?" 그러곤 빨간 벨벳으로 치장한 윙백 의자에 앉았다. "아, 내 말을 오해하지는 마. 이 방은 멋지고, 빅토리아풍 가구도 아주 마음에 들고, 또 침실도 언젠가는 꼭 구경하고 싶지만, 모름지기 사립탐정쯤 되면 치안이 별로 안 좋은 지구의 허름한 사무실에서 의뢰인을 맞아야 하는 거 아냐? 문에는 반투명 유리가 끼워져 있고, 책상 서랍 속에는 술병이 하나, 서류 캐비닛에는 먼지가 잔뜩……."

랜디는 쓴웃음을 지었다. "치안이 별로인 지구에서 허름한 사무실을 얻으려면 돈이 얼마나 드는지 알고 하는 소리야? 보시다시피 우리 집엔 자동응답기가 있고, 옐로페이지에도 내 이름이 올라가 있잖아."

"AAA-웨이드 탐정 사무소라." 윌리는 뚱한 어조로 말했다. "그런 이름을 올려놓고 의뢰인이 오기를 바래? 성이 웨이드니까 'W' 항목 아래에 넣어야지. 사람 이름이 모두 A로 시작된다면 하느님이 다른 알파벳

들을 만드셨을 리가 없잖아." 그는 콜록거렸다. "감기에 걸린 것 같아."
마치 모든 것이 그녀의 잘못이라는 투였다. "하여튼 도와줄 거야 안 도
와줄 거야?"

"일단 사정을 모두 들어 봐야지 대답할 수 있어." 대답은 이렇게 했지
만, 랜디는 이미 윌리의 의뢰를 받아들일 작정이었다. 그녀는 윌리를 좋
아했고, 또 지금까지 살아오면서 빚진 것도 있었다. 그녀가 일자리를 절
실하게 원할 때 그는 일자리를 주었고, 친구까지 되어 주었던 것이다. 틈
만 나면 지치지도 않고 그녀를 유혹하려 드는 버릇도 내심 귀여웠다. 물
론 본인한테 그런 얘기를 한 적은 없지만 말이다. "조사 비용이 얼마나
드는지 알고 싶어?"

"조사 비용?" 윌리는 상처 입은 표정으로 말했다. "그놈의 우정은 어
디로 간 거야? 옛날 일을 생각하면 나한테 어떻게 그런 소리를? 점심을
샀던 거 기억 안 나?"

"점심 얻어먹은 적은 한 번도 없어." 랜디는 힐난하듯이 말했다.

"내가 점심 식사에 초대했을 때마다 거절한 건 당신이잖아!"

"파파이스의 엑스트라 스파이시 닭튀김을 한 통 사 가지고 수상쩍은
모텔로 가서 점심을 먹고, 가볍게 한판 뜨자는 제안이 점심 식사 초대
야?"

윌리는 길쭉하고 뚱하게 생긴 데다 고무처럼 늘어나는 이목구비를 이
용해 놀랄 정도로 변화무쌍한 표정을 짓는 게 특기였다. 지금은 지나가
던 차에 자기 강아지가 치어 죽는 것을 목격한 듯한 표정이다. "내가 가
벼운 한판만으로 끝낼 리가 없어." 자존심이 상한 듯했다. 한 번 콜록하
고 기침을 하고는 의자 등받이의 붉은 벨벳 천에 등을 기대는 모습이 기

묘하게 어린애 같은 느낌을 주었다. "랜디." 윌리는 갑자기 두려움과 피로에 가득 찬 어조로 말했다. "이번 일은 절대 농담이 아냐."

랜디가 윌리 플램보를 만난 것은 그가 경영하는 채무 회수 에이전시가 그녀의 헤어진 남편이 남기고 간 빚을 갚으라고 연락을 취해 왔을 때였다. 그때 랜디는 실업 중인 데다가 수중에는 한 푼도 없는 최악의 상황이었다. 윌리는 그런 그녀를 동정하여 자기 회사에 고용했다. 돈을 갚으라고 남을 닦달하는 일은 정말 싫었지만, 일자리를 찾은 것은 하늘에서 내려 준 은총이나 마찬가지였고, 그녀는 결국 그곳에서 받은 봉급으로 빚을 깨끗하게 갚았다. 뺨 한쪽에만 떠올리는 윌리의 미소와 지치지도 않고 줄기차게 계속되는 유혹 그리고 그의 신랄한 지성 덕택에 그녀는 가까스로 폐인이 되지 않고 살아남을 수 있었다. 윌리가 '지옥 사냥개'라고 부르는 채무 회수 에이전시를 그만둔 뒤에도 그들은 이따금 연락하곤 했다.

윌리는 원인 모를 병에 걸려 죽을지도 모른다고 구시렁거리는 버릇이 있었지만, 이렇게 두려워하는 것은 처음 본다.

랜디는 소파에 앉았다. "그럼 얘기해 봐. 문제가 뭐야?"

"〈쿠리어〉 오늘자 조간 봤어? 파크웨이에서 여자가 살해당했다는 기사 말이야."

"훑어봤어."

"내 친구였어."

"하느님 맙소사." 랜디는 윌리의 말을 심각하게 들어 주지 않은 것을 후회했다. "윌리, 정말 미안해."

"아직 애나 마찬가지였어." 윌리가 설명했다. "스물셋이었지. 당신도 만났다면 마음에 들었을 거야. 활기차고 매력이 있었지. 머리도 좋았고. 고등학교를 졸업한 이래 줄곧 휠체어 신세를 지고 살았어. 졸업 파티 때 사고를 당했거든. 데이트 상대가 술을 너무 많이 마셨던 거야. 끝까지 몸을 허락하려고 하지 않으니까 화가 나서 과속으로 달렸고, 세미 트레일러와 정면충돌했다는군. 여자 입장에서는 날벼락이지. 그 녀석은 즉사했어. 조운은 가까스로 살아남았지만 척수가 절단됐고, 허리 아래로 반신불수가 됐어. 하지만 결코 인생을 포기하지 않았어. 대학에 들어가서 우등생으로 졸업하고 좋은 데 취직했거든."

"오래전부터 알고 지내던 사이야?"

윌리는 고개를 가로저었다. "아니. 만난 건 1년 남짓 됐어. 말하자면 조운은 난생 처음 신용카드를 받고 너무 기쁜 나머지 좀 오버했던 거야. 무슨 뜻인지 알지? 그래서 어느 날 난 그 아이 아파트로 갔고, '가위 씨'를 소개해 줬지. 그러던 중에 어느새 친해졌어. 어떻게 보면 당신하고 나 사이에 일어난 일과 비슷하군." 윌리는 고개를 들고 그녀의 눈을 똑바로 쳐다보았다. "시체는 훼손되었다고 들었어. 도대체 누가 그런 짓을 했다고 생각해? 죽이는 것만으로도 모자라서……." 윌리는 씨근거리고 있었다. 천식 탓이다. 그는 말을 멈추고 크게 한 번 심호흡을 했다. "염병할, 도대체 왜 그런 짓을 한 걸까? 시체를 훼손하다니. 맙소사, 이건 정말 끔찍한 표현이지만, 도대체 어떤 식으로 훼손했다는 걸까? 그러니까 살인마 잭(Jack the Ripper)이라도 나타났다는 뜻일까?"

"글쎄, 그게 마음에 걸려?"

"나는 마음에 걸려." 윌리는 마른 입술을 핥았다. "오늘 경찰에 전화해서 자세한 얘기를 들어 보려고 했지만 씨알도 안 먹히더군. 내가 신원을 밝히지 않는 이상 아무 정보도 줄 수 없다나. 장의사한테도 알아봤어. 관 뚜껑을 닫은 채로 초상을 치르고 유해는 화장할 예정이라는군. 아무래도 진상을 숨기는 것 같아."

"어떤 식으로?" 그녀가 물었다.

윌리는 한숨을 내쉬었다. "지금부터 내가 하는 말은 정말로 이상하게 들릴지도 모르지만……." 그는 손가락으로 머리를 훑었다. 크게 동요한 기색이었다. "만약 조운이…… 그러니까 갈기갈기 찢기고, 그뿐만 아니라…… 흐음, 시체 일부를 먹혔다면…… 그러니까 말인데 일종의 동물이 그런 짓을 했을 가능성은 없을까?"

윌리는 말을 계속했지만, 랜디는 더 이상 듣지 않았다.

온몸에 냉기가 돌았다. 오래되고 빛바랜 이 냉기는 두려움으로 가득차 있었고, 갑자기 그녀는 다시 열두 살 시절로 되돌아가서 주방 문간에 우뚝 선 채로 엄마가 내는 이상한 소리를 듣고 있었다. 소름 끼치게 높고 가냘픈 호읍(號泣)을. 남자들은 여전히 그녀에게 말을 걸며 설명해 주려고 노력했다. 일종의 동물입니다라고 남자가 말했다. 엄마는 그 말에 귀를 기울이거나 이해하는 것 같지 않았지만, 랜디는 이해했다. 랜디가 큰소리로 그 말을 되풀이하자 모든 사람들의 눈이 그녀에게 쏠렸다. 경찰한 사람이 맙소사, 아이가 왔잖아라고 말했다. 마침내 엄마가 일어서서 그녀를 침실에 데려다 줄 때까지 남자들은 모두 랜디를 빤히 응시했다. 침대 시트에 몸을 감쌌을 때 참지 못하고 흐느끼기 시작한 것은 랜디가 아니라 엄마였다. 랜디는 결코 울지 않았다. 그때도 울지 않았고, 장례식에서도 울지 않았다. 그 뒤로도 결코 운 적이 없었다.

"어이, 어이! 당신 괜찮아?" 윌리가 물었다.

"괜찮아." 그녀는 날카로운 어조로 대답했다.

"제길. 깜짝 놀랐잖아. 내가 지금 고민하는 거 당신도 알잖아? 아까 당신 표정은 마치…… 염병할, 뭐라고 표현해야 할지 모르겠지만, 그런 얼굴을 한 사람하고 어두운 골목에서 마주치고 싶지는 않더군."

랜디는 월리를 노려보았다. "신문 기사에는 조운 소렌슨이 살해되었다고 나와 있었어. 동물의 습격을 받고 죽었다면 살해됐다고는 안 해."

"법적 용어를 가지고 이러쿵저러쿵하지는 말아 줘, 웨이드. 정확하게는 몰라. 실제로 동물이었는지조차도 모른다고. 내 머리가 돌아 버린 건지도 모르겠군. 편집증이나 뭐 그런 것 때문에 말이야. 기사에는 소름 끼치는 세부 설명 따위는 나오지 않았어. 그 고약한 신문은 많은 사실을 그냥 덮어 둔 거야." 월리는 의자에 앉은 채로 몸을 꿈틀거리고, 손가락으로 팔걸이를 두들기며 빠른 숨을 내쉬었다.

"월리, 할 수 있는 일은 모두 해 보겠지만, 이런 사건이 일어났으니 경찰에서 샅샅이 수사할 거야. 내가 끼어든다고 해서 뭔가를 더 알아낼 가능성은 별로 많지 않아."

"경찰이라." 월리는 뚱한 어조로 말했다. "경찰은 못 믿겠어." 그는 고개를 가로저었다. "랜디, 만약 경찰이 그 아이 물건을 조사하면 내 이름이 나올 거야. 주소록이나 뭐 그런 데 쓰여 있는 거 말이야."

"그럼 용의 선상에 오를지도 몰라서 걱정하는 거야?"

"염병할, 나도 모르겠어. 그럴지도 모르겠군."

"알리바이는 있어?"

월리는 매우 우울한 표정을 지었다. "아니. 없다고 해야겠지. 그러니까 법정에서 증거로 제출할 만한 알리바이는 없다는 뜻이야. 그날 밤 나는 그 아이를 만날 예정이었어. 빌어먹을, 달력 날짜 밑에 내 이름이 커다랗게 쓰여 있다고 해도 하등 이상할 게 없겠군. 난 경찰이 내 뒤를 캐는 걸 원하지 않아. 무슨 뜻인지 알지?"

"무슨 뜻인데?"

윌리는 얼굴을 찌푸렸다. "나처럼 선량하기 짝이 없는 인물도 남에게 알리고 싶지 않은 비밀 한두 가지는 있는 법이야. 염병할, 당신 누드 사진을 잔뜩 갖고 있는 게 발각되기라도 하면 도대체 뭐라고 설명해야 하지?" 랜디가 이 농담에도 웃지 않자 윌리는 세차게 고개를 흔들었다. "그러니까 경찰 나리들한테는 살인 사건 수사 말고도 더 중요한 임무들이 많잖아. 그러고 보니 난 최근 1년 동안 주차 위반 딱지조차도 받은 적이 없어. 도대체 이 도시가 어디까지 타락할 수 있는지 궁금해질 지경이군." 그는 또다시 씨근대기 시작했다. "얼어 죽을, 이거 또 흥분되기 시작하는군. 모두 당신 때문이야, 웨이드. 혹시 그 청바지 안에 가랑이가 찢어진 섹시 팬티라도 입은 거 아냐?" 윌리는 비난하는 투로 그녀를 쏘아보며 코트 주머니에서 프리마틴 미스트가 든 통을 꺼내더니 플라스틱제 주둥이를 입에 쑤셔 넣고는 천식 약을 분사해서 세차게 빨아들였다.

"기분이 좀 나아진 것 같네." 랜디가 말했다.

"당신은 나를 최대한 도와줄 용의가 있는 것 같으니까 하는 말인데, 혹시 지금 입은 옷을 모두 벗어 주는 서비스도 포함되어 있을까?" 윌리는 기대에 찬 어조로 말했다.

"그런 서비스는 없어." 랜디는 단호한 어조로 말했다. "하지만 의뢰는 받아 줄게."

●○

　리버 스트리트는 결코 고급 주택가라고 할 수 없지만, 윌리는 이곳이 펴이나 마음에 들었다. 강가의 고지대에 사는 부자들은 고색창연한 빅토리아 양식 저택의 박공 창문이나 지붕 위의 망대를 통해 '강변의 풍광'을 만끽하지만, 윌리의 경우는 자기 집 창문 바로 아래에 강이 흐르고 있었다. 이곳에서는 밤낮으로 물이 흐르는 소리나 강기슭의 말뚝으로 몰려온 물결이 철썩거리는 소리가 들렸다. 안개가 짙어지면 무적(霧笛) 소리가 울려 퍼지고, 날씨 좋은 날 오후에는 보트 놀이를 하는 사람들의 환성이 들리곤 한다. 검푸른 수면은 달빛을 반사하고, 고독을 원한다면 자정 무렵 다 썩어 가는 전용 잔교에 앉아 강을 바라볼 수도 있었다. 윌리가 사는 저택은 방이 열한 칸이었다. 예전에는 모두 사무실로 쓰였는데, 남자 화장실―소변기가 포함된―뿐만 아니라 여자 화장실―생리대 자동판매기가 딸린―까지 갖추고 있었다. 나무 바닥은 진짜 경재(硬材)고, 오래된 멋진 천창이 여러 개인 데다 그놈의 은행 대출만 받을 수 있다면 주방까지도 증축할 작정이었다. 지금은 쓰지 않지만 1층에는 맥주 양조장까지 있기 때문에 원한다면 전용 맥주를 만들어 마실 수도 있다. 통풍이 잘되는 이 붉은 벽돌집은 백 년 전에 지어졌는데, 이 집이 위치한 저지대가 치안이 별로 안 좋은 곳으로 간주되기 시작한 것도 대략 그때부터였다. 현재 이 근처에서 판자로 창문을 봉인하지 않은 건물들은 모두 공장 따위로 쓰이기 때문에 이웃도 얼마 없었다. 이것이야말로 가장 마음에 드는 점이었다.
　주차 또한 아무 문제가 없었다. 윌리가 소유한 낡은 라임그린색 캐딜락은 번쩍거리는 크롬 차체에 지느러미까지 달린 괴물처럼 거대한 물건이었지만, 현관에서 60센티미터도 안 떨어진 잔교 앞에 세워 두면 그만이었다. 현관의 자물쇠를 모두 열려면 5분은 족히 걸렸다. 윌리는 자물쇠 신봉자였다. 특히 리버 스트리트 같은 곳에서는. 양조장은 어둡고 조용했다. 그는 집 안으로 들어가자마자 현관문의 자물쇠를 모두 잠근 뒤 빗장을 지르고는 2층으로 터벅터벅 올라갔다.

윌리는 랜디에게 실토한 것 이상으로 두려웠다. 어젯밤에 피 냄새를 맡고 조운이 뭔가 정말로 멍청한 사고를 쳤다고 생각했을 때도 동요했지만, 다음 날 조간을 보고 피해자가 다름 아닌 그녀라는 사실을 알았을 때는 하늘이 무너지는 기분이었다. 게다가 고문을 당한 뒤에 살해당하고 신체까지 훼손당했다니. 하느님 맙소사, 훼손당했다니 도대체 그게 무슨 뜻이란 말인가. 혹시 동류(同類) 중 누군가가…… 아니, 그럴 리가 없다. 생각만 해도 속이 뒤집힐 지경이다.

양조장을 가동할 당시에 사장실로 쓰던 거실은 강에 면해 있었고, 나름대로 괜찮은 가구들이 놓여 있었다. 스타일이 가지각색인 탓에 통일성이 전혀 없었지만 윌리는 개의치 않았다. 십여 년에 걸쳐 하나둘씩 모아 온 것들이었다. 새 가구는 할부금을 갚지 못한 사람들한테서 직접 회수했고, 골동품 가구는 오래전에 빚을 졌지만 갚을 가망이 전무한 자들의 집에서 현금 대신 가져온 것들이었다. 설령 채무 회수가 불가능하다고 낙인찍힌 채무자일지라도 윌리는 예외 없이 무엇인가를 받아 내는 재주가 있었다. 그런 식으로 회수해 온 물건이 마음에 들 경우에는 의뢰인에게 추정가의 10에서 20퍼센트밖에 안 되는 금액을 지불하고 자기 것으로 만들었다. 이렇게 해서 좋은 가구를 헐값에 장만했던 것이다.

핫플레이트로 물을 끓이려고 하는데 전화벨이 울리기 시작했다.

윌리는 몸을 돌려 전화기를 응시하며 얼굴을 찌푸렸다. 받고 싶지 않았다. 경찰일 수도 있으니까. 하지만 랜디나 이번 사건과는 아무 관련도 없는 지인의 전화일 수도 있었다. 그는 여전히 찌푸린 얼굴로 걸어가서 수화기를 들어 올렸다. "여보세요."

"잘 있었나, 윌리엄." 윌리는 누군가가 차가운 손으로 그의 등골을 훑는 듯 오싹한 느낌을 받았다. 조너선 하먼의 목소리는 성량이 풍부하고 온화했지만, 윌리는 이 목소리를 들을 때마다 그런 느낌을 받는다. "계속 자네한테 연락하려고 했네."

보나 마나 그랬겠지. 속으로는 이렇게 생각했지만, 입에서는 다른 말이 흘러나왔다. "아, 외출 중이어서⋯⋯."

"몸이 불편한 젊은 여자 소식은 들었겠지, 물론."

"조운이라고 불러." 윌리의 어조가 느닷없이 거칠어졌다. "그 아이 이름은 조운이었어. 그래, 들었지. 신문에 나온 얘기밖에는 모르지만."

"난 그 신문사를 소유하고 있다네." 조너선이 지적했다. "윌리엄, 몇몇이 블랙스톤에서 만나 얘기를 나눌 예정이야. 조하고 에이미는 벌써 왔고, 마이클도 곧 올 거야. 스티븐은 차를 몰고 로렌스를 데리러 갔고. 자네도 시간이 빈다면 오는 길에 함께 데리고 올 수 있네."

"싫어." 윌리는 단호하게 내뱉었다. "날 싸게 보는 건 상관없지만, 내 시간은 결코 공짜가 아냐." 이렇게 말하며 웃었지만 내심의 동요를 감출 수는 없었다.

"윌리엄, 자네 목숨이 위태로울지도 몰라."

"아, 물론 그렇겠지. 이 개자식, 방금 날 협박한 거야? 미리 얘기해 두

겠는데, 난 내가 아는 일을 하나도 빠짐없이 전부 편지에 써서 두 친구한테 보냈어." 물론 그러지는 않았지만, 지금 생각해 보니 괜찮은 아이디어처럼 느껴졌다. "만약 내가 조운하고 같은 꼴을 당한다면 경찰이 그 편지를 받을 거야, 알겠어?"

윌리는 조녀선이 냉정한 목소리로 "나는 경찰도 소유하고 있다네"라고 말할 거라고 반쯤 예상했지만, 전화선 너머에서는 단지 침묵과 잡음만이 들려올 뿐이었다. 이윽고 한숨 소리가 들렸다. "조운 때문에 동요하는 건 알지만……."

"입 닥쳐." 윌리는 상대방의 말을 가로막았다. "그 아이에 관해 이러쿵저러쿵할 권리는 당신한테 없어. 난 당신이 그 애한테 어떤 감정이었는지 잘 알아. 그러니까 귀를 후비고 똑똑히 들어, 하먼. 당신이나 당신의 그 빙퉁그러진 아들놈이 이번 사건하고 조금이라도 관련이 있다면, 난 블랙스톤으로 직접 가서 직접 당신 숨통을 끊어 놓겠어. 두고 보라고. 조운은 착한 아이였고, 조운은…… 조운은……." 갑자기 이번 일이 일어난 이후 처음으로 윌리의 마음은 그녀의 기억으로 가득 찼다. 그녀의 얼굴, 웃음소리, 덥다고 투덜거릴 때 그녀가 풍기던 냄새, 함께 달렸을 때 그녀의 근육이 우아하게 약동하던 모습, 몸을 섞었을 때 그녀가 내던 신음 소리. 이런 기억 모두가 한꺼번에 돌아왔고, 윌리는 뺨에 눈물이 흐르는 것을 느꼈다. 가슴을 마치 무쇠로 된 띠 여러 개가 조여 오는 듯한 느낌을 받았다. 조녀선이 뭐라고 말했지만 윌리는 귀를 기울이지도 않고 수화기를 쾅 내려놓은 뒤 전화선을 잡아 뺐다. 핫플레이트 위의 주전자 물이 신나게 부글부글 끓고 있었다. 호주머니를 뒤져 흡입기를 꺼내 한껏 들이마신 다음 주전자에서 올라오는 김에 머리를 들이밀고 호흡이 정상으로 돌아올 때까지 기다렸다. 그러는 새에 눈물은 말랐지만 마음의 고통은 사라지지 않았다.

나중에 자신이 내뱉은 말과 자기 입으로 한 협박에 관해 생각해 보자 몸이 부들부들 떨리기 시작했다. 결국 아래층으로 내려가서 자물쇠가 모두 잠겼는지를 재차 확인해야 할 정도였다.

●○

쿠리어 광장은 황량했다. 대형 백화점은 진작 교외의 쇼핑몰로 이전했고, 궁전처럼 호화롭던 옛 영화관들은 멀티스크린 상영관으로 쪼개지거나 포르노 상영관이 되었다. 한때 최신 유행을 선도하던 고급 상가에는 이제 손금을 봐 주는 점집이나 성인용 서점 들이 들어앉았다. 혹시 랜디가 치안이 별로인 지구에서 허름한 사무실을 얻고 싶어 한다면 이 쿠리어 광장이야말로 안성맞춤이었다. 이 지구에 다소나마 생기가 돌고 있는 것은 신문사가 여전히 버티고 있기 때문이다.

쿠리어 빌딩은 다운타운이 이 도시의 심장이고 신문사가 도시의 영혼이던 옛 시절의 유물이었다. 쿠리어 신문사를 창건한 더글러스 하먼 옹은 귀를 기울여 주는 상대만 있으면 자신이 허스트나 퓰리처 같은 신문 왕들과 동격이라고 호언장담하는 버릇이 있었다. 그에게 저널리즘은 성직이나 마찬가지였다. 하먼 옹이 세운 고딕풍 신문사 사옥은 크라이슬러 빌딩과 지극히 그로테스크한 성당 건물의 불행한 결합처럼 보였다. 반세기 내내 스모그에 시달린 탓에 화강암 표면은 검게 변색했고, 벽 가에서 지상을 향해 포효하는 늑대 머리를 한 가고일들은 산성비를 맞고

삭아 버렸다. 그러나 사옥 지하에 자리 잡은 괴물처럼 거대한 인쇄기들은 아직도 시계 맞추는 데 쓸 수 있을 정도로 정확한 시각에 굉음을 울리고, 건물 꼭대기의 무쇠 첨탑 최상층에 자리 잡은 회장실에서는 여전히 하먼가의 일원이 앉아 도시를 내려다보고 있다. 쿠리어 빌딩은 광장과 도시 전체에 유서 깊은 분위기를 부여하고 있었다.

랜디는 비가 내리는 거리에서 1층 로비로 들어왔다. 검은 대리석 바닥은 젖어서 미끌미끌했다. 랜디가 입은 족히 두 사이즈는 커 보이는 버버리 레인코트는 이혼한 남편과 마지막으로 싸웠을 당시의 기념품이었다. 자기 돈으로 산 물건이므로 비가 오면 오기로라도 입고 다녔다. 말편자 모양의 커다란 안내 데스크 뒤에는 경비원이 앉아 있었다. 데스크 위쪽 벽에는 과거에는 전 세계의 시각을 나타내던 여러 개의 시계가 걸려 있었다. 이제는 거의 다 고장 난 채로 엉뚱한 시각을 가리키고 있지만 말이다. 오늘처럼 비가 내리는 오후에 어울리는 음울한 로비 내부에는 그녀를 바라보는 경비원의 얼굴만큼이나 차가운 외풍이 스며들고 있었다. 랜디는 모자를 벗고 머리를 한 번 가볍게 흔든 다음 짐짓 밝은 미소를 떠올렸다. "배리 슈마허 씨를 만나러 왔는데요."

"편집부, 3층."

경비원은 그녀를 흘끗 보고는 무릎 위에 펼쳐 놓은 SM 잡지로 다시 시선을 돌렸다. 랜디는 얼굴을 찡그리고 데스크 앞을 지나갔다. 대리석 위에서 하이힐이 또각거리는 소리를 냈다.

검은 철제 격자로 에워싸여 속이 훤히 들여다보이는 구식 엘리베이터는 덜컹거리며 한참을 올라간 후에야 사회부가 있는 3층에 랜디를 내려 주었다. 편집부에서는 슈마허가 홀로 자기 책상을 지키고 있었다. 담배를 피우며 유리창 너머로 비에 젖은 거리를 내려다보고 있다.

"저걸 좀 봐." 랜디가 뒤에서 다가오자 그가 말했다.

가죽 미니스커트를 입은 창녀가 캐슬 극장의 차양 아래 어둑어둑한 곳에 서 있었다. 비에 젖은 얇은 흰색 블라우스가 젖가슴에 찰싹 달라붙은 것이 보인다.

"저건 토플리스나 다름없군." 배리가 말했다. "그것도 보라는 듯이 캐슬 극장 앞에 서 있어. 저기가 우리 주에서 처음으로 〈바람과 함께 사라지다〉를 상영한 곳이라는 걸 알아? 대작 영화는 모두 저기서 개봉했지." 그는 얼굴을 찡그리며 회전의자를 홱 돌리고 담배를 비벼 껐다. "정말 한심하기 짝이 없군."

"밤비 엄마가 죽는 걸 보고 운 기억이 있어요." 랜디가 말했다.

"캐슬 극장에서?"

그녀는 고개를 끄덕였다. "아빠하고 보러 갔지만 아빠는 울지 않았어요. 우는 걸 본 건 딱 한 번밖에는 없었죠. 그건 나중, 훨씬 훗날의 일이었어요. 영화를 보고 그랬던 것은 아니고."

"프랭크는 훌륭한 친구였어." 슈마허는 예의 바르게 말했다.

이제 그도 퇴직할 나이가 가까워지고 있었다. 살이 찌고 대머리가 되어 가지만 옷차림만은 여전히 완벽했다. 랜디는 플레이보이로 명성을 날리던 댄디한 기자 시절의 슈마허를 머리에 떠올렸다. 그녀의 아버지가 수요일 밤마다 열었던 포커 파티에 몇 년 동안이나 단골로 얼굴을 내밀던 사내다. 그는 어린 랜디를 다 자란 걸프렌드처럼 대했고, 그녀가 커서 어른이 되면 청혼을 할 작정이라고 농담을 던지곤 했다. 그러면 랜디는 언제나 킥킥 웃었다. 그러나 당시의 그는 현재의 배리 슈마허와는 전혀 다른 사내였다. 지금은 마치 케네디 대통령 시절 이래 단 한 번도 웃은 적이 없는 듯한 얼굴이었다.

"무슨 도움이 필요해?" 그가 물었다.

"파크웨이 가에서 일어난 살인 사건 기사에서 빠진 얘기를 몽땅 해 줘요." 그녀는 이렇게 말하고 책상 앞에 앉았다.

배리는 아무런 반응도 보이지 않았다. 아버지가 죽은 뒤로 몇 번밖에 만나지 않았다. 만날 때마다 그는 더 늙고 피곤해 보였다. 마치 세월이 갈수록 과거의 열정, 웃음, 분노 등 모든 것을 조금씩 잃어 가는 느낌이랄까.

"무슨 이유로 기사에서 빠진 얘기가 있다고 생각하는 거야?"

"우리 아빠가 경찰이었다는 걸 잊었어요? 난 이 도시가 어떻게 굴러가는지 잘 알아요. 경찰이 기사에서 빼 달라고 부탁하는 정보가 있다는 것도요."

"그런 부탁을 받곤 하지." 배리는 시인했다. "물론 부탁을 받는 것과 그걸 받아 주는 건 별개 문제지만. 이따금 중요한 사실을 일부러 언급하지 않는 경우가 있어. 거짓 자수해 오는 작자들을 솎아 낼 목적으로 말이야. 그런 관행은 너도 잘 알잖아." 그는 잠시 말을 멈추고는 새 담배에 불을 붙였다.

"이번에는 어땠어요?"

배리는 어깨를 으쓱해 보였다. "지독한 사건이더군. 정말 끔찍했어. 하지만 기사로 나왔잖아, 안 그래?"

"기사에는 피해자의 신체가 훼손되었다고 나와 있었어요. 훼손이라니 그게 정확히 무슨 뜻이죠?"

"모르겠으면 저기 교열 담당자 책상 위에 사전이 있으니까 가서 찾아봐."

"사전 따위는 보고 싶지 않아요." 랜디는 좀 날카로운 어조로 대답했다. 배리는 고의적으로 까다롭게 굴고 있었다. 예상하지 못한 일이었다. "그 단어가 무슨 뜻인지는 잘 알아요."

"그럼 소름 끼치는 세부까지 상세하게 묘사했어야 한다는 거야?" 배리는 의자 등받이에 등을 기대고 담배 연기를 길게 빨아들였다. "살인마 잭이 마지막 희생자한테 무슨 짓을 한지 알아? 이런저런 일을 해 놓고 덤으로 희생자의 젖가슴을 도려냈어. 칠면조 고기를 잘라 내는 것처럼 얇고 곱게 썰어서 침대 옆에 차곡차곡 쌓아 놓았지. 아주 꼼꼼한 친구라서 젖꼭지도 잊지 않고 꼭대기에 올려놓았다는군." 그는 연기를 내뿜었다. "그런 상세한 묘사를 원하는 거야? 온 가족이 읽는 신문에 그런 얘기를 써 놓으라고? 〈쿠리어〉지를 읽는 어린애들이 얼마나 많은지 알기는 하나?"

"신문에 무슨 기사를 쓰든 난 상관 안 해요." 랜디가 말했다. "난 그냥 진상을 알고 싶을 뿐이에요. 그럼 조운 소렌슨의 젖가슴이 잘리기라도 했다는 건가요?"

"난 그런 얘긴 하지 않았어."

"안 했죠. 아무 얘기도 해 주지 않았어요. 혹시 어떤 짐승한테 당한 건가요?"

그러자 반응이 있었다. 슈마허가 고개를 들고 그녀의 눈을 똑바로 쳐다보았던 것이다. 한순간 랜디는 쇠테 안경 뒤의 지친 듯한 두 눈에서 예전에는 친구였던 인물의 모습을 본 듯한 느낌을 받았다.

"짐승?" 나직한 목소리였다. "그런 생각을 하고 있었어? 조운 소렌슨 때문에 여기 온 게 아니로군, 그렇지? 네 아버지 때문이었어." 배리는 의자에서 일어나 책상 옆을 돌아 랜디 앞으로 왔다. 그러고는 그녀의 양어깨에 손을 얹고 그녀의 눈을 들여다보았다. "랜디, 부탁이니 잊어버려. 나도 프랭크를 좋아했지만, 이미 죽은 사람이야. 죽은 지…… 빌어먹을, 벌써 20년이 되어 가는군. 검시관이 미친개한테 당한 거라고 했잖아. 단지 그뿐이야."

"광견병 흔적 따위가 없었다는 걸 잘 알잖아요. 아버지는 여섯 발을 다 쐈어요. 경찰용 38구경 권총의 탄환을 여섯 발이나 맞고도 끄떡없이 달려드는 미친개가 세상에 어딨죠?"

"빗나간 건지도 몰라." 배리가 지적했다.

"그랬을 리가 없어요!" 랜디는 날카로운 어조로 말하고는 몸을 돌렸다. "장례식 때는 관 뚜껑을 열어 놓지도 못했어요. 시체 여기저기를……." 이렇게 오랜 세월이 흐른 뒤에도 이 얘기를 할 때면 목이 메었다. 하지만 난 이미 다 자란 어른이잖아. 그녀는 이렇게 되뇌며 억지로 입을 열었다. "뜯어 먹힌 상태였으니까요. 짐승 따위는 어디에서도 발견되지 않았어요." 그녀는 나직한 어조로 말을 맺었다.

"프랭크가 쏜 총알을 몇 발은 맞았을 거고, 그 미친개는 프랭크를 죽인 뒤에 어딘가로 숨어들어 가서 홀로 죽었던 거야." 배리가 설명했다. 매몰찬 말투는 아니었다. 그는 그녀의 어깨를 잡고 다시 눈을 맞췄다. "네 생각이 맞을 수도 있고, 안 맞을 수도 있어. 정말 기괴하기 짝이 없는 사건이었지만 이미 18년이나 된 일이잖아. 게다가 이번 조운 소렌슨 사건은 그 일하고 아무 관계도 없어."

"그럼 그 여자한테 무슨 일이 일어났는지 말해 줘요."

"어이, 나도 입장이 있다고." 그는 주저하며 혀끝으로 불안한 듯이 입술을 핥았다. "칼이었어." 목소리가 나직했다. "흉기는 칼이었어. 경찰 보고서에 모두 나와 있어. 예리하게 날 선 칼을 가진 사이코가 그런 거야." 그는 책상 가장자리에 앉았고, 평소의 신랄한 말투로 말을 이었다. "휴일이면 TV에서 지치지도 않고 틀어 대는 변태 영화들을 너무 봐서 머리가 돈 놈이 그랬을 게 뻔해. 너도 알잖아. 〈할로윈〉이나 〈13일의 금요일〉 같은 거 말이야."

"알았어요." 랜디는 상대방의 말투를 듣고 이 이상 정보를 얻을 수 없겠다고 판단했다. "고마워요."

배리는 랜디 쪽을 보지 않고 고개를 끄덕였다. "어디서 그런 소문이 나왔는지 모르겠군. 여기저기를 쏘다니는 짐승이 사람을 죽이다니." 그는 그녀의 어깨를 툭 쳤다. "너무 연락 끊고 살지는 마라. 우리 집으로 저녁 먹으러 오라고. 아델이 네 소식을 궁금해하더라."

"잘 있다고 전해 줘요." 랜디는 문간에서 멈춰 섰다. "배리 아저씨." 그가 고개를 들고 억지웃음을 떠올렸다. "시체가 발견됐을 때 뭔가 없어진 것이 있었어요?"

배리는 잠시 주저하다가 대답했다. "없었어."

아버지가 주최한 포커 게임에서 배리는 언제나 돈을 잃는 쪽이었다. 실력이 없는 게 아냐. 랜디는 아버지가 이렇게 말한 것을 떠올렸다. 하지만 블러핑을 하려고 해도 그게 눈빛에 고스란히 드러나서 말이야. 바로 지금처럼.

배리 슈마허는 거짓말을 하고 있었다.

초인종이 고장 나서 현관문을 직접 두드려야 했다. 아무도 대답하지 않았지만 윌리는 속지 않았다. "거기 있다는 걸 압니다, 미시즈 주디커." 그는 창문 너머로 외쳤다. "한 블록 떨어진 곳에서도 TV 소리가 들리더군요. 내가 걸어오는 걸 보고 TV를 끈 것도 압니다. 부탁이니 열어 주시겠습니까?" 그러곤 다시 문을 두들겼다. "빨리 여십시오. 열어 줄 때까지는 절대 돌아가지 않을 겁니다."

집 안에서 어린애 하나가 뭐라고 말하려 했지만 제지당했는지 금세 조용해졌다. 윌리는 한숨을 쉬었다. 이런 일은 정말 싫다. 왜 사람들은 언제나 나를 이렇게 행동하도록 만드는 것일까? 그는 신용카드를 꺼내 현관문 자물쇠를 손쉽게 열고 어두운 거실로 들어갔다. 고함 소리가 들려올 것을 반쯤 예상했지만, 실제로 그를 맞이한 것은 경악에 찬 침묵이었다.

모두들 망연자실한 표정으로 그를 응시하고 있었다. 여자와 아이 둘. 블라인드를 내리고 커튼도 닫혀 있다. 여자는 흰 테리 천 가운을 입었고, 수화기에서 고함치는 소리를 들었을 때 추측했던 것보다 한층 더 젊어 보였다.

"그렇게 맘대로 들어오는 법이 어디 있어요." 여자가 가까스로 입을 열었다.

"이미 들어왔으니 어쩌겠습니까?" 윌리가 말했다. 현관문을 닫자 거실은 지독하게 어두워졌다. 그는 불안감을 느꼈다. "불을 켜도 되겠습니까?" 여자가 아무 말도 하지 않았기 때문에 그는 불을 켰다. 가구들은 모두 구세군 바자회에서 얻어 온 듯한 물건이었다. 유일한 예외는 방 반대편 구석에 놓인 거대한 프로젝션 TV였다. 네 살쯤 되어 보이는, 누나인 듯한 아이가 마치 TV를 지키려는 듯이 그 앞을 가로막고 서 있었다. 윌리는 그녀를 보며 미소 지었다. 아이는 미소 짓지 않았다.

윌리는 아이의 어머니를 마주 보았다. 스무 살 혹은 그보다 더 아래로 보였다. 가무잡잡한 피부에 4킬로그램쯤 과체중으로 보였지만 아직 예뻤다. 콧날 주변에 갈색 주근깨가 나 있다.

"저 현관문에 체인 자물쇠를 붙여야겠습니다." 윌리가 말했다. "그리고 우리 같은 지옥 사냥개들이 왔을 때는 집에 없는 척해도 소용없습니다, 아시겠습니까?" 그는 절연 테이프를 덕지덕지 붙여 겨우 제 모양을 유지한, 검정 비닐을 덧댄 안락의자에 앉았다. "뭔가 마실 걸 갖다주시면 정말 고맙겠군요. 코크나 주스, 우유, 뭐라도 좋습니다. 바깥 날씨가 저 모양이라서." 그러나 움직이는 사람도 없었고, 입을 여는 사람도 없었다. "부탁이니 그렇게 서 있지 좀 마십시오. 당신 아이들을 의학 실험 재료로 팔아넘기겠다고 한 것도 아니지 않습니까? 단지 당신이 진 빚에 관해 얘기하러 왔을 뿐입니다, 알겠습니까?"

"저 TV를 가지고 가려는 거군요." 아이 엄마가 말했다.

윌리는 괴물처럼 거대한 TV를 보고 몸을 떨었다. "이미 1년이나 지난 모델이고 무게도 몇 톤은 되어 보이는군요. 허리도 안 좋은 내가 무슨 수로 저런 걸 둘러메고 간단 말입니까? 게다가 난 천식이 있습니다." 흡입기를 호주머니에서 꺼내 그녀에게 보여 주었다. "나를 죽이고 싶다면 저 빌어먹을 TV를 가지고 나가라고 하십시오."

이렇게 말한 덕택에 상황이 조금 호전된 듯했다. "보비, 마실 걸 한 캔

갖다 드리렴." 어머니가 말했다. 남자아이는 후다닥 어딘가로 갔다. 여자는 소파에 앉으며 가운 앞자락을 여몄다. 속에 아무것도 입지 않은 걸 알 수 있었다. 가슴에도 주근깨가 있는지 궁금했다. 이따금 그런 경우가 있다. "전화로도 말했지만 돈이 전혀 없어요. 남편은 집을 나갔고, 팩 공장이 문을 닫은 뒤로는 실업 상태라서."

"알고 있습니다." 윌리가 말했다. 팩 공장이란 정육을 포장하는 공장의 별칭이었다. 모두들 도시 남쪽에 있는 대규모 도살장을 이렇게 부른다. 팩 공장은 2년 전에 폐업할 때까지는 이 도시에서 종업원을 가장 많이 고용한 회사였다. 윌리는 호주머니에서 작은 노트를 꺼내 몇 장 넘겼다. "오케이. 당신은 저걸 할부로 사서 할부금을 두 번 지불했고, 그런 다음 주소를 남기지 않고 이사했군요. 아직 내지 않은 할부금이 2816달러하고 31센트 남아 있습니다. 이자하고 연체금은 없는 걸로 하고." 보비가 돌아오더니 그에게 다이어트 초콜릿 진저비어가 든 캔을 건넸다. 윌리는 몸을 부르르 떨고 싶은 것을 참고 캔을 땄다.

"뒤뜰에 가서 놀아." 여자가 아이들에게 말했다. "어른들끼리 할 얘기가 있으니까." 그러나 아이들이 나간 뒤에도 그녀의 말투는 그리 어른답지 않았다. 혹시 여자가 울음을 터뜨리지는 않을지 불안했다. 윌리는 상대방이 읍소 전술로 나오는 것을 정말 싫어했다. "저걸 산 사람은 에드예요." 여자는 떨리는 목소리로 말했다. "에드 잘못이 아녜요. 신용카드를 우편으로 받아서⋯⋯."

윌리에게는 익숙한 변명이었다. 새 신용카드를 우편으로 받고, 다음 날 그걸 가지고 쇼핑하러 가서 가장 비싸 보이는 것을 샀다, 이런 얘기로군. "보아하니 상황이 무척 곤란하신 걸 알겠군요. 에드가 어디 있는지를 가르쳐 주십시오. 그 친구한테 가서 직접 받겠습니다."

여자는 쓰디쓴 표정으로 웃었다. "에드가 어떤 사람인지 모르는군요. 팩 공장에서 일할 때는 그 큰 고기 궤짝을 통째로 들고 돌아다녔을 정도예요. 팔뚝이 얼마나 우람한지 보면 놀랄걸요. 직접 가서 귀찮게 군다면 당신 목을 잡아 빼서 엉덩이에 거꾸로 처넣을지도 몰라요."

"정말 멋진 표현이군요. 그 얘길 들으니 한시라도 빨리 만나고 싶어졌습니다."

"나한테서 들었다는 얘기는 안 할 거죠?" 여자는 불안한 얼굴로 물었다.

"보이스카우트 헌장에 걸고 맹세합니다." 윌리는 이렇게 말하며 맹세한다는 듯이 오른손을 들어 올렸다. 다이어트 초콜릿 진저비어 캔을 들고 있었기 때문에 조금 폼이 안 나기는 했지만.

"어렸을 때 보이스카우트였어요?" 여자가 물었다.

"아뇨." 윌리가 실토했다. "하지만 어렸을 때는 거짓말하지 말라고 주기적으로 매를 맞았습니다."

이 말을 듣고 여자는 자기도 모르게 웃음을 떠올렸다. "에드한테 맞아 죽어도 내 책임은 아녜요. 지금은 젊은 계집애하고 함께 살지만 주소는 몰라요. 주말에는 스퀴키즈라는 술집에서 바텐더로 일한다는 것만 알아요."

"어딘지 압니다."

"정상적으로 일자리를 구한 건 아녜요." 여자는 생각에 잠긴 말투로 덧붙였다. "그 사실을 신고하지는 않았어요. 그러면 실업보험금을 탈 수 없으니까요. 그 인간이 아이들 양육비라도 보내 줄 줄 알았어요? 설마!"

"못 받은 양육비가 얼마나 됩니까?" 윌리가 물었다.

"많아요."

윌리는 자리에서 일어섰다. "나하고는 관계없는 일이지만 따져 보면 전혀 관계가 없다고도 할 수 없군요. 무슨 뜻인지 아시죠? 내가 이 TV에 관해서 에드와 얘기를 나눈 뒤에 양육비를 받아 낼 수 있는지 알아보겠습니다. 물론 엄밀하게 비즈니스로 그러겠다는 얘깁니다. 수수료를 조금 뗀 나머지를 받아다 드리죠. 얼마 안 될지도 모르지만 전혀 못 받는 것보다는 낫지 않겠습니까?"

여자는 아연실색한 얼굴로 그를 응시했다. "정말 그래 줄 수 있어요?"

"빌어먹을, 물론입니다. 그러지 못하라는 법이 어디 있습니까?" 그는 지갑을 꺼내 20달러짜리 지폐 한 장을 꺼냈다. "자, 이걸 받으십시오. 선금입니다. 나중에 에드한테 갚으라고 하면 됩니다." 여자는 도저히 믿을 수 없다는 눈으로 그를 쳐다보았지만, 지폐를 거부하지는 않았다. 윌리는 코트 주머니를 뒤졌다. "소개해 주고 싶은 친구가 있습니다." 그는 코트 주머니에 항상 싸구려 가위를 몇 개씩 넣고 다니는데, 그중 하나를 찾아내서 여자의 손바닥에 올려놓았다. "자, 가위 씨입니다. 지금부터는 이 친구가 당신의 가장 친한 친구가 되어 줄 겁니다."

여자는 미친 사람을 바라보는 듯한 눈으로 그를 보았다.

"다음에 또 우편으로 신용카드가 오면 이 가위 씨와 만나게 해 주십시오." 윌리가 말했다. "그럼 더 이상 나 같은 악당을 만날 필요가 없을 겁니다."

현관문을 열려고 하는데 여자가 따라왔다. "이봐요, 아까 이름이 뭐라고 했죠?"

"윌리."

"난 벳시라고 해요." 그녀는 고개를 수그리고 그의 뺨에 입을 맞췄다. 흰 가운 깃이 살짝 열리며 작은 젖가슴이 흘낏 드러났다. 가슴에는 주근깨가 조금 있었다. 젖꼭지는 크고 갈색이었다. 그녀는 가운을 다시 여미고 뒤로 물러났다. "당신은 악당이 아녜요, 윌리." 그녀는 이렇게 말하며 문을 닫았다.

거의 인간으로 되돌아온 듯한 기분으로 보도를 걸었다. 조운이 죽은 이래 기분이 좋아진 것은 이번이 처음이었다. 길모퉁이에 세워 둔 캐디가 보였다. 오늘 그가 거리를 돌아다니는 동안 내리다가 멈추기를 반복하며 끈질기게 그의 뒤를 쫓아다닌 비를 피하기 위해 포장을 내린 상태였다. 윌리는 차 안으로 들어가서 시동을 걸었다. 후방 미러를 흘낏 본 순간 뒷좌석에 있던 사내가 몸을 일으켰다.

거울에 비친 사내의 눈은 엷은 청색이었다. 봄비 시즌이 끝나고 강둑 사이를 흐르는 강의 수위가 정상으로 돌아올 무렵, 강기슭을 거닐다 보면 이따금 물웅덩이와 마주칠 때가 있다. 홍수로 밀려 나왔다가 다시 강으로 돌아가지 못하고 그대로 고여서 차갑게 정체된 채로 고약한 냄새를 풍기는 웅덩이를 보면 얼마나 깊은지, 또 그 어두운 물속에 사는 생물이 있는지 궁금증을 느끼게 된다. 뺨이 홀쭉하고 가무잡잡한 얼굴 한복판에 깊이 박힌 듯한 사내의 두 눈을 보고 윌리는 바로 그런 느낌을 받았다. 사내는 얼굴 주위를 에워싼 갈색 머리카락을 어깨까지 길게 늘어뜨리고 있었다.

윌리는 상체를 뒤로 홱 틀어 사내를 마주 보았다. "도대체 너 여기서 뭐 하는 거야? 낮잠이라도 즐기고 있었어? 스티븐, 이런 얘기를 해서 미안하지만, 이 차는 이 도시에서 하면 일족의 소유가 아닌 얼마 안 되는 물건 중 하나야. 아마 그 부분이 좀 헷갈렸나 보군. 아니면 혹시 공원 벤치로 착각한 건가? 아, 지금부터 공원까지 데려다 줄 테니까 기분 나빠하지는 마. 낮잠을 마저 잘 때 추우면 안 되니까 신문도 한 부 사 줄게."

"조녀선이 널 보자고 했어." 스티븐은 예의 차갑고 단조로운 어조로 말했다. 그의 목소리는 얼굴처럼 아무 변화가 없는 데다가 생기조차 없었다.

"아, 그거야 그렇겠지만, 혹시 내가 조녀선을 보고 싶어 하지 않을 거라고는 생각 못 했어?" 위기일발이로군. 윌리는 속으로 이렇게 생각하고, 당장이라도 몸을 돌려 도망치고 싶은 것을 억지로 참았다.

"조녀선이 널 보자고 했어." 스티븐은 같은 말을 되풀이했다. 마치 윌리가 자기 말을 이해하지 못한다는 듯이. 그러고는 손을 뻗어 한 손으로 윌리의 어깨를 잡았다. 길고 가느다란 손가락은 마치 여자 같고, 피부도 창백하고 섬세했다. 그러나 스티븐의 손바닥을 종횡으로 가로지르는 화상 흉터는 마치 낙인을 연상케 했고, 피가 맺히고 딱지가 앉은 손가락 끝에는 벌겋게 벗겨진 속살이 그대로 드러나 있었다. 그런 손가락들이 윌리의 어깨를 비인간적인 엄청난 힘으로 파고들었다. "운전해." 스티븐이 말했다.

윌리는 그 말에 따랐다.

●○

"죄송하지만 서장님은 오늘 예정이 꽉 차 있습니다." 안내 데스크에 앉아 있던 비서가 말했다. "원하신다면 목요일에 예약을 해 드릴 수는 있어요."

"목요일까지 기다리고 싶지 않아요. 당장 만나야겠어요." 랜디는 경찰서를 싫어했다. 어딜 가나 경찰투성이다. 랜디 입장에서 경찰관은 세 종류밖에 없었다. 괜찮은 미인이 온 것을 보고 수작을 거는 작자들, 사립탐정을 보고 노골적으로 싫은 기색을 보이는 작자들 그리고 프랭크 웨이드의 어린 딸이 왔다면서 동정 어린 표정을 짓는 나이 든 치들이다. 첫 번째하고 두 번째 타입을 만나면 짜증이 나고, 세 번째 타입을 만나면 정말 기분이 나빴다.

비서는 입을 꽉 다물고 불쾌한 표정을 지었다. "방금 설명했듯이 그건 불가능합니다."

"그냥 내가 왔다고만 전해 줘요. 그럼 만나자고 할 테니까."

"지금은 다른 사람하고 만나는 중이시고, 방해받는 걸 결코 원하지 않으실 거예요."

이 말에 랜디는 인내심을 잃었다. 하루 종일 여기저기 돌아다니느라 피곤했지만, 알아낸 것은 거의 없었다. "정말로 그런지 어디 직접 들어가서 알아볼까요?" 짐짓 상냥한 목소리로 말하고는 빠른 걸음으로 안내 데스크를 돌아 허리께까지 오는 스윙도어를 열어젖혔다.

"아니 지금 뭘 하는 거예요!" 비서는 화난 표정으로 새된 목소리를 냈지만, 랜디는 이미 서장실 문을 열고 있었다.

조셉 어커트 서장은 파일이 난잡하게 널려 있는 낡은 나무 책상에 앉아 검시관과 얘기를 나누고 있었다. 문이 열리자 두 사람 모두 고개를 들고 그녀를 보았다. 어커트는 60대 초반의 키가 크고 우람한 사내였다. 머리카락은 많이 빠졌지만 머리 색깔은 여전히 붉었다. 두 눈썹은 완전히 하얗게 셌지만.

"도대체 무슨……." 그가 입을 열었다.

"노크도 없이 무턱대고 들어와서 미안해요. 하지만 저기 저 친절한 비서분이 절대로 안 된다고 고집을 부려서." 랜디는 등 뒤에서 비서가 쫓아오는 기색을 느끼며 말했다.

"어이, 아가씨, 여긴 경찰서지 놀이터가 아냐. 당장 나가지 못하겠나." 어커트는 거칠게 말하고는 의자에서 일어나 책상을 돌아왔다. "당장 이리 와서 이 조 아저씨를 껴안아 주면 안 그래도 되지만 말이야."

랜디는 미소 지으며 곰 가죽 깔개 위를 가로질렀고, 상대방의 몸에 팔을 두르고는 으스러지라 그녀를 껴안는 어커트의 가슴에 머리를 기댔다. 등 뒤에서 너무 세게 문을 쾅 닫는 소리가 들렸다.

"보고 싶었어요." 랜디가 말했다.

"물론 그랬겠지." 어커트는 야단치듯이 말했다. "그래서 이렇게 자주 마주치는 거잖아."

조 어커트는 순경 시절부터 몇 년 동안이나 그녀 아버지의 파트너였다. 서로 아주 친하게 지낸 터라 랜디에게 어커트 부부는 숙부나 숙모와 마찬가지였다. 어커트의 큰딸은 아기였던 랜디를 봐주었고, 이들이 막내딸을 낳은 뒤에는 랜디가 베이비시터 노릇을 하며 은혜를 갚았다. 아버지가 돌아가신 뒤에 랜디 가족을 돌봐 준 사람도 조였다. 랜디 어머니를 도와 장례식이나 법률문제를 처리해 주고, 랜디가 대학에 갈 수 있도록 보상 연금을 확보해 주었다. 그러나 아버지가 살아 있을 때처럼 가깝게 지내지는 못했고, 가족들 간의 교류도 점차 줄어들었다. 랜디의 어머니가 죽은 뒤로는 한층 더 소원해졌다. 최근에는 1년에 한두 번 만나는 정도였고, 랜디는 이 사실에 죄책감을 느꼈다.

"미안해요. 자주 연락하려고 하는데······."

"바빠서 여의치 않았다는 말이군, 안 그래?"

그러자 검시관이 헛기침을 했다. 투박한 인상을 한, 나이를 짐작할 수 없는 여성이다. 실비아 쿠니는 이 도시에서는 유명 인물이었다. 콘크리트 믹서 같은 체격에 각진 얼굴. 짙은 잿빛 머리카락을 뒤통수에서 꽉 틀어 묶고 다닌다. 랜디가 기억하는 한 실비아 쿠니는 언제나 검시관 노릇을 하고 있었다.

"난 나가는 편이 나을 것 같네." 쿠니가 말했다.

랜디는 나가려는 그녀를 막았다. "조운 소렌슨에 관해 묻고 싶은 것이 있어요. 언제쯤에나 검시 보고서를 열람할 수 있나요?"

쿠니는 재빨리 경찰서장과 눈을 마주치고는 다시 랜디를 보았다. "아무것도 얘기해 줄 수 없어." 그녀는 이렇게 말하고는 집무실에서 나간 뒤 등 뒤로 손을 돌려 문을 살짝 닫았다.

"아직 공표하지 않았어." 조 어커트가 말했다. 그는 책상으로 되돌아가며 손짓했다. "앉으라고."

랜디는 의자에 앉아 집무실을 둘러보았다. 한쪽 벽은 상장이나 임명장, 액자에 끼운 사진 따위로 덮여 있다시피 했다. 조와 아버지가 함께 찍은 사진도 보였다. 순찰차 앞에서 제복 차림으로 씩 웃으며 서 있는 두 청년 모두 가슴이 아릴 정도로 젊었다. 사진들 위에서는 박제된 무스의 머리가 유리 눈 너머로 그녀를 내려다보았다. 다른 벽에도 박제된 동물 머리들이 전시되어 있었다.

"아직도 사냥해요?" 랜디가 물었다.

"안 한 지 10년도 더 됐어." 어커트가 대답했다. "그럴 시간이 없어서 말이야. 프랭크는 내 취미가 사냥인 걸 빌미 삼아 곧잘 놀리곤 했지. 내가 근무 중에 누군가를 사살한다면 보나 마나 머리를 떼어 내서 박제하고 싶어 할 거라는 식으로 말이야. 그러던 중에 실제로 그런 일이 일어났지. 더 이상 농담이 안 되더군." 그는 미간을 찌푸렸다. "조운 소렌슨 얘긴 왜 물어본 거야?"

"의뢰를 받았어요." 랜디가 대답했다.

"네 전문 분야하고는 좀 안 맞지 않니?"

랜디는 어깨를 으쓱했다. "의뢰를 골라 받지는 않거든요."

"모텔 주위에서 미행 따위나 하며 인생을 낭비하기엔 네 재능이 너무 아까워." 어커트가 말했다. 지금까지도 두 사람 사이에서 종종 논란의 초점이 되어 온 부분이었다. "지금이라도 늦지 않았으니까 경찰이 되라고."

"그럴 생각은 없어요." 랜디는 굳이 설명하려고 하지 않았다. 과거의 경험으로 미루어 보건대 무슨 얘기를 해도 어커트가 이해하지 못하리라는 사실을 알기 때문이었다. "오늘 아침 관할 분서로 가서 소렌슨 사건의 보고서를 찾아봤어요. 파일 기록에서 누락되어 있더군요. 그게 어디 갔는지 아무도 모르고. 당시 현장에 출동했던 경찰들이 누군지 알아냈지만 다들 나하고 얘기할 시간이 없다고 거절했어요. 게다가 검시 보고서도 공표되지 않을 거라니, 도대체 무슨 일이 일어나고 있는지 얘기해 주시겠어요?"

어커트는 등 뒤의 창문을 흘끗 보았다. 유리창은 빗물에 젖어 있었다. "이건 미묘한 사건이라서. 보도기관에서 과장 보도 하는 걸 원치 않아."

"난 보도기관에서 온 게 아녜요." 랜디가 지적했다.

어커트는 회전의자를 빙 돌려 그녀를 마주 보았다. "넌 경찰도 아니잖아, 랜디. 그리고 그건 네 결정이었어. 난 네가 이번 사건에 관여하는 걸원치 않아, 알겠어?"

"아저씨가 원하든 말든 난 이번 사건에 이미 관여했어요." 그녀는 어커트가 반론할 틈을 주지 않고 말을 이었다. "소렌슨의 사인이 뭐였죠?짐승의 습격을 받은 건가요?"

"아냐. 짐승이 아냐. 이건 내가 너에게 해 줄 수 있는 마지막 답변이야." 그는 한숨을 내쉬었다. "랜디, 네 아버지가 죽어서 얼마나 충격이 컸는지는 나도 잘 알아. 그땐 나도 그랬지, 기억하지? 프랭크가 전화로 지원을 요청한 사람은 바로 나였어. 내가 갔을 때는 이미 엎질러진 물이었지. 내가 그걸 잊을 거라고 생각했니?" 그는 고개를 설레설레 저었다. "지나간 일이니까 이젠 잊어. 넌 그냥 이런저런 상상을 하고 있을 뿐이야."

"상상 따위를 하지는 않아요." 랜디는 잘라 말했다. "평소에는 그런 생각을 아예 하지도 않으니까요. 하지만 이번 사건은 달라요."

"그럼 네 맘대로 해." 어커트가 말했다. 랜디 곁의 책상 가장자리에는파일이 조금 쌓여 있었다. 어커트는 상체를 수그려 양손으로 파일 뭉치를 집어 올렸고, 책상에 툭툭 두들겨 모서리를 가지런히 맞췄다. "나도도와주고는 싶어." 그는 서랍을 열고 폴더 뭉치를 집어넣었다. 가장 위에 있는 파일에 쓰인 이름이 흘끗 눈에 들어왔다. 헬렌더. "미안해." 그는의자에서 일어나기 시작했다. "자, 이제 볼일을 봤으니까……."

"옛일을 회상하느라고 헬렌더 사건 파일을 읽고 있던 건가요, 아니면소렌슨 사건하고 무슨 관련이 있어서 그런 건가요?" 랜디가 물었다.

어커트는 다시 의자에 앉았다. "염병할."

"그게 아니라면 난 방금 본 이름을 그냥 상상한 건지도 모르겠군요."

어커트의 얼굴에 고뇌의 표정이 떠올랐다. "헬렌더 그 애가 다시 도시로 돌아왔을지도 모른다는 심증이 있어."

"이젠 아이가 아녜요. 로이 헬렌더는 나보다 세 살 더 많으니까요. 소렌슨 사건 때문에 헬렌더를 찾고 있는 건가요?"

"그 녀석의 전력을 감안하면 안 그럴 수가 없어. 두 달 전에 주 형무소에서 출감했더군. 정신과 의사들이 이제는 완치됐다고 했다나." 어커트는 오만상을 찌푸렸다. "완치됐을지도 모르고, 안 됐을지도 모르지. 하여튼 백 명은 족히 되는 참고인 중 한 명에 불과해."

"지금 어디 있대요?"

"설령 안다 해도 가르쳐 줄 생각은 없어. 그 녀석은 실패작이야. 자기가족하고 마찬가지로. 난 네가 그런 작자들하고 관여하는 걸 원치 않아, 랜디. 네 아빠도 같은 생각일걸."

랜디가 일어섰다. "우리 아빠는 죽었어요. 그리고 난 이제 다 큰 어른이에요."

●○

월리는 13번가가 막다른 골목에서 끝나는 절벽 밑동에 차를 댔다. 블랙스톤 저택은 날카로운 방범 스파이크가 달린 높이 3미터짜리 연철 울타리에 에워싸인 채로 강 위로 우뚝 솟아 있었다. 이곳 문루까지는 그럭저럭 차로 올 수 있지만, 그러기 위해서는 우선 센트럴 가를 따라 다운타운을 통과한 다음 그랜드뷰와 하먼 로로 우회해야 한다. 그런 다음 나지막한 야산 지대를 넘어, 평지와 그 너머의 강을 바라보며 좋았던 옛 시절의 추억에 잠긴 기품 있는 노부인들처럼 도열한 고색창연한 스팀보트 고딕 양식¹의 저택들을 따라 절벽 가장자리로 이어지는 길을 한참 가야 했다. 길고 피곤한 드라이브였다.

자동차가 보급되기 전에는 이 여정이 지금보다 훨씬 더 길고 피곤했을 것이다. 쿠리어 광장으로 매일같이 출근해야 하는 현실에 직면한 더글러스 하먼은 자신을 위해 좀 더 편한 통근 길을 만들었다. 전용 케이블카를 설치했던 것이다. 상향과 하향 케이블카를 위해 좌우로 하나씩 설치된 케이블 선로는 절벽의 잿빛 암벽을 따라 블랙스톤 저택과 그 아래에 위치한 13번가를 잇고 있었다.

내연기관, 리무진, 운전사, 포장도로 등이 발달함에 따라 하먼 일족은 더글러스의 거추장스러운 케이블카를 점점 멀리하기 시작했다. 최근 들어서는 잘 쓰이지 않는 뒷문 역할밖에는 하지 않는 듯하다. 그러나 윌리에게는 이것으로 충분했다. 조너선 하먼의 초대를 받으면 어차피 하인용 출입문으로 들어가야 할 것 같은 기분이 되기 때문이었다.

윌리는 캐딜락에서 나와 레인코트의 축 늘어진 주머니에 양손을 찔러 넣었다. 위를 올려다보니 깎아지른 듯한 절벽이 눈에 들어왔다. 빗물에 젖은 암벽은 검었다. 스티븐이 거칠게 그의 팔꿈치를 잡고 앞으로 밀었다. 케이블카는 목제였고, 아무리 보아도 페인트를 다시 칠할 필요가 있었다. 내부 벤치에는 여섯 명이 앉을 수 있었다. 스티븐이 벨로 연결된 줄을 잡아당겨 신호를 보내자 케이블카가 덜컹하더니 올라가기 시작했

---

1 증기선을 본뜬 정교한 장식을 다용한 19세기의 건축 양식.

다. 절벽 정상에 있던 두 번째 케이블카가 자동으로 내려오면서 절벽 중간께에서 그들이 탄 차와 엇갈렸다. 케이블카는 진동이 심했고, 선로 케이블은 녹이 슬었다. 블랙스톤 어귀에 해당하는 이곳에서조차도 몰락의 조짐은 완연했다.

정상 부근에서 그들을 태운 케이블카가 연철 울타리 사이에 난 틈새를 통과했다. 이윽고 '뉴 하우스'가 시야에 들어왔다. 박공 장식과 탑 따위로 요란하게 치장한 빅토리아 양식의 이 저택에서 하먼 일족은 1세기 가까이 살아왔지만, 그들은 이 저택을 여전히 뉴 하우스라고 불렀고, 앞으로도 그럴 것이다. 저택 뒤꼍 부지에서는 아름드리나무들이 숲을 이루고 있었다. 빽빽하게 자란 고목(古木)들 사이로 구불구불 이어지는 좁은 사유 도로가 보였다. 도시의 다른 명가들은 소유한 토지를 이미 오래전에 택지 개발 업자에게 팔아넘기거나 쪼개 팔았지만, 하먼 일족만은 땅을 포기하지 않았다. 그래서 이곳 블랙스톤만은 예전 상태 그대로 남아 있었다. 도시 한복판에 원시림이 자리 잡고 있다고나 할까.

서쪽 하늘을 배경으로 우뚝 솟은 탑의 거친 실루엣이 흘낏 눈에 들어왔다. 그 탑은 '올드 하우스'의 일부였고, 블랙스톤이라는 별칭은 그 저택의 숯처럼 새까만 석벽에서 유래했다. 올드 하우스는 숲 깊숙한 곳에 자리 잡고 있었다. 잔디밭이나 뜰은 손질하지 않아 잡초가 무성하지만, 눈으로 볼 수는 없어도 저택이 그곳에 있다는 강한 존재감이 느껴졌다. 불그스름하게 물든 잿빛 서쪽 하늘을 배경으로 들쭉날쭉한 검은 윤곽을 드러낸 탑은 사악하게 일그러지고 불길한 인상을 준다. 뉴 하우스를 세우고 올드 하우스를 폐쇄한 사람은 저널리스트이자 케이블카를 설치한 더글러스 하먼이었다. 올드 하우스는 터무니없이 거대한 데다가 빅토리아 양식의 기준으로 봐도 너무 음울했지만, 더글러스 본인이나 아들인 토머스뿐만 아니라 손자인 조너선조차도 옛 저택을 해체할 엄두를 내지 못했다. 올드 하우스에 유령이 나타난다는 전설이 떠돌기도 했다. 윌리는 이 얘기를 믿었다. 블랙스톤은 집주인만큼이나 소름 끼치는 분위기를 발산하고 있었으므로.

케이블카가 덜컹거리며 멈추자 두 사람은 목조 플랫폼으로 나왔다. 플랫폼의 페인트 도장은 풍상에 시달려 거의 벗겨져 있었다. 폭넓은 프렌치도어를 두 개나 지나 뉴 하우스 본채로 가자 조너선 하먼이 그들을 기다리고 있었다. 프렌치도어를 통해 비치는 햇살을 배경으로 지팡이에 기댄 비쩍 마른 몸의 윤곽이 떠올랐다.

"잘 있었나, 윌리엄." 하먼이 말했다. 윌리는 그가 이제 예순을 갓 넘겼다는 사실을 알았지만, 눈처럼 흰 긴 백발과 관절염에 잠식된 몸 탓에 훨씬 더 나이 들어 보였다. "와 줘서 기쁘군."

"어, 예. 이 근처에 온 김에 한번 들렀습니다." 윌리가 말했다. "그런데 문제가 있군요. 실은 제가 사는 양조장의 창문을 깜박 열어 놓고 왔습니다. 빨리 돌아가서 닫지 않으면 집 안의 먼지가 빗물에 온통 반죽이 돼 버릴 겁니다."

"됐어. 그런 덴 신경 쓰지 말게."

윌리는 가슴이 조여 오는 것을 느꼈다. 격한 숨을 내쉬며 흡입기를 꺼내 깊이 두 번 들이켰다. 앞으로 더 필요해질지도 모르겠다. "오케이, 이해합니다. 그럼 잠시 더 있다가 가죠. 하지만 뭔가 마실 걸 대접받아야겠습니다. 입에 아직도 다이어트 초콜릿 진저비어 맛이 남아서."

"스티븐, 부탁인데 여기 윌리엄 이 친구한테 레미마르탱 한 잔 갖다주면 정말 고맙겠구나. 나도 한 잔 하기로 하지. 냉기가 뼈까지 스며든 기분이야." 스티븐은 평소와 마찬가지로 한마디도 하지 않고 명령을 수행하기 위해 저택 안쪽으로 들어갔다. 윌리가 그 뒤를 따르려고 하자 조녀선은 가볍게 윌리의 팔에 손을 갖다 댔다. "잠깐 기다려." 그는 이렇게 말하며 손짓했다. "저걸 보게."

윌리는 몸을 돌려 그쪽을 보았다. 아까만큼 공포에 시달리지는 않았다. 조녀선이 그를 죽일 작정이라면 스티븐이 이미 시도했을 것이다. 성공했을지도 모르고. 스티븐은 자기 아버지의 기준으로 보면 끔찍한 실패작이었지만, 그 상처투성이 손은 믿기 힘들 정도로 강했다. 그렇다, 이 작자는 뭔가 다른 꿍꿍이가 있어서 나를 부른 것이다.

두 사람은 동쪽으로 펼쳐진 도시와 강을 바라보았다. 땅거미가 지고, 아래쪽 거리의 가로등에 불이 들어오고 있었다. 진주 목걸이처럼 반짝이는 가로등 빛이 사방팔방으로 한없이 뻗어 나가는 것처럼 보인다. 불빛은 거대한 다리 세 개를 넘어 강 너머까지 이어지고 있었다. 구름은 동쪽 하늘에 모여 있고, 지평선은 짙은 코발트빛으로 물들었다. 달이 뜨고 있었다.

"올드 하우스의 초석을 쌓기 시작했을 때는 저런 빛이 전혀 없었어." 조녀선 하먼이 말했다. "이 부근은 모두 황야였지. 거친 물길이 이는 강은 원시림을 누비며 지나갔고, 해가 질 때 고지대에서 보면 깜깜한 어둠이 사방으로 영원히 계속되는 것처럼 보였어. 물은 맑았고, 공기는 깨끗했고, 숲은 사슴, 비버, 곰 따위의 사냥감으로 가득했지. 하지만 사람은 없었어. 적어도 백인은 말이야. 존 하먼하고 그 아들인 제임스 모두 탑 위에 있었을 때 황야에서 인디언들이 피운 모닥불을 목격했다는 기록을 남겼다네. 하지만 인디언 부족은 이 장소를 기피했어. 특히 존이 올드 하우스를 지은 뒤에는 말이야."

"아마 인디언들은 생각보다 멍청하지 않는지도 모르겠군요." 윌리가 대꾸했다.

조녀선은 윌리를 흘끗 보았다. 입가에 경련하는 듯한 미소가 떠올랐다. "우리는 맨손으로 이 도시를 건설했어. 피와 철로 말이야. 그 피와 철이 이 도시를 키웠고, 그 시민들을 먹여살렸지. 옛 가문들은 이 피와 철의 힘을 알았고, 이 도시를 위대하게 만드는 방법을 알았어. 로슈몽 가문은 대장간과 주조소와 제강 공장에서 금속을 단련하고 생산했고, 앤더스 가문은 평저선과 증기선과 철도로 그걸 운반했고, 자네 가문은 그 원석을 땅에서 찾아내서 채굴했지. 자네는 철의 일족 출신일세, 윌리엄 플램보. 하지만 우리 하먼 가문은 옛날부터 피를 담당했어. 우리는 가축 사육장이나 도살장을 소유했지만, 그보다 훨씬 전부터, 이 도시나 나라가 존재하기도 전부터 올드 하우스는 가죽 거래(skin trade)의 중심지였어. 덫이나 총을 쓰는 사냥꾼들은 계절이 바뀔 때마다 이곳으로 와서 모피나 짐승 가죽이나 비버 가죽을 하먼 가문에 팔았어. 그리고 여기서 거래된 가죽은 강을 따라 운반되었지. 처음에는 뗏목, 나중에는 평저선으로 말이야. 증기선은 나중에, 훨씬 뒤에나 등장했어."

"이러다가 느닷없이 역사 시험이라도 치자고 하는 거 아닙니까?" 윌리가 물었다.

"우린 너무나도 오랫동안 그 사실을 망각한 채로 추락했어." 그는 윌리를 쏘아보며 말했다. "우리 뿌리가 어디 있는지 기억할 필요가 있어. 검은 철과 붉디붉은 피 말이야. 자네도 기억할 필요가 있네. 자네 조부의 몸에는 순수한 플램보 가문의 피가 흘렀어."

상대방이 자신을 모욕하는 걸 알아차리기는 어렵지 않았다. "우리 어머니의 성은 판코프스키였죠." 윌리가 말을 받았다. "내 몸에는 반은 프랑스 개구리, 반은 폴란드 촌놈의 피가 흐른다는 얘기가 됩니다. 간단히 말해서 잡종이죠. 그런 것에 내가 조금이라도 신경 쓴다고 생각하면 오산입니다. 우리 증조부가 이 주의 반을 소유했다는 사실은 물론 굉장한 얘기지만, 모든 광맥은 19세기 말에 이미 고갈되었고, 그나마 남은 재산도 대공황 때 모두 날아갔습니다. 우리 아버지는 주정뱅이였고, 나는 지금 채무 회수인 노릇을 하며 먹고삽니다. 그게 마음에 들지 않는다면 유감이군요." 잔뜩 골이 난 탓에 말이 거칠어졌다. "스티븐을 시켜서 나를 납치해 온 건 뭔가 특별한 이유가 있어서입니까, 아니면 그냥 대(對)프랑스 전쟁하고 인디언 전쟁 얘기를 하고 싶어서 그랬습니까?"

조녀선이 입을 열었다. "따라오게. 안으로 들어가는 편이 나을 거야. 바람이 차갑군." 표현 자체는 정중했지만 희미하게나마 남아 있던 따스한 말투는 완전히 사라져 버렸다. 그는 윌리를 데리고 지팡이에 몸을 의지하다시피 하며 천천히 저택 안으로 들어갔다. "미안하네. 공기가 이렇게 습하면 관절염이 도지는 데다 전쟁 때 다친 상처까지 욱신거려서." 그는 다시 윌리를 돌아보았다. "그렇게 일방적으로 전화를 끊어 버린 건 예의에 어긋나는 일이었어. 물론 서로 의견 차이는 있겠지만 내 지위를 생각해서라도 조금은—."

"최근 들어 전화가 저절로 끊어지는 일이 잦아서요." 윌리가 설명했다. "규제가 풀린 뒤로는 서비스가 엉망입니다."

조녀선은 작은 거실로 그를 안내했다. 벽난로에서 장작이 타고 있었다. 차가운 비를 맞으며 하루 종일 돌아다닌 터라 난로의 따스한 온기가 좋았다. 가구는 모두 골동품처럼 보였다. 그게 아니면 아주 오래된 탓에 그렇게 보이는지도 모른다. 윌리는 그 차이가 뭔지 확실하게 단언할 수 없었다.

호박색 액체가 반쯤 담긴 브랜디 술잔 두 개가 낮은 탁자에 놓여 있었다. 스티븐은 키가 크고 마른 몸을 잭나이프처럼 꺾은 자세로 벽난로 앞에 웅크리고 앉아 있었다. 두 사람이 거실로 들어오자 그는 고개를 들어 윌리를 잠시 응시했다. 마치 윌리가 누구인지, 또는 무엇을 하러 이곳에 왔는지 까맣게 잊은 듯한 기색이었다. 이윽고 그는 무표정한 푸른 눈을 다시 모닥불 쪽으로 돌렸고, 그다음부터는 그들의 존재나 대화에 더 이상 신경 쓰지 않았다.

윌리는 가장 편해 보이는 의자를 골라 앉았다. 굴곡이 있는 의자 모양을 보니 랜디 웨이드가 머리에 떠올랐지만, 이번에는 죄책감밖에 느끼지 않았다. 윌리는 코냑 잔을 집어 들었다. 코냑은 조금씩 홀짝이는 술이라는 사실 정도는 알았지만 워낙 춥고 피곤하고 화가 난 탓에 그런 것에 신경 쓸 기분이 아니었다. 단번에 술을 들이켜고 의자 옆 탁자에 빈 잔을 내려놓았다. 가슴에 뜨끈한 기운이 퍼지는 것을 자각하며 의자에 편하게 등을 기댄다.

관절의 통증을 참고 있음이 역력한 조녀선은 양손으로 지팡이 머리 부분을 감싸 쥐고 조심스러운 동작으로 소파 가장자리에 앉았다. 윌리는 자기도 모르게 그 지팡이를 빤히 바라보고 있었다.

조녀선이 그의 시선을 알아차리고 말했다. "늑대 머리야." 그는 이렇게 말하고는 손을 비켜 윌리가 뚜렷하게 그것을 볼 수 있도록 했다.

깊은 광택이 있는 노란 금속이 벽난로의 불빛을 반사하며 번들거렸다. 조각된 짐승은 이빨을 드러내고 상대방을 물어뜯으려는 모습을 하고 있었다. 눈은 빨간색이었다.

"석류석입니까?"

조너선은 윌리의 질문에 어른들이 특별히 멍청한 아이를 향해 보이곤 하는 미소를 떠올렸다. "루비야. 머리는 18캐럿 금이고." 정맥이 수없이 드러난, 관절염 탓에 뒤틀린 커다란 두 손이 다시 지팡이 위쪽을 감싸자 늑대는 사라졌다.

"위험하군요." 윌리가 말했다. "그런 물건을 가지고 거리를 돌아다니다가는 강도에게 맞아 죽을 겁니다."

조너선이 보인 미소에는 재미있어 하는 기색이 전혀 없었다. "나는 금붙이 따위를 지키기 위해 죽을 생각은 없어, 윌리엄." 그는 창문 쪽을 흘긋 보았다. 달은 이미 지평선 위에 떠올라 있었다. "좋은 수렵월(狩獵月)이로군." 그는 다시 윌리를 보았다. "어젯밤 자네는 그 몸이 불편한 여자의 죽음에 관해서 내가 마치 공범이라도 된다는 양 비난했지." 위험스럽게 나직한 목소리였다. "도대체 왜 그런 소리를 한 건가?"

"나도 모르겠습니다." 머리가 어질어질했다. 브랜디의 취기가 그대로 입으로 올라왔다. "아마 당신이 그 아이의 이름조차도 기억하지 못한 것과 관련이 있는지도 모르겠습니다. 혹은 당신이 언제나 조운을 싫어했기 때문인지도 모르겠군요. 그 아이 얘기를 듣자마자 줄곧 그러지 않았습니까. 내가 기억하기로는 윌리 녀석하고 함께 다니는 비참한 잡종 년이라고 했던 것 같습니다. 생각해 보니 기이하군요. 별것도 아닌 그런 말을 뇌리에서 지우기가 그렇게 힘들다니. 하여튼 잘 모르겠습니다. 아마 내 착각일지도 모르지만, 당신이 그 아이에 대해서 좋은 감정을 갖고 있지 않다는 인상을 받았습니다. 스티븐 얘기는 아직 꺼내지도 않았는데 말입니다."

"꺼내지 마." 조녀선은 얼음장 같은 목소리로 경고했다. "자넨 이미 할 말을 충분히 했어. 나를 보게, 윌리엄. 자네 눈에 뭐가 보이는지 얘기해 줘."

"당신 모습이 보입니다." 윌리가 대답했다. 멍청한 말장난에 장단을 맞추고 싶은 기분이 아니었지만, 조녀선 하먼은 어디까지나 자기 방식을 고수했다.

"노인이야." 조녀선이 정정했다. "나이로만 따지자면 그리 늙지 않았다고 할 수도 있겠지만, 늙었다는 사실은 변하지 않아. 관절염은 매년 악화되고, 어떨 때는 통증이 너무 심해서 몸을 움직이지 못하는 날도 있다네. 스티븐만 빼놓고 가족은 모두 떠났어. 사실 스티븐은 내가 기대한 종류의 아들이 아니었어." 조녀선은 단호하고 싹싹한 목소리로 말했지만, 스티븐은 불길에서 눈을 떼려고조차 하지 않았다. "난 지쳤네, 윌리엄. 정말이지 지쳤어. 나는 자네의 그 몸이 불편한 아이를 탐탁하게 여기지 않았어. 사실 자네도 별로 내 마음에 들었다고는 할 수 없겠지. 우린 부패와 타락의 시대에 살고 있네. 피와 쇠에 관한 오래된 진실을 완전히 잊어버린 시대에 말이야. 나는 조운 소렌슨하고 그 여자가 상징하는 것을 혐오했을지도 모르지만, 결코 그 피를 원하지는 않았네. 내가 원하는 건 단지 평화로운 말년이야."

윌리는 일어섰다. "부탁하겠는데 제발 그 병든 노인 흉내는 그만두십시오. 그놈의 관절염이나 전쟁에서 얻은 상처 따위에 관해서는 잘 알고 있지만, 난 당신의 정체를 알고, 또 당신이 무슨 짓을 저지를 능력이 있는지도 잘 아니까요. 알았습니다, 그럼 당신이 조운을 죽이지 않았다고 해 두죠. 그럼 누가 그랬을까요? 저 친구?" 윌리는 엄지를 쑥 내밀어 스티븐을 가리켰다.

"스티븐은 여기 나와 함께 있었어."

"아마 그랬을지도 모르겠군요. 안 그랬을지도 모르지만."

"너무 자신을 과대평가하지 말게, 플램보. 난 자네처럼 별로 중요하지도 않은 사내한테 거짓말을 할 필요를 못 느낀다네. 설령 자네의 의심이 옳다고 해도 내 아들은 그런 짓을 할 능력이 없네. 스티븐 또한 어떤 의미에서는 불구의 몸이라는 사실을 꼭 내 입으로 말해야겠나?"

윌리는 스티븐 쪽을 흘끗 보았다. "어렸을 때 아버지를 따라 이곳에 온 적이 있습니다. 당시에는 저 조그만 케이블카를 타는 게 정말 좋았죠. 아버지하고 당신은 얘기를 나누기 위해 저택으로 들어왔지만, 그날은 날씨가 좋았기 때문에 당신은 나더러 밖으로 나가 놀아도 좋다고 했습니다. 숲으로 갔다가 스티븐이 울타리를 비집고 들어온 병든 잡종 개를 가지고 노는 걸 봤습니다. 한쪽 발로 개를 밟고 다리를 한 개씩 뽑고 있더군요. 보통 아이가 꽃잎을 뽑는 것처럼 맨손으로 아무렇지도 않게 쑥쑥 뽑더란 말입니다. 내가 등 뒤로 다가갔을 때는 이미 두 개를 뽑고 세 개째에 착수한 참이었습니다. 얼굴이 피투성이더군요. 스티븐이 아직 여덟 살도 채 되지 않았을 때의 일입니다."

조너선 하먼은 한숨을 내쉬었다. "내 아들은…… 병이야. 나도 자네도 아는 일이니 부인해 봤자 소용없겠지. 게다가 자네도 알다시피 스티븐은 행동이 정상적이지 못하네. 그나마 남은 힘은 약으로 다스리고 있지.

약을 먹기 시작한 뒤로는 벌써 몇 년 동안이나 폭력적인 발작을 일으키지 않았어, 안 그러냐, 스티븐?"

스티븐 하먼은 고개를 들고 그들을 보았다. 눈 하나 깜짝 않고 한참 동안 윌리를 빤히 응시하다가 이윽고 "그렇습니다"라고 말했다.

조너선은 만족한 듯이 고개를 끄덕였다. 마치 문제가 해결됐다는 듯이. "이젠 알겠지, 윌리엄? 자네는 아무런 근거도 없이 우리를 규탄했네. 자네가 협박으로 받아들인 것은 사실 자네를 보호하겠다는 제안에 불과했어. 그때 나는 자네더러 이곳의 객실로 잠시 거처를 옮기면 어떻겠느냐고 말하려던 참이었네. 조우이하고 에이미한테도 같은 제안을 했지."

윌리는 웃음을 터뜨렸다. "그랬겠죠. 그럼 나도 스티븐하고 밤에 놀아 줘야 합니까? 아니면 여자들만 그래야 하나요?"

조너선은 얼굴이 붉어졌지만 화를 억눌렀다. 앤더스 자매 중 한 명과 스티븐을 결혼시키려는 그의 시도가 무위로 돌아갔다는 사실에 아직도 속이 쓰린 것이다. "유감스럽게도 그 아이들 모두 내 제안을 받아들이지 않았네. 그래도 자네만은 현명하게 처신해 줄 거라고 생각했네만. 이곳 블랙스톤에는 모종의 보호막이 있지만 저택 밖에 머문다면 자네의 안전은 보장할 수 없네."

"안전이라니요?" 윌리가 반문했다. "무슨 안전?"

"나도 몰라. 하지만 적어도 이것만은 말해 줄 수 있어. 밤의 어둠 속에는 사냥꾼을 사냥하는 것들이 있다는 사실 말이야."

"사냥꾼을 사냥하는 것들이라." 윌리는 상대방의 말을 되풀이했다. "어감이 좋군요. 운율도 그럴듯하고. 하지만 당신도 그 장단에 맞춰 춤출 수 있겠습니까?" 이제는 참을 만큼 참았다. 그는 문을 향해 걸어갔다.

"고맙지만 거절하겠습니다. 우리 집 벽을 신뢰하는 편이 낫습니다."

스티븐은 윌리를 제지하려고 하지 않았다.

조녀선 하먼은 지팡이에 한층 더 무겁게 몸을 기대고 나직한 목소리로 말했다. "그 아이가 어떤 식으로 살해당했는지 얘기해 줄 수도 있네."

윌리는 발을 멈추고 노인의 눈을 들여다보았다. 그러고는 다시 의자에 앉았다.

●○

평지의 서민 주택가조차도 이곳에 비하면 고급스러워 보였다. 문제의 집은 공원을 지나는 오래된 운하와 강 사이에 위치한, 팔꿈치처럼 구부러진 토지 남쪽에 있었다. 녹조류와 그대로 흘러나오는 생활 오수로 꽉 막힌 운하의 악취는 몇 블록 떨어진 곳에서조차도 맡을 수 있었다. 집들은 모두 싸구려 단층 가옥이었고, 집이라기보다는 판잣집에 더 가까웠다. 팩 공장이 문을 닫은 뒤로 랜디는 이곳에 온 적이 없었다. 세 채에 한 채는 앞쪽 잔디밭에 매매나 임대가 가능함을 알리는 간판을 내놓고 있었다. 바람에 날린 간판이 쓸쓸하게 덜컥였다. 간판을 내놓은 집의 적어도 반수는 불이 꺼져 있었다. 풍상에 빛이 바랜 헐어 빠진 우편함 주위에는 허리 높이까지 잡초가 자랐고, 화재로 전소된 집이 적어도 두 채는 있었다.

몇 년이나 됐기 때문에 번지수는 기억나지 않았지만, 랜디는 그것이 왼쪽 끄트머리에 있는 집이고, 길모퉁이의 싱클레어 주유소 옆에 있다는 사실은 기억했다. 그녀를 태운 택시는 느린 속도로 주위를 돌아다니다가 마침내 주유소를 찾아냈다. 주유소 자체는 폐쇄되고 주유 펌프조차도 모두 사라졌지만, 집은 그녀가 기억하던 그 자리에 여전히 서 있었다. 잔디밭에는 임대 간판이 나와 있었지만 랜디는 집 안에서 불빛이 움직이는 것을 보았다. 회중전등일지도 모른다. 그녀가 좀 더 자세히 확인해 보기 전에 불빛은 사라졌다.

택시 기사가 여기서 그대로 기다려야 하느냐고 물었다.

"아뇨. 얼마나 오래 걸릴지 몰라서."

택시가 떠나자 그녀는 황폐한 잔디밭에 선 채로 한참 동안 현관문을 바라보았다. 잠시 후 그녀는 집으로 다가가기 시작했다.

노크할 생각은 없었다. 그러나 문손잡이에 손을 뻗치려고 하자 문이 열렸다.

"무슨 용건으로 온 거야, 아가씨?"

키가 크고 우람한 사내였다. 전체적으로 두툼한 느낌이지만 모두 근육이었다. 낯익은 얼굴은 아니었지만 헬렌더가 아닌 것만은 틀림없었다. 헬렌더는 본인을 포함해서 가족 모두가 키가 작고 호리호리한 체격이었고, 머리도 축 늘어진 느낌을 주는 우중충한 금발이었다. 이 사내는 무쇠처럼 새까만 머리카락을 규정보다 길게 길렀고, 턱은 수염이 짙은 탓에 검푸르게 보인다. 손은 큰 데 비해 손가락은 짧고 뭉뚝했다. 어디를 봐도 형사로밖에는 보이지 않았다.

"여기 살던 사람들을 찾는데요."

"팩 공장이 문을 닫았을 때 모두 떠났어." 사내가 대답했다. "일단 들어와서 얘기를 나누면 어때?" 그러곤 현관문을 활짝 열었다. 그대로 드러난 나무 바닥과 먼지와 부엌으로 통하는 문간에 서 있는 배 나온 흑인 파트너가 눈에 들어왔다.

"그러고 싶지 않네요." 랜디가 거절했다.

"그래 줘야겠어." 사내는 이렇게 말하고는 싸구려 잿빛 양복 깃에 핀으로 고정한 금색 배지를 보여 주었다.

"그럼 날 체포하겠다는 건가요?"

사내는 이 말에 허를 찔린 듯했다. "아, 물론 아냐. 단지 몇 가지 질문을 하고 싶은 것이 있어서." 이제는 조금 더 상냥한 목소리를 내려고 노력하는 것 같았다. "난 로고프라고 해."

"살인과 소속." 그녀가 말했다.

사내의 눈이 가늘어졌다. "어떻게 그걸……?"

"소렌슨 사건을 맡은 형사군요." 랜디가 말했다. 로고프라는 이름은 오늘 아침 경찰서에 갔을 때 들었다. "여기서 이렇게 죽치고 앉아서 로이 헬렌더가 나타나기를 기다리는 걸 보니 별다른 단서가 없는 모양이네요."

"그렇지 않아도 떠나려던 참이었어. 혹시 고향이 그리워져서 옛집으로 돌아와 숨어 있지는 않을까 생각했던 거야. 하지만 그런 흔적은 없더군." 로고프는 그녀를 뚫어지게 바라보며 미간을 찌푸렸다. "이름을 물어봐도 좋을까?"

"왜요?" 그녀가 물었다. "이건 체포인가요? 아니면 유혹?"

로고프가 미소 지었다. "아직 마음을 정하지 못했어."

"난 랜디 웨이드예요." 그녀는 이렇게 말하며 탐정 면허를 꺼내 보였다.

"사립탐정이군." 로고프의 말투가 신중해졌다. 그는 면허증을 돌려주면서 물었다. "일하는 중이야?"

랜디는 고개를 끄덕였다.

"흥미롭군. 의뢰인 이름을 물어봐도 가르쳐 줄 생각이 없겠지?"

"없어요."

"법정으로 끌고 가 판사 앞에서 실토하게 만들 수도 있어. 그 면허증을 뺏길 수도 있다는 건 알지? 현재 진행 중인 경찰 수사를 방해하고 증거물 제출을 거부한 죄목으로 말이야."

"직업적 특권이라고 간주해 줘요."

로고프는 고개를 가로저었다. "탐정에게 특권 따위는 없어. 적어도 우리 주에서는."

"내겐 있어요. 변호사의 의뢰인에 대한 비밀 유지 의무 말이에요. 난 변호사 자격증도 있거든요." 그녀는 상냥한 미소를 지어 보였다. "수사와는 무관하니까 내 의뢰인을 건드리지는 말아요. 경우에 따라선 로이 헬렌더에 관한 흥미로운 사실 몇 가지를 가르쳐 줄 수도 있지만."

로고프는 잠시 생각하는 눈치였다. "얘기해 줘."

랜디는 고개를 가로저었다. "여기서는 안 돼요. 쿠리어 광장에 있는 자동 식당 알죠?" 로고프는 고개를 끄덕였다. "여덟 시에 봐요. 혼자 와야 해요. 소렌슨의 검시 보고서를 가지고 말이에요."

"여자들은 보통 과자나 꽃 따위를 가지고 가야 좋아하던데."

"검시 보고서가 꼭 있어야 해요." 그녀는 단호한 어조로 되풀이했다. "옛날 사건의 보고서들은 아직도 다운타운에 보관되어 있나요?"

"응, 법원 지하에."

"좋아요. 그럼 도중에 거기 들러서 지식을 좀 보충하는 편이 좋을걸요. 18년 전 사건이니까. 어린애 몇 명이 실종된 사건이었어요. 그중 하나는 로이의 누이동생이었고요. 그 외에 스탠스키, 존스, 걔네들 말고도 또 있지만 이름이 생각나지 않네요. 수사를 맡은 건 프랭크 웨이드라는 형사였어요. 당신처럼 금색 배지를 가지고 있었죠. 그러던 중에 죽었어요."

"그게 이번 사건하고 관련이 있다는 얘기야?"

"형사는 당신이니까 직접 알아봐요." 랜디는 로고프를 문간에 남겨 두고 왔던 길로 성큼성큼 되돌아가기 시작했다.

● ○

스티븐은 절벽 밑동까지 윌리를 배웅할 생각은 없는 듯했다. 윌리는 생각에 잠긴 음울한 표정으로 혼자서 케이블카에 탔다. 온몸의 관절이 욱신거리고 계속 콧물이 흘렀다. 그는 동요하면 언제나 몸부터 안 좋아지는 체질이었고, 조녀선 하먼이 그를 동요하게 만들었다는 점에는 의심의 여지가 없었다. 차 안에 스티븐이 있는 것을 알았을 때는 자기를 죽이러 왔다고 반쯤 확신했지만, 죽는 것에 비하면 이쪽이 그나마 나은 결말일지도 모르겠다. 그렇지만……

13번가를 따라 집을 향해 차를 달리고 있었을 때 오른쪽 길가에 있는 술집의 네온 간판이 눈에 들어왔다. 그러자마자 브레이크를 밟고 길가에 차를 세웠다. 하먼이 한 얘기는 옳을지도 모른다. 혹은 하먼은 완전히 맛이 간 걸지도 모른다. 그러나 어느 쪽이 사실이든 간에 윌리는 먹고살아야 했다. 그는 캐딜락의 문을 잠그고 술집으로 들어갔다.

화요일인 데다가 아직 시간이 이른 탓인지 '스퀴키즈'에는 손님이 없었다. 노동자들을 상대로 하는 싸구려 술집이었다. 당구대가 둘에 가게 안쪽에 셔플보드 기계가 한 대 놓여 있고, 한쪽 벽을 따라 부스 석이 늘어서 있었다. 윌리는 카운터 앞에 가서 앉았다. 바텐더는 나뭇가지처럼 바싹 마르고 뚝 부러질 듯한 느낌의 노인이었다. 성질이 아주 고약해 보였다. 바나나 다이키리를 주문해서 어떤 대답이 돌아올지 알아볼까 하는 유혹을 느꼈지만, 뭐를 씹은 듯한 노인의 일그러진 얼굴을 보고 결국 보일러메이커[2]를 주문했다.

"오늘 에드는 일 안 해?" 바텐더가 술을 가지고 오자 윌리가 물었다.

"주말에만 일해. 하지만 거의 매일 밤 여기서 당구를 치지."

"그럼 기다려야겠군." 이렇게 대답하고 위스키를 원샷하니 눈물이 핑 돌았다. 재빨리 맥주를 한 모금 꿀꺽 마셨다. 남자 화장실 옆에 공중전화가 있었다. 바텐더가 거슬러 준 잔돈을 가지고 그리로 가서 25센트 동전을 넣고 랜디의 집에 전화를 걸었다. 랜디 대신 그 빌어먹을 자동응답기가 나왔다. 윌리는 자동응답기가 정말 싫었다. 사실 이 기계가 채무 회수원의 일을 필요 이상으로 어렵게 만들었다는 점에는 의심의 여지가 없었다. 그는 삐 소리가 날 때까지 기다렸다가 랜디 앞으로 외설적인 메시지를 남기고 전화를 끊었다.

남자 화장실의 소변기 위쪽 벽에는 콘돔 자동판매기가 붙어 있었다. 윌리는 오줌을 누면서 자동판매기에 쓰인 사용법을 읽었다. 콘돔은 물론 성병 예방을 위해서만 사용해야 한다고 쓰여 있다. 두 종류의 콘돔 중 왼쪽 슬롯에서 나오는 것은 우툴두툴한 돌기가 달린 것이지만 말이다. 윌리는 우리 집에도 이걸 한 대 들여놓으면 어떨까 생각하며 지퍼를 올

---

2 boilermaker. 맥주에 위스키를 섞은 칵테일. 따로 마실 때도 있다.

리고 물을 내린 다음 손을 씻었다.

다시 카운터로 돌아가자 새로 온 손님 둘이 당구대 옆에서 큐 끝에 초크를 먹이고 있었다. 윌리가 바텐더를 보자 노인은 고개를 끄덕였다.

"혹시 에드 주디커 씨 맞습니까?" 윌리가 물었다.

에드의 몸집은 동료만큼 크지는 않지만 (함께 온 친구는 모비딕만큼이나 거대하고 희끄무레했다) 역시 만만치 않은 거구였다. 얼굴에서는 정말 멍청하고 못되어 먹은 느낌이 풀풀 났다. "난데 왜?"

"채무에 관해서 의논할 게 있어서요." 윌리는 명함 한 장을 건네며 말했다.

에드는 윌리의 손을 보았지만 명함을 받으려고 하지는 않았다. 웃음을 터뜨리며 "꺼져"라고 내뱉고는 당구대 쪽으로 몸을 돌렸다. 모비딕이 당구공을 가지런히 정렬시키자 에드가 먼저 쳤다.

상관없다. 어떻게 행동하든 에드 마음이다. 윌리는 카운터 앞에 앉아 맥주를 한 병 더 주문했다. 어떤 식으로든 에드에게 돈을 받아 낼 것이다. 에드도 언젠가는 술집 밖으로 나가야 할 것이고, 그런 다음에는 윌리 차례였다.

●○

윌리는 여전히 전화를 받지 않았다. 랜디는 공중전화 수화기를 내려놓고 미간을 찌푸렸다. 윌리는 자동응답기도 쓰지 않는다. 윌리 플램보가 그런 똑똑한 짓을 할 리가 없었다. 걱정할 필요가 없다는 사실은 알고 있었다. 윌리가 자기 입으로 여러 번 강조했듯이, 지옥 사냥개들은 출근카드 따위와는 인연이 먼 인종이다. 아마 어떤 멍청이를 상대로 빚을 받아 내고 있는 것이리라. 일단 집에 간 다음에 다시 전화를 걸어 보자. 그때도 응답이 없다면 정말로 걱정할 필요가 있겠지만.

자동 식당은 인적이 별로 없었다. 낡은 리놀륨 바닥 위에서 그녀의 하이힐이 또각거렸다. 부스 석으로 되돌아가니 아까 마시던 커피는 차갑게 식어 있었다. 창문 밖을 무심코 내다보았다. 스테이트 내셔널 은행 건물의 디지털시계는 8시 13분을 가리키고 있었다. 랜디는 10분만 더 기다려 보기로 했다.

부스 석의 붉은 비닐은 낡고 여기저기가 갈라졌지만, 이곳에 앉아 차갑게 식은 커피를 홀짝이며 광장 너머의 무쇠 첨탑을 바라보니 기묘할 정도로 마음이 편안했다. 어렸을 때는 이 자동 식당을 정말 좋아했다. 매년 돌아오는 생일 때마다 캐슬 극장에서 영화를 보고 이곳에서 저녁을 사 달라고 요구하면 아버지는 웃음을 터뜨리며 다 받아 주었다. 랜디는 동전 투입구에 5센트 주화를 넣고 기계의 창문이 홱 열리는 광경을 보는 것을 정말 좋아했고, 이런저런 버튼과 지렛대가 달린 고색창연한 놋쇠 커피 머신으로 가서 아버지의 컵에 커피를 따라 주는 걸 즐겼다.

이따금 오래된 호러 영화에 나올 듯한 이름 모를 손이 벽에 늘어선 조그만 창문 너머에 대뜸 나타나서 샌드위치나 파이 조각 따위를 빈 슬롯에 집어넣는 광경을 볼 수도 있었다. 자동 식당에서는 인간 종업원의 모습을 볼 수 없다. 보이는 것은 손뿐이다. 아버지는 무전취식한 사람들의 손이 벌을 받고 있는 거라며 겁을 준 적이 있었다. 그 얘기를 듣고 그녀는 부르르 몸을 떨었지만, 그 덕택에 1년에 한 번 있는 식당 방문을 더 즐길 수 있었다. 나중에 진실을 알고는 흥미를 잃었지만 말이다. 인생이란 대개 그런 법이지만.

최근 들어 이 식당은 언제나 텅 비어 있었다. 랜디는 이렇게 손님이 없는데도 식당 바닥은 어떻게 이렇게 더러울 수 있는지 궁금했다. 게다가 옛날과는 달리 조그만 창문 옆의 동전 투입구에는 5센트가 아니라 25센트 주화를 넣어야 했다. 그러나 이곳의 바나나 크림 파이 맛은 여전히 최고였고, 낡아 빠진 놋쇠 기계에서 나오는 커피는 그녀가 집에서 끓이는 그 어떤 커피보다도 나았다.

한 잔 더 마실까 생각했을 때 식당 문이 열리더니 로고프가 들어왔다. 두꺼운 모피 코트 차림이었다. 비를 맞고 온 탓에 머리가 젖었다. 그가 부스 석으로 다가오자 랜디는 벽시계를 보았다. 8시 17분.

"늦었네." 그녀가 지적했다.

"난 글 읽는 속도가 느려서 말이야." 그는 이렇게 말하고는 잠깐 실례한다더니 먹을 것을 사러 갔다.

랜디는 그가 동전 교환기에 1달러 지폐를 넣는 모습을 바라보았다. 저 타입이 싫지 않다면 그럭저럭 괜찮아 보인다고 생각했다. 문제는 로고프 같은 타입은 십중팔구 형사라는 점이다.

로고프는 커피 한 잔과 그레이비를 끼얹은 매시드 포테이토와 푹 익힌 당근을 곁들인 핫비프 샌드위치를 가지고 돌아왔다. 커다란 애플파이도 한 조각 있었다.

"바나나 크림 케이크가 훨씬 맛있는데." 랜디는 그녀를 마주 보고 앉은 로고프에게 말했다.

"난 사과가 더 좋아." 로고프는 종이 냅킨을 끄집어내며 대답했다.

"검시 보고서는 가지고 왔어?"

"여기 호주머니에 들었지." 로고프는 샌드위치를 자르기 시작했다. 원래 성격이 그런지, 샌드위치 전체를 꼼꼼하게 한입 사이즈로 자른 다음에야 비로소 입에 넣었다. "아버지 일은 유감이군."

"나도 동감이야. 아주 오래전 일이지만. 그 보고서를 보여 줄래?"

"보여 줄 수도 있어. 하지만 우선 로이 헬렌더에 관해 내가 모르는 일이 뭔지부터 얘기해 봐."

랜디는 의자 등받이에 등을 기댔다. "어릴 때 알고 지내던 사이야. 나보다 나이가 많지만 학교에서 두 번인가 유급했기 때문에 마지막엔 같은 반이었어. 로이는 치안이 불안한 지구에 사는 태생이 별로 안 좋은 아이였고 나는 경찰의 딸이었기 때문에 공통점은 별로 없었어. 그 아이의 누이동생이 실종될 때까지는 말이야."

"그때 그 친구도 함께 있었다더군." 로고프가 말했다.

"응, 함께였어. 그 사실을 부인하는 사람은 없었고, 로이 본인도 전혀 부인하려 들지 않았지. 당시 로이는 열다섯 살이었고 누이동생은 여덟 살이었어. 함께 철길을 따라 걷고 있었다는군. 갈 때는 함께였는데 나중에 돌아온 사람은 로이 혼자였어. 입고 있는 작업복하고 양손이 피투성이가 되어서 말이야. 누이동생의 피였어.

그때까지 이미 세 아이가 실종됐어. 제시 헬렌더는 네 번째였고. 대부분의 사람들이 예전부터 로이를 좀 이상한 애로 보고 있었어. 언제나 혼자 돌아다니고, 자기표현에 서툰 데다가 곧잘 학교를 빼먹고 숲 어딘가에 있는 자기만의 은신처로 도망치곤 했거든. 같은 또래의 사내아이들하고 노는 것보다는 자기보다 어린 아이들하고 노는 걸 즐겼고. 안 그래도 집안이 안 좋은 아이가 급기야는 자기 여동생을 강간한 다음 죽였다……. 모두들 이렇게 생각했던 거지. 경찰은 로이를 체포한 다음 온갖 심리 테스트를 해 보고 매우 심각한 정신장애에 시달린다는 결론을 내렸고, 어딘가에 있는 미성년자 격리 시설로 보냈던 거야. 아직 어렸으니까. 사건은 그런 식으로 종결됐고, 사람들은 안도했지."

"얘기해 줄 수 있는 게 기껏 그 정도라면 검시 보고서를 이 호주머니에서 꺼낼 생각은 없어." 로고프가 말했다.

"로이는 자기는 범인이 아니라고 했어. 하지만 툭하면 울부짖으면서 고함을 지르는 데다가 설명을 해도 아귀가 잘 안 맞았어. 로이는 자기가 3미터쯤 뒤처져서 누이동생을 따라갔다고 했어. 철도 레일 위에서 균형을 잡고 걸어가면서 기차가 오지 않나 귀를 기울이는데 갑자기 괴물이 나타나서 동생을 공격했다는 거야."

"괴물이라." 로고프가 말했다.

"털이 많은 개를 닮았다고 했어. 늑대 얘기를 하고 있었던 거지. 모두 그렇게 생각했어."

"이 부근에는 1세기 가깝게 늑대가 나타나지 않았어."

"괴물이 갈가리 몸을 찢는 동안 제시는 비명을 질렀다고 했어. 로이는 동생의 두 발을 잡아당겨 괴물의 아가리에서 *끄*집어내려고 했다는군. 그러는 통에 온몸에 피를 뒤집어썼다는 거야. 늑대는 고개를 돌려 로이를 노려보고 으르렁거렸다고 했어. 빨간 눈, 마치 불타는 듯한 빨간 눈이었다는군. 로이는 그걸 보고 겁에 질린 나머지 손을 놓고 말았고. 그 무렵 제시는 이미 죽어 버렸을 게 확실해. 늑대는 마지막으로 한 번 더 으르렁거린 다음 어린애를 입에 문 채로 달려갔지." 랜디는 말을 멈추고 커피를 한 모금 마셨다. "로이는 그렇게 증언했어. 같은 얘기를 몇 번이나 했지. 자기 어머니, 경찰, 심리학자, 판사를 포함한 모든 사람한테 말이야. 그 얘기를 믿은 사람은 아무도 없었지만."

"당신도 안 믿었단 거야?"

"나도 안 믿었어. 학교에서는 모두 로이에 관해 쑥덕거렸지. 그 애가 자기 누이동생하고 사라진 아이들에게 무슨 짓을 했는지에 관해서 말이야. 너무 어려서 완벽한 상상은 불가능했지만, 적어도 끔찍했다는 건 모두가 알았어. 문제는 우리 아버지만은 그 얘기를 완전히 믿지 않았다는 점이겠지."

"왜?"

랜디는 어깨를 으쓱했다. "아마 직감 같은 거였는지도 몰라. 모름지기 경찰관은 자기 직감을 신뢰해야 한다는 것이 아버지의 신조였지. 처음부터 그 사건을 맡았기 때문에 그 누구보다도 오랫동안 로이와 접했고, 로이의 얘기를 워낙 여러 번 들은 탓에 어떤 영향을 받은 건지도 몰라. 하지만 반박하려고 해도 증거가 없었어. 로이가 범인이라는 정황증거는 너무 많았어. 그래서 로이는 범인으로 지목되고 구금됐던 거지." 랜디는 이런 얘기를 하며 로고프의 눈을 응시하고 있었다. "그런데 한 달 뒤에 에일린 스탠스키가 실종됐어. 여섯 살이었지."

포크로 매시드 포테이토를 떠먹으려던 로고프는 손을 멈추고 그녀의 얼굴을 찬찬히 뜯어보았다. "다들 난처했겠군."

"그래서 아버지는 로이를 석방시키려고 했지만 아무도 찬성해 주지 않았어. 스탠스키 사건은 다른 사건과는 무관하다는 것이 경찰의 공식 견해였지. 로이는 네 명을 죽였고, 다른 유아 살해범이 다섯 번째 희생자를 죽였다는 식이었어."

"전혀 불가능한 일은 아니군."

"말도 안 되는 일이야." 랜디가 반박했다. "우리 아버지는 그걸 알고 있었고, 공공연하게 그 사실을 말하고 다녔어. 그 탓에 경찰 내부에서 친구들을 잃었지만 상관하지 않았어. 워낙 고집이 셌거든. 당시의 사망 보고서를 읽었어?"

로고프는 고개를 끄덕였다. 불편한 기색이었다.

"우리 아버지는 짐승의 습격을 받고 갈가리 찢겼어. 검시관은 개라고 했지. 그 말을 믿고 싶거든 얼마든지 믿어도 좋아." 이렇게 말하는 것은 쉽지 않았다. 오랫동안 상처에 앉은 딱지를 건드리듯이 이 문제에 관해 고민했고 결국은 잊으려고 노력했지만, 무슨 일을 해 봐도 당시 일을 언급하는 것은 고통이었다. "한밤중에 전화 연락을 받았어. 실종된 아이들에 관한 단서가 발견됐다는 제보였던 것 같아. 집을 나서기 전에 아버지는 조 어커트한테 전화를 걸어서 지원을 부탁했어."

"어커트 서장?"

랜디는 고개를 끄덕였다. "당시엔 아직 서장이 아니었어. 순경 시절에는 우리 아버지의 파트너였지. 상당히 신빙성이 높은 제보를 받았다는 얘기를 아버지한테 들었지만, 상세한 얘기까지는 못 들었고, 아버지는 제보자 이름도 밝히지 않았다고 했어."

"당신 아버지도 제보자가 누군지 몰랐을 수 있어."

"알고 있었어. 우리 아버지는 익명의 제보를 받고 한밤중에 혼자서 달려 나가는 스타일의 경찰관은 아니었으니까. 하지만 그날 밤 아버지는 혼자서 차를 몰고 가축 수용소로 갔어. 거기서 뭔가가 기다리고 있었어. 그게 무엇이었든 간에 총을 여섯 발이나 맞고도 아버지한테 계속 달려

들었지. 아버지 목을 물어뜯고 숨이 끊어진 다음에는 시체를 먹었어. 조어커트가 나중에 현장에 도착했을 때는 거의……. 조가 그러는데, 처음 시체를 발견했을 때는 인간 시체가 맞는지도 확신할 수 없었다는군."

냉정하고 침착한 목소리로 얘기했지만 배 속이 뒤틀리는 느낌만은 어쩔 수가 없었다. 얘기를 마치자 로고프가 그녀를 빤히 응시했다.

그는 포크를 내려놓고 접시를 앞으로 밀쳐 냈다. "갑자기 입맛이 싹 달아났어."

랜디는 차가운 미소를 떠올렸다. "난 이 도시의 신문이 정말 맘에 들어. 몇 년 전에 갱단이 여자를 납치해서 2주 동안 감금한 적이 있었지. 그동안 여자는 얻어맞고, 고문당하고, 수많은 남자에게 몇백 번이나 무차별적으로 강간당했어. 그 사건이 신문에 보도됐을 때 기사에서는 '폭행당했다'라는 표현을 썼더군. 바로 그 신문이 우리 아버지가 죽었을 때는 시체가 '훼손'되었다고 했어. 얼마 전에 조운 소렌슨이 죽었을 때도 똑같은 표현을 썼지. 내가 듣기로는 시체는 멀쩡했는데도 말이야." 랜디는 상체를 앞으로 내밀고 상대방의 암갈색 눈을 들여다보았다. "그건 새빨간 거짓말이야."

"응." 로고프도 시인했다. 그는 가슴 호주머니에서 접은 종이를 꺼내 펼친 다음 그녀에게 건넸다. "하지만 당신이 생각하는 것과는 좀 달라."

랜디는 검시 보고서를 로고프의 손에서 낚아채 재빨리 훑어보았다. 글자들이 흐릿해지는 통에 머리에 잘 들어오지 않았다. 그녀가 생각하던 것과는 달랐다.

사인 : 과다 출혈

어딘가 먼 곳에서 로고프가 말하는 소리가 들려왔다. "거긴 보안 설비가 잘된 건물이었고, 그 여자의 아파트는 14층에 있었어. 발코니나 화재 대피용 비상문도 없었고, 경비원은 외부인이 단 한 사람도 들어오지 않았다고 했어. 현관문도 잠겨 있었지. 용수철식 싸구려 자물쇠라서 간단히 뜯을 수 있지만 손을 댄 흔적이 전혀 없었어."

살인에 사용된 흉기는 길이가 최소 12인치는 되는 칼이었음. 칼날이 극히 날카롭고 폭이 좁은 데다가 유연하다는 사실을 감안하면 외과 수술용 메스일 가능성도 있어 보임.

"그 여자의 옷은 갈기갈기 찢긴 채로 아파트 안에 널려 있었어. 그런 몸으로는 별다른 저항을 하지 못했을 거라고 생각하겠지만, 상황을 보아 하니 격렬하게 저항했던 것 같더군. 물론 그런 소리를 들은 이웃은 아무도 없지만 말이야. 범인은 그 여자의 옷을 벗기고 침대에 결박했어. 능숙하고 신속하게. 하지만 그 여자가 죽기까지는 오랜 시간이 걸렸을 거야. 침대 전체가 그 여자 피로 흠뻑 젖어 있었어. 시트나 매트리스뿐만 아니라 그 안의 스프링까지."

랜디는 고개를 들어 로고프를 보았다. 검시 보고서가 그녀의 손가락에서 떠나 세라믹 식탁에 떨어졌다. 로고프는 손을 뻗어 그녀의 손을 잡았다.

"조운 소렌슨은 정체를 알 수 없는 짐승에게 잡아먹힌 게 아냐, 아가씨. 범인은 산 채로 그녀의 가죽을 벗겼고, 출혈 과다로 죽게 내버려 두었어. 현장에서 사라진 건 그 여자의 피부였어."

●○

　윌리는 자정을 15분 넘긴 시각에 집에 돌아와서 잔교 옆에 캐딜락을 주차했다. 에드 주디커의 지갑은 운전석 옆 좌석 위에 놓여 있었다. 윌리는 지갑을 열고 돈을 꺼내 세어 보았다. 79달러. 얼마 되지는 않지만 어쨌든 시작이 반이라지 않는가. 반은 벳시한테 건네고 나머지는 에드의 빚을 갚는 데 쓰자. 윌리는 돈을 호주머니에 집어넣고 빈 지갑을 글러브 박스에 넣었다. 지갑 속의 운전면허증은 나중에 에드에게 돌려줄 생각이었다. 에드가 일하는 주말에 '스퀴키즈'에 들러서 그와 함께 채무 상환 계획을 짜는 것이다.

　윌리는 차 문을 잠그고 지친 표정으로 현관문으로 이어지는 비에 젖은 자갈 포장길을 터벅터벅 걸어갔다. 강 위의 밤하늘은 깜깜했고, 별도 전혀 보이지 않았다. 달은 어디엔가 떠 있겠지만, 검은 솜사탕 같은 구름 뒤에 가려 코빼기도 비치지 않았다. 열쇠 뭉치를 찾기 위해 흡입기, 약갑, 가위 반 다스, 손수건을 포함해서 코트 주머니를 무겁게 늘어뜨리는 잡동사니 깊숙한 곳을 뒤졌다. 1분쯤 지나도 나오지 않자 그는 바지 주머니에 손을 넣었고, 가까스로 열쇠를 찾아냈다. 첫 번째 열쇠를 이중 걸쇠식 자물쇠 구멍에 꽂아 넣었다. 그러자 문이 스르르 열렸다.

　먼지가 잔뜩 낀 높은 창문을 통해 흘러들어 오는 노르스름한 가로등 빛이 양조장 바닥에 희미한 사각형 무늬와 일그러진 선을 그렸다. 녹슬어 가는 양조 기계들은 어둑어둑한 양조장 구석에서 검고 거대한 짐승처럼 웅크리고 있는 듯한 느낌이었다. 윌리는 열쇠를 든 채로 문간에 우뚝 서 있었다. 심장이 기계식 해머처럼 미친 듯이 두근거렸다. 윌리는 주머니에 열쇠를 집어넣고 프리마틴 흡입기를 꺼내 깊게 들이마셨다. 흡입기가 약액을 쉭쉭 분사하는 소리가 쥐 죽은 듯한 정적 속에서 끔찍할 정도로 크게 울려 퍼졌다.

조운 생각을 했다. 그녀에게 무슨 일이 일어났는지를.

도망칠 수 있었다. 캐딜락은 불과 몇 피트 뒤에 있으니까 몇 걸음만 되돌아가면 된다. 집 안에서 기다리는 것이 아무리 빠르다고 한들 그가 차를 타기 전에 그를 따라잡을 수는 없을 것이다. 그렇다. 그런 다음에는 차를 몰고 밤새도록 운전하면 된다. 시카고까지 갈 기름은 충분하고, 설마 거기까지 따라올 리가 없다. 윌리는 한 걸음 뒤로 물러섰다가 퍼뜩 멈춰 섰고, 신경질적인 웃음소리를 냈다. 번쩍번쩍한 장식이 달린 라임그린색 거대한 캐딜락의 운전석에 앉아서 말을 듣지 않는 엔진 상대로 필사적으로 시동을 거는 자신의 모습이 머리에 떠올랐기 때문이다. 그러는 동안 양조장 안쪽에서 뭔가 거대하고 끔찍한 것이 나타나서, 자갈 포장길을 가로질러 그의 배후로 접근하면 어떻게 하란 말인가. 그러나 조금만 생각해 보면 실로 멍청한 생각이라는 걸 알 수 있다. 하필 그런 순간을 골라 시동이 안 걸린다니, 이건 B급 공포 영화에서나 일어나는 일 아닌가. 그렇다, 그래야 한다!

혹시 오늘 아침 일하러 나오면서 문 잠그는 것을 깜빡 잊었는지도 모른다. 밤새 악몽에 시달리는 통에 제대로 잠을 못 잔 데다가 오늘 할 일이 워낙 많아서 정신이 없었던 것은 사실이다. 그러니까 나는 이 얼어 죽을 현관문을 닫기만 하고 자물쇠 잠그는 것을 깜박했을 뿐이다.

지금까지 자물쇠 잠그는 것을 잊은 적은 단 한 번도 없었다.

하지만 오늘 처음으로 그런 것인지도 모르지 않는가.

윌리는 변신을 고려했다. 그러자 조운 생각이 났고, 이내 그런 생각을 포기했다. 그는 한쪽 발을 들어 올리고 신을 벗었다. 그러고는 반대쪽 신을 벗었다. 양말에 물이 스며들었다. 살금살금 앞으로 걸어 나갔다. 심호흡을 한 번 하고는 최대한 소리를 내지 않고 어두운 양조장 안으로 들어가서 뒤로 돌린 손으로 현관문을 닫았다. 움직이는 것은 없었다. 윌리는 주머니에 손을 넣고 가위 씨를 끄집어냈다. 별로 도움이 될 것 같지는 않지만 그래도 맨손보다는 낫지 않겠는가. 벽 가의 진한 어둠에 바싹 몸을 붙인 상태로 방을 가로질렀고, 양말만 신은 발로 소리 없이 층계를 올라갔다.

복도 끄트머리에 난 창문을 통해 가로등 불빛이 비쳐 왔다. 윌리는 2층으로 이어지는 층계참 높이까지 머리가 왔을 때 멈춰 섰다. 이 위치라면 복도 끝까지 볼 수 있었다. 사무실 문은 모두 닫혀 있었다. 문 아래의 틈새나 불투명 유리창을 통해 새어 나오는 빛도 없었다. 누군가가 잠복하고 있다면 어둠 속에서 기다리고 있는 것이다.

다시 가슴이 조여 오는 듯한 느낌을 받았다. 잠시 후에는 흡입기가 필요해질 것이다. 갑자기 될 대로 되라는 심정이 된 윌리는 남은 계단을 성큼성큼 올라가서 단 두 걸음만으로 복도를 가로질렀고, 거실로 통하는 문을 활짝 열고 때리는 듯한 동작으로 거실의 불을 켰다.

랜디 웨이드가 그의 안락의자에 앉아 있었다. 불이 켜지자 그녀는 눈을 깜박이며 그를 올려다보았다.

"깜짝 놀랐잖아." 그녀가 말했다.

"나 때문에 깜짝 놀랐다고!" 윌리는 방 반대편 가죽 소파에 털썩 앉았다. 땀에 젖은 손에 쥐고 있던 가위가 딱딱한 나무 바닥에 떨어졌다. "하느님 맙소사. 당신 탓에 바지에 쌀 뻔했어. 도대체 여기서 뭘 하는 거지? 혹시 내가 현관문 잠그는 걸 깜빡 잊은 탓인가?"

랜디가 웃어 보였다. "현관문을 잠그고, 잠그고, 한두 번으로는 모자랐는지 또 잠가 놨더군. 현관문 잠그기 세계 선수권 대회라도 출전하는 게 어때, 플램보? 따고 들어오는 데 20분이나 걸렸다고."

윌리는 욱신거리는 관자놀이를 문질렀다. "아, 그렇군. 알다시피 이 몸을 호시탐탐 노리는 여자들이 워낙 많아서 말이야. 나도 내 몸을 지킬 방도가 있어야 하지 않겠어?" 그는 발이 축축한 것을 자각하고 한쪽 양말을 벗으며 오만상을 찌푸렸다. "이것 봐. 내 구두는 집 밖에서 비를 맞고 있고, 당신 덕택에 발이 완전히 젖었어. 폐렴이라도 걸리면 치료비를 청구해야겠어, 웨이드. 조금만 더 기다려 줄 수는 없었던 거야?"

"밖에는 비가 오잖아." 그녀가 지적했다. "내가 비 맞은 생쥐 꼴로 기다리는 걸 보고 싶지는 않았을 거 아냐, 윌리? 여기 오기 전부터 기분이 안 좋았는데, 그런 데까지 신경 써야겠어?"

윌리는 발 문지르는 것을 그만두고 그녀를 올려다보았다. 비를 맞은 탓에 밝은 갈색 머리카락 몇 오라기가 이마에 찰싹 달라붙어 있었다. 두 눈에는 음울한 빛이 깃들어 있다.

"좀 상태가 안 좋아 보이긴 하네." 윌리가 인정했다.

"그나마 몸단장을 하려고 여자 화장실에 갔지만 거울이 없었어."

"깨졌어. 남자 화장실에는 하나 있는데."

"난 그런 여자가 아냐." 랜디는 침울한 어조로 말했다. 딱딱하고 억양이 없는 목소리였다. "윌리, 당신 친구 조운은 동물한테 당한 게 아니었어. 산 채로 가죽을 벗겨서 죽인 거야. 살인자는 벗긴 가죽을 가지고 갔고 말이야."

"나도 알아." 윌리는 자기도 모르는 새에 이렇게 말해 버렸다.

랜디의 눈이 가늘어졌다. 평소에는 정말 예쁜 커다란 녹회색 눈동자가 지금은 유리구슬처럼 차가운 빛을 내뿜고 있었다. "알고 있었어?" 그녀는 그가 한 말을 되풀이했다. 거의 속삭임에 가까울 정도로 나직해진 그녀의 목소리를 듣고 윌리는 자신이 실수를 했다는 사실을 깨달았다. "엉터리 얘기로 사람을 속여 하루 종일 뛰어다니게 만들어 놓았으면서, 실은 이미 알고 있었다고? 그럼 우리 아버지한테 무슨 일이 일어났는지도 알고 있었던 거야? 단지 내 관심을 끌려고 치사한 수를 쓴 거야?"

윌리는 아연실색한 얼굴로 그녀를 바라보았다. 그는 손에 쥐고 있던 두 번째 양말을 바닥에 떨어뜨렸다. "어이, 랜디, 부탁이니 좀 기다려 주겠어? 그건 터무니없는 오해야. 나도 겨우 몇 시간 전에야 그 얘길 들었다고. 정말이야. 내가 처음부터 그런 사실을 알고 있었을 리가 없잖아? 난 현장에 가지도 않았고, 신문에 새로운 기사가 나지도 않았잖아." 혼란스러우면서도 뭔가 켕기는 듯한 기분이었다. "도대체 내가 당신 아버지에 관해 뭘 알고 있다는 거지? 난 당신 아버지에 관해서는 전혀 몰라. 지금까지 나를 위해 일했을 때도 가족 얘기는 두 번밖에 안 했잖아."

랜디의 눈은 거짓말을 하고 있는지 알아내려는 듯이 윌리의 얼굴을 샅샅이 훑었다. 윌리는 최대한 따스하고 신뢰감에 가득 찬 미소를 지어 보이려고 노력했다. 랜디는 얼굴을 찡그렸다.

"됐으니까 그만둬." 그녀는 지친 목소리로 말했다. "중고차 세일즈맨처럼 보이려는 거야 뭐야. 알았어. 우리 아버지 일은 처음부터 전혀 모른다는 거군. 미안해. 신경이 좀 곤두서 있는데 그런 얘기가 나와서……."

그녀는 생각에 잠긴 표정으로 말을 멈췄다. "소렌슨 얘긴 어디서 들었어?"

윌리는 주저했다. "얘기해 줄 수가 없어. 얘기해 주고 싶지만, 정말 그러고 싶지만, 그럴 수가 없어. 어차피 얘기해도 안 믿어 줄 게 뻔하고." 그는 랜디의 매우 불만스러운 표정을 살피며 말을 이었다. "내가 용의선상에 올라가 있는지는 알아봤어? 경찰에서는 아직 연락이 없던데."

"아마 하루 종일 연락을 취하려고 했는지도 몰라. 하도 전화를 받지 않으니까 이제는 지명수배 목록에 올라가도 이상할 게 없겠어. 자동응답기가 그렇게 싫으면 가끔은 집에 들르기라도 해야지." 랜디는 얼굴을 찌푸렸다. "살인과의 로고프하고 얘기했어." 윌리는 심장이 멎는 듯한 느낌을 받았지만, 그의 표정을 본 랜디는 그가 입을 열기 전에 손을 들어 제지했다. "아냐. 당신 얘기는 하지 않았어. 나나 로고프 양쪽이 말이야. 경찰에서는 아마 피해자와 면식이 있는 사람들에게 전화를 걸어 대고 있는 건지도 모르겠군. 하지만 그건 통상적인 수사일 거야. 딱히 당신을 지목하는 것 같지는 않아."

"다행이군. 좋아, 이번엔 신세를 졌지만, 이젠 더 이상 조사하지 않아도 돼. 언제까지나 이렇게 돈도 안 되는 일을 시킬 수도 없고. 그러니까……."

"그러니까 뭐?" 랜디는 미심쩍은 표정으로 그를 응시했다. "그래서 이젠 나를 쫓아내겠다, 이런 뜻이야? 도와 달라면서 이번 사건에 나를 끌어들여 놓고서?" 그녀는 미간을 찌푸렸다. "혹시 나한테 뭐 숨기는 일이라도 있어?"

"그건 내가 할 말이잖아." 윌리는 가볍게 응수했다. 잘만 하면 농담으로 얼버무릴 수 있을지도 모른다. "내가 속옷 고르는 걸 도와주겠다고 하면 언제나 숨기려고만 하는 사람은 바로 당신이잖아."

"헛소리하지 마." 랜디는 날카롭게 말했다. 전혀 감명을 받지 않았다는 것은 확실했다. "우린 지금 당신 친구였다는 그 여자가 고문당하고 살해당한 얘기를 하고 있어. 혹시 그걸 깜박 잊기라도 했어?"

"아니." 윌리는 곤혹스러운 표정으로 말했다. 그는 불편한 기색으로 일어서서 방을 가로질렀고, 핫플레이트의 전기 코드를 콘센트에 꽂았다. "어, 홍차 한 잔 마실래? 얼그레이, 레드징어, 모닝선더도 있는데……."

"경찰은 용의자를 찾아낸 것 같아."

윌리는 고개를 돌려 그녀를 보았다. "누구를?"

"로이 헬렌더."

"맙소사." 윌리는 말했다. 헬렌더 사건이 일어났을 때 그는 독일 함부르크에 주둔한 부대에서 일병으로 복무하고 있었다. 그러나 고향 소식을 놓치지 않으려고 〈쿠리어〉지를 정기 구독하고 있었다. 머리기사를 읽고 속에서 구토감이 치밀어 올랐던 것을 기억했다. "확실해?"

"아니. 별다른 단서가 없어서 그러는 것 같아. 예전에도 멋진 희생양이 되어 줬으니까 다시 쓰지 말라는 법은 없잖아? 하지만 그러려면 우선 로이를 찾아내야 할걸. 이 도시는커녕 미국에 있는지 없는지도 몰라."

윌리는 고개를 돌리고 핫플레이트로 주전자의 물을 끓이는 데 전념했다. 갑자기 랜디의 눈을 똑바로 쳐다보는 일이 부담스러워졌던 것이다. "헬렌더가 아이들을 잡아갔다는 얘기를 당신은 믿지 않는 것 같군."

"자기 누이까지? 설마. 다른 사람은 몰라도 제시에게 해를 입혔을 리가 없어. 제시가 실제로 로이를 좋아한 유일한 사람이었다는 거 알아? 다섯 번째 아이가 사라졌을 때 이미 감옥에 갇혀 있었다는 사실은 말할 나위도 없고. 난 로이 헬렌더를 잘 알아. 치아 상태가 안 좋은 데다가 목욕을 자주 안 해서 불결했지만, 그렇다고 해서 유아 살해범으로 몬다는 건 말이 안 돼. 자기보다 어린 아이들하고 곧잘 논 건 같은 또래들은 로이를 놀리면서 못살게 굴었기 때문이야. 친구가 있었던 것 같지는 않아. 상황이 견디기 어려워지면 숲에 마련해 둔 자기만의 은신처로 가는 버릇이 있었고, 또……" 랜디는 갑자기 입을 다물었다.

윌리는 티백 끄트머리를 잡은 채로 그녀를 돌아보았다.

"내가 지금 무슨 생각을 하는지 알아, 윌리?"

주전자가 삑삑 소리를 내기 시작했다.

● ○

랜디는 집에 돌아와서 침대에 누웠지만 한 시간 이상 잠을 못 이루고 뒤척였다. 눈을 감기만 하면 아버지 얼굴을 떠올리거나 불쌍한 조운 소렌슨의 얼굴을 상상했기 때문이다. 침대에 묶인 채로 칼을 든 살인자가 다가오는 광경을 바라봐야 했다니. 로이 헬렌더도 자꾸 떠올랐다. 로이 헬렌더와 그의 은신처에 관해서 말이다. 그녀의 마음속에서 로이는 여전히 비쩍 마른 소년의 모습을 하고 있었다. 축 늘어진, 잘 감지 않아서 더러운 금발에, 겁에 질리고 경황없는 눈초리로 같은 얘기를 여러 번 되풀이하는 소년. 지금까지 그가 주립 정신병원의 독방에 감금된 채로 약물에 절어 지내는 동안 숲에 있다는 그의 은신처는 어떻게 되었을지 궁금했다. 혹시 로이는 독방에 누워 지내며 종종 그곳을 머리에 떠올리지는 않았을까. 아마 그랬을지도 모른다. 만약 로이 헬렌더가 귀향한 것이 사실이라면 랜디는 그가 지금 어디 있을지 짐작이 갔다.

그러나 짐작하는 것과 실제로 찾아내는 것은 전혀 별개의 문제였다. 윌리와 이러쿵저러쿵 얘기해 봤지만 뾰족한 해답은 나오지 않았다. 랜디는 억지로라도 기억해 보려고 했지만 워낙 오래전에 학교 운동장에서 속삭이는 얘기를 엿들은 것에 불과하기 때문에 쉽지 않았다. 숲 속에 있는, 아무도 오지 않는 그만의 비밀 은신처. 오로지 그만 알고 있는, 숨겨진 마법의 장소. 어디 있다고 해도 이상하지 않았다. 강가의 동굴이나 나무 위에 지은 오두막 혹은 마분지로 만든 천막처럼 단순할 수도 있었다. 하지만 그 숲이란 어느 숲을 얘기하는 것일까? 도시 외곽에는 교외와 공장 지대와 농장 따위가 산재해 있고, 가장 가까운 주 정부 소유의 숲으로 가려면 강변도로를 따라 적어도 65킬로미터는 북쪽으로 가야 한다. 만약 로이의 은신처가 시내의 공원 어딘가에 있다면 이미 오래전에 발견되었을 것이다. 더 많은 정보를 얻지 않는 한 랜디가 그곳을 찾아낼 가능성은 전무했다. 하지만 그녀의 마음은 어린애를 물고 마구 흔들어 대는 핏불테리어처럼 격렬하게 요동치고 있었다.

디지털시계의 숫자가 2시 13분을 가리키자 랜디는 마침내 자는 것을 포기하고 침대에서 나와 부엌으로 갔다. 빈약하기 짝이 없는 냉장고 안에 그래도 팹스트 두 병이 있었다. 맥주를 좀 마시면 잠이 올지도 모르겠다 싶어 병 하나를 들고 침대로 돌아갔다.

침실 가구는 그야말로 뒤죽박죽이었다. 카펫은 낡아서 다 해졌고, 황갈색 서랍장은 실용성만 강조한 탓에 몹시 단조로웠다. 기둥이 달린 퀸 사이즈 침대는 모조품이었지만, 육중한 참나무 옷장이라든지 나무 프레임이 멋스러운 커다란 전신 거울, 침대 발치에 놓인 삼나무 궤짝 따위는 진짜 골동품이었다. 어머니는 이 궤짝을 언제나 '희망 상자'라고 불렀다. 요즘 여자애들도 희망 상자를 하나씩 갖고 있을까? 그럴 것 같지는 않았다. 적어도 이 부근에는 그런 풍습이 남아 있을 것 같지 않았다. 희망이라는 단어가 이곳만큼 비현실적이지는 않은 장소가 어딘가에 아직은 좀 남아 있을지도 모르지만, 이 도시는 그런 곳과는 무관하다.

랜디는 방바닥에 앉은 다음 맥주병을 카펫에 내려놓고 궤짝을 열었다.

희망 상자는 스스로의 미래를, 어린 시절에 배운 꿈들의 일부였던 조그만 희망들을 넣어 두는 곳이다. 랜디는 어머니 입에서 나오는 그 끔찍하고 비인간적인 소리를 듣고 잠에서 깨어났던 열두 살 때의 그 밤 이래 어린애가 아니었지만 말이다. 궤짝 속에는 오직 추억만이 가득 차 있을 뿐이었다.

랜디는 그것들을 하나씩 꺼내 보았다. 고등학교와 대학교 졸업 앨범. 옛 남자 친구들한테서 받은 러브레터 뭉치. 그녀와 결혼한 그 개자식이 보낸 것조차 있었다. 졸업 반지와 결혼반지, 졸업장, 육상팀과 여자소프트볼팀에서 활약하며 받은 상장, 고등학교 졸업 파티 때 남자 친구와 함께 찍은 사진.

훨씬 아래쪽 깊숙한 곳, 그녀가 살아온 인생의 여러 층 밑에는 경찰용 38구경 권총 한 자루가 묻혀 있었다. 아버지의 총, 아버지가 돌아가신 밤에 여섯 발을 모두 발사했던 바로 그 총이었다. 랜디는 권총을 집어 들고 조심스레 옆에 내려놓았다. 권총 밑에는 노트 한 권이 있었다. 푸른 천으로 만든 표지가 달린, 구멍이 세 개 있는 바인더식 노트였다. 랜디는 노트를 무릎에 올려놓고 펼쳤다.

첫 번째 페이지에는 누렇게 변색된 〈쿠리어〉지의 기사 스크랩이 투명 테이프로 고정되어 있었다. 랜디는 한참 동안 낯익은 사진을 응시하다가 페이지를 넘겼다. 다른 스크랩들이 나타났다. 공공 도서관에 비치된 〈쿠리어〉지의 보존판에서 몰래 잘라 온 실종된 어린애들에 관한 기사. 짐승의 공격과 연쇄살인범과 괴물에 관한 잡지 기사들. 이것들 모두가 괘선지 위에 열두 살 당시의 꼼꼼한 필체로 쓴 기록들 사이에 샌드위치처럼 끼워져 보존되어 있었다. 뒤로 갈수록 그녀의 필체는 점점 더 활달하고 난잡해졌다. 대학에 가서 모든 일을 잊으려고 하기 전까지, 몇 년 동안이나 이런 식으로 기록을 계속했던 것이다. 당시에는 모든 것을 망각하려는 이 시도가 상당히 성공적이었다고 자부했지만, 지금은 그것이 거짓임을 알고 있었다. 무엇인가를 망각하는 일은 결코 없었다. 머리기사만 훑어봐도 모든 기억이 구토감을 느낄 정도로 한꺼번에 되살아났다.

에일린 스탠스키, 제시 헬렌더, 다이앤 존스, 그레고리 코리오, 어윈 와이스. 이들은 두 번 다시 모습을 드러내지 않았다. 뼛조각이나 옷 조각조차도 발견되지 않았다. 경찰은 랜디 아버지의 죽음이 사고였고 그때 수사하던 사건과는 무관하다고 말했다. 모두가 그 말을 믿었다. 경찰서장, 시장, 신문, 그녀의 어머니조차도. 어머니는 단지 이 모든 일을 잊고 다시 정상적인 삶을 살아가고 싶어 했을 뿐이다. 베리 슈마허와 조 어커트는 오랫동안 받아들이지 않았지만, 결국은 마음을 바꿨다. 이제 남은 사람은 랜디뿐이었다. 어머니는 자기 앞에서 아버지의 죽음에 관해 언급하는 것만으로도 광란 상태에 빠지기 때문에 이제는 랜디도 그런 시도 자체를 포기했지만, 결코 잊지는 않았다. 예전에 비해 더 신중하게 질문하고, 알아낸 정보를 노트에 꾸준하게 기록하고, 매일 밤마다 희망 상자 속에 소중하게 보관했다.

아무 소용도 없었지만 말이다.

노트 뒷부분의 이십여 장은 백지 상태로 남아 있었고, 파란 괘선도 세월이 흐른 탓에 빛이 바랬다. 종이를 넘기자 딱딱하게 굳어 있는 것을 알수 있었다. 마지막 페이지를 넘기면서 그녀는 잠시 주저했다. 아마 내 착각일지도 몰라. 단지 상상한 것에 불과해. 어차피 무슨 뜻인지 이해하지도 못했잖아. 물론 그는 그녀의 아버지가 누군지 알지만, 편지는 검열을받지 않는가? 병원에서 그런 편지를 보내도록 놓아둘 리가 없었다.

랜디는 마지막 장을 넘겼다. 예상대로 여전히 그곳에 있었다.

이 편지를 받았을 때 그녀는 대학 3학년이었다. 이미 모든 과거를 뒤로한 상태였다. 아버지가 돌아가신 지 이미 7년이라는 세월이 흘렀고, 마지막 3년 동안은 이 노트를 보지도 않았다. 수업 때문에 바빴고, 여학생 클럽의 일과를 소화하고 남자 친구를 사귀는 데 바빠서 다른 데 신경쓸 틈이 없었다. 이따금 악몽을 꾸는 것을 제외하면 평온한 나날이었다. 그녀는 자라서 어른이 되었고, 조금 더 현실적인 사람이 되었던 것이다. 설령 아버지의 죽음에 관해 생각하더라도, 결국 그는 어떤 짐승의 습격을 받고 죽은 것이라는 어른들의 말이 옳았다는 생각을 한 것이 고작이었다.

어떤 짐승.

그러던 중 어느 날 편지를 받았다. 수업을 받으러 가면서 봉투를 뜯고 옆에서 친구들이 잡담하는 소리를 들으며 읽었다. 랜디는 어른스러운 웃음을 터뜨리고 농담을 하며 편지를 주머니에 그냥 쑤셔 박았다. 그러나 그날 밤 룸메이트가 잠들었을 때 그것을 꺼내 스탠드 불빛 아래에서 다시 읽었고, 구토감이 치밀어 오르는 것을 느꼈다. 원래는 버릴 작정이었다. 이것은 병적인 마음이 자아낸 일그러진 망상에 불과했다.

그러나 그러는 대신 그녀는 그것을 노트에 끼워 넣었다.

투명 테이프는 노랗게 변색하고 바싹 마른 탓에 금방이라도 뜯겨 나갈 듯했지만, 봉투는 여전히 희고, 왼쪽 모서리에는 병원 이름이 가지런히 찍혀 있었다. 누군가가 그를 위해 이 편지를 몰래 외부로 가지고 나와서 부친 것이 틀림없다. 편지 자체는 싸구려 타이프 용지에 대문자로 쓰여 있었다. 서명은 없었지만, 그녀는 누가 썼는지 알았다.

랜디는 봉투에서 접은 편지지를 꺼내 잠시 주저하다가 펼쳤다.

그건 늑대인간이었어.

한 번 보고, 다시 보고, 또 보았다. 갑자기 자기가 이제는 어른이라는 느낌이 사라졌음을 자각했다. 전화벨이 울리자 그녀는 화들짝 놀랐다.

가슴이 터질듯이 쿵쿵거리는 것을 느끼며 편지지를 다시 접었고, 전화기를 응시했다. 마치 뭔가 수치스러운 일을 하다가 들킨 듯한 묘한 죄책감이 들었다. 디지털시계는 오전 2시 53분을 가리키고 있었다. 이런 야심한 시각에 도대체 누가 전화를 건단 말인가? 로이 헬렌더라면 아마 비명을 지를지도 모른다. 그녀는 전화벨이 그대로 울리도록 내버려 두었다.

네 번째 벨이 울리자 자동응답기가 작동했다. "AAA-웨이드 조사 회사의 랜디 웨이드입니다. 지금은 응답해 드릴 수 없지만 삐 소리가 난 뒤에 메시지를 남겨 주시면 나중에 연락드리겠습니다."

삐 소리가 났다. "어, 여보세요." 굵직한 남자 목소리였다. 절대로 로이 헬렌더는 아니었다.

랜디는 노트를 내려놓고 낚아채듯이 수화기를 들었다. "로고프? 당신이야?"

"응. 자는 걸 깨워서 미안해. 따지고 보면 이건 규칙 위반이고 굳이 당신한테 알려야 하는 이유가 뭔지 나도 잘 모르겠지만, 하여튼 알리는 편이 나을 것 같아서 걸었어."

차가운 손가락이 등골을 훑는 느낌. "뭐를?"

"희생자가 또 나왔어." 로고프가 말했다.

● ○

윌리는 식은땀을 흘리며 깨어났다.

방금 그건 뭐지?

뭔가 소리가 들렸다. 복도 너머에서.

아니면 그냥 꿈을 꾼 것일까? 윌리는 침대에서 상체를 일으켜 앉았고 정신을 차리려고 했다. 이곳은 한밤중에도 시끄럽다. 예인선이 강물을 헤치며 지나가는 소리일지도 모르고, 창문 아래의 도로를 자동차가 지나갔을 수도 있다. 저녁에 집에 돌아왔을 때 현관문이 열린 것을 목격하고 겁에 질려 공황 상태에 빠진 일에 대해 여전히 쑥스러워하는 감정이 남아 있었다. 랜디를 그 가위로 찌르지 않은 것은 단지 운이 좋았기 때문이었다. 영혼이 불안에 잠식당하는 꼴을 연출하고 싶지는 않았다. 다시 침대 커버를 덮고 엎드린 자세로 눈을 감았다. 복도 어딘가에서 문이 열렸다가 닫히는 소리가 들렸다.

그는 눈을 치켜떴다. 꼼짝도 않고 누워서 모든 신경을 귀에 집중했다. 문은 모두 잠갔어. 랜디를 현관까지 배웅한 다음 모든 자물쇠를 확실히 잠그지 않았던가. 용수철식 자물쇠, 사슬 자물쇠, 이중 걸쇠까지 빠짐없이 잠그고, 육중한 방범용 빗장까지 질렀다. 일단 그 빗장을 지르면 그 누구도 저택 안으로 침입할 수 없었다. 현관문은 강철제였으므로. 뒷문은 아예 용접해 놓은 것처럼 녹슨 탓에 열고 싶어도 열 수가 없었다. 창문을 깨고 침입했다면 유리가 깨지는 소리를 듣고 진작 깨어났을 것이다. 집 안으로 침입하는 것은 불가능했다. 절대로. 나는 틀림없이 꿈을 꾸고 있는 것이다.

침실 문의 손잡이가 천천히 돌더니 찰칵 소리가 났다. 누군가가 문을 밀면서 금속이 덜컥거리는 소리가 났다. 자물쇠를 잠가 둔 탓에 문은 열리지 않았다. 두 번째 시도는 아까보다 조금 더 강했고, 소리도 더 컸다.

윌리는 이미 침대 밖으로 나와 있었다. 삼각팬티와 러닝셔츠만 입었기 때문에 오늘처럼 추운 밤에는 난감했지만, 지금은 그런 데 신경을 쓸 틈이 없었다. 열쇠 구멍을 보니 여전히 방 안쪽에 열쇠가 꽂혀 있었다. 만든 지 족히 백 년은 되는 자물쇠와 짝을 이루는 골동품 열쇠였다. 사무실 문의 열쇠 구멍은 방 안을 들여다볼 수 있을 정도로 컸다. 그래서 바람을 막기 위해서 열쇠를 꽂아 두었던 것이다. 돌려서 자물쇠를 잠글 목적으로 꽂아 둔 것이 아니었다. 오늘밤은 예외였지만 말이다. 오늘밤 그는 어떤 이유에선가 침대에 들기 전에 열쇠를 돌려 안쪽에서 문을 잠갔다. 자물쇠가 잠기는 찰칵 소리를 듣고 조금 안심한 기억이 있었다. 그리고 이 자물쇠야말로 문밖에 와 있는 무엇인가와 윌리 사이를 가로막은 유일한 방벽이었다.

윌리는 창가까지 뒷걸음쳤고, 맥주 양조장 뒤꼍의 자갈 포장이 된 좁은 골목을 흘끗 내려다보았다. 창문 밑은 검고 짙은 그림자에 묻혀 있었다. 창문 바로 아래에 커다란 초록색 쓰레기통이 있던 것으로 기억하지만, 너무 어두운 탓에 보이지 않았다.

무엇인가가 문을 쾅쾅 두들겼다. 방 전체가 진동했다.

윌리는 숨을 쉴 수가 없었다. 흡입기는 방 너머의 옷장 서랍에 들어 있었다. 저 문 바로 옆에 말이다. 마치 거인의 손이 그의 몸을 꽉 움켜쥐는 통에 남아 있던 숨이 모두 새어 나가는 듯한 느낌이 왔다. 윌리는 필사적으로 공기를 빨아들였다.

문밖의 무엇인가가 다시 문을 강타했다. 나무가 갈라지기 시작했다. 백 년이나 된 견고한 나무 문이, 마치 속이 텅 빈 현대의 싸구려 합판 문처럼 쩍쩍 갈라졌다.

윌리는 현기증을 느꼈다. 기껏 방 안으로 들어와서 내가 천식 발작으로 죽어 있는 걸 보면 정말 꼭지가 돌겠군. 윌리는 러닝셔츠를 벗고 네 발로 기는 자세를 취한 다음 팬티 고무줄에 엄지손가락을 걸었다.

마구 흔들리던 문이 경첩에서 반쯤 떨어져 나갔다. 그다음 일격으로 문은 두 조각이 났다. 산소가 부족한 탓에 머리가 핑핑 돌았다. 윌리는 팬티를 벗는 것도 잊고 변화에 몸을 내맡겼다.

뼈와 살과 근육이 변신의 고통으로 비명을 올렸지만, 잠시 뒤에는 신선한 산소가 폐로 흘러들어 왔다. 다디달고 차가운 산소. 이제는 숨을 쉴 수 있었다. 안도감이 경련하듯이 온몸을 훑고 지나갔다. 윌리는 고개를 뒤로 젖히고 포효했다. 듣는 사람의 피를 얼어붙게 만드는 포효였지만, 박살난 문을 뚫고 안으로 들어온 검은 존재는 주저 없이 성큼성큼 다가왔고, 윌리 또한 전혀 주저하지 않았다. 네 발을 구부렸다가, 혼신의 힘을 다해 도약했던 것이다. 창문이 박살나면서 수많은 유리 파편이 어둠을 향해 날아갔다. 윌리는 쓰레기통을 찾는 데 실패하고 네 다리로 철퍼덕 착지했다가 잠시 균형을 잃고 자갈 포장 위를 1미터쯤 미끄러졌다.

위를 올려다보자 머리 위의 창문을 가득 채운 검은 그림자가 보였다. 그 손이 움직이자 소름 끼치는 은빛 칼날이 번득였다. 그것만으로도 충분했다. 윌리는 몸을 일으키고 미친 듯이 거리를 질주하기 시작했다.

●○

두 집 앞에서 택시가 멈췄다. 경찰의 바리케이드가 집 전체를 에워싸고 있었다. 고색창연한 빅토리아 양식의 장원 저택이었지만, 여기저기 페인트가 벗겨져 있었다. 밖에서 무슨 소동이 벌어졌는지 알아보려고 잠옷이나 목욕 가운 위에 두툼한 코트를 걸치고 나온 구경꾼들이 그랜드뷰 거리에 늘어선 채로 저택 쪽을 흘낏거리며 쑥덕거리고 있었다. 경찰 순찰차에서 번득이는 경광등의 불빛을 받고 번득이는 그들의 얼굴은 왠지 탐욕스러운 인상을 주었다.

랜디는 구경꾼들 곁을 성큼성큼 지났다. 안면이 없는 순경이 바리케이드를 지나려는 그녀 앞을 막아섰다.

"랜디 웨이드예요. 로고프한테 연락을 받고 왔어요."

"오." 순경은 이렇게 말하고 엄지손가락으로 저택을 가리켰다. "집 안에서 피해자 언니하고 얘기하는 중입니다."

그들은 거실에 있었다. 로고프는 랜디를 보고는 고개를 조금 끄덕였고, 기다리라는 듯이 손을 흔들고는 신문을 재개했다. 피해자의 언니는 마흔 살이지만 젊어 보였다. 날씬한 몸매에 창백한 피부와는 대조적인 탐스러운 검은 머리가 등 중간께까지 흘러내린 모습이 인상적이었다. 조립식 소파 가장자리에 걸터앉은 그녀는 흰 실크 테디만 걸친 탓에 반라나 다름없었다. 열린 문 너머에서 불어오는 찬바람에도, 경찰관들의 끈적끈적한 시선에도 아랑곳 않는 듯했다.

경찰이 방 모퉁이에 놓인 번쩍이는 검정색 그랜드 피아노에 묻은 지문을 채취하고 있었다. 랜디는 작업이 끝나기를 기다렸다가 그쪽으로 다가갔다. 피아노 뚜껑 위에는 액자에 끼운 사진이 잔뜩 놓여 있었다. 그중 하나는 여름에 강가 어딘가에서 찍은 사진이었다. 똑같은 비키니 수영복을 입은 두 명의 미소녀가 어딘가 격한 느낌을 주는 사내를 좌우에서 에워싸고 찍은 사진이었다. 두 소녀는 몸에 묻은 물기를 털려고 하지도 않고, 렌즈를 똑바로 쳐다보며 거리낌 없이 웃고 있었다. 사내도 수영복을 입었지만, 사진만 봐도 전혀 물에 들어가지 않았음을 알 수 있었다. 비쩍 마른 데다가 혈색도 안 좋고, 카메라를 응시하는 푸른 눈에는 왠지 보는 사람을 불안하게 하는 퀭한 빛이 깃들어 있었다. 소녀들의 나이는 열여덟에서 스무 살쯤 되어 보였다. 그중 한 사람은 지금 로고프가 신문 중인 여자였지만, 둘 중 누구인지는 확언할 수가 없었다. 쌍둥이였기 때문이다. 랜디는 다른 사진들을 훑어보았다. 혹시 윌리의 사진이 나올지도 모른다는 막연한 두려움을 느끼고 있었다. 대다수는 모르는 얼굴이라는 것이 판명되었지만, 로고프가 뒤에서 다가왔을 때도 그녀는 여전히 사진들을 들여다보고 있었다.

"검시관은 2층에서 시체를 조사하고 있어." 로고프가 말했다. "봐도 괜찮을 것 같으면 올라가서 봐도 돼."

랜디는 피아노에서 시선을 돌리고 고개를 끄덕였다. "쌍둥이 언니한테서는 뭔가를 알아냈어?"

"악몽을 꿨다는군." 로고프는 이렇게 대답하고 좁은 층계를 올라가기 시작했다. 랜디도 그 뒤를 따랐다. "그 여자 말로는 악몽을 꿨을 때는 옛날부터 복도 반대편에 있는 조우이 방으로 가서 함께 자는 버릇이 있었다나." 두 사람은 층계참에 도달했다. 로고프는 유리로 된 문손잡이를 잡으려다가 문득 멈춰 섰다. "이번에도 그런 식으로 동생 방에 들어갔다가, 장래에도 길이길이 기억에 남을 것이 뻔한 악몽을 직접 봐 버렸던 거야."

로고프는 문을 열었다. 랜디도 그를 따라 방 안으로 들어갔다.

조명이라고는 침대 옆에 놓인 작은 스탠드 하나뿐이었지만, 경찰에서 나온 촬영기사가 방 안을 돌아다니며 침대 위에 놓인 붉고 일그러진 물체를 연거푸 촬영하고 있었다. 카메라의 플래시가 터질 때마다 방 안의 그림자들이 도약하며 몸부림치는 것처럼 보인다. 랜디는 그것에 맞춰 자신의 위장도 함께 뒤틀리는 것을 느꼈다. 방 안에서는 피비린내가 진동했다. 여러 해 전의 여름에 일어났던 일이 생각났다. 7월이 되자 기온이 올라가며 남쪽에서 뜨거운 바람이 불어왔고, 그와 함께 실려 온 도살장의 악취가 도시 전체를 뒤덮었던 것이다. 그러나 이것은 그보다 몇천 배는 더 끔찍했다.

촬영기사는 여기저기 돌아다니며 계속 플래시를 터뜨렸다. 잿빛 세계가 붉게 물들었다가 다시 잿빛으로 돌아왔다. 검시관은 허리를 구부리고 시체를 검사하고 있었다. 잇달아 터지는 커다란 플래시 라이트가 검시관의 움직임에 마치 경련하는 듯한 비현실적인 느낌을 더했다. 백열광이 천장에 반사되는 것을 느끼고 위를 올려다보자 거울이 눈에 들어왔다. 죽은 여자는 입을 둥그렇게 벌리고 소리 없는 절규를 토하고 있었다. 피부뿐만 아니라 입술도 잘려 나가고 없었다. 벌린 입 안쪽이나 바깥쪽이나 붉기는 매한가지였다. 밧줄처럼 뭉친 근육과 희끄무레하게 번득이는 뼈를 제외하면 얼굴 자체가 완전히 사라져 버렸다. 그러나 범인은 두 눈을 남겨 두었다. 검고 커다란, 아래층에 있는 언니처럼 예쁘고 관능적인 눈을. 한껏 치켜뜬 눈은 천장의 거울에 비친 소름 끼치는 물체를 응시하고 있다. 자신에게 가해지는 모든 행위를 세부까지 빠짐없이 볼 수 있었던 것이다. 거울에 비친 자기 눈동자 안에서 그녀는 무엇을 보았을까? 고통? 공포? 절망? 줄곧 쌍둥이 언니와 함께 살아온 탓에 거울에 비친 자기 모습에서 일종의 기묘한 위안을 찾았을지도 모른다. 얼굴과 살점과 인간성이 모두 잘려 나가는 와중에도.

또다시 플래시가 터졌다. 랜디는 시체의 손목과 발목에서 금속이 번득이는 것을 보았다. 잠시 눈을 감고 숨을 고르다가, 침대 발치에 서서 여성 검시관과 얘기를 나누고 있는 로고프에게 갔다.

"역시 같은 종류의 쇠사슬입니까?" 로고프가 물었다.

"그래. 그리고 이걸 좀 봐." 쿠니 검시관은 입에 물고 있던, 불을 붙이지 않은 시가 끝트머리로 시체의 발치를 가리켰다.

쇠사슬은 희생자의 발목을 꽉 죄고 있었다. 다시 플래시가 터진 순간 랜디는 검거나 거무스름한 흉터가 생살과 노출된 신경 위를 지나가고 있는 것을 보았다. 보는 쪽이 고통스러울 정도의 상처였다.

"저항했던 거로군." 로고프가 추측했다. "쇠사슬 탓에 찰과상을 입은 겁니다."

"찰과상인 경우에는 살갗이 벗겨지고 피투성이가 돼." 쿠니가 대답했다. "시체가 당한 꼴을 감안하면 찰과상 따위는 눈에 보이지도 않아. 저건 화상 자국이야, 로고프. 3도 화상. 양 손목하고 발목에서 금속에 닿은 부분은 모두 화상을 입었어. 소렌슨한테도 같은 화상 자국이 있었지. 마치 쇠사슬을 백열할 때까지 달구기라도 한 것처럼 말이야. 지금은 싸늘하게 식었으니까 만져 봐도 돼."

"됐습니다." 로고프가 말했다. "그렇게 말씀하시니 사실이겠죠."

"잠깐." 랜디가 말했다.

검시관은 그제야 랜디의 존재를 깨달은 듯했다. "여기서 뭘 하는 거야?"

"설명하자면 깁니다." 로고프가 대답했다. "랜디, 여긴 경찰의 정식 수사 현장이니까 조용히……."

랜디는 그의 말을 무시했다. "조운 소렌슨에게도 같은 종류의 화상 자국이 있었다고요?" 그녀는 쿠니에게 물었다. "손목하고 발목, 그러니까 쇠사슬이 닿은 부분에?"

"그래." 쿠니가 말했다. "그래서 어쨌다는 거지?"

"무슨 얘기를 하고 싶은 거야?" 로고프가 물었다.

랜디는 로고프를 바라보았다. "조운 소렌슨은 장애인이었어. 발을 움직이지도 못했고, 허리 아래로는 아예 감각이 없었지. 그런데 왜 발목까지 사슬에 묶었던 걸까?"

로고프는 한참 동안 그녀를 응시하다가 모르겠다는 듯이 고개를 가로

저었다.

쿠니 쪽을 보자 검시관은 어깨를 으쓱했다. "그랬지. 흥미로운 지적이 긴 한데, 그게 뭘 의미한다는 거야?"

랜디는 대답할 수 없었다. 그녀는 침대 쪽으로 고개를 돌려 가죽이 벗겨진, 과거에는 예뻤지만 지금은 일그러지고 훼손된 여자의 잔해를 응시했다.

촬영기사가 다른 각도에서 셔터를 눌렀다. 또다시 플래시가 터졌다. 쇠사슬이 빛을 받고 번득였다. 랜디는 손가락 끝을 금속에 살짝 갖다 댔다. 아무런 열기도 느낄 수 없었다. 단지 차갑게 식은 은의 감촉만이 느껴질 뿐이었다.

●○

밤은 온갖 소리와 냄새로 가득 차 있었다.

윌리는 무작정 질주했다. 비에 젖은 검은 도로 위를 쏜살같이 지나가는 잿빛 그림자가 되어, 일찍이 경험한 적이 없을 정도의 빠른 속도로 전력 질주했다. 목적지는 안중에도 없었다. 그 자신의 집에서, 반짝이는 죽음을 손에 쥐고 그를 기다리는 존재로부터 멀어질 수만 있다면 어디로 가든 상관없었다. 그는 하역 부두 아래의 구질구질한 골목길을 질주했고, 낮은 철망을 뛰어넘었다. 콘크리트 블록과 마주쳤을 때는 질주를 중단하기 직전까지 갔다. 세 번 도약을 시도해도 넘지 못하다가, 네 번째가 돼서야 가까스로 두 앞발을 블록 가장자리에 걸치고 뒷다리로 벽을 마구 할퀴며 위로 올라가는 데 성공했다. 축축한 풀밭 위에 착지하며 맨땅

위에서 몸을 굴렸고, 다시 일어나서 달리기 시작했다. 거리를 지나는 차는 거의 없었지만, 넓은 대로를 빠르게 횡단했을 때 갑자기 픽업트럭이 출현해서 속도를 올리면서 헤드라이트로 그의 모습을 정통으로 비췄다. 느닷없는 불빛에 깜짝 놀란 윌리는 한순간 도로 한복판에서 얼어붙었고, 운전사의 얼굴에 공포와 충격의 표정이 떠오른 것을 목격했다. 경적이 울리며 픽업트럭은 급제동을 걸었고, 옆으로 미끄러지다가 차체 뒷부분으로 도로 분리대를 긁었다.

그 무렵 윌리는 이미 사라진 뒤였다.

이제는 주택가 한복판을 지나고 있었다. 단출하지만 번듯한 2층집들이 늘어선 조용한 거리를 달렸다. 좁은 차도는 주차된 차들로 만원이고, 부동산 업자의 광고판이 바람에 날려 펄럭였다. 어둠을 밝히는 유일한 빛은 가로등이었지만 짙게 낀 구름이 잠깐 갈라지면 푸르스름한 보름달이 모습을 드러내곤 했다. 윌리는 어느 집 뒤뜰에 묶어 놓은 개 냄새를 맡았다. 이따금 미친 듯이 짖는 소리가 들려오는 걸 보니 개들도 그의 냄새를 맡은 듯했다. 개 짖는 소리가 시끄러우면 집주인이나 그 이웃이 깨어날 때도 있었고, 그럴 경우에는 조용한 집 안에 불이 들어오고, 뒤뜰에 면한 문이 열리는 소리가 났다. 그러나 그럴 무렵이면 윌리는 이미 몇 블록이나 떨어진 곳을 달리고 있었다.

하도 오래 달린 탓에 다리가 욱신거리기 시작했다. 가슴이 방망이질 치며 주둥이 옆으로 빠져나온 길고 빨간 혀가 대롱거렸다. 윌리는 철도 선로를 가로질러 가파른 둑을 기어 올라갔고, 위쪽에 철조망이 달린 높이 3미터짜리 철망과 마주쳤다. 철망 너머에는 넓고 텅 빈 뜰이 펼쳐져 있었고, 창문이 없고 나지막한 벽돌 건물이 달빛 아래에서 검게 웅크리고 있는 것이 보였다. 오래된 탓에 희미하긴 하지만 의심할 길이 없는 피 냄새가 코를 자극했다. 그러자마자 윌리는 자신이 어디에 와 있는지 깨달았다.

오래된 도살장이었다. 팩 공장이라고 부르던 이곳이 부도를 내고 폐업한 지 2년이 되어 갔다. 참 멀리까지도 왔다. 윌리는 마침내 발을 멈추고 한숨 돌리기로 했다. 격한 숨을 몰아쉬며 울타리 근처의 지면에 엎드린 채로 몸을 떨기 시작했다. 거친 모피를 두르고 있음에도 불구하고 추웠다.

잠시 쉬고 난 뒤에야 자신이 여전히 삼각팬티를 입고 있다는 사실을 깨달았다. 인간의 성대가 있었다면 웃음을 터뜨렸을 것이다. 픽업트럭을 운전하던 사내가 헤드라이트 불빛에 비친 윌리의 모습을 보고 무슨 생각을 했을지 궁금했다. 지옥 불구덩이처럼 새빨갛게 불타오르는 눈을 한, 하얀 팬티 차림의 비쩍 마른 잿빛 허깨비?

윌리는 상체를 비틀어 입으로 팬티 고무줄을 물었다. 낮게 으르렁거리며 고무줄을 물어뜯었고, 엎치락뒤치락하다가 잠시 후에는 팬티를 완전히 뜯어내는 데 성공했다. 갈가리 찢어진 천을 옆에 던져 놓고 축축한 지면에 다시 엎드렸다. 사지를 움츠리고 입을 반쯤 벌렸지만, 두 눈은 끊임없이 주변을 경계하고 있었다. 쉬어야 한다. 멀리서 차들이 지나가는 소리가 들렸고, 8백 미터 떨어진 곳에서는 개가 미친 듯이 짖고 있다. 녹슨 쇠와 곰팡내, 디젤엔진이 뿜어내는 고약한 연기 냄새, 차가운 금속 냄새도 났다. 그리고 이 모든 것의 저변에는 도살장 냄새가 났다. 많이 스러지기는 했지만 아직도 남아서 주위를 맴도는 이 냄새는 그를 향해 피와 죽음에 관한 얘기를 속삭였다. 이 냄새 탓에 윌리의 내부에서 가급적

재워 두고 싶었던 것이 각성했다. 윌리는 배고픔이 날카롭게 내장을 할퀴는 것을 느꼈다.

이런 감각을 완전히 무시할 수는 없었지만, 오늘밤에는 배고픔보다 훨씬 더 중대한, 공포라는 당면 과제가 있었다. 동이 틀 때까지 몇 시간밖에는 남지 않았지만 갈 데가 없었다. 보호책을 강구하고 다시 안전해졌다는 확신이 설 때까지는 집으로 돌아간다는 것은 논외였다. 열쇠도옷도 돈도 없기 때문에 회사로 갈 수도 없었다. 결국 믿을 만한 사람이있는 곳을 찾는 수밖에 없었다.

블랙스톤을 뇌리에 떠올렸다. 난롯가의 의자에 앉은 조너선 하먼, 스티븐의 죽은 사람 같은 푸른 눈과 상처투성이 손, 썩은 검정색 말뚝처럼우뚝 솟은 옛 저택의 탑을 생각했다. 조너선이라면 윌리를 보호해 줄 수있을지도 모르겠다. 강고한 벽과 날카로운 스파이크가 달린 쇠 울타리에 에워싸인 채로 피와 쇠에 관해 논하는 조너선이라면.

그러나 백발을 길게 늘어뜨리고 신경통 탓에 정맥이 튀어나오고 일그러진 손으로 황금제 늑대 머리가 달린 지팡이를 감싸 쥐는 조너선의 모습을 떠올리자마자 윌리는 무의식중에 으르렁거리고 있었다. 블랙스톤은 해결책이 되어 주지 못한다.

조운은 죽었고, 다른 작자들과는 안면이 없었다. 이름조차 제대로 알지 못했다. 더 알고 싶다는 욕구 자체를 느끼지 못한 탓이었다.

그렇다면 싫든 좋든 랜디에게 갈 수밖에 없었다.

윌리는 일어섰다. 피로로 몸이 비틀거렸다. 바람 부는 방향이 바뀌며안뜰과 가축 사육장을 훑고 지나갔다. 바람에 실려 온 피 냄새를 맡은 콧구멍이 바르르 떨렸다. 윌리는 고개를 뒤로 젖히고 포효했다. 떨리는 듯한 길고 고독한 그의 외침이 차가운 밤공기를 가르고 울려 퍼지자 근처의 개들이 일제히 짖기 시작했다. 윌리는 또다시 달리기 시작했다.

●○

로고프가 집까지 차로 데려다 주었다. 낡은 검정색 포드는 동이 틀 무렵 랜디의 공동주택 앞에 멈춰 섰다. 랜디가 차 문을 열자 그는 기어를 중립 위치에 놓고 그녀를 쳐다보았다.

"당장 가르쳐 달라고는 하지 않겠어." 로고프가 말했다. "하지만 당신 의뢰인의 이름을 알 필요가 생길지도 몰라. 한숨 푹 자면서 잘 생각해 보라고. 그럼 생각이 바뀔지도 모르니까."

"그럴 수 없을지도 몰라." 랜디가 대답했다. "변호사의 비밀 유지 의무에 관해 얘기한 거 기억 안 나?"

로고프는 지친 듯한 미소를 떠올렸다. "법원으로 나를 보냈을 때 난 당신 파일도 읽어 봤어. 법대 근처에도 간 적이 없더군."

"정말?" 그녀는 미소를 떠올렸다. "흠, 실은 법을 공부할 작정이었어. 그런 것만으로도 뭔가 의미가 있지는 않을까?" 어깨를 으쓱하며 말을 이었다. "일단 한숨 자고 나서 연락할게." 그녀는 차에서 나와 문을 닫고 집을 향해 갔다. 로고프는 기어를 드라이브에 넣었지만, 랜디는 차가 떠나기 전에 뒤를 돌아보며 물었다. "어이, 로고프, 성 말고 다른 이름은 없어?"

"마이크야."

"그럼 내일 봐, 마이크."

그는 고개를 끄덕이고 차를 출발시켰다. 가로등들이 깜박이며 꺼지기 시작했다. 랜디는 열쇠를 꺼내려고 주머니를 뒤지며 현관문 앞의 층층대를 오르기 시작했다.

"랜디!"

그녀는 멈춰 서서 주위를 둘러보았다. "누구?"

"윌리야." 아까보다는 큰 목소리였다. "여기 쓰레기통 옆에 있어."

층층대 너머로 몸을 내밀자 그의 모습이 눈에 들어왔다. 윌리는 쓰레기통 사이에서 낮게 웅크린 자세로 몸을 떨고 있었다.

"벌거벗었네." 랜디가 말했다.

"어젯밤 누군가가 나를 죽이려고 했어. 가까스로 도망쳐 나왔지만 미처 옷을 입고 나올 틈이 없었어. 여기 와서 한 시간은 족히 기다렸어. 뭐 그걸 불평하려는 건 아니지만, 아무래도 난 폐렴에 걸린 것 같아. 불알은 완전히 얼어붙었고, 이제는 애도 못 낳을 거야. 도대체 어디를 싸돌아다니다가 온 거지?"

"또 살인 사건이 발생했어. 범행 수법도 같았고."

윌리가 격렬하게 몸을 떨기 시작한 탓에 쓰레기통들까지 덜컥였다. "하느님 맙소사." 그는 힘없는 목소리로 물었다. "이번엔 누구?"

"조우이 앤더스라는 여자였어."

윌리는 움찔했다. "썅, 썅, 썅." 그는 이렇게 말하고는 다시 랜디를 올려다보았다. 내키지 않는 기색이 역력했지만, 그는 억지로 질문했다. "에이미는 어떻게 됐어?"

"그 여자 언니 말이야?" 랜디가 묻자 그는 고개를 끄덕였다. "큰 충격을 받았지만 다치지는 않았어. 나쁜 꿈을 꿨다나." 랜디는 잠시 말을 멈췄다가 되물었다. "그럼 그 조우이라는 여자하고도 아는 사이야? 소렌슨처럼?"

"아냐. 조운하고는 달라." 윌리는 피로에 지친 눈으로 그녀를 보았다. "들어가도 돼?"

그녀는 고개를 끄덕이고 문을 열어 주었다. 윌리는 너무나도 고마워하는 표정으로 그녀를 보았다. 랜디는 저러다가 내 손이라도 핥는 건 아닐지 몰라 하고 생각했다.

●○

속옷은 그녀의 전남편 것이라 너무 컸고, 핑크빛 목욕 가운은 랜디 것이라 너무 작았다. 그러나 커피는 맛있고 실내는 따뜻했다. 뼛속까지 피로가 스며든 데다가 신경이 날카롭게 곤두서 있었지만 윌리는 살아 있다는 사실에 감사했다. 특히 랜디가 접시를 내려놓았을 때는 말이다. 체더치즈와 양파를 넣은 스크램블드에그에 베이컨을 곁들인 접시였다. 천상의 냄새라고나 할까. 그는 허겁지겁 음식을 먹기 시작했다.

"단서를 찾아낸 것 같아." 랜디는 이렇게 말한 뒤 윌리를 마주 보고 앉았다.

"좋군. 그러니까 이 스크램블드에그 말이야. 아니 그러니까 당신이 뭘 찾아냈든 간에 그것도 좋은 일이긴 하지만, 난 정말 이런 걸 먹고 싶어서 미칠 뻔했어. 정말이지 이렇게 배가 고플 줄이야……." 윌리는 갑자기 입을 다물고 접시의 음식을 내려다보았고, 자신이 얼마나 섣부른 말을 했는지를 깨달았다. 그러나 랜디는 알아차리지 못한 듯했다. 윌리는 베이런 조각을 하나 베어 물었다. "바싹 구웠군. 아주 좋아."

"지금부터 당신한테 어떤 얘기를 할 참이야." 랜디가 말했다. 그가 뭐라고 하든 마이동풍인 듯했다. "누군가에게 꼭 이 얘기를 털어놓아야겠고, 당신하고는 오랫동안 알고 지냈으니까 이런 얘기를 한다고 해도 날 정신병원에 입원시키지는 않겠지. 원한다면 웃어도 좋아." 그녀는 얼굴을 찡그리고 그를 노려보았다. "웃는 즉시 바깥 거리로 내몰 작정이지만 말이야. 팬티하고 목욕 가운도 없이."

"안 웃어." 윌리가 대답했다. 그러기 위해서 별다른 노력이 필요할 것 같지도 않았다. 지금처럼 불안감이 앞선 상황에서는 말이다. 그는 먹는 것을 그만두었다.

랜디는 심호흡을 한 번 하고는 그의 눈을 똑바로 들여다보았다. 정말 예쁜 눈이군, 하고 윌리는 생각했다.

"우리 아버지를 죽인 건 늑대인간이라고 생각해." 그녀는 눈 하나 깜짝 않고 심각한 어조로 말했다.

"하느님 맙소사." 윌리가 말했다. 웃지는 않았다. 그러는 대신 눈에 보이지 않는 거대한 아나콘다가 그의 가슴을 감싸고 조여 오는 것을 느꼈다. "난, 난, 난." 숨을 들이킬 수도, 내쉴 수도 없었다. 팔로 식탁을 밀치며 벌떡 일어나서 의자를 넘어뜨리고 욕실로 달려갔다. 안에서 문을 잠그고 샤워기를 틀었다. 온수 손잡이를 끝까지 돌렸다. 욕실에 수증기가 들어차기 시작했다. 흡입기로 약액을 분무하는 것에 비하면 약했지만 그래도 질식해 죽는 것보다는 훨씬 나았다. 욕실이 증기로 자욱해질 무렵 윌리는 무릎을 꿇고 빨대로 코끼리를 빨아들이려는 사내처럼 헐떡이고 있었다. 마침내 그는 숨을 쉬기 시작했다.

오랫동안 무릎을 꿇고 앉아 있었다. 급기야는 샤워기에서 튀긴 물이 가운과 팬티까지 적시기 시작했다. 얼굴이 시뻘겋게 달아올랐다. 그는 타일 바닥을 기어가서 샤워기를 잠근 뒤 비틀거리며 일어섰다. 증기 탓에 세면대 위의 거울이 뿌예졌다. 윌리는 타월로 거울을 닦고 거울에 비친 자기 얼굴을 보았다. 형편없는 몰골이었다. 비 맞은 생쥐처럼. 뜨거운 비를 맞은 생쥐 말이다. 실제 컨디션은 겉모습보다 더 안 좋았다. 몸의 물기를 닦아 보려고 했지만 사방에 물이 튀긴 데다가 타월은 윌리 못지 않게 축축했다. 문밖에서 랜디가 거실을 돌아다니며 서랍을 여닫는 소리가 들렸다. 밖으로 나가서 그녀와 대면하고 싶었지만 이런 몰골로는 어림도 없었다. 사나이에게는 모름지기 지켜야 할 존엄이 있는 법이다. 한순간 옆의 탁자 위에 프리마틴이 놓여 있는 자기 집 침대로 돌아가고 싶은 충동을 느꼈다. 그러니까, 가장 최근에 그의 침실에 누가 있었는지를 기억할 때까지는 말이다.

"나올 생각이 있긴 한 거야?" 랜디가 물었다.

"응." 윌리는 이렇게 대답했지만 너무 힘없이 그랬던 탓에 그녀가 이 말을 제대로 들었을 것 같지는 않았다. 그는 등을 곧추세우고 프릴이 달린 핑크빛 가운 깃을 여몄다. 러닝셔츠는 티셔츠 적시기 대회에 참가하기라도 한 듯한 상태였다. 한숨을 쉬고는 잠긴 문을 열고 밖으로 나갔다. 차가운 공기 탓에 소름이 돋았다.

랜디는 다시 식탁 앞에 앉아 있었다.

윌리는 원래 자리로 가서 앉았다. "미안해. 천식 발작이었어."

"그런 것 같더군. 스트레스하고 관련이 있는 거 아냐?"

"이따금 그럴 때도 있지."

"스크램블드에그를 마저 먹어." 랜디가 재촉했다. "그러다가 다 식겠어."

"응." 윌리는 이렇게 말하고 실제로 그러는 편이 낫겠다고 판단했다. 이걸 먹으면서 랜디에게 뭐라고 말할지 궁리하기로 하자. 그는 포크를 집어 들었다.

그저께 밤에 핫플레이트에 올려놓은 더러운 주전자를 아무 생각 없이 들어 올렸을 때하고 똑같았다. 핫플레이트 *끄*는 것을 잊었다는 사실을 깨달았을 때는 이미 엎질러진 물이었다. 윌리는 비명을 지르며 포크를 떨어뜨렸다. 포크는 식탁 위에서 한 번 튕겼고, 두 번, 세 번 튕기다가 랜디 앞으로 가서 멈췄다. 윌리는 손가락을 입에 넣고 빨았다. 이미 벌겋게 부풀어 오르고 있었다.

랜디는 침착한 얼굴로 그를 바라보며 포크를 집어 올렸다. 손에 쥔 포크를 엄지손가락으로 훑으며 생각에 잠긴 표정으로 *끄*트머리를 자기 입술에 갖다 댔다. "당신이 욕실에 틀어박혀 있는 동안에 서랍에서 꺼내 왔어. 최고급 순은 식기야. 몇 세대에 걸쳐 이어져 내려온 우리 집 가보라고나 할까."

손가락이 지독하게 아파 왔다. "하느님 맙소사. 버터 없어? 마가린도 좋고 라드도 좋으니까 여기 바를 걸 찾아야……." 그는 말을 멈췄다. 식탁 밑으로 들어간 그녀의 손이 권총을 쥐고 다시 나타난 것을 보았기 때문이다. 윌리가 앉은 위치에서 권총은 터무니없이 커 보였다.

"내가 하는 말을 잘 들어, 윌리. 손가락을 덴 건 지금 당신이 놓인 상황에 비하면 정말 사소한 문제야. 아픈 건 잘 알겠어. 앞으로 일이 분쯤 시간을 줄 테니까 마음을 가다듬고, 내가 지금 당장 이걸로 당신의 얼어 죽을 머리통을 날려 보내면 왜 안 되는지 설명해 줘." 그녀는 엄지손가락으로 권총의 공이를 젖혔다.

윌리는 자신을 향해 총을 겨누고 있는 랜디를 빤히 쳐다보았다. 물에 빠진 강아지처럼 처량한 몰골이다. 한순간 저러다가 또 천식 발작을 일으키는 것은 아닌지 랜디가 걱정했을 정도였다. 그러나 랜디의 마음은 기묘할 정도로 착 가라앉아 있었다. 화가 나거나 두렵지도 않고, 신경이 곤두서지도 않았지만, 그렇다고 해서 화장실로 달려가는 사내의 등을 냉혹하게 쏠 수 있을 것 같지도 않았다. 설령 그가 늑대인간이라고 해도 말이다.

다행히도 그런 걱정은 기우였던 듯했다. "설마 나를 쏠 생각은 아니겠지." 윌리는 상황을 감안하면 놀랄 정도로 침착한 태도로 말했다. "친구를 총으로 쏜다는 건 예의에 어긋나는 일이야. 당신도 자기 목욕 가운에 구멍을 내고 싶지는 않을 거 아냐?"

"어차피 맘에 안 드니까 괜찮아. 난 핑크가 싫거든."

"정말로 나를 죽이고 싶다면 총보다는 그 포크를 쓰는 편이 나을걸."

"스스로 늑대인간이라는 걸 인정한다는 애기로군?"

"라이컨스로프[3]라고 불러 줘." 윌리는 이렇게 정정하고 다시 화상을 입은 손가락을 빨면서 그녀를 곁눈질했다. "그걸 트집 잡아 날 고소하고 싶다면 얼마든지 고소해도 좋아. 이건 의학상의 문제라고. 난 알레르기에 천식도 있고 허리도 안 좋아. 덤으로 라이컨스로프증(症)까지 앓고

---

3 lycanthrope. 원래는 자기가 이리가 되었다고 믿는 사람을 지칭하는 정신의학 용어지만, 여기서는 다른 동물, 특히 늑대로 변신할 수 있는 능력을 가진 인간을 가리킨다.

있는데, 그게 내 잘못이라는 거야? 난 당신 아버지를 죽이지 않았어. 지금까지 사람을 죽인 적은 단 한 번도 없어. 예전에 핏불 한 마리를 죽여서 반쯤 먹어 치운 적이 있지만, 설마 그걸 가지고 나를 비난할 생각은 아니겠지?" 윌리는 불만이 가득한 어조로 말했다. "그래도 쏴야겠다면 쏴. 도대체 언제부터 그렇게 총을 좋아하기 시작한 거야? 권총을 들고 다니는 사립탐정은 TV에나 나오는 거 아니었어?"

"들고 다니는 게 아냐. 차고 다닌다고 해야지. 하지만 당신 말이 옳아. 난 아주 특별한 경우가 아니면 총을 휴대하지 않아. 이건 우리 아버지가 죽었을 때 갖고 있던 유품이야."

"결국 별 쓸모가 없었잖아, 안 그래?" 윌리는 나직한 목소리로 말했다.

랜디는 잠시 이 말을 음미했다. "지금 내가 방아쇠를 잡아당기면 어떻게 돼?" 총이 좀 무거운 기색이었지만 손이 떨리거나 하지는 않았다.

"변신해야겠지. 성공할 것 같지는 않지만 그래도 노력은 해 봐야 하지 않겠어. 지금처럼 인간 모습을 하고 있을 때 지척에서 두어 발 머리통에 맞는다면, 그래, 날 골로 보낼 수도 있겠지. 하지만 못 맞추면 안 돼. 괜히 어중간한 상처만 입히는 건 어불성설이야. 일단 변신한 뒤에는 전혀 얘기가 달라질 테니까 말이야."

"아버지가 죽었을 당시에는 탄창이 빌 때까지 쐈어." 랜디는 생각에 잠긴 어조로 말했다.

자기 손을 들여다보고 있던 윌리는 오만상을 찌푸렸다. "이런 젠장, 물집이 생겼잖아."

랜디는 식탁에 권총을 올려놓고 부엌으로 가서 버터 스틱을 가지고 왔다. 윌리는 안도한 표정으로 버터를 받아 들었다.

그가 손에 버터를 바르기 시작하자 랜디는 창문 쪽을 흘끗 보았다. "동이 텄어. 늑대인간은 보름달이 뜬 밤에만 변신하는 거 아니었어?"

"라이컨스로프라니까 그러네." 윌리가 정정하고는 손가락을 쭉 뻗어 보고 한숨을 내쉬었다. "보름달 어쩌고 하는 건 유니버설 스튜디오의 3류 대본 작가가 지어낸 헛소리야. 못 믿겠으면 관련 문헌을 뒤져 보라고. 밤이든 낮이든, 보름달이든 초승달이든 상관없이 우린 원할 때 변신할 수 있어. 보름달이 떴을 때 변신하고 싶어질 때가 가끔 있는 건 사실이지만. 호르몬이나 뭐 그런 것의 영향인 것 같아. 하지만 그건 뭔가를 마구 찢어발기고 싶다기보다는 여자하고 자고 싶어질 때의 기분에 더 가까워." 윌리는 커피 잔을 홱 집어 들었다. 커피는 이미 차갑게 식었지만 개의치 않고 꿀꺽꿀꺽 들이켰다. "제장, 이런 얘기는 하지 않는 건데. 랜디, 난 당신이 좋아. 당신은 내 친구고 난 그런 당신한테 안 좋은 일이 일어나는 걸 보고 싶지 않아. 그러니까 오늘 아침 일은 깨끗이 잊어버려. 내 말을 믿어. 그러는 편이 훨씬 더 신상에 이로워."

"왜?" 랜디는 가차 없이 반문했다. 무엇이든 잊을 생각은 추호도 없는 듯했다. "안 그러면 내 신상에 무슨 일이 일어나는데? 내 목을 물어뜯기라도 할 거야? 조운 소렌슨하고 조우이 앤더스 일도 잊어버리란 얘기야? 로이 헬렌더나 행방불명이 된 그 아이들은 또 어떻게 하고? 나더러 우리 아버지한테 일어난 일을 잊으라는 거야?" 그녀는 잠시 침묵했다가 이내 나직한 목소리로 말을 이었다. "당신은 나한테 도움을 받기 위해 찾아왔어, 윌리. 미안한 얘기지만 아직도 내 도움이 절실히 필요한 것처럼 보이는데?"

식탁 반대편에 앉아 있던 윌리는 길쭉한 얼굴에 비루먹은 개 같은 시무뚝한 표정을 떠올리고 그녀를 쳐다보았다. "당신에게 입을 맞춰야 할지, 아니면 그 뺨을 후려갈겨야 할지 모르겠어." 마지못해 시인하는 말투였다. "염병할, 당신 말이 맞아. 당신은 이미 너무 많은 걸 알아 버렸어." 그는 일어섰다. "내 옷으로 갈아입을 필요가 있어. 이렇게 젖은 속옷을 입고 있다가는 폐렴에 걸릴 게 뻔해. 택시를 불러 줘. 함께 가서 우리 집을 조사해 보고 거기서 더 얘기하자고. 코트 좀 빌려주겠어?"

"내 버버리를 꺼내 입어. 벽장에 걸려 있어."

윌리가 그 코트를 입으니 랜디가 입었을 때보다 훨씬 더 헐렁해 보였지만, 그래도 핑크색 목욕 가운보다는 낫다. 주섬주섬 코트 벨트를 조이며 벽장 밖으로 나왔을 때는 거의 정상으로 보였다. 랜디는 은제 식기를 넣어 둔 서랍을 뒤져서 고기 저미는 나이프를 찾아냈다. 추수감사절에 할아버지가 칠면조를 자를 때 쓰던 나이프였다. 그녀는 청바지 벨트에 나이프를 끼워 넣었다.

윌리는 불안한 표정으로 나이프를 보았다. "좋은 생각이야." 그러곤 잠시 후에 덧붙였다. "하지만 총도 잊지 말고 가져가."

●○

택시 기사는 말수가 적은 타입이라 시내를 가로지르는 동안 차 안에서는 어색한 침묵만 흘렀다. 목적지에 도착하여 랜디가 택시비를 지불하는 동안 윌리는 밖으로 나가 건물 출입문들을 조사했다. 사나워 보이는 구름이 잔뜩 낀 날이었다. 잔교에서 철썩거리는 강물도 거칠고 우중충했다.

윌리는 화난 표정으로 현관문을 걷어찬 뒤 옆 골목으로 들어갔다. 랜디는 잔교 옆에 서서 택시가 떠나가는 것을 바라보았다.

몇 분 뒤에 돌아온 윌리는 잔뜩 골이 나서 말했다. "정말 황당하군. 뒷문은 몇 년 동안이나 단 한 번도 쓴 적이 없기 때문에 그 녹슨 철판을 억지로 떼어 내려면 해머와 끌이 필요하겠어. 잔교로 나가는 문은 빗장을 지른 데다가 쇠사슬로 묶고 엄청나게 큰 맹꽁이자물쇠를 채워 놓았기 때문에 열 수가 없어. 현관문은…… 내 차에 예비 열쇠가 한 세트 있지만, 설령 그걸 쓴다고 해도 문 안쪽에서 육중한 방범용 빗장을 질러 놓았기 때문에 결국은 안에서만 열 수 있어. 집 안으로 들어가려면 도대체 어떻게 해야 할까?"

랜디는 양조장의 낡은 벽돌 벽을 훑어보았다. 벽은 상당히 견고해 보였고, 2층에 난 창문의 높이는 족히 20피트는 되어 보였다. 결국 집 주위를 돌아 골목 쪽을 들여다보다가 뭔가를 발견하고 말했다. "깨진 창문이 하나 있는데."

"그건 내가 나올 때 깬 거야." 윌리가 대답했다. "밤손님이 침실 문을 뚫고 들어오려고 했을 때 말이야."

보도 위에 흩어진 유리 조각들을 보고 랜디도 이미 짐작한 일이었다. "일단 우리가 어떻게 하면 이 집 안으로 들어갈 수 있는지 생각해 봐. 저 커다란 쓰레기통을 왼쪽으로 약간 옮긴 다음에 내가 그 위로 올라가고, 당신이 내 어깨에 올라탄다면 저 창문으로 기어 올라갈 수 있지 않을까."

윌리는 이 제안에 관해 잠시 생각했다. "그놈이 여전히 안에서 기다리고 있다면?"

"뭐라고?" 랜디가 되물었다.

"정체가 무엇이든 어젯밤에 나를 쫓아온 놈 말이야. 내가 저 창문에서 아래로 뛰어내리지 않았다면 가죽이 벗겨졌을걸. 보통 때도 추위를 심하게 타는데 가죽도 없으면 내 건강 상태가 어떻게 될 것 같아?" 윌리는 창문을 보고 쓰레기통을 보더니 다시 창문으로 시선을 돌렸다. "젠장, 하루 종일 여기서 우두커니 서 있을 수는 없지. 방금 좋은 아이디어가 떠올랐어. 저 쓰레기통을 굴려서 벽에서 약간 떼어 놓을 건데 좀 도와줘."

랜디는 이해할 수 없었지만 윌리가 하라는 대로 했다. 그들은 깨진 창문을 정면에서 올려다보는 골목 한복판에 쓰레기통을 갖다 놓았다. 윌리는 고개를 끄덕이고 빌려 입은 코트의 벨트를 풀기 시작했다. "뒤돌아보고 있어. 겁을 주고 싶지는 않거든. 게다가 내 벗은 몸을 보고 당신이 갑자기 욕망에 사로잡히기라도 한다면 피차 난처해지지 않겠어."

랜디는 뒤돌아섰다. 어깨 너머를 흘끗 돌아보고 싶었지만 가까스로 참았다. 코트가 땅에 떨어지는 소리가 들렸다. 그러곤…… 뭔가 다른 소리가 들렸다. 부드럽게 지면을 밟는 소리. 개가 내는 발소리와 비슷했다. 그녀는 뒤를 돌아다보았다. 윌리는 골목 끄트머리까지 후퇴한 상태였다. 자갈길 위에 버버리 코트가 떨어져 있고, 그 위에 랜디의 옛 남편 속옷이 쌓여 있었다. 윌리는 점점 속도를 올리며 다시 양조장 쪽으로 달려왔다. 잘 보니 그다지 매력적이라고 할 수는 없는 늑대였다. 털은 우중충한 회갈색인 데다가 결도 안 좋아 보였고, 하반신이 상반신에 비해 너무 컸으며, 네 다리는 너무 가늘었다. 달리는 모습도 어딘가 볼품이 없었다. 윌리는 마지막으로 스퍼트하며 쓰레기통 위로 뛰어올랐고, 금속제 뚜껑을 아래로 걷어차며 박살난 창문 안으로 뛰어들었다. 창틀 가장자리에 남아 있던 유리가 깨지더니 침실 안에서 쿵 하고 착지하는 소리가 났다.

랜디는 집 주위를 돌아 현관문으로 갔다. 잠시 후 현관 자물쇠가 하나씩 열리기 시작했고, 곧 육중한 강철제 문이 열렸다. 윌리는 이제 타탄 무늬가 있는 붉은색 플란넬 가운을 입고 열쇠를 잔뜩 든 채 말했다. "들어와. 밤손님은 가 버린 모양이야. 차를 끓여 줄게."

●○

"그 자식은 변기 구멍에서 기어 나온 게 틀림없어." 윌리가 말했다. "그것 말고는 달리 출입할 방법이 없다고."

랜디는 윌리의 침실 문 잔해 앞에 서 있었다. 박살난 목재를 자세히 훑어보고, 길고 삐죽빼죽한 파편을 손으로 살짝 훑어보았다. 그러곤 무릎을 꿇고 바닥을 조사했다. "그놈이 뭐였든 간에 힘이 센 것만은 틀림없어. 나무 파편들이 마치 칼로 도려낸 것처럼 예리하고 깨끗한 걸 보면 주먹으로 친 게 아냐. 짐승의 발톱 자국일 수도 있겠지만, 나이프일 가능성이 더 높아 보여. 여기 이것 좀 봐." 랜디는 마루에 널린 문의 잔해 사이에 떨어져 있는 놋쇠 문손잡이를 가리켰다.

윌리는 허리를 굽히고 그것을 집어 올리려고 했다.

"손대지 마." 랜디가 그의 팔을 잡으며 말렸다. "그냥 보기만 해."

윌리는 한쪽 무릎을 꿇고 문손잡이를 응시했다. 처음에는 딱히 이상한 점을 발견할 수 없었다. 그러나 얼굴을 더 바싹 갖다 대고 보자 놋쇠 표면이 긁히고 깊게 파인 것을 알 수 있었다.

"뭔가 날카롭고 딱딱한 것에 긁혀서 생긴 거야." 랜디는 설명을 하며 일어섰다. "이상한 소리를 처음 들었을 때, 어느 방향에서 들려왔어?"

윌리는 잠시 생각하는 눈치였다. "확실히는 모르겠어. 아마 집 뒤꼍이었던 것 같아."

랜디는 그쪽으로 갔다. 복도에 늘어선 문들은 모두 닫혀 있었다. 층계 꼭대기의 난간을 조사해 본 후 그곳을 지나 이곳저곳의 문들을 열어 보았다. "여기 와 봐." 그녀는 네 번째 문 앞에 멈춰 서서 말했다.

윌리는 잰걸음으로 복도를 나아갔다. 랜디는 문 하나를 살짝 열어 놓고 세심하게 살펴보고 있었다. 복도에 면한 문손잡이는 멀쩡했지만, 안쪽 손잡이에는 침실 문의 손잡이에 생긴 것과 똑같은 흠집이 나 있었다.

윌리는 아연실색했다. "하지만 여긴 남자 화장실이잖아. 정말로 화장실에서 기어 나오기라도 했단 말이야? 이젠 똥도 맘 놓고 못 누겠네."

"이 방에서 나온 것이 맞아. 화장실하고 무슨 상관이 있는지는 모르겠지만 말이야." 랜디는 안으로 들어가 주위를 둘러보았다. 별로 볼만한 것은 없었다. 변기가 설치된 칸막이 두 개에 소변기가 두 개 그리고 길쭉한 거울 아래에 세면대 두 개가 있었다. 수도꼭지 옆에는 고색창연한 액체비누용 놋쇠 디스펜서가 달려 있고, 벽에는 종이 타월 디스펜서가 달려 있었다. 이것들 말고는 윌리가 쓰는 타월과 세면도구 따위가 전부였다. 작은 채광용 유리창조차 없었다. 창문이 아예 없었다.

복도 끝에서 찻주전자가 삑삑거리기 시작했다.

랜디는 생각에 잠긴 표정으로 윌리와 함께 거실로 돌아갔다. "조운 소렌슨은 잠긴 문 뒤에서 살해당했고, 조우이 앤더스를 죽인 범인은 복도 맞은편 방에 있는 언니를 깨우지 않고 조우이를 죽였어."

"그 자식은 마음 내키는 대로 아무 데서나 출몰할 수 있는 것 같아." 윌리가 말했다. 자기 입으로 그렇게 말하고 나니 오싹했다. 티백을 꺼내며 불안한 얼굴로 주위를 둘러보았지만 랜디와 그를 제외하면 아무도 없었다.

"꼭 그런 것만도 아냐." 랜디가 설명했다. "소렌슨하고 앤더스의 경우에는 뭐가 부서지거나 억지로 침입한 흔적이 전혀 없었어. 시체밖에 남지 않았지. 하지만 당신 경우에는 자물쇠를 잠근 문처럼 간단한 것에 저지당했잖아."

"저지하지는 못했어. 조금 방해가 됐을 뿐이야." 윌리는 자꾸 몸이 떨리려는 것을 억지로 참고 커피 테이블로 찻주전자를 가지고 왔다.

"앤더스 자매 말인데, 범인은 원래 노렸던 쪽을 죽인 걸까?" 랜디가 물었다.

윌리는 차를 따르려던 동작을 멈추고 망연자실한 얼굴로 그녀를 응시했다. "그게 무슨 뜻이지?"

"일란성쌍둥이가 같은 집에 살았잖아. 범인이 그 집에 한 번도 가 본적이 없었다고 가정해 봐. 범인은 어떤 식으로든 그 집에 침입한 다음에 희생자를 사슬로 묶고 살해했지만, 한 사람의 가죽만 벗겨 갔어. 다른 쪽은 깨우지도 않고 말이야." 랜디는 짐짓 상냥한 웃음을 지어 보였다. "얼굴만 봐서는 누가 누군지 알 수 없는 데다가 어느 방에 누가 있는지도 몰랐을 거 아냐. 그래서 말인데, 늑대인간 쪽을 죽인 게 맞아?"

윌리는 찻잔에 차를 따랐다. 이번에는 동요하지 않았다. 랜디도 잘못 판단할 때가 있다니 되레 기뻤다. "대답은 예스인 동시에 노야. 그 두 사람은 쌍둥이였어, 랜디. 두 사람 모두 라이컨스로프였다고."

이 말을 듣고 랜디는 무척 놀란 기색이었다.

"그런데 그런 생각은 어떻게 했어?" 윌리는 물었다.

"사슬을 봤어." 랜디는 멍한 어조로 대답했다. 그녀의 마음은 먼 곳을 헤매며 수수께끼에 도전하고 있었다. "은으로 만든 사슬 말이야. 사슬이 닿은 곳에는 모두 화상 자국이 있었어. 조운 소렌슨 또한 늑대인간이었지. 하반신이 마비된 장애인이었지만 그건 인간일 때의 얘기고, 변신한 뒤에는 멀쩡했겠지. 그래서 두 다리를 사슬로 묶어 놓았던 거야. 만에 하나 변신하는 경우에 대비하기 위해서." 랜디는 황망한 표정으로 윌리를 보았다. "이해가 안 돼. 한 사람을 죽이고 다른 사람을 건드리지 않았다는 것 말이야. 에이미 앤더스도 늑대인간이었다는 건 확실해?"

"라이컨스로프라니까. 응, 확실해. 늑대로 변신한 뒤에는 사람일 때보다 한층 더 분간하기 힘들었어. 인간일 때는 적어도 서로 다른 옷을 입잖아. 에이미는 흰색 레이스나 프릴이 달린 옷을 좋아했고, 조우이는 가죽을 좋아했지." 윌리의 커피 테이블 중앙에는 아스피린, 얼러레스트, 텀즈 따위의 전용 '마약'이 잔뜩 든 컷글라스제 재떨이가 놓여 있었다. 윌리는 그것을 한 움큼 집어 들고 물도 없이 삼켰다.

"더 이상 이런 논의를 진행하기 전에 나한테 반드시 보여줘야 할 패가 하나 있어." 랜디가 말했다.

이번에는 윌리 쪽에서 선수를 쳤다. "당신 아버지를 누가 죽였는지 안다면 진작 가르쳐 줬을 거야. 하지만 난 진상을 몰라. 그때 난 해외에서 군복무 중이었잖아. 〈쿠리어〉지에 실린 기사를 읽은 기억이 어렴풋하게 나지만, 솔직히 말해서 어젯밤 당신이 내 코앞에 그걸 들이밀 때까지는 까맣게 잊고 있었어. 그런 마당에 내가 무슨 얘길 해 줄 수 있겠어?" 그는 어깨를 으쓱했다.

"도망갈 생각일랑 하지 마, 윌리. 우리 아버지를 죽인 건 늑대인간이야. 당신도 늑대인간이고. 그러니까 뭔가 짐작 가는 부분이 있을 게 틀림 없어."

"어이, 방금 당신이 한 말에서 늑대인간이라는 단어를 '유대인'이나 '당뇨병 환자'나 '대머리 사내'로 바꾸고 그게 얼마나 아귀가 맞는지 생각 해 보라고. 당신 아버지의 사인에 관한 당신 주장이 틀렸다는 건 아냐. 사 실 하나도 빠짐없이 맞아떨어진다고 해야겠지. 시체 상태에서 총알이 다 떨어질 때까지 쏘아 버린 권총에 이르기까지 말이야. 하지만 거기까지 모두 믿는다면, 어느 늑대인간이 그랬는지를 알아내는 게 옳지 않겠어?"

"도대체 당신 말고 또 얼마나 있다는 거지?" 랜디는 못 믿겠다는 표정 으로 되물었다.

"낸들 어떻게 알겠어. 보름달이 뜰 때마다 비밀 집회라도 여는 줄 알 았어? 염병할. 순혈종(純血種)들은 그리 많지 않아. 지난 몇 세대에 걸쳐 서 많이 줄어들었거든. 하지만 나 같은 잡종은 많아. 순혈의 피가 반 또는 4분의 1만 섞인 치들, 옛 일족의 사생아들이지. 일부는 변신할 수 있지만 못 하는 경우도 있어. 한번 변신했다가 다시는 원래 상태로 돌아오지 못 하는 경우도 극소수지만 있다고 들었어. 물론 그건 오래된 혈통을 이어 받은 경우에만 있을 수 있는 일이고, 조운 같은 경우는 해당이 안 돼."

"조운은 달랐다는 얘기야?"

윌리는 마지못해 고개를 끄덕였다. "영화에서도 봤잖아. 늑대인간한 테 물린 사람도 늑대인간이 되는 거. 완전히 잡아먹힌 경우는 제외해야 겠지만." 랜디가 고개를 끄덕이자 윌리는 말을 이었다. "흐음, 그 부분은 사실이야. 더 정확히 말하자면 그 일부는 말이야. 예전만큼 자주 일어나 지는 않아. 요즘은 개한테 물리면 득달같이 병원으로 달려가서 상처를 소독하고 주사를 맞지. 광견병하고 파상풍 백신에 페니실린 따위를 잔뜩 맞는 거지. 그럼 전혀 걱정할 필요가 없어. 현대 의학의 개가라고나 할까."

윌리는 잠시 망설이며 랜디의 눈을, 사랑스러운 두 눈을 들여다보았다. 그녀는 나를 이해해 줄까. 이윽고 그는 과감하게 털어놓았다. "조운은 좋은 아이였어. 난 그런 아이가 휠체어에 매여 지내는 걸 보고는 가슴이 찢어지는 느낌을 받았어. 어느 날 밤 나한테 이런 말을 하더군. 가장 견디기 힘든 건 남녀가 사랑을 나눌 때 어떤 느낌인지 자기가 경험하는 일은 앞으로도 결코 없으리라는 사실이라고 말이야. 트럭 충돌 사고가 났을 때 그 아이는 처녀였어. 우리는 술 몇 잔을 걸친 상태였고, 조운은 울고 있었고…… 흐음, 난 더 이상 견딜 수가 없었던 거야. 난 내 정체를 그 아이한테 밝히고 내가 어떤 일을 해 줄 수 있는지 털어놓았어. 한마디도 안 믿더군. 그래서 증명해 보이는 수밖에 없었어. 다리를 깨물었지. 어차피 허리 아래로는 아무 감각도 없으니까 상관없었어. 그렇게 깨문 채로 한참을 갉작거리고 있었어. 그런 다음에는 내가 직접 간호했어. 의사를 부르지도 않았고, 소독약이나 광견병 백신 따위도 쓰지 않았어. 본격적으로 감염되도록 일부러 방치했던 거지. 이틀 가까이 엄청난 고열이 계속되는 걸 보고 이러다가 죽는 것이 아닌가 걱정스러울 정도였어. 나한테 물린 쪽 다리는 거의 검게 변했어. 혈관을 따라 균이 올라가는 것이 보일 지경이었지. 내가 보기에도 너무 끔찍했다는 사실은 시인해. 다시 그러고 싶은 생각도 별로 없고. 하지만 결국은 성공했어. 열이 내리고 나서 조운은 변신했거든."

"그냥 친구가 아니었다는 얘기로군." 랜디는 확신에 찬 어조로 말했다. "애인 사이였어."

"응, 늑대일 때는. 모피를 두르면 내가 지금보다 섹시하게 보이나 봐. 솔직하게 말하자면 조운을 따라가기도 벅찼지만 말야. 조운은 상당히 활동적인 늑대였거든. 그러니까, 매일 밤 그랬다는 뜻이야."

"인간일 때는 여전히 장애인이었단 말이군." 랜디가 말했다.

윌리는 고개를 끄덕이고 한쪽 손을 들어 올렸다. "이걸 봐." 화상 자국은 여전히 남았고, 검지에는 피가 섞인 물집이 잡혀 있었다. "나는 늑대로 변신한 덕택에 목숨을 구한 적도 한두 번 있어. 천식이 너무 심해져서 이대로 가다가는 질식해 죽겠다는 생각이 들었을 때 말이야. 물론 다시 인간으로 돌아왔을 때는 원래 증상이 고스란히 남아 있지만. 때로는 오히려 더 악화되는 수도 있어. 늑대일 때 총을 맞으면 별거 아냐. 벌에 쏘이거나 손바닥으로 얻어맞은 정도의 통증밖에는 못 느끼고 상처도 금세 아물거든. 하지만 다시 인간으로 되돌아왔을 때는 이자까지 갚아야 하는 경우가 종종 있어. 너무 서둘러서 인간으로 되돌아오는 바람에 상처가 감염되는 경우지. 그리고 은과 접촉하면 당시에 어떤 모습이든 간에 심한 화상을 입게 돼. 그래서 내가 가장 좋아하는 대통령이 린든 B. 존슨인 거야. 그때부터 나오기 시작한 25센트 은화는 구리하고 니켈 합금이라서 만져도 아무렇지 않거든."

랜디는 일어섰다. "듣고 있자니 머리가 어지러워질 지경이야. 늑대일 때가 정말로 좋아?"

"라이컨스로프라니까." 윌리는 어깨를 으쓱했다. "잘 모르겠어. 당신은 여자인 게 좋아? 난 그냥 나일 뿐이야."

랜디는 방을 가로질러 창가로 가서 강을 내려다보았다. "나도 잘 모르겠어. 당신은 내 친구인 윌리 모습을 하고 있어. 이미 10년 넘게 알고 지내 온 친구지. 하지만 당신은 내 친구인 동시에 늑대인간이야. 열두 살 때부터 늑대인간 따위는 존재하지 않는다고 나 자신을 설득해 왔는데, 오늘 이 도시가 늑대인간투성이라는 걸 알았어. 문제는 누군가가 그들을 죽여서 가죽을 벗기고 다닌다는 사실이야. 내가 그런 일까지 관여해야 할까? 내가 왜 늑대인간들 걱정까지 해 줘야 하는 거지?" 그녀는 손으로 헝클어진 머리를 쓸어 올렸다. "나도 당신도 로이 헬렌더가 그 아이들을 죽이지 않았다는 걸 잘 알아. 우리 아버지도 그걸 알고 있었지. 그래서 계속 수사를 진행하다가 어느 날 밤에 가축우리로 유인당했고, 거기서 어떤 짐승한테 목을 물어뜯기고 돌아가셨어. 그 생각을 할 때마다 늑대인간을 죽이고 다닌다는 그 살인마를 찾아내서 그 일에 참가하고 싶은 기분이 들어. 그러다가 당신을 돌아보면……." 그녀는 몸을 돌려 윌리를 보았다. "얼어 죽을. 여전히 친구가 있는 거야."

당장이라도 울음을 터뜨릴 듯한 표정이었다. 윌리는 랜디가 우는 것을 본 적이 없었고, 앞으로도 보고 싶지 않았다. 여자들이 우는 꼴은 정말 보고 싶지 않았다. "내가 처음에 당신한테 일자리를 제안했을 때 생각나? 채무 회수인은 모두 악당이니까 싫다고 대답했잖아."

랜디는 고개를 끄덕였다.

"라이컨스로프는 피부를 바꾸는 종족이야. 우리는 늑대로 변신하지. 그래, 당신 추측이 맞아. 우린 육식이야. 일족 중에 채식주의자는 거의 없지만, 고기라고 해서 다 똑같은 건 아냐. 이런 규모의 도시치고는 쥐가 그리 많지 않다는 거 알아? 내가 말하고 싶은 건 피부는 변할지 모르지만 내부는 여전히 나 자신이라는 점이야. 그러니까 늑대인간이나 늑대인간 백정 운운하지 말고 살인범들을 잡을 생각이나 해. 우리는 살인 사건에 관해 의논하고 있는 거니까 말이야."

랜디는 커피 테이블로 돌아와서 앉았다. "좀 화가 나지만 이번에는 당신이 이긴 것 같아."

"침대에서도 이길 자신 있어." 윌리는 씩 웃으며 말했다.

랜디의 얼굴에 희미한 미소가 떠올랐다. "퍼큐(fuck you)."

"내 말이 그 말이야. 지금 무슨 속옷 입었어?"

"내 속옷 따위에 신경 쓰지 마. 옛날이나 현재 살인범들이 누군지 짐작 가는 데가 없어?"

랜디는 이따금 너무 한 가지에만 집중하는 경향이 있어. 윌리는 생각했다. 불행히도 침대 시트에서 벌어지는 일과는 무관하지만. "조녀선한테서 오래된 전설을 들은 적이 있어."

"조녀선?"

"조녀선 하면 말이야. 맞아, 피와 철의 가문. 〈쿠리어〉의 사주이자 블랙스톤 저택 주인이며 팩 공장 소유주. 처음에 도시를 세운 집안이지."

"아니 그럼 그자도 늑— 라이컨스로프란 말이야?"

윌리는 고개를 끄덕였다. "응. 무리 우두머리야. 그러니까—."

랜디는 그의 말을 가로막았다. "세습하는 자리야?"

윌리는 랜디가 무슨 생각을 하는지 알 수 있었다. "맞아. 하지만—."

"스티븐 하먼은 정신이상자야." 랜디가 그의 말을 가로막았다. "가문의 위세 덕택에 신문에는 실리지 않겠지만 사람들이 수군거리는 것까지 막을 수는 없지. 폭력 사건을 여러 번 일으켰고, 낯선 의사들이 블랙스톤 저택을 들락거리는 게 목격된 적도 있어. 충격요법 따위를 썼다는군. 일종의 고통 애호증 환자 아냐?"

윌리는 한숨을 내쉬었다. "응. 당신 혹시 그 녀석 손을 본 적이 있어? 손바닥하고 손가락이 온통 은에 닿아 생긴 화상투성이야. 한번은 1달러짜리 은화를 손에 꽉 쥐는 걸 본 적이 있어. 손가락 사이에서 연기가 흘러나올 때까지 그렇게 쥐고 있더군. 손을 펼치니 손바닥 한복판에 둥그런 구멍이 나 있었어." 윌리는 부르르 몸을 떨었다. "응. 스티븐은 정신이상자가 맞아. 게다가 맨손으로 당신 팔을 뽑아내고, 그걸로 당신을 패서 죽일 수 있을 정도로 힘이 세. 하지만 당신 아버지를 죽인 건 스티븐이 아냐. 그럴 수는 없었거든."

"그건 당신 의견이겠고." 랜디가 지적했다.

"조운이나 조우이를 죽이지도 않았어. 그냥 죽인 게 아니잖아, 랜디. 범인은 가죽을 벗겼어. 아까 전설 운운한 건 그 때문이야. 내가 '피부를 바꾸는 종족'이라고 했잖아? 바로 그 피부에 마력이 깃들어 있다면? 그게 사실일 경우, 늑대인간 하나를 잡아서 가죽을 벗기고 피투성이 가죽을 자기 몸에 뒤집어쓰면…… 변신할 수 있을지도 몰라."

랜디는 금방이라도 토할 듯한 표정으로 윌리를 응시했다. "정말로 그래?"

"그걸 믿는 자가 있어."

"누가?"

"늑대인간에 관해서 오랫동안 생각해 온 인물일 거야. 편집증 수준을 넘어서 완전한 사이코패스가 되어 버린 인물. 자신이 늑대인간을 목격했다고 확신하고, 늑대인간한테 원한을 품은 탓에 그들을 증오하고, 복수하고 싶어 하는 인간 말이야. 그것 말고도 마음속 깊숙한 곳에서 그게 어떤 느낌인지를 알고 싶어 하는 인물일 가능성도 있어."

"로이 헬렌더 말이군." 랜디가 넘겨짚었다.

"예의 얼어 죽을 숲 속의 은신처를 찾아낸다면 확인할 수 있을지도 몰라."

랜디가 일어섰다. "이미 몇 시간 동안이나 죽어라고 기억을 뒤져 봤어. 몇몇 시립 공원을 뒤져 볼 수도 있겠지만, 가망은 별로 없어 보이는 군. 윌리, 난 차라리 그 전설에 관해 더 알고 싶어. 내 눈으로 스티븐을 보고 싶고. 그러니까 차를 가지고 와. 함께 블랙스톤으로 가는 거야."

윌리는 랜디가 바로 그런 말을 하지는 않을까 싶어 두려워하고 있었다. 그는 손을 뻗어 알약을 또 한 움큼 집어 들었다. "하느님 맙소사." 그는 한입 가득 알약을 씹어 먹으며 말했다. "만화에 나오는 애덤스 가족이 아니라고. 조녀선은 현실의 존재야."

"그건 나도 마찬가지야." 랜디의 대답에 윌리는 자신이 졌다는 것을 깨달았다.

● ○

쿠리어 광장에 닿았을 무렵에는 비가 내리고 있었다. 윌리는 차 안에서 총포상에 들른 랜디가 돌아오기를 기다렸다. 20분 뒤 랜디가 가게에서 나올 무렵에는 운전석에서 곯아떨어져 있었다. 그래도 터무니없이 큰 괴물 캐딜락의 문을 잠가 놓을 만큼의 분별심은 있는 듯했다. 랜디가 창문을 톡톡 치자 그는 벌떡 일어나 멍한 얼굴로 그녀를 응시했다. 한순간 랜디를 못 알아보는 눈치였지만, 곧 정신을 차리고 조수석 쪽으로 몸을 기울여 개폐 버튼을 잡아당겼다. 랜디는 조수석에 앉았다.

"어땠어?"

"은제 탄환은 수요가 거의 없지만, 주 북부에서 총포 수집가들을 위해 특별 주문을 받는 직공이 있다나 봐." 랜디는 화난 어조로 말했다.

"별로 즐거워 보이지 않네."

"안 즐거워. 은제 탄환 한 박스에 얼마 달라고 하는지 상상이 돼? 게다가 2주는 지나야 완성된대. 처음엔 한 달 걸린다고 하는 걸 웃돈까지 주고 겨우 줄였어." 랜디는 뚱한 얼굴로 빗물이 흐르는 창문 밖을 내다봤다. 담배꽁초나 어제치 신문지 조각 따위가 세차게 흐르는 잿빛 빗물에 실려 도랑을 흘러갔다.

"2주나 걸려?" 윌리는 시동을 걸고 육중한 차의 기어를 넣었다. "얼어죽을. 2주 뒤면 우린 이미 죽었을지도 몰라. 차라리 잘됐어. 은제 탄환이라니 난 생각만 해도 불안해진다고."

그들은 차를 타고 광장을 가로질러 캐슬 극장과 〈쿠리어〉 사옥 앞을 지나쳤고, 센트럴 대로에 들어섰다. 와이퍼가 짤깍거리며 리드미컬하게 좌우로 움직였다. 윌리는 왼쪽으로 핸들을 꺾어 13번가로 들어갔고, 절벽 밑동이 시작되는 지점으로 향했다. 그러는 동안 랜디는 아버지의 유품인 리볼버 권총을 꺼내 실린더 탄창을 열었고, 여섯 발 모두 장전되어 있는지를 확인했다. 윌리는 운전을 하며 그녀를 곁눈질했다. "시간 낭비야. 총으로는 늑대인간을 못 죽여. 늑대인간을 죽이는 건 다른 늑대인간이라고."

"라이컨스로프가 아니었어?" 랜디가 지적했다.

윌리는 씩 웃었다. 아주 오래전, 같은 사무실에서 함께 일하던 사내의 모습을 한순간이나마 본 듯한 느낌이었다.

13번가를 나아가면서 두 사람 모두 눈에 띄게 긴장했다. 캐딜락의 커다란 바퀴가 물웅덩이를 지나치며 세찬 물보라를 튀겼다. 목적지에서 한 블록쯤 떨어진 곳에서, 랜디는 검은 절벽을 배경으로 작고 하얀 케이블카가 천천히 하강하는 광경을 목격했다. 잠시 뒤에는 불빛이 눈에 들어왔다. 도로 위에서 빨갛고 파란 등이 점멸하고 있었다.

윌리도 그것을 보았다. 급제동을 건 탓에 타이어가 미끄러지며 차체 뒷부분이 좌우로 마구 흔들렸다. 윌리는 길가에 주차한 차에 부딪치는 것을 피하려고 핸들을 확 꺾었다. 가까스로 차를 멈췄을 때 그의 이마에는 땀이 송골송골 맺혀 있었다. 랜디가 보기에는 사고가 날 뻔해서 그런 것이 아니었다. "하느님 맙소사! 설마 하면까지. 절대로 그럴 리가 없어." 윌리는 격하게 숨을 몰아쉬다가 흡입기를 꺼내려고 호주머니를 뒤졌다.

"여기서 기다리고 있어. 내가 가서 알아보고 올게." 랜디는 단호하게 말하고는 차에서 나갔고, 코트 깃을 세운 다음 13번가가 절벽 밑동에서 끊기는 지점을 향해 걷기 시작했다. 검시관의 스테이션왜건이 순찰차 세 대 사이에 세워져 있었다. 케이블카가 도착하는 것과 동시에 랜디도 그곳에 도착했다. 케이블카에서 먼저 나온 사람은 로고프였다. 그 뒤로 쿠니와 경찰 촬영기사가 나왔고, 시체 운반용 부대를 든 제복 경관 둘이 나왔다. 아래로 내려오는 케이블카 내부는 비좁았을 것이다.

"당신이야?" 로고프는 그녀를 보고 놀란 기색이었다. 비에 젖은 검은 머리카락이 이마에 달라붙어 있었다.

"나야." 랜디가 맞장구쳤다. 플라스틱제 시체 부대의 표면은 젖어서 미끌미끌했고, 제복 경관들은 그것을 놓치지 않으려고 악전고투하고 있었다. 그중 한 명이 케이블카에서 나오다가 발을 헛디뎠다. 랜디는 부대 안에 있는 무엇인가가 옆으로 쏠린 듯한 인상을 받았다. "이건 아귀가 맞지 않아." 랜디는 로고프를 향해 말했다. "지금까지 살인 사건은 모두 밤에만 일어났잖아."

로고프는 그녀의 팔을 잡고 부드럽지만 단호하게 옆으로 이끌었다. "이번엔 안 보는 편이 나아, 랜디."

랜디는 로고프의 말투가 마음에 걸려 그의 얼굴을 뚫어지게 들여다보았다. "왜 안 돼? 조우이 앤더스보다 더 심할 리가 없잖아? 그 부대 안에 들어 있는 사람이 누구야? 아버지? 아니면 아들?"

"둘 다 아냐." 로고프는 난감한 표정으로 대답하고 흘끗 뒤로 돌아 절벽 정상 쪽을 바라보았다. 랜디는 무의식중에 그의 시선을 쫓고 있었다. 블랙스톤 저택은 보이지 않았고, 단지 부지 전체를 에워싼 높은 연철제 울타리가 눈에 들어올 뿐이었다. "이번만은 운이 다했다고 해야겠군. 경비견들한테 먼저 당했어. 쿠니 말로는 이 친구가…… 입었던 것에서 나는 그…… 피 냄새가 개들을 미쳐 날뛰게 했을 거라는군. 온몸이 갈기갈기 찢겼어, 랜디." 로고프는 마치 위로하려는 듯이 그녀의 어깨에 손을 얹었다.

"그럴 리가 없어." 온몸의 힘이 빠지고 머리가 핑핑 돌았다.

"사실이야." 로고프는 강한 어조로 말했다. "모두 끝났어. 내 말을 믿어. 당신은 정말 안 보는 편이 나아."

랜디는 뒷걸음쳤다. 경관들은 검시관의 스테이션왜건 짐칸에 시체가 든 부대를 싣고 있었다. 실비아 쿠니는 빗속에서 시가를 피우며 감독하고 있었다. 로고프는 다시 그녀의 어깨에 손을 얹으려고 했지만, 랜디는 몸을 홱 돌려 왜건을 향해 돌진했다.

"뭐 하는 거야!" 쿠니가 말했다.

시체는 짐칸에 반쯤 들어간 상태로 수평으로 젖힌 왜건 뒷문에 놓여 있었다. 랜디가 시체 부대의 지퍼로 손을 뻗자 경찰이 그녀의 팔을 움켜 잡았다. 랜디는 그를 거칠게 밀쳐 내고 지퍼를 끌어 내렸다. 시체의 얼굴이 반쯤 사라져 있었다. 오른쪽 뺨과 귀와 턱의 일부가 뜯겨 나간 것이 보인다. 뼈가 드러날 때까지 씹어 먹힌 자국이 있었다. 나머지 이목구비는 피로 물든 탓에 누군지 알아볼 수가 없었다.

누군가가 그녀를 뒤로 끌어당기려고 했다. 랜디는 뒤로 홱 돌아서며 경관의 고환을 걷어찼고, 다시 몸을 돌려 시체의 양 겨드랑이에 손을 집어넣고 잡아당겼다. 시체 부대 내부가 피로 미끌미끌했다. 플라스틱 부대에 든 시체가 마치 바나나 껍질을 벗길 때처럼 쑥 빠져나와 보도 위로 떨어졌다. 빗물이 시체를 씻으면서 도랑이 핑크빛으로 물들다가 곧 붉게 변했다. 손 혹은 적어도 그 일부가 마치 이제야 생각났다는 듯이 부대 밖으로 굴러 나왔다. 팔은 거의 다 사라졌고, 군데군데 흰 뼈가 드러나 있었다. 허벅지와 어깨와 몸통에는 살이 뭉텅뭉텅 뜯겨 나간 자국이 남아 있었다. 나체였지만 두 다리 사이에 성기가 있던 부분에는 시뻘건 상처밖에 남지 않았다.

시체의 목에 무엇인가를 감아 턱 밑에서 매듭을 지어 놓은 게 보였다. 랜디는 몸을 수그리고 손을 대다가 시체 얼굴을 보고는 흠칫 뒤로 물러났다. 빗물이 얼굴을 씻어 주었던 것이다. 한쪽 눈이 남아 있었다. 허공을 응시하는 퀭한 녹색 눈. 빗물이 안와(眼窩)에 고였다가 뺨을 타고 흘러내렸다. 로이의 몸은 피골이 상접한다는 표현이 어울릴 정도로 말랐고, 적어도 일주일은 수염을 깎지 않은 듯했다. 그러나 긴 머리카락만은 랜디가 기억하는 대로였다. 형제자매들이 모두 그랬듯이 헬렌더 특유의 우중충한 금발이었다.

턱 아래에 매듭이 보였다. 뒤틀려 있지만 긴 망토처럼 보이는 물체. 지면에 떨어졌을 때 뒤틀린 듯했다. 랜디가 그것을 펴 보려고 하자 사내들의 손이 그녀의 양팔을 움켜잡고 억지로 끌어냈다.

"안 돼." 랜디가 외쳤다. "얘가 입고 있는 게 뭐야? 저게 도대체 뭐지? 이 손을 놔! 난 봐야 해!"

그러나 아무도 대답하지 않았다. 로고프의 강철 같은 손아귀에 잡힌 그녀의 오른팔은 꿈쩍도 하지 않았다. 랜디는 마구 발버둥치고 고함을 지르며 뿌리치려고 했지만, 로고프는 그녀의 히스테릭한 발작이 가라앉을 때까지 손을 놓지 않았다. 그런 뒤에도 잠시 동안 그녀가 그의 가슴에 얼굴을 갖다 대고 흐느끼게 놓아두었다.

언제 왔는지 윌리가 곁에 있었다. 그는 로고프에게서 그녀를 떼어 낸 다음 다시 캐딜락으로 데려갔다. 그들이 말없이 차 안에 앉아 있는 사이 검시관의 스케이션왜건과 순찰차들이 한 대씩 현장을 떠나갔다. 랜디는 피투성이였다. 윌리는 글러브 박스 안에 놓아둔 아스피린 몇 알을 그녀에게 건넸다. 억지로 삼키려고 했지만 목 안이 완전히 말라붙은 탓에 결국 캑캑거리며 뱉어 내는 수밖에 없었다.

"이제 괜찮아." 윌리는 그녀를 향해 이 말을 되풀이했다. "그건 네 아버지가 아니었어, 랜디. 부탁이니 내 말에 귀를 기울여 줘. 아까 그 시체는 네 아버지가 아니었다고!"

"로이 헬렌더였어." 랜디는 겨우 이렇게 말할 수 있었다. "로이는 조운의 피부를 입고 있었어."

●○

윌리는 그녀를 집까지 데려다 주었다. 랜디는 조너선 하면을 위시한 그 누구와도 대결할 수 있는 상태가 아니었다. 아까보다는 많이 진정됐지만 히스테리가 완전히 사라진 것은 아니었다. 단지 가라앉았을 뿐이었다. 눈을 보거나 목소리만 들어도 알 수 있었다. 게다가 랜디는 같은 말을 계속 되풀이했다. "로이 헬렌더였어." 마치 윌리가 그 사실을 모르기라도 한다는 듯이. "조운의 피부를 입고 있었어."

윌리는 랜디의 열쇠를 찾아내서 문을 열고 그녀를 부축하여 집으로 데려갔다. 아파트 안에 들어간 다음에는 캐딜락의 글러브 박스에 넣고 다니는 상비약 상자에서 꺼낸 수면제 두 알을 먹인 다음 침대 시트를 젖히고 랜디의 옷을 벗겼다. 블라우스 단추를 그가 풀기 시작하면 화들짝 제정신으로 돌아올지도 모른다고 내심 기대했지만, 그녀는 미소를 띤 채 꿈꾸는 듯한 멍한 눈으로 그를 바라보며 그건 로이 헬렌더였고 조운의 피부를 입고 있었다는 말을 되풀이할 뿐이었다. 랜디의 벨트에 끼워진 커다란 은제 나이프를 본 그의 손이 멈췄다. 결국 바지 지퍼를 내리고 벨트를 끄른 다음 나이프고 뭐고 다 포함해서 한꺼번에 홱 잡아당겼다. 팬티는 입지 않았다. 예전부터 그러지 않았나 싶은 생각이 들었다.

마침내 랜디가 잠에 빠져들자 윌리는 화장실로 가서 토했다.

잠시 후 그는 입에서 토사물의 맛을 씻어 낼 요량으로 진토닉을 만들어 랜디의 거실에 있는 붉은 벨벳 의자에 앉았다. 최근 며칠 동안은 랜디보다도 못 잔 통에 당장이라도 잠에 빠져들 것 같은 기분이었지만, 무슨 이유인지 지금은 깨어 있는 것이 중요하다는 사실을 자각했다. 범인은 로이 헬렌더였고, 그는 조운의 피부를 입고 있었다. 결국 사건은 이렇게 끝났다. 이제는 안전했다.

지난밤 침실 문이 미친 듯이 흔들리던 광경이 뇌리에 떠올랐다. 육중한 목제 문이었는데, 마치 싸구려 패널 문이라도 되는 것처럼 쫙쫙 금이 가는 광경이. 문 뒤에는 무엇인가 검고 강력한 존재가 있었다. 놋쇠 문손잡이에 상흔을 남기고, 어디든 장소를 가리지 않고 홀연히 출현하는 존재가. 문 반대편에 있던 것이 정확히 무엇이었는지는 모르겠지만, 아까 13번가에서 목격한 피골이 상접한 인간의 잔해와 그것을 결부시키기는 힘들었다. 설령 지난밤 그의 집에 침입한 존재가 조운의 피부를 뒤집어썼든 안 썼든 간에 정말 로이 헬렌더였다고 가정한다면, 그런 사내가 개들한테 잡아먹혔다는 게 말이 되는가. 개라니! 조너선은 이런 말도 안 되는 설명이 도대체 언제까지 통할 거라고 믿는 것일까? 그러나 조우이와 조운이 죽고, 또 헬렌더 자신이 다른 인간의 피부를 뒤집어쓰고 블랙스톤으로 침입했다는 사실을 감안한다면, 조너선의 그런 행동을 탓하기는 힘들었다.

사냥꾼을 사냥하는 것들이 있어.

윌리는 수화기를 들어 올리고 블랙스톤 저택에 전화를 걸었다.

"여보세요." 감정이 메마른 단조로운 목소리는 그 어떤 것에도 관심을 두지 않고, 자기 자신을 포함해서 그 누구에게도 아무런 감정을 느끼지 않는 사내의 것이었다.

"여어, 스티븐." 윌리는 재빨리 말했다. 조너선을 바꿔 달라고 말하려다가 갑자기 광기를 닮은 기묘한 충동에 사로잡혔다. 윌리는 자기 목소리가 이렇게 말하는 것을 들었다. "너도 봤어, 스티븐? 조녀선이 그 친구한테 무슨 짓을 하는지를 봤냐고? 그걸 보니까 좋았어?"

전화선 반대편에 흐르는 침묵은 영원히 계속될 것처럼 느껴졌다. 스티븐 하먼은 이따금 말하는 것을 아예 잊곤 했다. 그러나 이번엔 달랐다. "조녀선이 그런 거 아냐. 내가 그랬어. 하나도 안 어려웠어. 냄새를 맡고 숲에서 나오는 걸 알았어. 내가 다가가는 것조차도 모르던걸. 빙 돌아서 뒤로 간 다음에 땅바닥에 눌러 놓고 귀를 물어뜯었어. 힘이 세지도 않더군. 조금 있으니까 그는 다시 인간으로 변했고, 그다음에는 모든 게 미끌미끌해졌어. 하지만 그런 건 상관없어. 나는—."

누군가 수화기를 낚아챘다. "거기 누구요?" 조녀선의 목소리였다.

윌리는 전화를 끊었다. 필요하다면 언제든 다시 걸 수 있었다. 조녀선이 전화 건 사람이 누군지 고민하며 전전긍긍하도록 잠시 놓아두고 싶었다. "조금 있으니까 그는 다시 인간으로 변했다." 윌리는 큰 소리로 말했다. 스티븐은 자기 손으로 그랬다고 했다. 그러나 스티븐은 그럴 수가 없다, 그렇지 않은가? "하느님 맙소사."

● ○

어딘가 먼 곳에서 전화벨이 울리고 있었다.

랜디는 반대편으로 돌아누웠다. "조운의 피부였어." 거의 알아들을 수 없는 낮은 목소리로 웅얼거렸다. 실오라기 하나도 걸치지 않은 몸에 담요를 두르고 있었다. 방 안은 칠흑처럼 어두웠다. 다시 전화벨이 울렸다. 그녀는 침대 시트를 목에 두르고 앉았다. 방은 추웠고, 머릿속이 쿵쿵거렸다. 시트를 휙 낚아채서 옆으로 던져 놓았다. 내가 왜 벌거숭이일까? 도대체 무슨 일이 일어난 거지? 다시 전화벨이 울리고 자동응답기가 작동했다. "AAA-웨이드 조사 회사의 랜디 웨이드입니다. 지금은 응답해 드릴 수 없지만 삐 소리가 난 뒤에 메시지를 남겨 주시면 나중에 연락드리겠습니다."

수화기를 낚아채서 귀에 댄 순간 삐 소리가 울려 퍼졌다. 랜디는 얼굴을 찡그렸다. "랜디 웨이드입니다. 지금 직접 받았어요. 도대체 지금 몇 시인가요? 당신은 누구죠?"

"랜디, 너 괜찮니? 조 아저씨야." 조 어커트의 무뚝뚝한 목소리를 듣는 순간 랜디는 안도감을 느꼈다. "로고프한테 무슨 일이 일어났는지 전해 듣고 네가 너무 걱정돼서 걸었어. 벌써 몇 시간째 전화를 걸었다고."

"몇 시간 동안이나요?" 그녀는 벽시계를 보았다. 자정을 넘긴 시각이었다. "잠들었던 것 같아요." 이렇게 말하고 나서야 자신과 윌리가 블랙스톤을 향해 차를 몰고 13번가를 달리던 때는 낮이었다는 사실을 뇌리에 떠올렸다.

그건 로이 헬렌더였고, 로이는 조운의 피부를 입고 있었어.

"랜디? 너 괜찮아? 정말 아무렇지도 않아? 완전히 맛이 간 목소리군. 빌어먹을. 뭐라도 좋으니 대답해!"

"듣고 있어요." 랜디는 이렇게 말하고 눈을 가린 머리카락을 쓸어 올렸다. 누군가가 침실 창문을 열어 놓은 탓에 벗은 몸에 냉기가 느껴졌다. "난 괜찮아요. 단지…… 잠에 취했을 뿐이에요. 충격이 커서 그랬던 거니까 곧 나아질 거예요."

"네가 그렇게 말한다면야." 조는 미심쩍은 어조로 받아들였다.

월리가 집에 데려와서 침대에 뉜 것이 분명했다. 그는 지금 어디에 있을까? 그녀를 그냥 이렇게 내팽개치고 갔을 리가 없었다. 월리는 그런 사내가 아니었다.

"어이, 랜디." 어커트가 무뚝뚝하게 말했다. "방금 내가 한 말 들었어?"

듣지 못했다. "미안해요. 지금 너무…… 심란해서요. 정말 끔찍한 경험을 해서……."

"일단 너를 만나야겠어." 어커트의 어조가 갑자기 다급해졌다. "지금 당장. 로이 헬렌더하고 희생자들에 관한 보고서를 읽어 봤다. 뭔가 아귀가 안 맞는 부분이 있어. 마음에 걸리는 부분 말이야. 사건 보고서나 쿠니의 검시 보고서를 읽을수록 프랭크 생각이 나더라고. 그날 밤 프랭크에게 일어났던 일 말이야." 그는 망설이며 덧붙였다. "뭐라고 말해야 할지 잘 모르겠어, 랜디. 지금까지…… 나는 네가 잘되는 것만 바라 왔어. 하지만 난…… 난 너에게 완전히 정직했다고는 할 수 없어."

"얘기해 봐요." 랜디는 갑자기 정신이 바짝 드는 느낌이었다.

"전화로는 못 해. 직접 얼굴을 맞대고 보여 줄게. 네 집까지 가마. 나올 채비를 하는 데 15분이면 될까?"

"10분이면 돼요." 랜디가 대답했다.

랜디는 수화기를 내려놓고 침대에서 재빨리 내려와 침실 문을 열었다. "월리?" 큰 소리로 불렀지만 대답이 없었다. "월리!" 아까보다 더 크게 불렀다. 역시 대답이 없었다. 불을 켜고 복도로 나아갔다. 보나 마나 소파에서 코를 골고 있겠지. 그러나 거실은 텅 비어 있었다.

손이 마치 샌드페이퍼처럼 꺼끌꺼끌한 것을 느끼고 내려다보니 온통 말라붙은 피로 뒤덮여 있었다. 구토감이 치밀어 올랐다. 입고 있던 옷들이 침실 바닥에 아무렇게나 쌓여 있는 것이 눈에 들어왔다. 옷 역시 갈색 피가 말라붙은 탓에 딱딱하게 굳어서 버스럭거렸다. 랜디는 샤워기 꼭지를 돌리고 그 아래에서 5분은 족히 서 있었다. 물은 델 정도로 뜨거웠다. 윌리가 은제 포크를 만지다가 손에 화상을 입었을 때도 이런 기분이었으리라. 말라붙은 피가 씻겨 나가자 엷은 핑크빛으로 물든 물이 소용돌이치며 수챗구멍으로 빨려들어 갔다. 타월로 몸 구석구석을 깨끗이 닦고 따뜻한 플란넬 셔츠와 청바지를 찾아 입었다. 머리는 아예 손을 대지도 않았다. 어차피 조금 있으면 비에 젖을 거니까 상관없었다. 그러나 아버지의 권총을 챙기고, 청바지의 벨트 고리에 고기를 저밀 때 쓰는 긴 은제 나이프를 끼워 넣는 일만은 잊지 않았다.

나이프를 집어 올렸을 때 작은 탁자 밑의 방바닥에 떨어진 흰 종이쪽지가 눈에 들어왔다. 전화를 받다가 무심코 떨어뜨린 듯했다.

쪽지를 들어 펴 보았다. 눈에 익은 윌리의 글씨체로 서둘러 쓴 듯한 글자가 가득 쓰여 있었다. 난 이제 가 봐야 해. 편지는 이렇게 시작되었다. 아무 데도 가지 말고, 누구한테도 얘기하지 마. 로이 헬렌더는 하먼을 죽이기 위해 침입하려던 게 아니라는 걸 이제야 깨달았어. 빌어먹을 하먼 일가의 비밀은 전혀 비밀이 아니라는 걸 진작 간파했어야 하는 건데. 스티븐이…….

여기까지 읽었을 때 초인종이 울렸다.

● ○

윌리는 절벽 정상까지 3분의 2쯤 되는 곳의 지면에 바싹 달라붙어 있었다. 주위에서는 폭우가 쏟아지고, 경사면을 기어오르는 그의 심장은 방망이질 치고 있었다. 케이블카를 타고 올라왔을 때는 이토록 가파른지 미처 몰랐다. 뒤를 흘끗 돌아다보니 발 아래로 13번가가 내려다보였다. 머리가 핑핑 돌았다. 케이블카 선로가 없었더라면 이렇게 높은 곳까지 올라올 엄두를 못 냈을 것이다. 경사면이 거의 수직에 가까운 절벽으로 변하는 지점에서는 선로 지주를 사닥다리의 단처럼 써 가며 후다닥 올라왔던 것이다. 덕택에 손에 가시가 잔뜩 박혔지만 양치식물 따위를 움켜잡으며 젖은 암벽을 기어오르는 것보다는 훨씬 나았다.

물론 변신하면 선로 아래의 경사면을 순식간에 달려 올라갔을 것이다. 그러나 윌리는 그러지 않는 편이 낫다고 판단했다. 스티븐도 냄새를 맡고 알았어라고 말하지 않았는가. 인구밀도가 높은 도시에서 인간 냄새는 늑대 냄새보다 더 희미하다. 지금은 밤이므로 스티븐과 조너선이 뉴하우스에 틀어박혀 있기를 희망하는 수밖에 없었다. 하지만 그들이 밖을 돌아다닌다면 차라리 이러는 편이 나았다. 그나마 실낱같은 희망을 가질 수 있으니까 말이다.

이제 충분히 쉬었다. 목을 뻗어 절벽 위쪽을 가로막은 단철제의 높고 검은 울타리를 올려다보며, 얼마나 올라가야 그곳에 닿을 수 있을지 가늠해 보려고 했다. 흡입기에서 약액을 한가득 빨아들이고는 이를 악물고 다음 지주를 향해 후다닥 움직였다.

●○

차체가 긴 검정색 자동차가 어둠을 가르며 질주하는 동안 앞 유리의 와이퍼는 조용히 좌우로 움직였다. 창문에는 아주 짙은 잿빛 틴트가 들어가 있었기 때문에 지금은 거의 새까맣게 보였다. 어커트는 사복 차림이었다. 빨간색과 검은색 체크무늬의 작업용 셔츠와 검은 울 바지에 두툼한 오리털 파커를 입고 있었다. 그래도 경찰용 모자는 잊지 않았다. 그는 운전대를 잡은 채 앞의 어둠을 똑바로 주시했다.

"얼굴이 정말 안 좋아 보여요." 랜디가 말했다.

"기분은 그보다 더 안 좋아." 그들은 고가도로 밑을 지난 다음 긴 경사로를 돌아 강변도로로 나갔다. "실제보다 더 늙어 버린 느낌이야, 랜디. 이 도시처럼. 이 염병할 도시는 낡고 썩었어."

"지금 어디 가는 거예요?" 그녀가 물었다. 워낙 야심한 시각이라서 다른 차는 보이지 않았다. 도로 왼쪽에는 강이 검고 공허한 사막처럼 펼쳐져 있고, 오른쪽에서는 빗물로 흐릿해진 가로등 불빛들이 뒤로 흘러갔다. 자동차는 싸늘하고 인적이 없는 가로를 지나 절벽 쪽으로 접근하고 있었다.

"팩 공장이야." 어커트가 대답했다. "사건 현장."

자동차의 히터가 끊임없이 따뜻한 공기를 내뿜고 있었지만, 랜디는 갑자기 온몸이 차가워지며 소름이 돋는 것을 자각했다. 무의식중에 코트 안쪽에 손을 넣고 나이프 자루를 잡았다. 은의 감촉을 느끼자 편안해지고 한결 기분이 나아졌다. "알았어요." 그녀는 이렇게 말하고는 허리에 찬 나이프를 끄집어내서 어커트 옆에 올려놓았다.

어커트는 그쪽을 흘낏 내려다보았다. 랜디는 그런 그의 얼굴을 주의 깊게 쳐다보았다. "이게 뭐야?" 그가 물었다.

"은이에요. 집어 올려요."

어커트는 그녀를 쳐다보았다. "뭐라고?"

"방금 말했잖아요. 집어 올리라고 했어요."

그는 도로를 바라보고, 그녀 얼굴을 보고, 다시 도로 쪽을 보았다. 나이프에 손을 대려는 기색은 없었다.

"농담하는 게 아녜요." 랜디는 최대한 그에게서 떨어진 좌석 가장자리로 움직였고, 차 문에 등을 바싹 갖다 댔다. 어커트가 다시 랜디 쪽으로 시선을 돌리자 권총이 그의 미간을 겨냥하고 있었다. "그걸 집어 올려요." 그녀는 뚜렷한 어조로 말했다.

어커트의 얼굴에서 핏기가 가셨다. 그는 뭔가 말하려고 했지만 랜디는 단지 고개를 짧게 가로저을 뿐이었다. 어커트는 혀로 입술을 핥았고, 핸들에서 손을 뗀 다음 나이프를 집었다. "자." 그는 한 손만으로 어정쩡하게 차를 운전하며 나이프를 들어 올려 보였다. "집었어. 이제 이걸 가지고 어떻게 해야 해?"

랜디는 좌석 위에 축 늘어졌다. "그냥 내려놓아요." 안도감에 가득 찬 목소리였다.

조는 그녀를 응시했다.

●○

절벽 위의 덤불 속에서 한참을 쉬며 빗소리에 귀를 기울였지만, 혹시 다른 소리가 나지 않을까 내심 두려워하고 있었다. 등 뒤에서 살금살금 다가오는 발소리가 자꾸 들리는 것 같았고, 한번은 오른쪽 어딘가에서 낮게 으르렁거리는 소리를 들은 것 같기도 했다. 윌리는 목덜미의 털이 곤두서는 것을 자각했다. 지금까지만 해도 목덜미에 털이 났다는 생각은 한 적이 없었다. 그러나 실제로 뭘 들은 건 아니다. 단지 신경이 곤두서 있을 뿐이다. 나는 원래 신경이 좀 예민하지 않는가. 이렇게 춥고 껌껌하고 공허한 밤에는 놀랄 만한 일도 아니다.

호흡이 겨우 정상으로 돌아오자 윌리는 뉴 하우스 옆을 살금살금 지나가기 시작했다. 덤불에 몸을 숨기고 창문에서 가능한 한 멀리 떨어지려고 노력했다. 불이 켜진 창문이 몇 개 있었지만 그것들을 제외하면 별다른 생명의 징후는 보이지 않았다. 아마 모두 잠자리에 든 것인지도 모르겠다. 윌리는 그러기를 희망했다.

천천히 조심스럽게 움직이며 최대한 소리를 내지 않으려고 노력했다. 발을 디딜 때마다 아래를 내려다보고, 몇 발자국 걷고는 멈춰 서서 주위를 둘러보고, 귀를 기울였다. 누군가가, 혹은 무엇인가가 다가오는 소리가 들리는 즉시 변신할 준비가 되어 있었다. 그런다고 해서 무슨 도움이 될지는 의문이지만, 운이 아주 좋으면 살아남을지도 모른다.

물에 흠뻑 젖은 레인코트 탓에 제대로 걷기가 힘들었다. 납처럼 제2의 피부가 몸에 들러붙은 느낌이었다. 구두도 젖어서 걸을 때마다 철벅거렸다. 저택 너머의 숲으로 들어가자 길이 구부러지면서 저택의 불빛이 시야에서 사라졌다. 그는 조심스레 앞뒤를 보며 추적자가 없다는 것을 확인하고 나서야 길을 후다닥 가로질렀다.

일단 가로지른 뒤에는 조금 경계를 풀고 빠르게 숲 속으로 들어가기 시작했다. 스티븐에게 잡혔을 때 로이 헬렌더는 어디에 있던 것일까. 아마 여기였겠지 하고 윌리는 상상했다. 이 어두운 원생림 어딘가에서, 고목(枯木)들에 둘러싸인 채로 말이다. 발밑에서는 지난 몇 세기에 걸쳐 퇴

적된 고엽과 이끼와 죽은 생물 들의 시체가 썩어 가고 있었다.

절벽과 도시 쪽에서 점점 멀어지면서 숲은 점점 더 빽빽해지기 시작했고, 급기야는 줄기를 맞대고 밀생한 나무들 탓에 하늘조차도 보이지 않는 곳까지 왔다. 빗물도 더 이상 정수리를 때리지 않았다. 이곳의 지면은 거의 말라 있었다. 잎사귀로 이루어진 천개(天蓋)를 빗방울이 끊임없이 강타하는 소리가 들렸다. 윌리는 피부가 차갑고 끈적끈적해진 것을 느꼈다. 한순간 자신이 어디 와 있는지 알 수가 없었다. 마치 지하 깊숙한 곳에 위치한 무시무시한 동굴에 갇힌 듯한 기분이었다. 차갑고 음울하며 아무런 빛도 들어오지 못하는 장소.

이윽고 그는 뒤틀리고 거대한 참나무 두 그루 사이의 빈 공간으로 비틀거리며 나왔다. 얼굴에 또다시 공기와 비의 감촉을 느끼고는 고개를 들어 올렸다. 전방이었다. 돌을 깎아 만든 벽에 난 깨진 창문들이 맹인의 눈처럼 그를 내려다보았다. 돌벽은 모든 빛과 희망을 빨아들이는 칠흑같은 밤처럼 번득였다. 탑은 오른편에 우뚝 서 있었다. 미친 각도로 기울어진 채 폭풍을 머금은 구름을 배경으로 괴물처럼 솟아 있었다.

윌리는 숨이 멎는 것을 느끼고 호주머니를 뒤져 흡입기를 끄집어냈다. 떨어뜨렸다가 다시 집어 올렸다. 흡입용 부리에 묻은 부식토가 끈적거렸다. 옷소매로 흙을 닦아 내고 입에 쑤셔 넣은 다음 세차게 분사했다. 두 번, 세 번 분사하자 겨우 숨통이 트였다.

주위를 둘러보았지만 아무것도 보이지 않았다. 단지 빗소리가 들릴 뿐이었다. 그는 탑을 향해 걷기 시작했다. 로이 헬렌더의 비밀 은신처를 향해.

●○

　높은 철망 울타리에 달린 양미닫이식 커다란 출입문에 걸린 맹꽁이자
물쇠는 지난 2년 동안 굳게 잠겨 있었다. 그러나 오늘밤에는 열려 있었
다. 어커트는 차를 멈추지 않고 곧장 공장 내부로 진입했다. 아버지가 왔
을 때도 이런 식으로 문이 열려 있었는지 궁금했다. 정말로 그랬을지도
모른다.

　조 어커트는 벽돌로 지은 옛 도살장 부근의 적하장 근처에 차를 세웠
다. 건물이 비를 조금 막아 주었지만, 랜디는 차 밖으로 나오며 추위에
몸을 떨었다.

　"여기요?" 그녀가 물었다. "여기서 아버지를 찾아낸 건가요?"

　어커트는 가축 수용소 쪽을 응시하고 있었다. 광대한 수용 구획은 철
도 측선(側線)을 따라 배치된 수십 개의 축사로 나뉘어 있었다. 도살장과
축사 사이를 미로처럼 지나가는, 사람 가슴 높이의 울타리로 이루어진
통로들은 소들을 한 줄로 세워 도살장으로 몰아넣기 위한 것이다. 안으
로 들어가면 피가 튀긴 앞치마를 입고 해머를 든 사내가 소들을 맞이하
는 방식이었다.

　"여기야." 조는 랜디를 돌아보려고도 하지 않고 말했다.

　오랜 침묵이 흘렀다. 어딘가 먼 곳에서 야생동물이 울부짖는 희미한 소
리가 들려온 듯했지만, 바람과 비 때문에 환청을 들은 것인지도 모른다.

　"유령을 믿어요?" 그녀는 조에게 물었다.

　"유령?" 경찰서장은 산만한 표정으로 되물었다.

　랜디는 몸을 부르르 떨었다. "마치…… 지금도 아버지의 존재를 느낄

수 있다고나 할까. 이렇게 오랜 세월이 흘렀는데도 여전히 여기 머물러서 나를 보살펴 주는 듯한 기분이 들어요."

조 어커트는 몸을 돌려 그녀를 마주 보았다. 지금 그의 얼굴을 적시는 것은 빗물일까, 아니면 눈물일까. "나도 너를 보살펴 줬잖아. 네 아버지가 나한테 그렇게 부탁했고, 나는 그 약속을 지켰어. 최선을 다해서."

랜디는 밤 어딘가에서 무슨 소리가 나는 것을 들었다. 그녀는 미간을 찡그리고 고개를 돌리며 귀를 기울였다. 타이어가 자갈길을 지나는 소리였다. 그러자 울타리 바깥쪽에서 헤드라이트가 다가오는 것이 보였다. 다른 차가 오고 있었다.

"너하고 네 아버지는 서로 많이 닮았어." 조는 지친 어조로 말했다. "고집이 세지. 누구 말에도 귀를 기울이려고 하지 않아. 난 너를 잘 돌봐 줬어. 잘 돌봐 준 거는 너도 인정하지? 너도 알다시피 나는 자식들이 있어. 하지만 내가 그 아이들 못지않게 너한테 신경 썼다는 걸 너도 잘 알잖아. 그런데도 왜 그토록 내 말을 안 듣는 거지?"

이때 랜디는 이미 깨닫고 있었다. 놀라지는 않았다. 실은 이미 오래전부터 알고 있었다는 느낌이라고나 할까. "그날 밤에 걸려 온 전화는 단 한 통뿐이었어요." 그녀가 말했다. "전화로 지원 요청을 한 사람은 아저씨군요. 우리 아버지가 아니라."

어커트는 고개를 끄덕였다. 다가오는 차의 헤드라이트가 한순간 그의 얼굴을 비췄다. 랜디는 그가 입술을 떨며 힘겹게 말을 잇는 것을 보았다. "글러브 박스 안을 봐."

랜디는 조수석 쪽 문을 열고 좌석 가장자리에 슬쩍 앉아 그가 하라는 대로 했다. 글러브 박스의 자물쇠가 열려 있었다. 아스피린 한 병과 타이어 공기압을 재는 기구, 지도 그리고 실탄 한 상자가 들어 있었다. 랜디는 상자를 열고 두어 발을 손바닥에 올려놓았다. 자동차 천장의 희미한 실내등 빛을 받은 총탄이 푸르스름하고 차갑게 빛났다. 그녀는 좌석에 실탄 상자를 내려놓고 밖으로 나온 다음 걷어차듯이 문을 닫았다. "내가 주문한 은제 총알이군요. 이렇게 빨리 완성될 줄은 몰랐어요."

"18년 전에 프랭크가 주문한 실탄이야." 조가 말했다. "프랭크의 장례식이 끝난 다음 총포 직공한테 가서 내가 직접 받아 왔어. 아까 말했듯이 너하고 네 아버지는 정말 닮은 데가 많아."

두 번째 차가 멈춰 서더니 하이 빔으로 랜디를 그 자리에 못 박았다. 눈이 부신 탓에 손으로 휙 눈을 가렸다. 차 문이 열리고 닫히는 소리가 들렸다.

어커트는 고뇌에 찬 목소리로 말했다. "이 사건에 관여하지 말라고 했잖아. 빌어먹을, 내 입으로 그렇게 말한 걸 잊었어? 무슨 얘긴지 이해가 안 가? 그자들은 이 도시를 소유하고 있다고!"

"서장 말이 맞아. 처음부터 그 말을 들었어야 해." 로고프가 빛 안으로 걸어 들어오며 말했다.

●○

윌리는 한 손으로 벽을 더듬으며 어둡고 긴 복도를 나아갔다. 한 번에 한 번씩만 조심스럽게 발을 디뎠다. 돌벽이 워낙 두꺼운 탓에 이제는 빗소리조차 들리지 않았다. 단지 그의 조심스런 발소리가 반향하는 소리와 귀 안쪽에서 혈류가 맥동하는 소리만이 들릴 뿐이었다. 올드 하우스 내부의 심원한 정적도 섬뜩하지만, 손에 닿는 돌벽이 축축하고 기묘하게 따뜻한 것도 마음에 들지 않았다. 차라리 깜깜해서 다행이었다.

마침내 탑 기부에 도달하자 나선을 그리며 올라가는 좁고 구불구불한 돌계단 위로 희미한 빛줄기가 떨어지는 광경이 눈에 들어왔다. 윌리는 계단을 오르기 시작했다. 처음에는 계단 수를 셌지만, 2백쯤 셀 무렵부터는 정확히 몇 번째인지 잊어버렸다. 그 뒤로는 침묵하며 이 고행을 감수했다. 변신하고 싶어진 것도 한두 번이 아니었지만, 그는 충동을 억눌렀다.

탑 꼭대기에 도달하자 두 다리가 욱신거렸다. 미끌미끌한 돌벽에 등을 기대고 계단에 앉아 잠시 쉬었다. 거친 숨을 몰아쉬던 중 흡입기를 찾기 위해 호주머니를 뒤졌지만 어딘가에 떨어뜨리고 왔는지 없었다. 아마 숲에서 흘렸으리라. 공황이 몰려오면서 가슴이 조여 오는 것을 자각했지만, 뾰족한 해결책은 없었다.

윌리는 일어섰다.

탑 꼭대기 방에서는 피와 오줌의 악취가 풍겼다. 그것 말고도 다른 냄새가 났다. 정확히 무슨 냄새인지는 알 수 없었지만, 맡기만 해도 몸이 떨렸다. 천장은 없었다. 그가 탑을 올라오는 사이에 비가 멈췄다는 사실을 깨달았다. 하늘을 올려다보자 구름이 갈라지며 푸르스름한 달이 고개를 내밀었다.

그리고 사방팔방에서 다른 달들이 생기를 되찾았다. 사방의 벽에 늘어선 높은 거울들 속의 달들 말이다. 여러 개의 거울이 밤하늘과 다른 거울들을 반사했다. 달에 달이 겹치면서 방 전체가 은빛 월광과 수많은 반사광들 속에 잠겼다.

윌리가 몸을 돌려 주위를 빙 둘러보자 십여 명의 다른 윌리들도 함께 돌았다. 달빛을 반사하는 거울에는 피가 말라붙어 있었다. 거울 위의 돌벽마다 소름 끼치는 철제 갈고리가 하나씩 튀어나와 있었다. 갈고리 하나에 인간의 피부가 걸려 있었다. 느끼지도 못할 정도로 약한 바람에 날려 천천히 뒤틀리던 피부는 월광을 받자마자 꿈틀거리며 여자에서 늑대로, 늑대에서 여자로, 그 모두인 동시에 그 어느 것도 아닌 존재로 변신하는 것처럼 보였다.

바로 그때 윌리는 누군가 계단을 올라오는 소리를 들었다.

●○

"은제 총알을 주문한 건 실수였어." 로고프가 말했다. "관련 규정이 있어서 누군가가 특별한 실탄을 주문하면 경찰서에 통보하도록 되어 있거든. 당신 아버지도 똑같은 실수를 했지. 일족은 은제 총알을 싫어해."

랜디는 기묘한 안도감을 느꼈다. 한순간이나마 윌리가 그녀를 배신했다는 생각에 머리가 아찔해졌던 것이다. 결국 윌리도 그들의 일원에 불과했다는 생각만으로도 영혼이 썩어 들어가는 듯한 느낌을 받고 있었다. 그녀는 여전히 십여 발의 총알을 꼭 쥐고 있었다. 그것들을 내려다보았다. 이토록 가깝지만 너무나도 먼 곳에 있는.

"설령 아직 효력이 남아 있다고 해도 그걸 총에 장전할 시간은 없을걸." 로고프가 말했다.

"총알 따위는 필요 없어." 어커트가 말했다. "저 친구는 단지 너와 얘기를 나누고 싶어 할 뿐이야. 아무도 건드리지 않겠다는 약속을 받아 냈으니까 넌 걱정하지 않아도 돼."

랜디는 손을 펼쳤다. 총알들이 지면으로 떨어졌다. 그녀는 몸을 돌려 조 어커트를 마주 보았다. "아저씨는 우리 아버지의 가장 친한 친구였어요. 조는 그 어떤 사내보다도 담력이 있다는 말을 한 적도 있어요."

"선택의 여지가 없었어." 어커트가 대답했다. "나도 처자식이 딸린 몸이었으니까 말이야. 그자들은 로이 헬렌더가 모든 죄를 뒤집어쓰면 더 이상 아이들이 사라지는 일은 없을 거라고 했고, 자기들이 알아서 처리하겠다고 약속했어. 하지만 우리가 계속 수사를 진행한다면 내 아이가 사라질 거라고 협박했어. 그게 이 도시의 방식이야. 하라는 대로 하면 모든 것이 원만하게 수습될 수 있었지만, 프랭크만은 결코 포기하려 하지 않았어."

"우리가 누군가를 죽이는 건 오로지 자기 몸을 지키기 위해서야." 로고프가 말했다. "물론 사람 고기가 맛있고 거부하기 힘든 매력을 가진 건 사실이지만, 그걸 얻으려고 위험을 무릅쓸 가치는 없어."

"그럼 아이들은?" 랜디가 물었다. "걔네들도 자기방어를 하기 위해서 죽였다는 거야?"

"그건 오래전에 일어난 일이야." 로고프가 말했다.

어커트는 고개를 떨구고 일어섰다. 패배한 사내의 모습이었다. 랜디는 그가 이미 오래전에 패배했다는 사실을 깨달았다. 서장실 벽에는 박제된 사냥감의 머리가 잔뜩 걸려 있었지만, 랜디는 어커트가 그녀의 아버지가 죽은 밤 이후 사냥을 완전히 그만두었다고 확신했다. "범인은 그자의 아들이야." 어커트는 수치심에 가득 찬 목소리로 조용히 말했다. "스티븐의 머리가 정상이 아니라는 건 모두 알고 있었어. 아이들을 죽인 범인은 스티븐이야. 죽이고 나서 먹었지. 정말 끔찍했어. 하면 자신이 그 사실을 나한테 고백했지만, 스티븐을 경찰에 넘기려고는 하지 않았어. 그러는 대신 앞으로는…… 스티븐의…… 식욕을…… 억제시키겠다고 했어. 경찰에서 수사를 종결한다면 말이야. 실제로 그 약속을 지켰어. 하면은 스티븐에게 약물치료를 시작했고, 그 뒤로 더 이상 그런 일은 일어나지 않았어. 살인이 멈췄던 거야."

랜디는 조 어커트를 증오하고 싶었지만, 연민의 감정밖에 느껴지지 않았다. 이토록 오랜 세월이 흘렀는데도 그는 아직 모르는 것이었다. "하면은 거짓말을 했어요. 스티븐은 절대 범인이 아니에요."

"범인은 스티븐이 맞아." 어커트가 되풀이했다. "그 녀석밖에 없어. 정신병자잖아. 일족의 다른 구성원들하고는…… 믿고 거래할 수 있어. 랜디, 이젠 내 말을 들어줘. 전혀 말이 통하지 않는 작자들이 아냐."

"아저씨가 한 것처럼 거래하라는 말이군요. 배리 슈마허 같은 사람하고."

어커트는 고개를 끄덕였다. "맞아. 그치들은 우리하고 다르지 않아. 개중에는 미친놈들도 있지만, 모두가 나쁜 건 아냐. 동족을 보호했다고 해서 비난할 수는 없어. 우리도 똑같은 일을 하잖아. 여기 마이크를 보라고. 좋은 경찰관이야."

"일이 분 뒤에 늑대로 변신해서 내 숨통을 끊을 작정인 좋은 경찰관이란 말이죠." 랜디가 차갑게 말했다.

"랜디, 제발 내 말을 들어." 어커트가 호소했다. "그럴 필요는 없어. 한마디만 약속하고 그냥 이 자리를 떠나면 돼. 경찰이 되겠다고 말이야. 그럼 우리와 함께 일하고, 우리가…… 평화를 지키는 걸 도울 수 있잖아.

네 아버지는 죽었고, 지금 무슨 짓을 해 봤자 그를 다시 살려 낼 수는 없어. 그리고 로이 헬렌더가 당한 일은 자업자득이야. 자기 손으로 그치들을 죽였고 산 채로 가죽을 벗기고 다녔잖아. 정당방위야. 스티븐은 병인이야. 옛날부터 줄곧 병인이었고."

로고프의 눈이 헝클어진 검은 머리카락 밑에서 랜디를 응시했다. "아직도 모르는 것 같은데요." 랜디는 이렇게 말하고 다시 어커트를 돌아보았다. "스티븐의 병은 아저씨가 상상하는 것보다 훨씬 더 심각해요. 뭔가를 완전히 결여하고 있다고나 할까. 너무 오랫동안 근친혼을 거듭해 온 탓인지도 몰라요. 생각해 봐요. 앤더스하고 로슈몽 가문, 플램보하고 하먼 가문. 이 도시를 건설한 네 명가는 모두 늑대인간으로만 이루어졌고, 순수한 혈통을 유지하기 위해서 몇 세대 동안이나 자기들끼리만 결혼을 해 왔어요. 그런 일이 몇 세기나 계속되었던 거예요. 덕택에 순수한 혈통을 보존할 수는 있었겠죠. 막판에는 스티븐 같은 존재가 태어났지만. 그런데 아이들을 죽인 건 스티븐이 아녜요. 로이 헬렌더는 늑대가 자기 누이동생을 물고 갔다고 증언했고, 스티븐은 늑대로 변신할 수 없어요. 피에 대한 갈망을 갖고 있고, 비인간적인 괴력의 소유자고, 은에 닿으면 화상을 입지만, 그게 전부예요. 마지막 순혈종은 변신 능력이 없다고요!"

"랜디 말이 옳아." 로고프가 나직하게 말했다.

"왜 피해자의 유해조차도 발견하지 못했다고 생각해요?" 랜디가 끼어들었다. "아이들을 죽인 건 스티븐이 아녜요. 아이들을 블랙스톤으로 물고 간 건 스티븐의 아버지였어요."

"그 노인은 스티븐이 인육을 충분히 먹으면 병이 낫고 완전한 늑대인간이 될 수 있을지도 모른다는 말도 안 되는 믿음을 갖고 있었거든."

"당연히 그 시도는 실패했고." 랜디는 호주머니에서 윌리의 노트를 끄집어냈다. 노트는 펄럭거리며 지면에 떨어졌다. 거기에 모든 진상이 쓰여 있었다. 그녀는 어커트를 만나러 오기 전에 모두 읽었다. 프랭크 웨이드의 어린 딸은 바보가 아니다.

"실패했지." 로고프가 맞장구쳤다. "하지만 그 무렵에는 조너선 쪽이 입맛을 들인 후였어. 일단 시작해 버리면 멈추기 힘든 법이지." 그는 한참 동안 랜디를 바라보았다. 마치 무엇인가를 가늠하려는 듯이. 그러고는……

●○

……변신하기 시작했다. 달콤하고 차가운 공기가 폐부를 채우고 본격적으로 변신함에 따라 근육과 뼈가 불타올랐다. 그는 몸을 비틀어 바지와 코트를 벗어 던졌고, 나머지 옷들은 그의 육체가 꿈틀거리고 뜨거워진 살이 녹은 밀랍처럼 움직이는 동안 찢겨 나갔다. 그는 모습을 바꾸고 다시 태어났다.

시각, 청각, 후각이 비약적으로 예민해졌다. 탑 꼭대기의 방은 달빛을 받아 반짝거리고 있었다. 모든 사물의 세부가 대낮처럼 뚜렷하고 날카롭게 보였다. 밤은 온갖 소리로 가득 차 있었다. 바람 부는 소리, 빗방울이 떨어지는 소리, 주위의 숲에서 퍼드덕거리는 박쥐 날개 소리, 그 너머의 도시에서 들려오는 자동차 소리와 사이렌 소리. 그는 살아 있었고, 온몸에 힘이 충만하는 것을 자각했다. 그리고 지금 무엇인가가 계단을 올라오고 있었다. 지치지도 않고 천천히 착실하게 올라오는 자의 냄새가 공기를 가득 채웠다. 피비린내를 발산하면서. 그리고 피 냄새 아래로는 제대로 씻지 않은 몸에 뿌린 애프터셰이브 냄새와 땀과 피부에 말라붙은 정액 냄새가 났다. 머리카락에는 나무 탈 때 나는 톡 쏘는 냄새가 무겁게 들러붙어 있었다. 그리고 이 모든 냄새 아래에는 병인의 냄새가 있었다. 무덤처럼 달콤한 부패의 냄새가.

윌리는 방 안쪽까지 뒷걸음쳤고, 아치 모양의 문을 쳐다보았다. 목 깊숙한 곳에서 자기도 모르게 으르렁거리는 소리가 치밀어 올랐다. 누렇게 변색한 긴 이빨을 드러내자 이빨 사이로 침이 흘렀다.

스티븐은 문간에 멈춰 서서 윌리를 바라보았다. 벌거숭이였다. 늑대의 뜨겁고 붉은 눈이 인간의 차갑고 푸른 눈과 마주쳤다. 어느 쪽이 더 비인간적인지 판단하는 것은 쉽지 않았다. 한순간 윌리는 스티븐이 상황을 제대로 이해하지 못하는 게 아닌가 싶을 정도였다. 그러니까 스티븐이 미소 짓고, 머리 위의 쇠갈고리에 걸려 있는 뒤틀린 가죽에 손을 뻗을 때까지는.

윌리는 도약했다.

스티븐의 등 위쪽을 덮치고 그대로 쓰러뜨렸다. 스티븐의 손은 여전히 조우이의 피부를 잡고 있었다. 한순간 상대방의 목을 물어뜯을 기회가 있었지만 윌리가 주저하는 사이에 그 기회는 사라졌다. 스티븐은 흉터투성이의 희끄무레한 손으로 윌리의 앞다리를 잡고 마치 보통 사람이 나무 막대기를 부러뜨리듯이 반으로 뚝 꺾었다. 고통은 엄청났다. 그는 윌리를 들어 올려 힘껏 내던졌다. 윌리는 벽에 걸린 거울 하나에 격돌했다. 거울이 산산조각 났다. 칼처럼 날카로운 유리 파편이 사방으로 튀었고, 그중 하나가 윌리의 옆구리를 꿰뚫었다.

윌리는 몸을 굴렸다. 유리로 된 창(槍)이 그의 체중에 눌려 부러지자 신음을 토했다. 방 반대편에서 스티븐이 일어나고 있었다. 한 손을 짚어 몸을 지탱하고 있다.

윌리는 황급히 일어섰다. 부러진 앞다리는 이미 나아 가고 있었지만 체중을 실으면 아팠다. 걸을 때마다 유리 파편이 몸 내부를 할퀴었다. 움직이기도 힘들었다. 이러면서 늑대인간이라니 한심할 따름이었다.

스티븐은 소름 끼치는 망토를 입고 피부의 일부를 써서 얼굴을 덮으려 하고 있었다. 가죽 교환(skin trade). 윌리는 핑핑 도는 머리로 생각했다. 맞아, 바로 그거야. 스티븐은 이제 남에게서 억지로 벗겨 낸 저 가죽을 뒤집어쓰고 지금까지 결코 혼자 힘으로는 할 수 없었던 일을 할 작정인 거야. 변신하는 거지. 그러면 윌리는 끝장이었다.

윌리는 아가리를 벌리고 상대방에게 달려들었지만 움직임이 너무 둔했다. 스티븐의 발이 피스톤처럼 내려오며 윌리의 몸을 짓밟았다. 그 힘이 너무나도 강했던 탓에 윌리의 폐에서 훅 하고 공기가 빠져나갔다. 몸부림치며 발을 떼어 내려고 했지만 스티븐 쪽이 더 강했다. 윌리를 짓누르는 발의 압력이 점점 강해졌다. 몸이 찌그러들 것 같은 느낌. 느닷없이 몇십 년 전에 보았던 그 개의 모습이 뇌리에 떠올랐다.

윌리는 허리를 기역자로 푹 꺾고 스티븐의 장딴지를 물어뜯었다.

피가 입안을 채우면서 그의 내부에서 폭발했다. 스티븐은 비틀거리며 뒤로 물러났다. 윌리는 벌떡 일어나서 앞으로 달려가 다시 물어뜯었다. 이번에는 이빨을 깊숙이 박아 넣고 고개를 마구 흔들었다. 머릿속이 천둥처럼 쾅쾅 울렸다. 온몸에 힘이 가득 차고, 지금 이 순간에도 점점 더 크게 부풀어 오르는 것을 느낄 수 있었다. 갑자기 스티븐을 갈가리 찢고, 뼈 가까이에 있는 달콤한 고기를 맛볼 수 있다는 생각이 뇌리를 스쳤다. 감미로운 음악과도 같은 상대방의 비명 소리를 듣고, 이빨로 꽉 문 상대방의 몸을 헝겊 인형처럼 마구 흔들어 대면서 상대의 몸에서 생명이 급속히 흘러 나가는 머리가 핑핑 도는 듯한 느낌을 경험할 수 있으면 얼마나 좋을까, 이런 충동이 그를 파도처럼 휩쓸고 지나갔다. 윌리는 물고, 물고, 또 물어뜯었다. 살을 찢어발기고 피를 마셨다.

갑자기 스티븐이 토해 내는 비명 소리가 희미하게 들렸다. 높다랗고 가냘픈 어린 소년의 비명. "안 돼, 아빠." 스티븐이 애처롭게 간원했다. "제발 나를 물지 마, 아빠. 더 이상 나를 물지 마."

윌리는 상대방의 몸에서 아가리를 떼고 뒷걸음쳤다.

스티븐은 바닥에 주저앉아 흐느끼고 있었다. 온몸에서 피가 철철 흘렀다. 허벅지와 종아리와 어깨와 발의 살 여기저기가 떨어져 나갔다. 두 다리는 피로 흠뻑 젖어 있었다. 오른손가락 세 개는 잘려 나가고, 두 뺨은 검붉은 피로 물들어 있었다.

윌리는 돌연한 두려움에 사로잡혔다.

한순간 이해할 수가 없었다. 스티븐이 졌다는 것은 그냥 봐도 알 수 있었다. 이제 그 목을 물어뜯든 살려 주든 윌리 마음이었다. 모두 끝났으니 이제 상관없었다. 그러나 뭔가 이상했다. 끔찍하게, 소름 끼치게 이상한 점이 있었다. 마치 온도가 순식간에 몇십 도나 뚝 떨어진 듯한 느낌과 함께 온몸의 털이 하나도 빠짐없이 곤두서는 것을 자각했다. 도대체 지금 무슨 일이 벌어지고 있단 말인가? 윌리는 스티븐에게서 시선을 떼지 않고 낮게 으르렁대며 문 쪽으로 뒷걸음쳤다.

스티븐이 낄낄거렸다. "이제 네 차례야. 그걸 부른 사람은 너야. 넌 거울에 피를 묻혔어. 다시 그걸 불러낸 거야." 방 안이 핑핑 도는 것처럼 느껴졌다. 거울들이 현기증이 날 정도로 잇달아 달빛을 반사했다. 아니, 이건 달빛이 아닐지도 모른다.

윌리는 거울을 들여다보았다.

거울에 반사된 풍경이 모두 사라지고 없었다. 윌리도, 스티븐도, 달빛도 모두 사라져 버렸다. 피 묻은 거울 속은 안개로 가득 차 있었다. 은빛으로 반짝이는 엷은 안개가 소용돌이치며 반짝였다.

무엇인가가 안개 사이를 움직이며, 거울에서 다른 거울로 건너뛰며 빙빙 돌고 있었다. 뭔가 굶주린 것이 밖으로 나오고 싶어 했다.

윌리는 그것을 언뜻 보았다가 시야에서 놓쳤고, 다시 보았다. 그것은 그의 앞에, 뒤에, 좌우에 있었다. 비쩍 마르고 끔찍한 사냥개였다. 비늘이 달리고 부정(不淨)한 뱀이었다. 지옥의 나락 같은 눈과 칼날로 된 손가락을 가진 사내였다. 이 존재는 한시도 가만히 있지 않았고, 그가 응시하려고 할 때마다 모습을 바꾸는 것처럼 보였다. 그리고 새로 바뀐 형태는 예전 모습보다 한층 더 일그러지고 추악했으며, 굶주림과 잔혹함을 전신에서 발산하고 있었다. 그 손가락은 정말로, 정말로 날카로웠다. 눈으로 보기만 해도 그것들이 피부 속을 차갑게 애무하면서 고통과 피와 불을 뒤로 길게 끌며 신경을 훑는 것을 느낄 수 있었다. 그것은 검었다. 칠흑보다 더 검었다. 모든 빛을 영원히 빨아들이는 종류의 암흑인 동시에, 전체가 은빛으로 빛나고 있었다. 그것은 유원지의 유령의 집에 서식하는 악몽이었고, 사냥꾼들을 사냥하는 존재였다.

거울 유리를 통해서도 사악한 존재의 기를 느낄 수 있었다. "밖으로 나와, 스키너." 스티븐이 불렀다.

거울 표면이 물결치며 팽창하는 것처럼 보였다. 수은의 바다에서 넘실거리는 물결처럼. 안개가 엷어지고 있었다. 윌리는 갑자기 공포가 몰려오는 것을 느끼며 깨달았다. 이제는 뚜렷하게 볼 수 있었다. 물론 그쪽에서도 그를 볼 수 있었다. 갑자기 윌리 플램보는 무슨 일이 일어나고 있는지 파악했고, 일단 안개가 걷히면 거울은 더 이상 거울이 아닐 거라는 사실을 깨달았다. 이것들은 문이었다. 그리고 가죽을 벗기는 자 (Skinner)는 그 문을 통해 올 것이다.

●○

……입고 있던 옷의 잔해를 뚫고 미끄러지듯이 앞으로 걸어 나왔다. 가늘게 뜬 눈이 석탄처럼 새까만 주둥이 뒤에서 타다 남은 불꽃처럼 이글거렸다. 윌리보다 적어도 반은 더 몸집이 컸고, 털가죽도 두툼하고 검게 북슬거렸다. 아가리를 열자 날카로운 상아빛 이빨이 단검처럼 번들거렸다.

랜디는 차 옆 부분을 따라 뒷걸음쳤다. 손에 든 나이프의 은제 칼날이 달빛을 반사하며 번득였지만, 별로 도움이 되어 줄 것 같지는 않았다. 거대한 검정색 늑대는 빼문 혀를 대롱거리며 그녀를 향해 다가왔다. 랜디는 자동차 문에 등을 갖다 대고 상대방이 달려들 것에 대비했다.

조 어커트가 두 사람 사이를 가로막았다.

"안 돼. 랜디까지 죽이면 안 돼. 자넨 나한테 빚진 게 있잖아. 얘기를 나눠 보고 기회를 줘야 해. 내가 설득할게."

늘대는 경고하듯이 으르렁거렸다.

어커트는 한 치도 물러서지 않았다. 다음 순간 그는 양손으로 리볼버 권총을 쥐었다. 떨리는 손으로 늘대를 겨냥했다. "멈춰. 멈추지 않으면 쏘겠어. 랜디는 이 빌어먹을 은제 탄환을 장전할 틈이 없었지만, 나에겐 18년이나 되는 시간이 있었어. 난 이 얼어 죽을 도시의 얼어 죽을 경찰 서장이야. 너를 체포하겠어."

랜디는 차 문의 손잡이를 잡고 슬쩍 열었다. 한순간 늘대는 얼어붙었고, 악의에 찬 빨간 눈으로 조를 뚫어지게 바라보았다. 정말로 성공할지도 모른다는 생각이 머리를 스쳤다. 아버지가 수요일 밤마다 열었던 포커 게임이 생각났다. 아버지도 조가 블러핑의 귀재라고 하지 않았는가.

다음 순간 늘대는 고개를 젖히고 포효했다. 랜디는 온몸의 피가 얼어붙는 듯한 느낌을 받았다. 귀에 익은 소리, 꿈속에서 천 번도 더 들은 소리였다. 이 포효의 기억은 그녀의 피에 각인되어 있었다. 옛날 옛적 멀리 떨어진 곳에서, 전 세계가 숲으로 뒤덮여 있고, 공포에 질린 벌거숭이 인간들이 사냥을 시작한 늘대 무리에게 쫓기면서 들었던 소리. 포효는 낡은 도살장 벽에 반사되며 도시 전체에 메아리쳤다. 도시의 주민들 모두가 들을 수 있을 정도로 큰 소리였다. 이 소리를 들은 사람들은 불안한 표정이 되어 창밖을 흘끗 내다보고, 문이 단단히 잠겼는지를 확인한 다음 다시 TV의 볼륨을 올렸으리라.

랜디가 문을 열어젖히고 한쪽 다리를 집어넣은 순간 늘대가 도약했다.

랜디는 어커트가 발포하고, 또 발포하는 소리를 들었다. 늘대가 가슴에 정통으로 달려드는 통에 어커트는 차 문에 등을 쾅 부딪쳤다. 랜디는 반쯤 차 안에 들어가 있었지만, 문이 너무 세게 닫힌 탓에 미처 안으로 넣지 못한 왼쪽 발이 끼었다. 그 충격으로 뼈가 부러지는 소리가 들렸다. 엄청난 통증이 찾아왔다. 랜디는 절규했다. 밖에서 어커트가 또다시 총을 쏘았고, 다음 순간에는 절규하기 시작했다. 무엇인가를 찢어발기는 소리와 함께 또 비명이 들려왔고, 뭔가 축축한 것이 그녀의 발목에 튀겼다.

한쪽 발이 여전히 끼어 있었지만, 차 문은 밖에서 벌어지는 격투로 인해 여러 번 쾅쾅 닫혔다. 그럴 때마다 작은 폭발과도 같은 충격이 왔다. 박살난 발목뼈가 서로 긁히며 노출된 신경을 찢어 놓았다. 조는 절규하고 있었다. 핏방울이 거무스름한 창문을 우박처럼 강타했다. 머리가 핑핑 돌았고, 랜디는 한순간 고통에 못 이겨 기절하기 직전까지 갔다. 그러나 그녀는 혼신의 힘을 다해 차 문을 밀쳐 냈고, 아주 작은 틈이 생기자 안으로 발을 집어넣었다. 그러자마자 다음 충격이 오며 문이 완전히 닫혔다. 랜디는 재빨리 잠금 버튼을 눌렀다.

핸들에 몸을 기대고 거의 토할 뻔했다. 조의 비명 소리는 멈췄지만, 늑대가 그의 몸을 갈기갈기 찢어발기는 소리를 들을 수 있었다. 일단 시작해 버리면 멈추기 힘든 법이지. 그녀는 히스테리가 엄습하는 것을 느끼며 로고프가 한 말을 머리에 떠올렸다. 38구경 권총을 집어 들고 떨리는 손으로 탄창을 옆으로 젖힌 다음 안에 들어 있던 실탄들을 끄집어냈다. 그런 다음 앞좌석을 더듬었다. 총알 상자를 찾아내서 거칠게 잡아 뜯었고, 은제 탄환을 한 움큼 손에 쥐었다.

밖은 조용했다. 랜디는 동작을 멈추고 위를 올려다보았다.

로고프는 차의 지붕에 올라와 있었다.

ㅇㅇ

윌리는 변신했다.

왜 그랬는지는 본인도 알 수 없었지만, 지금은 순전히 본능에 의존해서 움직이고 있었다. 예상한 것처럼 인간으로 돌아온 순간 고통이 기다리고 있었다. 고통은 강풍처럼 날카롭게 윙윙거리며 그의 몸을 관통했다. 그는 훌쩍이며 바닥에 쓰러졌다. 바닥 쪽에서 그의 갈비뼈를 찌르는 유리 파편은 위험할 정도로 폐에 가까웠고, 왼쪽 팔은 정상적인 상태라면 결코 구부러질 리가 없는 부분에서 끔찍한 각도로 아래를 향해 구부러져 있었다. 팔을 움직이려고 한 순간 자기도 모르게 입에서 절규가 터져 나왔다. 혀를 씹은 탓에 입안이 피로 가득 찼다.

안개는 이제 엷고 푸르스름한 아지랑이로 변했고, 가장 가까운 곳에 있는 거울은 마치 살아 있는 것처럼 맥동하며 바깥쪽을 향해 돌출하고 있었다.

스티븐은 벽에 등을 기대고 앉아 있었다. 잘려 나간 손가락 그루터기에서 피를 빨며, 탐욕스럽게 불타오르는 파란 눈으로 이쪽을 바라보고 있었다. "변신해도 아무 소용 없어." 그는 예의 기묘하게 단조로운 어조로 말했다. "스키너는 그런 것에 개의치 않아. 네가 누군지 알거든. 일단 소환을 받으면 가죽 하나를 벗길 때까지는 절대 멈추지 않아."

윌리의 시야는 눈물로 흐릿해져 있었지만, 다음 순간 스티븐 뒤의 거울에서 또다시 그것을 보았다. 다가오고, 사라졌다가, 다시 다가오고 사라지는 일을 거듭하며 이쪽으로 나오려 하는 안개를.

윌리는 비틀거리며 일어섰다. 머릿속에서 고통이 포효했다. 부러진 팔을 가슴에 대고 계단 쪽을 향해 한 걸음 내디뎠다. 깨진 유리 조각이 맨발 아래에서 우두둑거렸다. 아래를 내려다보았다. 박살난 거울 조각이 사방에 널려 있었다.

윌리는 고개를 홱 들었다. 필사적으로 주위를 둘러보며, 핑핑 도는 머리로 억지로 수를 세어 보았다. 여섯, 일곱, 여덟, 아홉…… 열 번째 거울이 깨져 있었다. 그는 몸을 앞으로 날려 가장 가까운 곳에 있던 거울과 격돌했다. 충격으로 거울이 박살나며 수백 개의 파편이 사방으로 튀었다. 윌리는 가장 큰 조각을 맨발로 밟아 깼다. 발꿈치가 피로 물들 때까지 으깼다. 아무 생각도 없이 움직이고 있었다. 방 안을 마구 돌아다니며 자기 몸을 무기 삼아 닥치는 대로 거울을 깼다. 유리가 쩽그랑거리며 깨지는 소리가 감미로운 음악처럼 들려왔다. 전 세계는 고통으로 점철된 붉은 안개로 변했고, 수없이 많은 조그만 칼날이 사방팔방에서 그의 몸을 그어 댔다. 설령 스키너가 밖으로 나와 그의 가죽을 벗기지 않는다고 해도, 결과적으로는 별반 차이가 없는 것이 아닐까 하는 생각이 뇌리를 스쳤다.

비틀거리며 다음 거울을 향해 갔다. 한 걸음씩 디딜 때마다 무수하게 백열한 바늘이 그의 발바닥을 찔렀고, 불처럼 그의 정강이를 타고 올랐다. 결국 그는 발을 헛디디고 쓰러졌다. 쿵. 공중에 튄 유리 파편에 얼굴이 갈기갈기 찢어진 상태였다. 눈 안으로 피가 흘러들어 왔다.

윌리는 눈을 깜박인 다음 다치지 않은 손으로 피를 닦아 냈다. 몸 아래에 그가 입고 온 낡은 레인코트가 있었다. 피에 젖고, 유리 가루와 파편으로 온통 뒤덮여 있었다. 스티븐이 곁에 서서 윌리를 내려다보았다. 그 뒤에 거울이 하나 있었다. 아니, 저건 문일까?

"하나 못 껐군." 스티븐이 무감동한 어조로 말했다.

윌리는 무엇인가 딱딱한 것이 배를 쿡쿡 찌르는 것을 깨달았다. 몸 아래로 손을 넣어 레인코트 호주머니를 뒤지던 중 차가운 금속의 감촉을 느꼈다.

"스키너가 지금 너를 잡으러 오고 있어." 스티븐이 경고했다.

윌리는 아무것도 볼 수 없었다. 눈에 다시 피가 들어간 탓이었다. 그러나 촉각은 남아 있었다. 그는 손가락을 두 개의 둥근 고리에 끼워 넣은 다음 몸을 굴렸고, 마지막 남은 힘을 쥐어짜서 스티븐의 사타구니에 가위 씨를 꽂아 넣었다.

그가 마지막으로 들은 소리는 비명과 유리 깨지는 소리였다.

●○

침착해. 랜디는 생각했다. 침착해야 해. 그러나 그녀의 마음을 가득 채우고 있는 공포는 단순한 두려움 이상이었다. 늑대의 턱에는 피가 말라붙었고, 악의에 가득 찬 소름 끼치는 시뻘건 눈이 앞 유리 너머에서 그녀를 노려보고 있었다. 재빨리 시선을 돌리고 탄창에 실탄을 장전하려고 했다. 손이 와들와들 떨리는 통에 총알이 차 바닥에 떨어졌다. 그것을 무시하고 손에 남은 총알을 다시 장전하려고 했다.

늑대가 절규하더니 몸을 돌려 도망쳤다. 한순간 그 모습이 시야에서 사라졌다. 랜디는 목을 뻗어 불안한 표정으로 어둠 속을 응시했다. 후방 미러를 흘끗 들여다보았지만 김이 서린 탓에 아무 쓸모도 없었다. 공포도 공포였지만 추위 탓에 몸이 떨렸다. 어디로 간 거지? 랜디는 황망하게 머리를 굴렸다.

다음 순간 차를 향해 돌진해 오는 늑대를 보았다.

랜디는 고개를 숙이고 실탄을 한 발 장전했다. 두 발째를 장전하려고 했을 때 늑대는 엔진 뚜껑을 넘어 앞 유리에 격돌했다. 앞 유리 한복판에 거미줄 같은 금이 갔다. 늑대는 그녀를 향해 으르렁댔다. 아가리에서 뚝뚝 떨어지는 침과 피가 유리를 뿌옇게 물들였다. 다음 순간 또 충격이 왔다. 또 왔다. 또. 그럴 때마다 랜디의 몸이 들썩였다. 앞 유리에 간 금이 커지고, 또 커졌다. 유리 한복판이 뿌옇게 변했다.

실린더형 탄창에 두 발까지 장전하는 데 성공했다. 세 발째를 밀어 넣었다. 차 내부는 엄청나게 추웠다. 금이 잔뜩 가고 피로 뿌옇게 변한 유리 너머로 어둠을 응시하며, 네 번째 실탄을 장전했다. 그녀가 실린더 탄창을 닫는 순간 늑대는 또다시 앞 유리에 격돌했다. 유리가 깨지며 그녀 주위로 쏟아져 내렸다.

총을 들어 올렸지만 다음 순간 손에서 튕겨 나갔다. 무엇인가가 가슴을 짓눌렀다. 우윳빛으로 변색한 안전유리는 깨진 후 셀 수도 없이 많은 파편으로 변했지만, 필름 탓에 여전히 원래 형태를 유지한 채 그녀의 머리를 수의(壽衣)처럼 덮었다. 다음 순간에는 그것조차도 찢겨 나갔다. 그녀는 피에 물든 아가리와 이글이글 불타오르는 시뻘건 눈을 마주 보고 있었다.

늑대가 아가리를 열자 화로처럼 뜨거운 입김이 육식동물 특유의 악취를 풍기며 그녀의 얼굴을 엄습했다.

"이 쌍놈의 새끼!" 랜디는 절규하다가 자칫 웃음을 터뜨릴 뻔했다. 죽기 전에 마지막으로 남기는 말치고는 좀 그랬기 때문이다.

은빛으로 반짝이는 날카로운 무엇인가가 늑대의 목덜미 쪽에서 번득이더니 그 목을 찔렀다.

눈 깜짝할 새에 일어난 일이라 랜디는 무슨 일인지 이해할 수가 없었다. 늑대도 마찬가지인 듯했다. 갑자기 이글거리는 붉은 눈에서 살기가 사라지더니, 고통과 충격이 몰려왔고, 급기야는 공포의 표정을 떠올렸다. 랜디는 더 많은 은빛 칼날이 늑대의 목을 찌르면서, 그 아가리가 피로 가득 차는 것을 보았다. 검은 모피를 두른 거대한 몸통이 경련하며 발버둥치기 시작했다. 무엇인가가 그것을 잡고 그녀의 몸에서 끌어내자 늑대는 앞발을 버둥거리며 좌석 위에 문신 같은 상흔을 남겼다. 허공에서는 머리카락 타는 냄새가 났다. 늑대가 절규하기 시작했다. 인간 비슷한 목소리로.

랜디는 이를 악물며 고통을 무시했고, 차 문을 어깨로 힘껏 밀며 조 어커트의 잔해를 밀어냈다. 문에서 반쯤 나간 자세에서 뒤를 흘끗 돌아다보았다.

뒤틀리고 잔인한 손. 손가락은 모두 반짝거리는 긴 면도날이었다. 푸르스름하고 차가우며 소름 끼치도록 날카로워 보였다. 뿌리 부분에서 이어진 다섯 개의 긴 칼날이 늑대의 목덜미 깊숙이 박혀 있었다. 그러더니 그대로 목을 움켜잡고 잡아당겼다. 늑대의 이빨 사이에서 피가 분수처럼 솟구치며 버둥거리는 사지의 힘이 약해지기 시작했다. 손이 늑대를 홱 잡아당기자 젖은 물건을 뭉개는 듯한 끔찍한 소리가 들렸다. 손은 상상을 초월하는 힘으로, 후방 미러 안으로 가차 없이 늑대를 끌어당기고 있었다. 미러 반대편에 있는 것이 무엇이든 간에 그쪽으로 끌고 들어가려는 것이다. 검은 털로 뒤덮인 거대한 늑대의 몸통이 한순간 흔들리며 변화하는 것처럼 보였다. 늑대 얼굴에 인간을 닮은 표정이 떠올랐다.

그와 눈을 마주쳤을 때, 붉은빛은 이미 사라져 있었다. 두 눈에 깃든 것은 고통과 간원의 표정뿐이었다.

이름이 마이크라고 했지. 생각났다. 랜디는 아래를 내려다보았다. 총은 바닥에 떨어져 있었다.

총을 집어 올려 열어젖힌 실린더 탄창을 점검한 다음 다시 닫았고, 늑대의 머리통에 대고 네 번 방아쇠를 당겼다.

차에서 나와 다친 발목 쪽에 힘을 싣자 고통이 파도처럼 온몸을 휩쓸었다. 랜디는 양 무릎을 푹 꺾고 두 팔로 간신히 몸을 지탱했다. 위의 내용물을 게워 내기 시작했을 때 사이렌 소리가 들려왔다.

●○

"짐승 같아 보였어." 그녀가 말했다.

형사는 뚱한 표정으로 한참 동안 그녀를 바라보다가 수첩을 닫았다. "그것밖에는 할 말이 없어? 어커트 서장을 죽인 것이 짐승 같아 보였다?"

랜디는 신랄한 대답을 하고 싶었지만 진통제로 머리가 어질어질한 탓에 제대로 대답하지 못했다. 부러진 발목은 두 개의 핀으로 고정되어 있었지만 여전히 지독하게 아팠다. 의사들 말로는 일주일 더 입원해야 한다고 했다. "무슨 대답을 듣고 싶은 거야?" 그녀는 힘없는 목소리로 말했다. "내가 본 대로 얘기했을 뿐이야. 짐승 같았다니까. 늑대를 닮은."

형사는 고개를 설레설레 흔들었다. "알았어. 그러니까 서장님은 짐승 같은 것, 아마 늑대한테 물려 죽었다는 말이군. 그럼 로고프는 어디 갔을까? 현장에는 로고프의 차가 주차되어 있었고, 서장님 차 안에 뿌려진 피는 모두 그 친구 피였어. 그러니까 말해 봐. 로고프는 도대체 어디로 사라진 거지?"

랜디는 눈을 감고 고통을 참는 시늉을 했다. "몰라."

"다시 오겠어." 형사는 경고하듯 내뱉고 병실을 나갔다.

랜디는 잠시 눈을 감은 채 누워 있었다. 이제 다시 잠들어도 괜찮을 거라고 생각한 순간 병실 문이 열렸다가 닫히는 소리가 들렸다. "다시 오지는 않을 거야." 나직한 목소리가 말했다. "그렇게 조처하겠어."

랜디는 눈을 떴다. 침대 발치에 백발을 길게 기른 노인이 늑대 머리를 본뜬 장식이 달린 지팡이에 기대고 서 있었다. 상복처럼 보이는 검은 정장 차림에 머리카락을 어깨에 늘어뜨리고 있었다. "나는 조녀선 하먼이라고 하네."

"사진에서 봤어. 난 당신이 누군지 알아. 뭔지도 알고." 랜디는 쉰 목소리로 말했다. "라이컨스로프."

"부탁이니 늑대 인간이라고 불러 주지 않겠나."

"윌리…… 윌리는 어떻게 됐지?"

"스티븐은 죽었어." 조녀선 하먼이 말했다.

"잘됐네." 랜디가 내뱉었다. "스티븐하고 로이가 작당해서 한 짓이라는 얘기를 윌리한테 들었어. 가죽을 얻기 위해서 말이야. 스티븐은 다른 동료들을 증오했지. 그들은 변신할 수 있는데 자기는 그러지 못했으니까. 하지만 당신 아들은 자기 자신만의 가죽을 얻은 뒤에는 더 이상 헬렌더가 필요하지 않았던 거야, 안 그래?"

"아들이 죽어서 슬프다고 하면 거짓말이 되겠지. 솔직히 말해서 스티븐은 내가 원하는 후계자가 아니었다네." 노인은 창가로 가서 커튼을 열고 밖을 내다보았다. "원래 이 도시는 위대했어. 피와 철로 이루어진 도시였지. 지금은 다 녹슬었지만 말이야."

"당신의 염병할 도시가 어떻게 되든 난 상관 안 해. 윌리는 어떻게 됐지?"

"조우이 일은 안됐지만, 스키너는 일단 소환받으면 가죽을 하나 얻을 때까지 절대로 사냥을 그만두지 않아. 거울에서 거울로 계속 돌아다니면서 사냥감을 찾는 거지. 스키너는 우리 일족 냄새를 알지만, 처음에 쓴 문에서 너무 멀리까지 나가고 싶어 하지는 않아. 자네의 그 잡종 친구가 어떻게 두 번씩이나 스키너한테서 도망칠 수 있었는지는 모르겠지만, 실제로 그런 일이 일어났고 그 대신 조우이가 희생됐지. 마이클까지." 그는 몸을 돌려 그녀를 보았다. "하지만 자네는 그 녀석만큼 운이 좋지는 않을 거야. 그러니까 너무 기뻐하지 않는 편이 나을걸. 일족은 스스로를 방어하는 법을 아니까 말이야. 자네가 다음에 먹을 약을 처방하는 의사, 그 약을 짓는 약사, 그걸 가지고 오는 배달부…… 이들이 모두 우리 일족일 수도 있어. 우린 적의 존재를 결코 좌시하지 않는다네, 미스 웨이드. 자네 가족도 그 사실을 명심하는 편이 신상에 이로울 거야."

"당신이었군." 랜디는 확신을 가지고 말했다. "우리 아버지가 죽은 밤에 그 팩 공장에 있었던 건."

조녀선은 짧게 고개를 끄덕였다. "사격 솜씨가 아주 뛰어나더군. 칭찬하고 싶을 정도로. 여섯 발을 모두 맞췄어. 난 그때 입은 상처를 전쟁의 흉터라고 부르지. 엑스레이를 찍으면 아직도 남아 있지만, 내 주치의들은 쓸데없는 질문을 하지 않는 법을 터득했어."

"널 죽이겠어." 랜디가 말했다.

"그럴 수 있을 것 같지는 않군." 그는 침대 위로 상체를 수그렸다. "어떤 밤을 골라서 직접 자네를 방문할지도 모르겠군. 미스 웨이드, 자네도 내 모습을 보면 놀랄걸세. 내 모피는 이제 눈처럼 새하얗게 변했지만, 그 위풍당당한 모습이나 힘은 여전히 남아 있다네. 마이클은 반반씩 섞인 잡종이었고, 자네 친구인 윌리는 개하고 별로 다를 것이 없었어. 순혈종은 그런 것들과는 다르지. 우리는 다이어울프⁴야. 인류의 종족적 무의식에 여전히 깃들어 있는 악몽이지. 어둠 속에서 자네들이 피운 모닥불 주위를 영원히 배회하는 검은 그림자라고나 할까." 노인은 그녀를 내려다보며 미소 지은 뒤 몸을 돌려 방에서 나가다 문간에서 잠깐 멈춰 서서 말했다. "잘 자게나."

해가 지고 잘 시간이 되었어도 랜디는 눈을 붙이지 못했다. 간호사는 그녀의 간청에도 불구하고 불을 끄고 갔다. 랜디는 어둠 속에 누워서 천장을 응시하며 일찍이 경험한 적이 없을 정도로 깊은 고독을 맛보았다. 윌리는 죽었어. 그녀는 생각했다. 윌리는 죽었고, 이제는 나도 그런 현실에 익숙해지는 편이 나을 것이다. 어둠에 잠긴 병실에 홀로 누워 그녀는 나직하게 흐느끼기 시작했다.

오랫동안 그렇게 울고 있었다. 윌리와 조운 소렌슨과 조 어커트를 생각하면서. 그리고 이토록 긴 시간이 흘렀지만, 프랭크 웨이드를 위해서. 눈물샘이 말라붙은 뒤에도 그녀의 몸은 오열로 떨리고 있었다. 조용히 문이 열리며 복도에서 새어 나온 칼날처럼 가느다란 빛이 어두운 병실

---

4 dire wolf. 홍적세에 존재한 늑대의 일종. 현생 늑대들보다 몸체와 두개골이 크고 무겁다.

을 갈랐을 때도 오열하고 있었다.

"누구야?" 그녀는 목쉰 소리를 냈다. "당장 대답하지 않으면 소리를 지르겠어."

문이 소리 없이 닫혔다. "쉬잇. 조용히 해요. 다른 사람들이 들어요." 여자 목소리였는데 조금 두려워하는 기색이었다. "간호사는 면회 시간이 이미 지났기 때문에 들어가면 안 된다고 했지만, 그 사람이 급하다고 해서 몰래 들어온 거예요." 여자는 침대로 다가왔다.

랜디는 독서 등을 켰다. 새로운 방문자는 불안한 표정으로 병실 문을 보았다. 피부가 가무잡잡한 상당한 미인이었다. 콧잔등에 주근깨가 나 있다. 나이는 스무 살도 채 안 되는 듯했다. "난 벳시 주디커라고 해요." 그녀가 속삭였다. "윌리가 안부를 전해 달라고 부탁해서 왔지만, 너무 황당한 얘기라서 당신이 믿어 줄지……."

랜디는 가슴이 쿵 하고 뛰는 것을 느꼈다. "윌리가…… 당장 얘기해 줘요! 아무리 황당한 얘기라도 상관없어요. 일단 얘기해 줘요."

"일족이 엿듣고 있을지도 몰라서 직접 전화할 수가 없다고 했어요. 크게 다쳤지만 목숨에는 지장이 없고, 지금은 북쪽에 머물고 있대요. 괜찮은 수의사를 찾아낸 덕택에 치료를 잘 받고 있다나. 괴상하게 들린다는 건 나도 알지만 윌리는 자기 입으로 수의사라고 했어요."

"계속해 줘요."

벳시는 고개를 끄덕였다. "전화로 들어도 아픈 티가 역력했어요. 지금 당장 변신하는 것은 불가능하고, 부상이 워낙 심해서 전화를 거는 몇 분 동안 그러는 것만으로도 엄청난 고통이라고 했어요. 하지만 수의사가 유리 조각을 거의 다 꺼내고 부러진 다리뼈도 맞춰 줬기 때문에 회복하는 데는 아무 문제가 없을 거래요. 밤중에 이곳을 떠나면서 당신한테 건 넬 물건을 우리 집에 남겨 두고 갔으니까 그걸 찾아내서 여기로 가라고 했어요." 여자는 핸드백을 뒤지기 시작했다. "우체통 옆의 덤불 안에 들어 있는 걸 우리 꼬맹이가 찾아낸 거예요." 여자는 그것을 랜디에게 건넸다.

깨진 거울 조각처럼 보였다. 그녀의 손가락만 한 길쭉한 파편이었다. 랜디는 혼란스럽고 불안한 마음으로 잠시 그것을 손바닥에 얹었다. 유리의 감촉은 차가웠고, 들고 있는 동안에도 점점 차가워지는 느낌이 왔다.

"조심해요. 정말 날카로우니까." 벳시가 말했다. "윌리는 또 한 가지 이해할 수 없는 말을 했어요. 하지만 중요하다고 했으니 중요한 거겠죠. 지금 자기가 있는 곳에는 거울이 단 한 개도 없지만, 지난번에 블랙스톤에 갔을 때는 잔뜩 있는 걸 봤대요."

랜디는 고개를 끄덕였다. 무슨 얘기인지 아직 확실히 파악하지는 못했지만 말이다. 그녀는 생각에 잠긴 표정으로 은빛으로 반짝이는 파편을 손가락으로 훑었다.

"어머." 벳시가 놀라서 말했다. "그러게 조심하라고 했잖아요. 손을 베어 버렸네."

불완전한
베리에이션

Unsound Variations

주간(州間) 고속도로를 빠져나오자 길은 좁은 2차선 도로로 바뀌었다. 지그재그로 꺾이며 산으로 올라가는 도로는 고개를 넘을 때마다 한층 더 가팔라졌다. 소나무가 우거지고 눈과 얼음으로 뒤덮인 봉우리들이 사방을 에워싸기 시작했고, 도로 좌우에서는 차가운 물이 흐르는 폭포들이 미처 보기도 전에 휙휙 지나갔다. 하늘은 맑고 눈이 시리도록 새파랗다. 가슴이 벅찰 정도로 아름다운 경치였지만 정작 피터의 기분은 전혀 나아질 기색이 없었다. 그는 눈앞의 도로를 뚫어지게 바라보며 오로지 반사 신경에 의존해서 차를 모는 일에만 몰두했다.

　　산의 고도가 올라감에 따라 라디오의 수신 상태가 점점 나빠졌다. 라디오 소리는 길이 꺾일 때마다 희미해지다가 다시 들리는 일을 반복했고, 급기야는 완전히 침묵했다. 캐시는 전파가 잡히는 방송국을 찾아보려고 주파수 다이얼을 처음부터 끝까지 돌렸다가 다시 처음으로 되돌려 보았다. 마침내 그녀는 넌더리를 내며 라디오 스위치를 꺼 버렸다. "이젠 당신 목소리를 듣는 수밖에 없겠네?" 캐시가 말했다.

군이 캐시 쪽을 보지 않아도 그녀의 가시 돋친 말투를 감지하는 것은 어렵지 않았다. 이미 오래전에 원래의 다정한 목소리를 대체한 신랄함의 편린을. 그녀가 말싸움을 하고 싶어 한다는 사실을 그는 알고 있었다. 라디오 때문에 화가 나 있고, 끌려오다시피 이런 여행에 나서게 된 것을 분개하고 있고, 그 무엇보다도 그와 결혼했다는 사실에 분개하고 있는 것이다. 이따금 그가 깊은 자기 연민에 빠질 때면 그녀를 비난하려는 생각조차도 들지 않았다. 본인 스스로가 남편감으로는 별 볼 일 없는 위인이었음을 잘 알기 때문이다. 실패한 작가, 실패한 저널리스트, 실패한 사업가. 이 사실은 그를 우울하게 만들었고, 아내까지 우울하게 만들었다. 그러나 스파링 상대로서는 아직 꽤 팔팔했다. 그래서 캐시는 이토록 자주 싸움을 걸어오는 것인지도 모른다. 흘릴 피를 모두 흘려 버리면 그들 중 한 사람이나 두 사람 모두 울기 마련이었고, 보통 그런 다음에는 사랑을 나누곤 했다. 그런다면 한두 시간은 인생도 괜찮다는 기분을 느낄 수 있다. 두 사람 사이에 남아 있는 것은 대략 그 정도였다.

그러나 오늘은 그러고 싶은 마음이 아니었다. 피터는 그럴 기력이 없었던 데다가 딴 데 정신이 팔려 있었다. "무슨 얘기를 하고 싶은데?" 그는 가급적 상냥한 목소리로 물었다. 두 눈은 전방의 도로에 못 박혀 있었다.

"우리가 지금 만나러 가고 있는 어릿광대들 얘기를 해 줘." 캐시가 말했다.

"얘기했잖아. 내가 노스웨스턴 다닐 때의 체스팀 동료들이야."

"체스가 언제부터 단체 스포츠가 됐어?" 캐시가 말했다. "뭘 한 건데? 말을 움직일 때마다 투표라도 했던 거야?"

"아냐. 체스에서 단체전은 개인들이 하는 시합의 집합이야. 보통 네댓 개의 개인전이 동시에 진행되지. 적어도 대학 시합에선 말이야. 훈수 두기라든지 뭐 그런 건 없어. 그렇게 해서 가장 많은 시합에서 이기는 팀이 매치포인트를 따고 승리하는 거지. 그게 어떤 식인가 하면……."

"알겠어." 캐시는 날카롭게 말했다. "난 체스 플레이어가 아닐지도 모르지만 바보는 아냐. 그럼 당신하고 거기 온다는 세 사람들이 노스웨스턴 대학을 대표해서 나간 거야?"

"그렇다고도, 안 그렇다고도 할 수 있겠지." 피터는 말했다. 도요타의 엔진은 가파른 경사에 혹사당한 나머지 덜덜거리고 있었다. 시카고를 떠나오기 전 높은 고도에 대비한 조정이라도 미리 해 놓았어야 했다. 그는 신중하게 운전했다. 이제 노면 군데군데에 얼음이 깔리거나 세찬 눈발이 도로를 가로지를 정도로 높은 곳까지 와 있었다.

"그렇다고도, 안 그렇다고도 할 수 있다." 캐시는 신랄하게 되풀이했다. "그게 무슨 뜻인데?"

"당시 노스웨스턴 대학에는 대규모 체스 클럽이 있어서 지방 대회, 주 대회, 전국 대회에도 자주 참가했지. 그래서 같은 대학에서도 가끔 한 팀 이상이 출전할 때가 있었어. 그럴 때마다 팀의 구성은 조금씩 바뀌었고. 누가 참가하고 누가 참가 못 하는가, 누가 중간고사 때문에 바쁜가, 누가 마지막 시합에 출전했나— 이런 것들을 감안해서 팀을 짰던 거야. 우리 네 사람은 정확히 10년 전 이번 주에 열린 북미 대학 선수권 대회에 노스웨스턴 대학의 B팀으로 출전했어. 노스웨스턴이 그 대회를 주최했어. 내가 그걸 총괄했고, 선수 자격으로도 출전했지."

"B팀이라니 그게 무슨 뜻이야?"

피터는 헛기침을 하고 도요타의 속도를 늦춰 급커브를 돌았다. 한쪽 바퀴가 길 가장자리를 스치면서 차체 바닥에 닿은 자갈이 덜컥거렸다. "한 대학당 한 팀만 나가도록 한정되는 건 아니었어. 자금이 충분하고 참가 희망자가 많으면 몇 팀씩이라도 출전할 수 있었지. 그중 가장 실력이 좋은 친구들 네 명이 가장 유망한 A팀을 이루고, 그다음 네 명은 B팀 하는 식으로 여러 팀을 짜는 거지." 여기서 피터는 잠깐 침묵했다가, 희미하게나마 자랑 섞인 어조로 말을 이었다. "노스웨스턴 대학에서 열린 전국 선수권 대회는 사상 최대 규모였어. 물론 그 뒤에 더 큰 대회가 열리면서 기록은 깨졌지만 말이야. 하지만 아직도 안 깨진 두 번째 기록이 있어. 우리 홈그라운드에서 열린 대회였으니까 참가하겠다는 친구들은 얼마든지 있었거든. 그래서 여섯 팀이나 출전했던 거야. 그 전에도, 그 후에도 네 팀 이상 참가한 대학은 없어." 이 기록을 생각하면 여전히 얼굴에 미소가 떠오른다. 기록치고는 별 볼 일 없는 것이었을지도 모르지만, 그가 자랑할 수 있는 유일한 기록인 데다가 그가 직접 세운 것이기도 했기 때문이다. 그 어떤 종류의 기록도 세우지 못하고 그냥 살다가 그냥 죽는 사람들도 많지 않은가. 피터는 말없이 생각에 잠겼다. 아마 그의 묘비명으로는 이런 문구를 새기라고 캐시한테 말해 둬야 할지도 모르겠다. '여기 여섯 팀을 참전시킨 적이 있는 피터 K. 노턴이 잠들다'라고 말이다. 그는 쿡쿡거리며 웃었다.

"뭐가 그렇게 웃겨?"

"별거 아냐."

캐시는 더 이상 캐묻지 않았다. "그럼 그 대회를 직접 주최했다, 이거야?"

"난 대학의 체스 클럽 회장이었고, 지역 위원회 위원장이었어. 직접 감독한 건 아니지만 에번스턴[1]으로 전국 대회를 유치하기 위한 신청서를 작성했고, 혼자서 모든 사전 준비를 마쳤지. 또 여섯 팀 모두를 편성해서 누가 어떤 팀에 들어가는지를 정했고, 각 팀의 주장을 임명했어. 대회 중에는 그냥 B팀 주장으로 시합에 나갔을 뿐이지만."

캐시는 웃음을 터뜨렸다. "그럼 2군의 거물이었다는 거네. 알 만하군. 일생일대의 무대였다고 말하고 싶은 거지."

신랄한 대답이 나오려고 했지만 피터는 입술을 깨물고 아무 말도 하지 않았다. 도요타가 또 급커브를 돌자 광대한 콜로라도의 산악 풍경이 파노라마처럼 눈앞에 펼쳐졌다. 그러나 묘하게도 아무런 감흥을 느낄 수 없었다.

잠시 후 캐시가 말했다. "체스를 그만둔 건 언젠데?"

"대학을 졸업하고 나서. 의도적으로 그런 건 아니었는데, 어쩌다 보니 멀어졌던 것 같아. 대회에 나가서 시합을 안 한 지는 벌써 9년이 됐어. 아마 지금은 실력이 많이 녹슬었겠지. 하지만 당시엔 꽤 괜찮은 플레이어였어."

"꽤 괜찮다니, 얼마나?"

"A등급에 속한 선수였거든. B팀의 구성원 모두가 그랬지."

"그게 무슨 뜻인데?"

"내 USCF[2] 평점이 국내 대회에 참가하는 절대 다수의 선수들보다 상

---

1 노스웨스턴 대학의 중앙 캠퍼스가 자리 잡은 시카고 교외의 소도시.
2 United States Chess Federation. 전미 체스 연맹.

당히 높았다는 뜻이야. 일반적으로 말해서 대회에 참가하는 플레이어들은 술집이나 커피숍에서 마주치는 무등급 체스꾼들보다 훨씬 더 실력이 좋지. 등급은 A급에서 E급까지 있어. A급 위로는 엑스퍼트가 있고, 그 위에 있는 게 마스터야. 그리고 그 정점에는 최고 고수인 상급 마스터들이 있지만, 그 수는 그리 많지 않지."

"당신 위로 세 등급이나 더 있었다는 거야?"

"응."

"그렇다면 이렇게 말할 수도 있겠네. 당신은 최전성기에조차도 4급 체스 플레이어에 불과했다고."

이번에는 그녀 쪽을 보았다. 좌석에 등을 기대고 얼굴에 조롱하는 듯한 희미한 웃음을 띠고 있다. "망할 년." 그는 내뱉듯이 말했다. 갑자기 분통이 치밀어 올랐다.

"앞의 도로만 보고 운전해!" 캐시가 내뱉었다.

피터는 다음 커브를 최대한 거칠게 돌며 가속페달을 밟았다. 캐시는 그가 이렇게 빨리 차를 달리는 것을 정말 싫어한다. "도대체 왜 당신한테 이런 얘기를 할 생각을 했는지 모르겠군." 그는 말했다.

"우리 남편은 거물이었어." 캐시는 이렇게 말하고 웃음을 터뜨렸다. "대학 대표팀 2군에서 체스를 두는 4급 플레이어. 게다가 운전 실력은 5급."

"입 닥쳐." 피터는 노성을 발했다. "제대로 모르면 차라리 얘길 하지 마. 우린 2군이었을지도 모르지만 우수했고, 그 누구도 예상하지 못했던 결과를 냈어. 노스웨스턴의 1군에 불과 반 포인트 뒤졌을 뿐이니. 게다가 사상 최대의 역전을 하기 직전까지 갔다고."

"그 얘길 해 줘."

피터는 주저했다. 이미 방금 내뱉은 말을 후회하고 있었다. 그 추억은 그에게는 소중한 것이었고, 우스꽝스러운 예의 기록만큼이나 중요했다. 그것이 어떤 의미인지를 알고 있었고, 그들이 얼마나 승리에 가까웠는지도 잘 알고 있었다. 그러나 캐시는 결코 이해하지 못할 것이다. 또 하나의 실패라면서 웃음거리로 삼을 것이 뻔하다. 처음부터 아예 입에 올리지 말았어야 했다.

"왜 그래?" 캐시가 재촉했다. "사상 최대의 역전이라며? 자기야, 얘기해 줘."

이미 늦었다는 것을 피터는 깨달았다. 이제는 절대로 그냥 넘어가지 않을 것이다. 그가 얘기해 줄 때까지 계속 지근거리고 지근거리며 절대로 포기하지 않을 것이다. 피터는 한숨을 내쉬었다. "10년 전, 바로 이번 주에 일어났던 일이야. 전국 대회는 휴가 기간인 크리스마스하고 새해 첫날 사이에 열리는 게 관행이거든. 8회전 형식의 팀 토너먼트였고, 매일 두 시합씩 치렀지. 우리 대학은 두 팀 모두 괜찮은 성적을 냈어. A팀은 전체에서 7등이었고."

"우리 여보야는 B팀 소속이라고 했잖아."

피터는 오만상을 찌푸렸다. "그래. 그리고 어느 시점까지는 우리 B팀이 1위를 달리고 있었어. 대회 후반부에 근사한 역전승을 두 번 거뒀거든. 그 탓에 우린 묘한 입장에 놓였지. 최종 라운드를 시작했을 때는 시카고 대학이 6승 1패에 승점 6점으로 단독 1위였고, 그 희생자들 중에는 우리 노스웨스턴의 A팀도 끼어 있었어. 시카고는 전국 대회의 전년도 우승자였지. 그 뒤로 5승 1무승부로 승점 5.5인 학교가 셋 있었어. 버클리하고 매사추세츠 대학하고 또 어디였더라? 하여튼 기억이 나지 않는 다른 대학이었는데, 그건 중요하지 않아. 정말로 중요했던 건 이 세 팀 모두가 이미 시카고 대학과 시합을 마쳤다는 점이었어. 그 아래의 승점 5점을 딴 팀들은 잔뜩 있었고, 그중에는 노스웨스턴의 A팀하고 B팀도 포함됐지. 마지막 라운드에서는 승점 5점인 팀 중 하나가 시카고와 맞붙을 필요가 있었어. 얄궂게도 우리가 당첨됐지. 다들 시카고가 낙승하고 또 우승을 거둘 거라고 생각했어.

그건 실은 어울리지 않는 조합이었어. 그치들은 전년도 우승자였고, 막강한 팀을 보유하고 있었거든. 내 기억이 맞는다면 마스터 세 명에 엑스퍼트 한 명으로 이루어져 있었어. 선수들의 평점 합계만 해도 우리보다 몇백 점이나 앞서 있었지. 우리 상대로는 낙승하는 게 당연했어. 하지만 실제로는 그렇게 되지 않았지.

시카고하고 노스웨스턴 사이에서 벌어지는 시합에서는 쉽게 승부가 난 적이 없어. 내가 대학을 다니던 내내 그 둘은 중서부의 양대 체스 세력이었던 데다가 최대 라이벌 사이였지. 시카고 대학의 주장인 할 윈슬로하고는 친해졌지만, 난 그 녀석한테 두통거리를 실컷 안겨 줬지. 시카고는 언제나 우리보다 강한 팀을 보유하고 있었지만, 우리하고만 붙으면 식은땀을 흘려야 했어. 시카고와는 대학 리그에서 맞붙었고, 주 대회와 지역 대회에서 맞붙었고, 전국 대회에서도 몇 번이나 맞붙었어. 대부분의 경우는 시카고가 이겼지만 언제나 그랬던 건 아니었어. 시 선수권을 빼앗아 온 적도 한 번 있고, 그 밖에도 두 번쯤 예상을 깨고 뜻밖의 승리를 거둔 적이 있어. 그리고 그해 전국 대회에서는 우린 사상 최대의 역전에 이만큼까지―그는 두 손가락을 들어 올리고 그 끝이 서로 거의 맞닿을 정도까지 접근시켰다―육박했던 거야." 피터는 그 손을 다시 운전대에 올려놓고 얼굴을 찌푸렸다.

"계속 말해 봐." 캐시가 말했다. "그다음이 궁금해서 숨도 못 쉴 지경이야."

피터는 아내의 비아냥거림을 무시했다. "시합이 시작된 지 한 시간이 지날 무렵에는 대회 참가자들의 반이 우리 팀 주위에 모여 시합을 구경하고 있었어. 시카고가 고전하고 있다는 건 누구 눈에도 명백했거든. 우린 동시 진행되는 네 개의 시합 중 두 개에서 확실한 우위를 점하고 있었고, 다른 두 개에서도 막상막하였어.

그러다가 더 흥미로워졌지. 난 세 번째 탁자에서 할 윈슬로와 대전하고 있었어. 따분하고 꽉 막힌 형세였기 때문에 결국 무승부로 낙착됐지. 그리고 네 번째 탁자에 있던 E.C.는 상대에게 조금씩 압도당하다가 필패 국면으로 몰린 끝에 항복했어."

"E.C.?"

"에드워드 콜린 스튜어트. 우린 모두 E.C.라고 불렀어. 상당히 재밌는 친구야. 버니시 집에서 만나게 될 거야."

"그 사람도 졌어?"

"응."

"그렇게 가슴 뛰는 역전이라고는 생각되진 않는데." 캐시는 메마른 어조로 말했다. "당신 기준으로 보면 엄청난 승리일지도 모르겠지만."

"E.C.는 졌어." 피터는 말했다. "하지만 그 무렵 델마리오는 두 번째 탁자에서 완승을 거둔 상태였어. 상대방은 시간을 질질 끌었지만, 마침내 우린 승점 하나를 얻었어. 그래서 최종 라운드의 스코어는 1.5 대

1.5로 동점이 됐고, 남은 경기 하나가 아직 진행 중이었어. 그리고 거기서 이기고 있었던 거지. 도저히 믿기 힘든 사건이었어. 브루스 버니시가 첫 번째 탁자를 맡고 있었어. 한심하기 짝이 없는 작자였지만 체스 실력은 나쁘지 않았어. 역시 A급에 불과했지만 발군의 기억력을 갖고 있었거든. 사진적 기억 말이야. 체스의 모든 오프닝에 통달해 있었지. 그리고 시카고의 거물과 맞붙었던 거야." 피터는 쓴웃음을 지었다. "여러 의미에서 거물이었지. 로빈슨 베셀리어라는 이름의 마스터였어. 체스도 엄청 강하지만 몸무게가 족히 4백 파운드는 되어 보였거든. 시합을 할 때는 미동도 않고 앉아서 배 위에 깍지 낀 손을 올려놓고, 조그만 눈을 가늘게 뜨고 체스 판을 응시하는 거야. 그러면서 상대를 깔아뭉개는 거지. 버니시 따위는 쉽게 깔아뭉갰어야 했어. 염병할, 평점에서도 4백 점이나 앞서고 있었다고. 하지만 그 게임은 그렇게 진행되지는 않았어. 버니시는 예의 사진적 기억력으로 시실리언 디펜스[3]의 잘 알려져 있지 않은 변형 하나를 구사해서 베셀리어를 열세에 몰아넣었던 거야. 모든 곳에서 맹공을 퍼붓고 있었어. 믿기 힘들 정도의 공격이었지. 국면 자체도 일찍이 본 적이 없을 정도로 복잡해서, 예리하고 전략적인 안목이 필요한 상황이었어. 베셀리어는 퀸 사이드[4]에서 반격을 개시해서 어느 정도 압력을 가하고 있었지만 버니시가 킹 사이드에서 가하고 있는 공격에 비하면 아무것도 아니었어. 다 이긴 게임이었지. 모두들 그렇게 확신하고 있었어."

---

3 Sicilian Defense. 체스 시합 초반부의 오프닝 중 하나.
4 게임 시작 시 판면의 퀸 쪽.

"그럼 노스웨스턴은 거의 우승하기 직전이었던 거야?"

"아니." 피터는 말했다. "그런 건 아니었어. 만약 그 시합에서 이겼다면 6승 2패로 시카고를 위시한 다른 팀들과 동점이 되었겠지만, 우승은 승점 6.5점을 얻은 다른 누군가에게 돌아갔을 거야. 버클리였을지도 모르고, 매사추세츠였을 수도 있어. 우리가 원했던 건 어디까지나 누구도 예상 못 했던 역전 그 자체였어. 그랬더라면 정말 끝내줬겠지. 그치들은 국내 최고의 대학 체스팀이었고, 우린 모교에서 최고의 팀조차도 못 됐으니까 말이야. 만약 우리가 이겼다면 엄청난 센세이션을 불러일으켰을 거야. 그리고 그러기 일보 직전까지 갔던 거야."

"어떻게 됐던 건데?"

"다 된 걸 버니시가 망쳐 놓았어." 피터는 불쾌하다는 듯이 말했다. "중대한 국면이 왔을 때 버니시는 세크할 필요가 있었어. 세크리파이스[犧牲], 즉 자기 말을 버려야 했던 거야. 그것도 두 번 연속으로. 그럼 아슬아슬하긴 하지만 베셀리어의 킹 사이드를 초토화시켜서 그의 킹을 열린 장소로 몰아낼 수 있었지. 하지만 버니시는 그러기엔 너무 겁이 많았어. 그러는 대신에 퀸 사이드에서 오는 베셀리어의 공격에만 신경을 쓰다가 급기야는 약해 빠진 방어적 수를 뒀던 거야. 베셀리어가 다른 말을 퀸 사이드로 이동시키니까 버니시는 또 방어에 나섰어. 유리한 국면에서 여세를 몰아 공세에 나서는 대신, 잇달아 약한 수를 뒀던 거지. 조심스레 자기 말들의 위치를 조정하는 식으로 말이야. 얼마 되지도 않아 버니시의 공격은 증발해 버렸어. 물론 그 뒤에 베셀리어에게 압도당했지."

10년이나 지난 일임에도 불구하고, 피터는 이런 말을 하면서 실망감이 쌓여 가는 것을 느꼈다. "결국 우린 최종 경기에서 1승 2패 1무승부로

무릎을 꿇었고, 시카고는 또 전국 우승을 했어. 베셀리어조차도 나중에
는 인정하더군. 중요 국면에서 브루시가 나이트로 그의 폰을 잡았다면
자기도 졌을 거라고 말이야. 빌어먹을."

"당신 팀이 졌잖아. 결국은 졌다는 얘기밖에는 더 돼?"

"이기기 일보 직전이었다고."

"그래 봤자 마지막 일보를 못 디디고 좌절한 거잖아." 캐시가 말했다.
"결국 졌어. 그 무렵에도 당신은 루저였군. 미리 알았더라면 좋았을 텐
데."

"염병할. 진 사람은 버니시야." 피터는 말했다. "실로 그 녀석답다고밖
에는 할 수 없겠군. A급 플레이어인 데다가 사기에 가까운 기억력까지
갖고 있었지만, 단체전 선수로는 아무 쓸모가 없었어. 그 녀석이 얼마나
많은 단체전을 망쳐 놓았는지 알면 놀랄걸. 조금이라도 압력을 받으면
버니시는 무너져 버린다는 걸 다들 잘 알고 있었어. 하지만 그때, 베셀리
어를 상대로 한 게임은 정말 최악이었어. 그 자리에서 죽이고 싶더군. 게
다가 오만한 개자식이기도 했고."

캐시는 웃음을 터뜨렸다. "지금 그 오만한 개자식을 방문하려고 이렇
게 급하게 차를 몰고 있는 거야?"

"10년 전의 일이야. 아마 그 뒤로 좀 변했는지도 모르지. 설령 안 변했
다고 해도 지금은 억만장자 개자식이야. 전자업계 쪽에서 돈을 벌었다
는군. 하여튼 난 E.C.하고 스티븐을 다시 만나고 싶었고, 버니시는 그 친
구들도 올 거라고 했어."

"멋지군." 캐시가 말했다. "흠, 그럼 빨리 가자고. 그런 재밌는 걸 놓칠
수야 없지. 억만장자 개자식하고 세 명의 루저와 함께 나흘을 보낼 기회

는 다시는 내게 찾아오지 않을지도 모르니까."

피터는 아무 말도 하지 않았다. 그러는 대신 그는 가속페달을 힘껏 밟았다. 도요타는 점점 더 빠르게 산길을 내려갔다. 속도가 오르면서 덜컥거림이 더 심해졌다. 아래로, 아래로. 그는 생각했다. 아래로, 아래로만 계속 내려가는군. 내 빌어먹을 인생처럼.

●○

버니시의 사유 도로로 들어가서 4마일을 더 나아간 뒤에야 마침내 집이 눈에 들어왔다. 싸구려 아파트에서 10년을 살아오면서 여전히 자기 집을 살 꿈을 꾸고 있는 피터는 그 즉시 자신이 3백만 달러는 족히 나가는 저택을 바라보고 있다는 사실을 깨달았다. 3층집이었고, 건물 전체가 산허리에 녹아들어 가 있어서 거의 눈에 띄지도 않을 정도였다. 자연 목재와 현지의 석재와 색유리로 이루어져 있었다. 가장 눈에 띄는 것은 거대한 태양열 온실이었다. 저택 아랫부분에는 산 자체를 파내서 만든, 차 네 대가 들어가는 차고가 있었다.

피터는 차고의 마지막 빈자리에 차를 집어넣었다. 버니시의 차가 틀림없어 보이는 신품의 은빛 캐딜락과 버니시의 것이 아닌 것을 한눈에 알 수 있는 녹이 잔뜩 슨 폭스바겐 비틀 사이에. 시동키를 뽑았을 때 차고 문이 자동적으로 등 뒤에서 닫히며 낮의 햇살과 멋진 산의 풍경을 차단했다. 차고 문은 쾅 하는 금속적인 소리를 내며 닫혔다.

"우리가 온 걸 누군가가 아나 보네." 캐시가 말했다.

"슈트 케이스나 꺼내." 피터는 내뱉었다.

차고 안쪽으로 가니 엘리베이터가 있었다. 피터는 두 개 있는 단추 중 위의 것을 꾹 눌렀다. 엘리베이터 문이 다시 열리자 거대한 거실이 나타났다. 엘리베이터 밖으로 나간 피터는 둥근 천장에 끼워진 천창(天窓) 아래 펼쳐진 꽃병에 꽂은 식물의 원야(原野), 두꺼운 갈색 융단, 정교한 목제 패널 벽, 가죽 장정이 된 책들이 잔뜩 꽂힌 책장, 커다란 벽난로 그리고 에드워드 콜린 스튜어트를 빤히 바라보았다. 스튜어트는 엘리베이터가 올라왔을 때 방 반대편에 있는 가죽 안락의자에서 일어선 상태였다.

"E.C." 피터는 슈트 케이스를 내려놓으며 말했다. 미소 띤 얼굴이었다.

"여어, 피터." E.C.는 재빨리 다가오며 말했다. 두 사람은 악수를 나눴다.

"10년 지났는데도 자넨 전혀 안 변했군." 피터는 말했다. 사실이었다. E.C.는 여전히 날씬하고 다부진 체구를 가지고 있었다. 북슬북슬한 모랫빛 금발과 매우 인상적인 팔자수염도 여전하다. 청바지와 소매가 좁은 자줏빛 셔츠에 검은 베스트 차림이었다. 10년 전과 똑같아 보인다. 싹싹하고, 단정하고, 유능한 느낌. "정말이지 하나도 안 변했어." 피터는 되풀이해 말했다.

"그게 꼭 좋은 건 아냐." E.C.는 말했다. "사람은 응당 변해야 하는 거잖아." 푸른 눈은 예전과 마찬가지로 표정을 읽을 수가 없었다. 그는 캐시를 향해 몸을 돌리고 말했다. "전 E.C. 스튜어트라고 합니다."

"아, 실례했군." 피터가 말했다. "우리 와이프인 캐시야."

"만나서 반가워요." 그녀는 그와 악수를 나누며 미소 지었다.

"스티브는 어디 있어?" 피터가 물었다. "차고에 폭스바겐이 있던데. 그걸 보고 깜짝 놀랐어. 도대체 얼마나 오랫동안 그 차를 몰고 다닌 거야? 15년?"

"그 정도까지는 아닐걸." E.C.가 말했다. "어딘가에서 아마 술을 먹고 있을 거야." 이렇게 말하면서 입가의 표정이 미묘하게 변했고, 그것은 피터에게 방금 한 말보다 상당히 많은 부분을 시사했다.

"그럼 버니시는?"

"브루시는 아직 모습을 안 보이는군. 자네가 오는 걸 기다리고 있었던 것 같아. 일단 방에 가서 짐을 풀어 놓으면 어때."

"집주인이 없는데 우리 방이 어딘지 어떻게 알아요?" 캐시가 메마른 어조로 반문했다.

"아." E.C.가 말했다. "버니시 랜드의 경이로움을 아직 경험 못 했군요. 저길 보시죠." 그는 벽난로 쪽을 가리켰다.

피터는 처음 거실에 들어왔을 때 벽난로 위에 그림이 걸려 있었다고 맹세할 수 있었다. 일종의 초현실적인 풍경화였다. 그러나 지금은 그 자리에 커다란 직사각형 스크린이 있었고, 그 위에 글들이 떠올라 있었다. 검은 배경 위에 선명한 붉은색으로 이렇게 쓰여 있다. **환영하네, 피터. 환영합니다, 캐시. 자네들이 묵을 스위트룸은 2층으로 올라가서 첫 번째 문으로 들어가면 돼. 가서 편하게 있으라고.**

피터는 몸을 돌렸다. "어떻게……?"

"보나 마나 엘리베이터와 연동되어 있을 거야." E.C.가 말했다. "나도 똑같은 식으로 환영받았거든. 브루시는 전자공학의 천재였잖아. 이 집도 온갖 기계하고 장난감으로 가득 차 있어. 좀 탐험해 봤지." 그는 어깨를 으쓱했다. "가서 짐을 풀고 슬슬 돌아오면 어때? 내가 어디 가는 것도 아니고."

방은 쉽게 찾을 수 있었다. 타일이 깔린 거대한 욕실에는 야외 온수 욕조가 있는 안뜰이 딸려 있었고, 스위트룸 자체도 벽난로가 있는 전용 거실을 포함하고 있었다. 벽난로 위에도 추상화가 걸려 있었지만, 캐시가 방문을 닫자 추상화가 사라지며 또 다른 메시지가 떠올랐다. **방이 마음에 들면 좋겠군.**

"재밌는 사내네, 이 집 주인은." 캐시는 침대 가장자리에 앉으며 말했다. "이 TV 스크린인지 뭔지는 쌍방향이 아닌 편이 나을 거야. 전자적 관음증 환자를 위해서 쇼를 벌일 생각은 없거든."

피터는 미간을 찌푸렸다. "온 집 안이 도청기투성이라고 해도 난 놀라지 않아. 버니시는 언제나 좀 이상한 녀석이었거든."

"어떤 식으로 이상했는데?"

"완전 비호감이었어." 피터는 말했다. "허풍쟁이였지. 언제나 자기가 얼마나 훌륭한 체스의 고수인지 동네방네 떠들고 다녔고, 자기가 얼마나 똑똑한지 자랑하고, 뭐 그런 식이었지. 그 말을 곧이곧대로 받아들이는 사람은 아무도 없었지만 말이야. 성적이야 아마 좋았겠지만, 그 밖의 일에서는 바보 천치에 더 가까웠어. E.C.는 그럴듯한 거짓말로 남을 속여 넘기거나 장난질을 치는 데 일가견이 있었는데, 버니시야말로 그 희생자로 안성맞춤이었지. 그런 장난을 칠 때마다 다들 얼마나 자주 웃었는지 기억도 안 날 정도야. 버니시는 겉보기에도 좀 멍청해 보였어. 통통하고 둥근 얼굴에 뺨은 무슨 다람쥐처럼 빵빵하게 부풀어 있고, 머리는 군인 스타일로 짧게 잘랐지. ROTC였거든. 난 제복이 그렇게 안 어울리는 작자를 본 적이 없어. 물론 여자하곤 데이트한 적조차 없고."

"게이라서?"

"설마. 아냐. 무성(無性)에 더 가까웠어." 피터는 방 안을 둘러보고 고개를 설레설레 저었다. "버니시가 어떻게 이렇게까지 큰 성공을 거둘 수 있었는지 상상도 안 되는군. 다른 사람도 아니고 하필 그 녀석이." 피터는 한숨을 쉬고 슈트 케이스를 열고 짐을 풀어 놓기 시작했다. "델마리오라면 수긍했을 거야." 그는 말을 이었다. "스티브하고 버니시 둘 다 공대였거든. 하지만 스티브 쪽이 훨씬 더 똑똑해 보였어. 다들 스티브야말로 신동이라고 생각했지. 거기 비하면 버니시는 그냥 잘난 척하기 좋아하는 흔해 빠진 수재 같았어."

"깜박 속은 거네." 캐시는 이렇게 말하고 짐짓 상냥한 미소를 지어 보였다. "물론 그렇게 당신을 속인 사람은 그치 한 사람이 아니잖아? 아마 그치가 제일 먼저였을지도 모르지만."

"됐어." 피터는 마지막 셔츠를 옷장에 걸며 말했다. "자, 아래층으로 내려가자고. E.C.하고 얘길 해야겠어."

스위트룸에서 나가자마자 누군가가 말을 걸었다. "피트[5]?"

피터는 뒤를 돌아다보았다. 복도 안쪽의 문간에 서 있던 거구의 사내가 흐릿한 웃음을 지어 보였다. "내가 누군지 모르겠어, 피터?"

"스티브?" 피터는 반신반의하며 말했다.

"맞아. 어이, 그럼 누구라고 생각했어?" 사내는 조금 비틀거리며 자기 방에서 나왔고, 손을 뒤로 돌려 문을 닫았다. "이쪽은 안사람 되시나? 맞지?"

"응." 피터는 말했다. "캐시, 이 친구는 스티브 델마리오야. 스티브, 캐시야." 델마리오는 다가와서 피터의 등을 철썩 친 다음 캐시의 손을 잡

---

5 Pete. 피터의 애칭.

고 열성적으로 흔들었다. 피터는 자기도 모르는 새에 옛 친구를 응시하고 있었다. E.C.가 지난 10년 동안 거의 변하지 않았다면, 스티브의 변화는 그것을 벌충해 주고도 남았다. 길 가다가 만났다면 피터는 이 옛 팀 동료를 결코 알아보지 못했을 것이다.

과거의 스티브 델마리오는 체스와 전자공학을 위해 사는 것이나 마찬가지였다. 체스에서는 사나운 경쟁 상대였고, 잡동사니들을 손보는 것을 좋아했지만, 이 좁은 정열의 대상에서 벗어난 것들에 대해서는 짜증이 날 정도로 전혀 관심을 보이지 않았다. 키가 크고 비쩍 마른 체구를 가진 청년이었고, 투박한 검정 테에 끼워진 코카콜라 병 바닥처럼 두꺼운 렌즈 뒤에는 믿기 힘들 정도로 강렬한 안광을 내뿜는 두 눈이 자리 잡고 있었다. 검은 머리카락은 언제나 부스스하게 헝클어져 있거나—이따금 자기 손으로 이발을 한 경우에는—기괴할 정도로 난잡하게 잘려 있었다. 복장에도 그 못지않게 무관심했고, 대부분의 경우 부랑자 스타일에서 스타일을 뺀 듯한 옷을 아무렇지도 않게 걸치고 다녔다. 어딜 가든 바짓단이 접힌 헐렁한 갈색 바지, 깃이 해진 10년은 된 듯한 셔츠, 지퍼가 달린 모양 없는 잿빛 스웨터를 입고 다녔던 것이다. E.C.는 스티브 델마리오가 핵전쟁으로 지구가 멸망한 다음 살아남은 최후의 사내처럼 보인다고 언급한 적이 있었고, 그 이후 거의 한 학기 동안 체스 클럽의 멤버들은 델마리오를 '지구 최후의 사내'라고 불렀다. 당사자는 개의치 않고 흔쾌히 그 별명을 받아들였다. 괴팍하기는 해도 인기가 있는 친구였다.

그러나 흘러간 세월은 그에게는 잔인했다. 알이 두꺼운 검은 테 안경은 옛날 그대로였고, 입고 있는 옷 또한 예전 못지않게 어수선했지만—헐어 빠진 갈색의 코듀로이 바지, 가슴 호주머니에 사인펜 세 개를 꽂은 반팔 흰 셔츠, 단추를 빠짐없이 잠근 빛바랜 스웨터 베스트, 흠집투성이의 허쉬퍼피제 가죽 구두—나머지는 모두 변해 있었다. 체중이 50파운드쯤 불어난 탓에 퉁퉁 부은 듯한 인상을 준다. 거의 완전히 대머리가 되어 있었고, 과거의 까치집 같던 흑발은 귓가에 축 늘어진 몇 가닥으로 줄어 있었다. 열에 들뜬 듯한 안광도 사라지고 지금은 흐릿한 눈빛이 남아 있을 뿐이다. 특히 이 눈빛은 피터의 마음을 지독히도 심란하게 만들었다. 가장 충격적이었던 것은 술 냄새를 풍기는 입김이었다. E.C가 이미 넌지시 알려 줬지만, 피터 입장에서는 여전히 받아들이기 힘들었다. 대학 시절 스티브 델마리오는 가끔 맥주를 홀짝이는 것을 제외하면 술에는 거의 손을 대지 않았던 것이다.

"이렇게 다시 만나서 정말 반가워." 피터는 이렇게 말했지만, 속으로는 본심으로 한 말인지 확신이 없었다. "아래층으로 내려갈까? E.C.가 기다리고 있던데."

델마리오는 고개를 끄덕였다. "그래그래, 그러자고." 그는 또다시 피터의 등을 탁 쳤다. "버니시를 만나 봤어? 염병할, 여긴 정말 굉장하지 않아? 메시지가 뜨는 그 스크린 봤어? 교묘해. 정말 교묘하더군. 버니시가 이렇게까지 출세할 줄은 꿈에도 몰랐어. 우리 퍼니(funny) 버니가 말이야, 응?" 그는 껄껄 웃었다. "몇 년이나 그 녀석이 낸 이런저런 특허에 주목하고 있었어. 정말이지 독창적이더군. 뛰어난 것들이야. 버니시가 그런 걸 고안하다니. 결국 사람이 어떻게 될지는 두고 봐야 하다는 얘기로군, 안 그래?"

그들이 나선 계단을 내려가자 거실은 클래식 음악의 선율로 가득 차 있었다. 어떤 곡인지는 알 수 없었다. 피터의 취향은 언제나 록 쪽에 기울어 있었기 때문이다. 그러나 클래식 음악은 E.C.의 정열의 대상 중 하나였다. 지금은 안락의자에 앉아 눈을 감고 음악에 귀를 기울이고 있다.

"마실 게 필요하군." 델마리오가 말하고 있었다. "내가 만들어 올게. 다들 목이 마를 테니. 버니는 이 계단 바로 뒤에 바를 하나 만들어 놓았더군. 뭘 가져다줄까?"

"뭐가 있는데요?" 캐시가 물었다.

"원하는 건 뭐든 다 있어." 델마리오가 말했다.

"그럼 비피터 진으로 마티니를 만들어 줘요." 캐시가 말했다. "아주 드라이한 걸로."

델마리오는 고개를 끄덕였다. "피트, 자네는?"

"아." 피터는 어깨를 으쓱했다. "맥주가 좋겠군."

델마리오는 바 카운터 뒤로 가서 술을 만들기 시작했다. 캐시는 피터에게 눈썹을 추켜올려 보였다. "고상하기도 하셔라. 맥주라니!"

피터는 그녀를 무시하고 E.C. 스튜어트 곁에 가 앉았다. "도대체 어디서 전축을 찾아냈어?" 그는 물었다. "어딜 봐도 눈에 띄지 않던데." 음악은 사방의 벽에서 직접 흘러나오는 듯했다.

E.C.는 눈을 뜨고 씩 웃어 보이더니 손가락으로 콧수염 끝을 훑었다. "메시지 스크린이 비밀을 털어놓더군. 저쪽 벽에 제어장치가 있어." 그는 그쪽을 향해 고개를 까닥해 보였다. "그리고 시스템 전체가 숨겨져 있어. 게다가 목소리로 작동해. 컴퓨터화 되어 있는 거야. 내가 듣고 싶은 앨범 제목을 말하기만 하면 됐어."

"대단하군." 피터는 시인했다. 그는 머리를 긁적였다. "스티브도 대학 시절에 목소리로 작동하는 전축을 만들지 않았던가?"

"자, 맥주." 델마리오가 말했다. 그는 두 사람 앞에 우뚝 서서 차갑게 식은 하이네켄 병을 내밀었다. 피터가 그것을 건네받자 델마리오는 다른 손에 자기 술잔을 든 채로 화려하게 장식된 커피 테이블 위에 엉덩이를 대고 앉았다. "나도 그런 시스템을 만들었지. 정말 조잡스러운 물건이었지만 말이야. 기억나? 그걸 가지고 날 놀리곤 했잖아."

"카트리지는 좋았다는 걸 기억하고 있어." E.C.가 말했다. "하지만 철사 옷걸이를 구부린 톤암에 그걸 달아 놓았으니."

"그래도 멀쩡하게 작동했다고." 델마리오가 반박했다. "게다가 그것도 자네가 방금 말했듯이 음성으로 작동했어. 정말 원시적인 것이긴 했지만. 전원을 넣고 끄는 기능밖엔 없었거든. 게다가 아주 큰 소리로 말해야 알아들었지. 대학을 졸업한 뒤에 개량할 작정이었지만, 결국 그러지 못했어." 그는 어깨를 으쓱했다. "이런 것하고는 어차피 상대가 안 되지만. 이건 정말로 정교한 시스템이야."

"그건 나도 깨닫고 있었어." E.C.가 말했다. 그는 목을 조금 뺀 다음 매우 뚜렷하고 커다란 목소리로 말했다. "음악은 이제 충분히 들었어. 고마워." 그 뒤에 떨어진 침묵은 잠시나마 피터를 놀라게 했다. 뭐라고 말해야 할지 알 수 없었다.

마침내 E.C.는 피터를 향해 몸을 돌리고 진지하기 그지없는 어조로 말했다. "버니시는 자넬 어떻게 여기로 데려왔어?"

피터는 영문을 알 수 없었다. "날 여기로 데려와? 그냥 초대받아 온 거야. 지금 무슨 소리를 하는 거야?"

"그 녀석은 스티브의 여비를 부담했어." E.C.가 말했다. "내 경우는 초대를 거절했지. 내가 브루시하고 사이가 좋았던 적이 없다는 건 알지. 거절하니까 그 자식은 연줄을 동원해서 내 마음을 바꿔 놓았어. 난 뉴욕의 광고 대행사에 근무하잖아. 큰 계약을 하겠다면서 내 상사들을 유인하더군. 그래서 여기 오든가 아니면 실직하든가 둘 중 하나를 택하는 수밖에 없었어. 흥미롭지, 안 그래?"

캐시는 소파에 앉아서 따분한 표정으로 마티니를 홀짝이고 있었다. "그 사람한텐 이 동창회가 아주 중요했던 것 같네요." 그녀가 말했다.

E.C.는 자리에서 일어나서 "이리 와 봐"라고 말했다. "자네들한테 보여 주고 싶은 게 있어." 그들은 순순히 일어나서 그를 따라 방을 가로질렀다. 책장에 둘러싸여 어둑어둑한 일각에 체스 판이 하나 놓여 있었고, 진행 중인 게임을 보여 주고 있었다. 체스 판은 밝고 어두운 색의 정사각형 목재를 엮은 것이었고, 호화로운 빅토리아풍 탁자 위에 공들여 상감되어 있었다. 체스 말들은 상아와 줄마노로 만들어져 있었다. "이걸 보라고." E.C.가 말했다.

"정말 아름다운 세트로군." 피터는 감탄하며 말했다. 더 자세히 보려고 검정색 퀸을 집어 올리려다가 놀란 나머지 신음을 흘렸다. 말이 꼼짝도 하지 않았기 때문이다.

"힘껏 잡아당겨 보라고." E.C.가 말했다. "그래 봤자 아무 소용도 없어. 나도 시도해 봤으니까. 체스 말들은 그 자리에 접착되어 있어. 하나도 빠짐없이."

스티브 델마리오는 두꺼운 안경알 뒤에서 눈을 깜빡이며 체스 판 주위를 돌았다. 술잔을 탁자 위에 놓고 흰 말들 뒤의 의자에 털썩 앉았다. "이 국면." 그는 술기운 탓에 조금 모호한 어조로 말했다. "난 이걸 알아."

E.C. 스튜어트는 희미하게 미소 짓고 콧수염을 쓰다듬었다. "피터."

그는 체스 판을 향해 고개를 까닥하며 말했다. "자세히 들여다봐."

피터는 체스 판을 응시했다. 느닷없이 모든 것이 명확해지면서, 체스 판 위의 국면이 거울에서 보는 자기 얼굴만큼이나 낯익은 것으로 변했다. "그 시합이로군." 그는 말했다. "전국 대회에서 본. 이건 버니시가 베셀리어와 대결했을 때의 결정적 국면이야."

E.C.는 고개를 끄덕였다. "나도 그렇게 생각했지만, 확신이 없었어."

"아, 나는 확신하고 있어." 델마리오가 커다란 목소리로 말했다. "어떻게 이걸 보고도 확신하지 않을 수 있겠어? 이건 버니가 시합을 망친 바로 그 순간이잖아. 기억 안 나? 세크를 하는 대신 킹을 나이트 1[6]로 움직였지. 그걸로 시합을 망쳤던 거야. 그때 난 그 녀석 바로 옆 탁자에서 인생 최고의 체스를 두고 있었어. 마스터를 이겼지. 하지만 그게 무슨 쓸모가 있었다고 생각해? 아무 쓸모도 없었어. 버니시 그 자식 때문이지." 그는 체스 판을 노려보았다. "나이트로 폰을 잡는다. 바로 그러기만 하면 베셀리어의 진영을 완전히 열어젖힐 수 있었어. 체크, 체크, 체크, 체크, 그러다가 어딘가에서 메이트[7]를 걸 수 있는 상황이 왔을 거야."

"하지만 결국 그걸 찾진 못했잖아, 델마리오." 그들 뒤에서 브루스 버니시가 말했다.

그가 거실로 들어오는 소리를 들은 사람은 아무도 없었다. 피터는 가보 은 식기를 훔치다가 현장을 들킨 도둑이라도 되는 것처럼 화들짝 놀

---

6 등장인물들은 체스 말의 위치를 가리킬 때 모두 설명 기보법을 쓰고 있으며, 나이트 1은 대수 기보법으로는 g1에 해당한다.
7 체크는 체스에서 장기의 장군에 해당하는 수다. 메이트 또는 체크메이트는 외통 장군, 즉 상대방의 킹을 더 이상 피할 수 없는 궁지에 몰아넣어 승리를 확보한 수를 의미한다.

랐다.

그들을 초대한 집주인은 몇 미터 떨어진 문간에 서 있었다. 버니시 역시 변했다. 대학 시절보다 살이 빠졌고, 이제는 단련된 탄탄한 몸을 하고 있었다. 그러나 둥그렇게 부푼 뺨만은 여전히 피터가 기억하는 대로였다. 짧게 치고 다니던 머리는 이제는 주의 깊게 다듬어지고 드라이를 한 풍성한 갈색 머리로 변해 있었다. 커다란 색안경을 끼고 비싼 옷을 입고 있다. 그러나 이 사내는 여전히 버니시였다. 시끄럽고 귀에 거슬리는 목소리 역시 피터가 기억하는 그대로였다.

버니시는 거의 자연스러운 동작으로 체스 판을 향해 걸어왔다. "델마리오, 자넨 시합이 끝난 뒤에 몇 주 동안이나 이 국면을 분석했잖아. 체크메이트가 되는 상황은 끝내 찾지 못했고."

델마리오는 일어섰다. "난 족히 십여 개는 되는 메이트를 찾아냈어."

"그래." 버니시가 말했다. "하지만 피하지 못할 메이트는 그중 어디에도 없었어. 베셀리어는 마스터였다고. 자네의 이른바 연속 메이트 공격에는 낚이지 않았을 거야."

델마리오는 미간을 찌푸리고 술잔을 집어 올렸다. 뭔가 다른 말을 하려는 기색이었다. 피터는 그가 적당한 단어를 모색하고 있는 것을 알 수 있었다. 그러나 E.C.가 일어나더니 그 기회를 빼앗았다. "브루스." 그는 손을 내밀었다. "다시 봐서 반갑군. 얼마나 오랜만이지?"

버니시는 그쪽으로 몸을 돌리고 거만한 미소를 떠올렸다. "E.C., 또 예의 장난을 치려는 건가? 얼마나 오랜만인지 자넨 잘 알고 있고, 나도 잘 알고 있어. 그런데 왜 군이 물어보는 거야? 노턴도 그걸 알고, 델마리오도 알아. 아마 노턴 부인을 위해 일부러 물어본 건가." 그는 캐시를 보았다. "얼마나 오랜만인지 아십니까?"

캐시는 웃음을 터뜨렸다. "이미 들었어요."

"아." 버니시는 이렇게 말하고 E.C. 쪽으로 몸을 홱 돌렸다. "그럼 모두가 안다는 거로군. 따라서 자네 말은 농담이라는 얘기가 되니까, 난 대답하지 않을 거야. 새벽 세 시에 곧잘 나한테 전화를 걸어서 몇 시인지 물어봤던 거 기억나? 내가 몇 시인지 대답하면, 도대체 이런 야심한 시각에 뭘 하고 있느냐고 되묻곤 했지?"

E.C.는 미간을 찌푸리고 손을 내렸다.

"흐음." 버니시는 그 뒤로 이어진 어색한 침묵 속에서 말했다. "바보 같은 체스 판 주위에 이렇게 서 있어도 아무 의미가 없어. 그러니까 벽난로 앞으로 가서 얘기를 나누자고." 그는 그쪽을 손짓해 보였다. "자."

그러나 일동이 자리에 앉은 뒤에도 또 침묵이 흘렀다. 피터는 맥주를 한 번 들이켜고 자신이 단지 거북한 것만이 아니라는 사실을 깨달았다. 그들 사이에서는 손으로 만질 수 있을 정도로 팽팽한 긴장이 맴돌고 있었다. "집이 정말 멋지군, 브루스." 그는 분위기가 조금이라도 밝아질 것을 기대하며 말했다.

버니시는 우쭐한 표정으로 주위를 둘러보았다. "나도 알아. 난 정말 크게 성공했지. 맞아, 크게 성공했어. 내 재산이 얼마나 되는지 얘기해도 아마 믿지 않을걸. 도대체 그 많은 돈을 어디다 써야 할지도 모를 정도야." 그는 만면에 알 수 없는 미소를 떠올렸다. "그런데 친구들, 자네들은 어때? 난 또 이렇게 자기 자랑을 늘어놓고 있잖아. 자네들의 성공담에 귀를 기울여야 할 때 말이야." 버니시는 피터를 바라보았다. "노턴, 자네가 먼저야. 우리 주장이기도 했으니. 그동안 어떻게 지냈어?"

"그래." 피터는 불편한 어조로 대꾸했다. "잘 지냈어. 지금은 서점을 소유하고 있지."

"서점이라! 정말 멋지군그래! 예전부터 출판 쪽에 종사하고 싶어 하는 걸 알고 있었지. 책을 파는 것보다는 쓰는 쪽일 거라고 생각하고 있었지만 말이야. 자네가 쓴다던 그 소설은 어떻게 됐어, 피터? 자네의 문학적 야망은?"

피터의 입안은 바싹 말라 있었다. "난…… 살다 보면 그런 건 바뀌는 법이야, 브루스. 글을 쓸 시간이 별로 없었어." 너무나도 미약한 변명이로군, 하고 피터는 생각했다. 느닷없이 이곳이 아닌 다른 장소에 가 있고 싶어서 견딜 수가 없었다.

"글을 쓸 시간이 별로 없었다." 버니시가 되풀이했다. "정말 안됐군, 노턴. 그렇게 전망이 밝아 보였던 친구가."

"여전히 밝아요." 캐시가 날카롭게 끼어들었다. "이이가 앞으로의 밝은 전망에 관해 약속하는 걸 들어 봤어야 했어요. 나하고 만난 이래 줄곧 전망이 밝았죠. 글은 쓰지 않아도 약속 하나는 잘하니까."

버니시는 웃음을 터뜨렸다. "자네 안사람은 정말 위트가 풍부하군." 그는 피터에게 말했다. "거의 대학 시절의 E.C. 못지않게 재미있어. 그런 사람과 결혼했으니 자네도 정말 즐거웠겠군. 난 자네가 E.C.의 시답잖은 장난을 얼마나 좋아했는지 기억하고 있어." 버니시는 E.C.를 쳐다보았다. "자넨 여전히 그렇게 재밌는 사내야, 스튜어트?"

E.C.는 불쾌한 기색이었다. "아주 히스테리를 일으킬 정도로 재밌지." 그는 무감동한 목소리로 말했다.

"그거 참 반가운 소리로군." 버니시는 이렇게 말하고 캐시 쪽으로 몸을 돌렸다. "피터한테서 E.C. 이 친구 얘기를 모두 들었는지는 모르겠지만, 정말이지 장난의 천재였어. 우리 E.C.는 정말이지 남을 웃기는 데는 천부적인 재주가 있었지. 우리 대학 체스팀이 시 선수권에서 우승했을 때, 자기 여자 친구를 시켜서 AP통신의 기자인 척하고 피터한테 전화를 걸게 한 적이 있었다지. 피터는 장난이라는 걸 깨닫기까지 한 시간 동안이나 인터뷰에 응했다는군."

캐시는 웃음을 터뜨렸다. "피터는 가끔 그렇게 둔할 때가 있어요."

"오, 그건 아무것도 아냐. 보통 E.C.가 장난을 치는 상대는 나였어. 난 그리 외향적인 성격이 아니었으니까 말이야. 여자가 죽도록 두려웠지. 하지만 E.C.에겐 여자 친구가 백 명은 있었던 데다가 하나도 빠짐없이 굉장한 미인이었어. E.C.는 그런 나를 가엾이 여기고 소개팅을 주선해주겠다고 했어. 물론 난 열성적으로 그 제안을 받아들였고 말이야. 그래서 만남 장소로 갔는데, 만나기로 한 여자가 길모퉁이를 돌아오더군. 검은 안경을 쓰고 지팡이를 쥐고 있었는데, 글쎄 그걸로 앞길을 툭툭 치면서 오는 거야."

스티브 델마리오는 폭소를 터뜨렸지만, 이내 억지로 참으려고 노력하다가 마시던 술에 질식할 뻔했다. "미안해." 그는 씨근덕거리며 말했다. "미안해."

버니시는 아무렇지도 않다는 듯이 손을 흔들었다. "어, 괜찮아. 웃으라고. 실제로 웃겼으니까 말이야. 실은 그 여자는 진짜 장님이 아니라 연극 전공이었고, 연극에서 자기가 맡은 역할을 미리 연습해 보고 있었던 거야. 하지만 내가 그걸 알아차리는 데는 하룻밤이나 걸렸지. 난 그렇게까지 어리석었던 거야. 그리고 그건 하나의 농담에 불과했어. 그것 말고도 몇백 번은 그런 꼴을 당했지."

E.C.는 우울한 표정이었다. "오래전에 일어난 일이야. 그땐 다들 어렸지. 브루스, 이젠 모두 과거의 일이라고."

"브루스?" 버니시는 놀란 목소리를 냈다. "어이, 스튜어트, 자네가 나를 브루스라고 부른 건 이번이 처음이라는 걸 아나. 자넨 변했군. 나를 브루시라고 부르기 시작한 사람은 다름 아닌 자네였다고. 하느님, 얼마나 그 별명이 싫었는지! 브루시, 브루시, 브루시. 난 그걸 정말로 혐오했어. 제발 브루스라고 불러 달라고 자네에게 몇 번이나 간청했는지 알아? 몇 번이나 그랬는지? 흠, 기억나지 않는군. 하지만 그로부터 3년이 지난 뒤 체스 클럽 미팅에서 자네가 나한테 와서 이렇게 말했던 걸 기억해. 심사숙고해 봤는데, 결국 네 말이 옳아, 브루시는 A급 체스 플레이어, 그것도 스무 살이나 먹은 ROTC 생도에게는 걸맞은 호칭이 아니라는 사실에 나도 동감해, 이랬지. 자넨 정확하게 그렇게 말했어. 그때 자네가 한 말은 고스란히 기억하고 있거든. E.C., 난 그때 너무나도 놀란 탓에 뭐라고 해야 할지 몰랐고, 결국 '좋아! 이제 그럴 때도 됐지!'라고 대답하고 말았지. 그러자 자넨 씩 웃더니 브루시라는 호칭은 이제 끝났고, 다시는 나를 브루시라고 부르지 않겠다고 했어. 그리고 지금부터는 나를 버니[8]라고 부르겠다고 하더군."

캐시는 웃음을 터뜨렸고, 델마리오는 폭소를 가까스로 억눌렀지만, 피터는 전신에 오한이 도는 것을 느꼈을 뿐이었다. 버니시의 웃는 낯은 온화해 보였지만, 옛날 일들을 열거하는 그의 목소리는 차갑게 얼어붙은

---

8 멍청하다는 뜻도 된다.

독 그 자체였다. E.C. 또한 전혀 재미있어 하는 표정이 아니었다. 피터는 맥주를 한 번 들이켜고 대화를 다른 방향으로 가져갈 수 있는 실마리를 찾아보려고 했다. "다들 여전히 플레이하고 있어?" 자기도 모르게 이런 말을 해 버렸다.

모두가 그를 쳐다보았다. 델마리오는 거의 만취 상태인 것처럼 보였다. "플레이?" 그는 이렇게 반문하고, 빈 술잔을 내려다보며 눈을 껌벅였다.

"마시고 싶은 만큼 마셔." 버니시는 델마리오에게 말했다. "술이 어디 있는지 알잖나." 델마리오가 바 쪽으로 가자 그는 피터를 향해 미소 지었다. "물론 체스 얘기겠군."

"체스." 피터는 말했다. "체스가 뭔지는 기억할 거 아냐. 검고 흰 말들 하고 문자판이 두 개 있는 시계를 늘어놓고 하는 묘한 소일거리." 그는 주위를 둘러보았다. "설마 다들 체스 두는 걸 그만뒀다는 건 아니겠지?"

E.C.는 어깨를 으쓱했다. "너무 바빠서. 대학을 졸업하고 나서는 정식 시합을 한 적이 없어."

델마리오가 돌아왔다. 버번이 가득 담긴 술잔 안에서 얼음이 나직하게 딸각거린다. "졸업 뒤에도 조금 하긴 했지." 그는 말했다. "하지만 지난 5년 동안에는 손을 놓고 있었어." 그는 털썩 앉아 차갑게 식은 벽난로를 들여다보았다. "그땐 상황이 안 좋았거든. 아내가 집을 나갔고, 두 번 실직했어. 여기 있는 이 버니는 나보다 한참을 앞서 갔고. 내가 어떤 아이디어를 내놓든 간에, 이미 이 친구가 특허 신청을 해 놓았더군. 그래서 난 아무 쓸모가 없게 됐어. 술을 마시기 시작한 건 그때부터야." 그는 미소 짓고 술을 한 모금 마셨다. "맞아. 바로 그때부터였지. 그리고 체스를 하는 것도 그때 그만뒀어. 모든 게 드러나 버리거든. 모든 게 체스 판 위에 나타나 버리는 거야. 난 연전연패했어. 송사리들한테 졌던 거야. 하느님 맙소사. 정말이지 믿기 힘들었어. 결국 내 평점은 B급으로 떨어져 버렸지." 델마리오는 술을 한 모금 더 마시고 피터를 보았다. "좋은 체스를 두려면 뭔가가 필요해. 무슨 뜻인지 알겠어? 일종의…… 염병할, 뭐라고 해야 하나…… 일종의, 오만함이 필요한 거야. 자신감이라고 해도 좋아. 에고(ego)를 떠받들고 있는 거, 뭐 그런 것들 말이야. 그리고 내겐 더 이상 그런 게 없었어. 그게 뭐든 간에 예전에는 갖고 있었어. 하지만 그걸 몽땅 잃어버렸던 거야. 불운이 계속됐지. 그러던 어느 날 주위를 둘러보니 그건 완전히 사라져 있었고, 그와 함께 내 체스 실력도 사라져 버렸어. 그래서 그만둔 거지." 델마리오는 입가로 술잔을 들어 올렸고, 잠시 주저하다가 단숨에 들이켰다. 그런 다음 그는 씩 웃었다. "그래서 그만뒀어." 그는 되풀이해 말했다. "포기했던 거지. 내던졌어. 손을 뗐어." 그는 껄껄 웃으며 일어섰고, 또다시 바 쪽으로 걸어갔다.

"난 계속했어." 버니시가 강한 어조로 말했다. "이젠 마스터가 됐지."

델마리오는 바로 가던 중에 발을 멈추고, 시선만으로도 사람을 죽일 수 있지 않을까 하는 생각이 들 정도로 강렬한 증오가 담긴 눈으로 버니시를 쏘아보았다. 피터는 스티브의 손이 부들부들 떨리고 있다는 사실을 깨달았다.

"정말 잘됐군, 브루스." E.C. 스튜어트가 말했다. "자네가 얻은 마스터의 지위를, 자네의 엄청난 재산을, 이 멋진 버니시 랜드를 만끽하라고." 그는 일어서서 찌푸린 얼굴로 베스트의 주름을 폈다. "자, 이제 가 봐야겠군."

"간다고?" 버니시가 말했다. "아니 E.C., 이렇게 일찍? 꼭 그래야겠어?"

"버니시." E.C.는 말했다. "앞으로 나흘 동안 여기 스티브하고 피터를 상대로 하찮은 에고 놀이를 하는 건 네 자유야. 유감스럽게도 난 거기 응할 생각이 없지만 말이야. 넌 언제나 머리가 썩어 있었고, 난 네가 여기서 10년 묵은 고름을 짜내는 걸 구경하면서 인생을 허비할 정도로 한가하지는 않아. 무슨 말인지 충분히 이해했겠지?"

"오, 완벽하게 이해하네." 버니시가 말했다.

"좋아." E.C.는 이렇게 대꾸하고 다른 사람들을 보았다. "캐시, 만나서 반가웠어요. 더 나은 상황에서 그러지 못했던 게 유감이군. 피터, 스티브, 가까운 시일 내에 뉴욕에 올 일이 있거든 꼭 연락하라고. 전화번호는 번호부에 나와 있어."

"E.C., 아무리 그래도……." 피터는 운을 뗐지만 아무 소용도 없다는 사실을 잘 알고 있었다. 옛날부터 E.C. 스튜어트는 고집불통이었다. 그를 설득해서 억지로 무엇을 시킨다거나 그만두게 하는 것은 불가능했다.

"잘 있어." 그는 피터의 말을 가로막고 성큼성큼 엘리베이터로 걸어갔다. 일동은 엘리베이터의 목제 패널 문이 닫히는 광경을 바라보았다.

"돌아올 거야." 엘리베이터가 내려간 뒤에 버니시가 말했다.

"그럴 것 같진 않은데." 피터는 대꾸했다.

버니시는 만면에 웃음을 띠며 일어섰다. 커다랗고 둥그런 뺨에 보조개가 파였다. "아, 하지만 돌아올 거야, 노턴. 두고 보라고. 이번에 시답잖은 장난을 치는 건 나야. E.C.도 내 농담을 곧 깨닫게 될걸."

"뭐?" 델마리오가 말했다.

"그렇게 안달하지 않아도 돼. 곧 알게 될 거니까." 버니시가 말했다. "그런데 난 잠시 실례해야겠군. 저녁 준비를 해야 해서 말이야. 다들 무척 배가 고프지? 실은 내가 직접 요리를 할 거야. 우리끼리만 오붓하게 동창회를 즐기려고 하인들은 모두 휴가를 보냈거든." 그는 손목시계를 보았다. 육중한 스위스제 금시계였다. "식당에서, 어디 보자, 한 시간 뒤에 만나자고. 그때쯤이면 준비가 모두 끝나 있을 거야. 좀 더 얘기를 나누자고. 인생 얘기, 체스 얘기를 말이야." 버니시는 미소 짓고 거실에서 나갔다.

캐시도 미소 짓고 있었다. "흠." 버니시가 나가자 그녀는 피터를 보며 말했다. "내 예상을 뛰어넘어 엄청나게 재미난 상황이네. 마치 해럴드 핀터[9]의 연극 속으로 걸어 들어온 것 같은 기분이야."

"그게 누구야?" 델마리오가 자리에 돌아와 앉으며 말했다.

피터는 그를 무시하고 말했다. "이 모든 게 전혀 맘에 안 들어. 우리한테 장난을 치다니, 버니시 그 녀석은 도대체 무슨 뜻으로 그런 말을 한 거지?"

해답을 아는 데는 오래 걸리지 않았다. 캐시가 마티니를 한 잔 더 만들려고 간 사이에 엘리베이터가 올라오는 소리가 또 들렸다. 일동은 목을 빼고 그쪽을 바라보았다. 문이 열리자 E.C.가 찌푸린 얼굴로 걸어 나왔다. "그 녀석은 어디 갔지?" 그는 굳은 목소리로 말했다.

"저녁 준비를 하러 갔어." 피터가 말했다. "무슨 일이야? 가면서 장난이 어쩌고 하던데……."

---

9 Harold Pinter(1930~2008). 부조리 연극으로 유명한 영국 극작가. 노벨 문학상 수상자.

"차고 문이 안 열려." E.C.가 말했다. "그래서 차를 뺄 수가 없어. 차 없이는 어디로도 갈 수 없잖아. 여긴 사람 사는 곳에서 적어도 50마일은 떨어져 있으니."

"내려가서 내 폭스바겐으로 박살을 내 줄게." 델마리오가 당장이라도 거들듯이 말했다. "영화에서 하는 것처럼 받아 버리는 거야."

"바보 같은 소리 마." E.C.가 말했다. "차고 문은 스테인리스강으로 되어 있어. 차로 받는다고 해서 부서질 물건이 아냐." 그는 오만상을 찌푸리고 콧수염 한쪽을 쓰다듬었다. "하지만 브루시 그 녀석을 박살내는 쪽이 훨씬 더 현실성이 있는 선택일지도 모르겠군. 그놈의 주방은 도대체 어디 있지?"

피터는 한숨을 내쉬었다. "E.C., 내가 자네라면 안 그럴 거야. 지금까지 그 녀석이 하는 행동을 줄곧 지켜봤는데, 자네를 감방에 처넣을 기회가 생긴다면 반색할 게 뻔해. 조금이라도 손을 대면 폭행당했다고 고소하는 거지. 자네도 알잖나."

"경찰한테 전화를 걸면 어때?" 캐시가 제안했다.

피터는 주위를 둘러보았다. "그러고 보니 여기선 전화가 전혀 눈에 띄지 않는군, 안 그래?" 침묵이 흘렀다. "우리 스위트룸에도 전화는 없었던 걸로 기억하는데."

"어이!" 델마리오가 말했다. "피트, 네 말이 맞아. 전화 따윈 없어."

E.C.는 자리에 앉았다. "아무래도 녀석한테 체크메이트를 당한 것 같군." 그는 말했다.

"정확한 표현이로군." 피터가 말했다. "버니시는 우리를 상대로 일종의 게임을 하고 있는 거야. 자기 입으로 그렇게 말하더군. 농담이라고."

"하하." E.C.가 말했다. "그럼 우린 어떻게 해야 할까? 웃을까?"

피터는 어깨를 으쓱했다. "저녁을 먹고, 애기를 나누라고. 동창회를 여는 거지. 버니시 그 자식이 우리한테서 도대체 뭘 원하는지 알아보는 거야."

"어이, 친구들, 우린 게임에서 이겨야 해. 그러는 수밖에 없어." 델마리오가 말했다.

E.C.는 상대방을 빤히 쳐다보았다. "도대체 그게 무슨 뜻이지?"

델마리오는 버번을 홀짝이고 히죽 웃었다. "방금 피터는 버니가 우리하고 일종의 게임을 하고 있다고 했어, 그렇지? 오케이, 좋아. 그럼 그걸 하자고. 이 빌어먹을 게임에서 그 녀석을 이기는 거야. 그게 뭐든 간에." 그는 껄껄 웃었다. "염병할. 우리가 놀아 주는 상대는 퍼니 버니라고. 지금은 마스터로 승격했을지도 모르지만, 난 그런 건 추호도 상관 안 해. 어차피 그 자식은 막판에 자멸할 게 틀림없어. 너희들도 알잖아. 버니시는 언제나 큰 게임을 날려 버렸다는 걸. 그러니까 이번에도 그렇게 될 거야."

"글쎄." 피터가 말했다. "정말 그럴까."

●○

피터는 또 한 병의 하이네켄을 가지고 자기 스위트룸으로 돌아왔고, 안뜰의 접의자에 앉아 그것을 마셨다. 캐시는 안뜰의 야외 온수 욕조를 시험해 보고 있었다.

"이거 정말 좋은데." 그녀가 온수 욕조 안에서 말했다. "긴장이 쫙 풀려. 관능적이기까지 해. 당신도 들어오면 어때?"

"아니, 됐어."

"우리도 이런 걸 하나 장만해야겠어."

"그래. 우리 아파트 거실에 가져다 놓으면 딱 좋겠군. 아래층 사람들이 참 좋아도 하겠다." 그는 맥주를 한 모금 들이켜고 머리를 흔들었다.

"무슨 생각을 하고 있어?" 캐시가 물었다.

피터는 음울한 미소를 떠올렸다. "체스. 믿든 안 믿든 그건 당신 자유지만."

"그래? 얘기해 봐."

"인생은 체스를 많이 닮았어."

캐시는 웃었다. "정말? 난 전혀 몰랐어. 왜 그랬는지는 모르겠지만."

피터는 그녀의 도발에 응하지 않았다. "모든 건 선택의 문제야. 각각의 수를 둘 때마다 우린 선택에 직면하고, 그런 선택은 각기 다른 베리에이션[變化局面]으로 이어지게 돼. 그런 식으로 갈라져 나오고, 거기서 또 갈라져 나오는 거지. 그리고 그렇게 해서 골라낸 국면은 처음 보았을 때만큼은 좋지 않거나 아예 악수(惡手)였을 가능성도 있어. 하지만 게임이 끝날 때까지는 그걸 확인할 수 없지."

"내가 이 온수 욕조에서 나간 뒤에 그 얘길 다시 되풀이해 줬으면 좋겠어." 캐시가 말했다. "후학을 위해서라도 글로 써서 남기고 싶거든."

"대학 시절에는 수없이 많은 인생의 가능성들이 눈앞에 펼쳐져 있다고 느꼈지. 베리에이션들이 말이야. 물론 환상 속의 인생 중 단 하나만을 골라 살아갈 거라는 건 알고 있었지만, 그래도 당시 몇 년 동안은 모든 가능성들을 품고 있었어. 모든 분기(分岐) 가능성들을, 모든 변화의 수를 갖고 있었던 거야. 어느 날은 소설가가 되는 꿈을 꿀 수도 있었고, 다른 날에는 워싱턴을 취재하는 기자가 되는 걸 꿈꿀 수도 있었어. 그것 말고는— 글쎄, 정치가나 교사, 뭐 그런 것들도 될 수 있었겠지. 내가 꿈꾸던 인생들이지. 꿈속의 재산과 꿈속의 여자들로 가득 찬. 내가 하려던 모든 일, 내가 살 모든 장소. 물론 이것들 모두가 상호 배타적이긴 하지만. 그래도 그중 어느 것도 아직 현실화되지 않았다는 건 내가 그 모든 걸 갖고 있었다는 뜻이기도 해. 체스 판 앞에 앉아서 게임을 시작할 때, 어떤 오프닝을 쓰게 될지 본인도 아직 모르는 것처럼 말이야. 시실리언일 수도 있고, 프렌치일 수도 있고, 루이 로페스일 수도 있겠지. 실제로 첫수를 두기 전까지는 그런 베리에이션 모두가 동시에 존재했던 거야. 어떤 방식을 택하든 간에 언제나 승리를 몽상하고 그러는 거지만, 그 결과 나오는 베리에이션은 모두…… 다른 법이지." 그는 맥주를 홀짝였다. "일단 게임이 시작되면, 가능성들은 좁아지고, 좁아지고, 좁아지면서, 다른 베리에이션들은 모두 사라지고 오직 한 국면만 남게 돼— 반은 우리들 자신의 손으로, 나머지 반은 체스 판 너머에 앉아 있는 낯선 적수라는 모습의 우연이 만들어 낸 국면이. 그 결과 우세에 설 수도 있고, 반대로 열세에 몰리는 수도 있겠지. 하지만 어떤 경우에든 우리에게 주어지는 국면은 단 하나야. 그랬을지도 모를 가능성들은 모조리 사라진 상태니까."

캐시는 안뜰의 온수 욕조에서 나와 타월로 몸을 닦기 시작했다. 욕조에서 올라온 김이 그녀를 살포시 감쌌다. 피터는 자신이 거의 상냥하다고 할 수 있을 정도의 눈으로 그녀를 바라보고 있다는 사실을 깨달았다. 오랫동안 느껴 보지 못한 감정이다. 그러자 그녀는 입을 열고 모든 것을 망쳐 놓았다. "당신, 천직을 잘못 고른 거 아냐?" 그녀는 타월로 몸 구석

구석을 문지르며 말했다. "당신은 포스터 문구를 쓰는 전문가가 되어야 했어. 포스터 작성에 걸맞은 심오한 사고를 갖고 있잖아. 있잖아, 이런 거. 난 당신의 기대에 부응하기 위해 이 세상에 나온 게 아니ㅡ."

"됐어." 피터는 말했다. "빌어먹을, 도대체 얼마나 더 피를 흘려야 만족할 거야?"

캐시는 허리를 굽히고 그를 바라보았다. 그녀는 찡그린 표정으로 말했다. "이번엔 정말로 기분이 별로인 것 같아, 그렇지?"

피터는 먼 산을 바라보며 대답하려고조차 하지 않았다.

걱정스러운 어조는 처음 나타났을 때만큼이나 빠르게 사라졌다. "또 그놈의 우울증이야, 응? 맥주를 더 마시면 어때? 좀 더 자기 연민에 푹 빠져 봐. 한밤중이 될 무렵이면 취해서 훌쩍거리는 주정뱅이가 되어 있을걸. 계속 그러라고."

"줄곧 그 시합 생각을 하고 있었어." 피터는 말했다.

"시합?"

"전국 대회 단체전에서 시카고 대학 상대로 치른 시합 말이야. 괴상하지만 자꾸 이런 생각이 떠오르는 거야. 마치…… 마치 그때부터 모든 게 틀어지기 시작했다는 생각이. 그때 우리에겐 뭔가 큰일을, 특별한 일을 해낼 수 있는 기회가 있었어. 하지만 그건 우리 손에서 빠져나갔고, 그 이래 뭐든 제대로 되는 일이 없었어. 패배로 이어지는 베리에이션이었던 거야, 캐시. 우린 패배로 이어지는 악수를 골랐고, 그 뒤로도 줄곧 지기만 했어. 우리들 모두가."

캐시는 욕조 가장자리에 앉았다. "당신들 모두가?"

피터는 고개를 끄덕였다. "우리를 보라고. 난 소설가로서 실패했고,

저널리스트로도 실패했고, 지금은 경영에 실패한 서점을 소유하고 있어. 못된 와이프에 시달린다는 점은 말할 것도 없고. 스티브는 여기까지 올 여비조차도 없는 주정뱅이고, E.C.는 그저 그런 경력밖에는 없는 영업부 고참이야. 다들 장래성이 전무하지. 우리 모두가 루저야. 당신 입으로도 그렇게 말했잖아. 차 안에서."

캐시는 미소 지었다. "아. 하지만 우릴 초대한 집주인은 어때? 버니시는 당신들 중 그 누구보다도 크게 패했지만, 그 뒤로는 모든 걸 손에 넣은 것처럼 보이는데."

"흐으음." 피터는 생각에 잠긴 표정으로 맥주를 홀짝였다. "글쎄. 부유하다는 건 인정해야겠지. 하지만 거실에 말들을 접착시켜 놓은 체스 판을 두고 살잖아. 10년 전에 자기 손으로 망친 게임을 하루도 거르지 않고 바라볼 수 있도록 말이야. 내 눈에는 도저히 승리자가 하는 행동으로 보이지는 않는데."

캐시는 일어서서 고개를 흔들어 머리를 풀었다. 긴 적갈색의 머리카락이 양어깨 위로 화려하게 흘러내린다. 그것을 본 피터는 그가 데뷔 장편의 집필에 열중하던 8년 전, 촉망받는 젊은 작가였을 무렵 그와 결혼한 상냥한 여인을 떠올렸다. 피터는 미소 지었다. "멋져 보여." 그는 말했다.

캐시는 깜짝 놀란 기색이었다. "당신 기분이 별로인 거 아니었어? 혹시 열이라도 있는 거 아냐?"

"열은 없어. 단지 추억 그리고 수많은 후회가 있을 뿐이야."

"아." 그녀는 이렇게 말하고 침실로 되돌아가면서 그를 향해 타월을 휙 흔들어 보였다. "따라오세요, 주장님. 팀 동료들에겐 좀 기다리라고

하고. 심각한 철학 얘기를 실컷 들었더니 어째 몸이 막 근질근질하네요."

●○

음식은 근사했지만, 만찬은 최악이었다.

그들은 레어로 구운 두꺼운 최상급 소갈비 스테이크에 커다란 구운 감자와 신선한 채소를 잔뜩 곁들여 먹었다. 와인은 매우 비싸 보였고, 맛도 뛰어났다. 그다음에는 골라 먹을 수 있는 세 종류의 디저트가 나왔고, 갓 갈아 만든 원두커피와 몇 가지의 맛있는 리큐어가 딸려 나왔다. 그런데도 왜 이토록 긴장되고 불쾌한 걸까, 하고 피터는 생각했다. 스티브 델 마리오는 식탁에 앉기 전부터 이미 맛이 간 상태였지만, 음식을 먹으면서 와인을 물처럼 들이켠 탓에 점점 더 목소리가 커지고 혀가 꼬이기 시작했다. E.C. 스튜어트는 차가운 침묵을 지켰지만, 얼음장 같은 초연한 태도 뒤에서 분노를 가까스로 억누르고 있는 투가 역력했다. 그리고 버니시는 그들 사이의 대화를 안전한 중립지대로 유도하려는 피터의 노력을 번번이 무산시켰다.

버니시는 온화하고 관대한 척하면서도 자기만족에 빠진 표정을 제대로 감추지는 못했고, 여전히 대학 시절의 오래된 상처를 들쑤시는 일에 집착했다. 피터가 재미있거나 무해한 에피소드를 화제에 올리면, 상처받거나 거절당했을 때의 고뇌로 가득 찬 경험을 예로 들며 반격하는 식이었다.

식후의 커피를 마실 무렵이 되자 E.C.의 인내심도 마침내 한계에 달했다. "고름." 그는 큰 소리로 이렇게 말하며 버니시의 말을 가로막았다.

식사 중에 그가 입 밖에 낸 세 마디째의 말이었다. "고름, 또 고름이야. 버니시, 도대체 말하고자 하는 요점이 뭐야? 넌 우릴 여기로 데려왔어. 여기에 우릴 가뒀지. 너하고 함께. 왜? 대학에서 우리가 못되게 굴었다는 걸 증명하려고? 그게 목적인 거야? 그렇다면 좋아. 이미 넌 목적을 달성했어. 우린 널 괴롭혔어. 난 그게 수치스러워. 모두 내 잘못이야. 메아쿨파, 메아 쿨파, 메아 막시마 쿨파[10]. 자 이제 끝내자고. 이미 지나간 일이야."

"지나간 일이라고?" 버니시는 미소 지으며 말했다. "아마 그럴지도 모르지. E.C., 자네가 변한 건지도 모르겠군. 내가 자네 농담의 표적이 됐을 무렵에는 몇 주 내내 그 얘기를 하곤 했잖아. 끝난 일도 당시엔 그렇게 최종적이진 않았나 보군그래. 전국 대회에서 내가 베셀리어하고 붙었을 때는 또 어떻고? 그 시합이 끝난 뒤엔 다들 그걸 잊어 주기라도 했단 말이야? 아, 잊어 줬을 리가 있나. 다들 기억하겠지만 그 시합은 12월에 있었지. 하지만 난 다음 해 5월에 졸업할 때까지 줄곧 그 얘기를 듣고 살아야 했어. 체스 클럽 미팅이 있을 때마다 말이야. 내 입장에서 그 시합은 결코 끝나지 않았어. 델마리오는 나하고 마주칠 때마다 각기 다른 체크메이트 국면을 보여 주는 걸 좋아했지. 우리 친애하는 주장님께서는 그해 말까지 나를 리그 대항전에 출전시켜 주지 않았어. 그리고 E.C. 자네는 나를 볼 때마다 '어이, 버니, 최근에 또 큰 승리를 놓친 적이 있어?'라면서 인사를 하곤 했지. 클럽 신문에 그 시합의 기보(棋譜)를 싣고, 〈체스

---

10 라틴어로 '나의 잘못으로, 나의 잘못으로, 나의 가장 통탄할 만한 잘못으로 인해'라는 뜻이다. 가톨릭 기도문에서 유래.

라이프〉지에 그걸 우송하기까지 했어. 보나 마나 자네들에겐 이런 일들이 모두 먼 옛날 일처럼 느껴지겠지만, 나한텐 이런 완벽한 기억력이 있어서 말이야. 그래서 자네들처럼 그렇게 쉽게 잊지를 못하는 거야. 몽땅 기억하고 있으니까. 난 베셀리어가 체스 판 너머에서 배 위에 깍지 낀 손을 올려놓고 미동도 않고 앉아 그 콩알만 한 눈으로 나를 응시하던 모습을 지금도 뚜렷하게 기억하고 있어. 그치가 자기 체스 말을 아주 조심스럽게, 아주 우아하게, 엄지하고 검지 끝으로 잡고 살짝 들어 올리는 광경을 지금도 뚜렷하게 기억하고 있어. 다음 수를 두기 전에 잠깐 물을 마시러 복도에 나갔을 때, 벽에 붙인 성적표 앞에서 노턴이 A팀의 레스 마로바에게 말을 걸던 걸 기억하고 있어. 그때 노턴이 뭐라고 했는지 알아? 흥분한 나머지 양손을 마구 휘저으면서 이렇게 말하더군. 그 녀석은 저 시합을 망칠 거야, 염병할, 망칠 거라고! 안 그런가, 피터? 그러자 레스는 옆을 지나가던 나를 보고는 이렇게 말했지. '이번 시합에서 지기라도 한다면 넌 퇴비가 될 줄 알아, 버니!'라고 말이야. 레스도 자네들 못지않게 다정하기 그지없는 친구였지. 난 내 시합을 구경하려고 자꾸 모여들던 사람들을 모두 기억하고 있어. 노턴과 할 윈슬로, 위대하신 이 두 주장님들께서 방구석에 서서 열 받은 어조로 말을 나누던 광경도 기억하고 있어. 윈슬로는 구깃구깃한 옷차림에 수염도 제대로 안 깎은 채 클립보드를 눈이 빠져라 들여다보면서, 우리가 이기거나 지거나 무승부를 기록한다면 누가 몇 등을 할지를 확인하려 하고 있었어. 내가 킹을 눕혔을 때[11] 어떤 기분이었는지도 기억하고 있지. 델마리오가 벽을 마구 걷어차

---

11 체스에서 패배를 자인하는 제스처.

기 시작한 것도, E.C.가 어깨를 으쓱하고 천장을 올려다보던 것도, 피터가 다가와서 그냥 '버니시!'라고 내뱉고는 고개를 설레설레 흔들던 광경도 기억하고 있다고. 알겠어? 내 발군의 기억력은 옛날 못지않게 발군의 상태를 유지하고 있고, 그 덕에 난 모든 걸 잊지 않고 기억하고 있어. 특히 그 시합 일은 잊으려야 잊을 수가 없었지. 원한다면 말의 모든 움직임을 이 자리에서 암송할 수도 있어."

"이런 염병할." 스티브 델마리오가 말했다. "네가 암송해야 하는 중요한 움직임은 단 하나뿐이야, 버니. 나이트로 폰을 잡는다. 이걸 암송해야 한다고. 세크. 승리로 이어지는 세크. 네가 채택하지 않았던 움직임 말이야. 그러는 대신 네가 무슨 한심한 수를 뒀는지는 기억이 안 나지만."

버니시는 미소 지었다. "그때 난 킹을 나이트 1로 움직였어. 내 루크 폰¹²을 지키기 위해서였지. 난 퀸 사이드로 캐슬링¹³을 한 상태였고, 베셀리어도 루크 폰을 노리고 있었거든."

"폰이라고, 이 머저리 같은 자식." 델마리오가 말했다. "그때 넌 다 이겨 가고 있었어. 그때 세크만 했으면 그 고래 같은 자식을 작살낼 수가 있었다고. 그랬다면 얼마나 웃겼을까. 토끼 한 마리가 고래를 박살낸 꼴이니. 할 윈슬로, 그 노땅도 너무 놀란 나머지 그놈의 클립보드를 떨어뜨렸을걸. 하지만 넌 아무 짝에도 쓸모없는 폰 나부랭이를 지키려고 시합 전체를 망쳐 버렸어. 망쳐 버린 거야."

"나한테도 직접 그렇게 말했지." 버니시가 말했다. "그렇게 말했고, 되

12　rook pawn. 루크 앞에 배치되는 폰. a열과 h열의 폰에 해당.
13　castling. 킹과 루크를 동시에 움직이는 특수한 수.

풀이해서 그렇게 말했어."

"이봐." 피터가 말했다. "그런 일을 지금 문제 삼아 봤자 무슨 소용이 있겠어. 브루스, 스티브는 취했어. 보면 알잖아. 지금 자기가 무슨 말을 하는지도 모른다고."

"스티브는 자기가 무슨 말을 하는지 정확히 알고 있어, 노턴." 버니시 는 대꾸했고, 희미하게 미소 짓더니 안경을 벗었다. 피터는 상대방의 눈 을 보고 화들짝 놀랐다. 버니시의 눈에 깃든 증오는 거의 손으로 만질 수 있을 정도였던 데다가, 그 밖에도 또 무엇인가가 있었다. 뭔가 오래되고, 쓰디쓰며, 그곳에 갇혀 있는 무엇이. 버니시의 시선은 이 모든 오래된 적 의의 와중에서 조용히 앉아 있는 캐시를 잠깐 훑고 지나갔고, 그다음에 는 스티브 델마리오, 피터 노턴, E.C. 스튜어트를 차례로 훑었다. 엄청난 혐오감과 엄청난 희열을 담아.

"이제 하고 싶은 얘긴 충분히 했잖아." 피터는 거의 애원하는 듯한 어 조로 말했다.

"아냐!" 델마리오가 말했다. 술기운 탓에 호전적으로 변해 있었다. "그 정도로는 충분하지 않아. 절대로 충분해질 수가 없다고. 염병할. 체스 세 트를 꺼내 와, 버니! 도전하겠어! 지금 당장 그 국면을 분석하고, 처음부 터 다시 되풀이해 보자고. 네가 얼마나 병신 같은 짓을 했는지를 똑똑히 보여 주지." 그는 일어섰다.

"그보다 더 나은 아이디어가 있어." 버니시가 말했다. "앉아, 델마리 오."

델마리오는 당혹한 듯이 눈을 껌벅였고, 다시 자기 자리에 털썩 앉 았다.

"좋아." 버니시가 말했다. "그 아이디어에 관해서는 곧 얘기해 줄게. 하지만 우선 난 자네들에게 이야기를 하나 해 주고 싶어. 아치 벙커[14]가 말했듯이 앙갚음을 하려면 복수만큼 좋은 건 없지. 하지만 복수의 대상이 되는 본인이 그 사실을 모를 경우에는 복수라고 할 수 없어. 그래서 지금부터 얘기해 줄게. 내가 자네들의 인생을 어떻게 망쳐 놓았는지를 하나하나 얘기해 주겠다는 뜻이야."

"염병할, 작작해 둬!" E.C.가 말했다.

"E.C., 자넨 옛날부터 남의 이야기를 듣는 걸 싫어했지." 버니시는 말했다. "왜 그런지 알아? 누군가가 이야기를 하기 시작하면, 그 누군가가 주목의 대상이 되어 버리기 때문이야. 자넨 언제 어디서든 반드시 주목의 대상이 될 필요가 있으니까 그걸 용납할 수가 없었던 거지. 하지만 이제 자넨 그 어떤 주목의 대상도 못 되는 존재야. 그런 하찮은 인물이 되어 보니 기분이 어떻던가?"

E.C.는 넌더리가 난다는 표정으로 고개를 젓고 잔에 커피를 더 따랐다. "계속하라고, 버니시. 하고 싶은 얘기를 해. 우린 사로잡힌 청중[15]이 잖아."

"사로잡힌 게 맞아, 그렇지?" 버니시는 미소 지었다. "알았어. 모든 건 그 시합에서 비롯됐어. 나하고 베셀리어 사이에서 벌어진 게임 말이야. 난 그걸 절대로 망치지 않았어. 처음부터 아예 승산이 없는 국면이

---

14 Archie Bunker. 1970년대 미국 CBS에서 방영된 인기 시트콤 〈All in the Family〉에 등장하는 완고하고 보수 반동적인 백인 노동계급 캐릭터.
15 captive audience. 원래는 싫어도 자리를 뜨지 못하고 상대의 말에 귀를 기울여야 하는 상황에 놓인 청중을 의미한다.

었거든."

델마리오는 들으라는 듯이 커다랗게 트림을 했다.

"난 알아." 버니시는 개의치 않고 말을 계속했다. "지금은 알지만, 그때는 몰랐지. 자네들 말이 옳다고 생각했어. 내가 모든 걸 망쳐 버렸다고 생각했던 거야. 난 그런 생각에 계속 시달렸어. 몇 년이나 줄곧. 자네들이 믿지 않을 정도로 오랜 세월 동안. 밤이 되어 잠자리에 들 때마다 그 시합을 머릿속에서 재현했어. 그 시합이 내 인생 전체를 완전히 망쳐 놓았던 거야. 급기야는 강박관념이 되어 버렸지. 내가 원했던 건 오직 하나 — 다시 한 번 기회를 갖는 것이었어. 난 어떻게든 그때로 되돌아가서 다른 수를, 다른 움직임을 채택해서 승리하고 싶었어. 난 잘못된 수를 골랐던 거야. 단지 그뿐이야. 그래서 다시 한 번만 기회가 주어진다면 더 잘할 수 있을 거라고 생각했어. 난 그 목적을 실현시키려고 50년 넘게 노력했어. 오로지 그 목적만을 위해."

피터는 차갑게 식은 커피를 황급히 넘기고 말했다. "뭐? 50년이라고? 5년이라고 말하려던 거지?"

"50년." 버니시는 되풀이해 말했다.

"완전히 돌아 버렸군." E.C.가 말했다.

"아냐." 버니시가 말했다. "난 천재라고. 혹시 자네들 중 시간 여행에 관해 들어 본 사람이 있나?"

"그런 건 존재하지 않아." 피터가 말했다. "패러독스가……."

버니시는 조용히 하라는 듯이 손을 흔들었다. "그 말은 옳은 동시에 틀렸어, 노턴. 시간 여행은 존재해. 비록 일종의 제한된 방식이긴 하지만 말이야. 하지만 그것만으로도 충분했어. 어차피 이해하지도 못할 수학

공식을 예로 들어 자네들을 따분하게 하진 않겠어. 그러는 것보다는 비유로 설명하는 게 더 쉽지. 시간은 4차원으로 간주되지만, 다른 세 개의 차원과는 어떤 한 측면에서 크게 다르지— 우리의 의식이 그걸 따라 움직인다는 점에서 말이야. 애석하게도 과거에서 현재로만 움직이지만 말이야. 시간 자체는 흐르지 않아. 마치 어떤 물체의 폭이 흐를 수 없는 것처럼 말이야. 우리 마음은 한 순간에서 다음 순간으로 명멸하듯이 옮겨가지. 이 비유가 나의 출발점이었어. 만약 인간의 의식이 한 방향을 향해 움직일 수 있다면, 반대 방향으로도 움직일 수도 있을 거라고 나는 추론했어. 하지만 이론의 세부를 완성시키고 내가 플래시백이라고 부르는 이 현상을 실용화하는 데는 50년이란 세월이 필요했어.

제군, 그게 내 첫 번째 인생이었다네. 실패와 조롱과 빈곤으로 점철된 인생이었지. 나는 나의 강박관념에 순종했고, 입에 풀칠하기 위해 필요한 일들을 했어. 그리고 50년이라는 세월의 모든 순간순간마다 난 자네들 모두를 증오했어. 내가 악전고투하고 실패를 거듭하는 동안 자네들이 차례로 성공을 거두는 걸 보면서 나의 고뇌는 한층 더 뜨겁게 불타올랐지. 난 대학을 졸업하고 나서 20년 뒤에 노턴을 한 번 만난 적이 있어. 작가 사인회였지. 정말이지 지독하게도 생색을 내더군. 내가 자네들 모두를 파멸시키려고 결심한 건 바로 그때였어.

그리고 그걸 실행에 옮겼지. 이걸 뭐라고 해야 하나? 난 일흔한 살 때 내 기계를 완성시켰어. 시간을 넘어 물질을 이동시키는 방법은 없지만, 마음, 마음만은 별개의 문제였어. 그 기계는 내 마음을 나 자신의 인생에서 골라낸 임의의 시점으로 보내서, 모든 기억을 유지한 채로 내 의식을 과거의 의식 위에 겹칠 수 있다네. 물론 무엇 하나 가지고 돌아갈 수는 없지만 말이야." 버니시는 미소 지으며 의미심장한 표정으로 자기 관자놀이를 툭툭 쳐 보였다. "하지만 난 여전히 사진적 기억을 갖고 있었어. 그것만으로도 충분했지. 난 새로운 삶에서 내가 필요로 하는 것들을 모두 기억한 다음 청년 시절로 플래시백했던 거야. 그렇게 해서 나는 또 한 번의 기회를 얻었어. 인생이라는 게임에서 뭔가 다른 수를 둘 수 있는 기회를 말이야. 그걸 실행에 옮겼던 거지."

스티브 델마리오는 눈을 깜박였다. "그럼 네 몸." 그는 혀 꼬부라진 소리로 말했다. "그럼 네 몸은 어떻게 된 거야? 엉?"

"흥미로운 질문이군. 플래시백의 충격은 시간 여행 후보자를 죽인다네. 그러니까, 그 몸을 말이야. 그러나 시간선(時間線) 자체는 계속돼. 적어도 내가 계산한 방정식은 그렇게 될 거라고 예측하고 있어. 내 눈으로 그걸 목격한 건 아니지만 말이야. 하지만 과거에 가해진 변화는 새로운, 다른 종류의 시간선을 만들어 내지."

"아. 다른 길로 갈라진다는 거로군." 델마리오는 이렇게 말하고 고개를 끄덕였다. "그거야 그렇지."

캐시가 웃음을 터뜨렸다. "여기 이렇게 앉아서 이런 얘기를 듣고 있다니 도저히 믿기지가 않아." 그녀는 말했다. "게다가 저 사람이―그녀는 델마리오를 가리켰다―그걸 곧이곧대로 받아들이고 있다는 것도."

E.C. 스튜어트는 하릴없이 천장을 바라보고 있었다. 얼굴에는 경멸하는 듯한, 관대한 미소를 띠고 있었다. 이제 그는 허리를 폈다. "나도 동감입니다." 그는 캐시에게 말했다. "난 너처럼 잘 속는 성격이 아냐, 브루스." 그는 버니시에게 말했다. "이런 말도 안 되는 헛소리로 우리를 설득해서 웃음거리로 만들 생각이라면, 실패할 거라고 말해 주고 싶군."

버니시는 피터에게 몸을 돌렸다. "주장, 자네 의견은 어때?"

"흐음." 피터는 주의 깊게 말했다. "이 모든 걸 믿으라니 좀 힘들군, 브루스. 그 시합이 강박관념이 되어 버렸다는 얘기를 했는데, 그건 사실인 것 같아. 아무래도 전문가한테 그 얘기를 하는 편이 나을 거야. 우리한테가 아니라."

"전문가라니, 무슨?" 버니시가 말했다.

피터는 거북한 표정으로 몸을 들썩였다. "알잖아. 정신과 의사나 카운슬러."

버니시는 껄껄 웃었다. "그렇게 큰 좌절을 겪고도 그놈의 생색내는 성격은 하나도 안 변했군. 그 서점에서 만났을 때도 지금 못지않았어. 자네가 소설가로서 성공을 거둔 그 시간선에서 말이야."

피터는 한숨을 쉬었다. "브루스, 자네의 그 망상 말인데, 그게 얼마나 비참하게 들리는지 아나? 그러니까, 자네가 큰 성공을 거둔 건 명백하고 우리들 중에 그렇게 잘나가는 사람이 없다는 건 사실이지만, 그것만으로는 만족하지 못해서 우리의 이런저런 실패 뒤에 자네의 농간이 있었다는 정교한 판타지를 자아내다니. 그건 대리 만족, 상상 속의 복수에 불과해."

"노턴, 그건 대리 만족도 아니고, 상상 속에서 일어난 일도 아냐." 버니시는 내뱉었다. "내가 어떻게 그랬는지 정확하게 얘기해 줄 수 있어."

"얘기하게 내버려 둬, 피터." E.C.가 말했다. "그럼 이 정신병원에서 우릴 나가게 해 줄지도 모르니까."

"어 고마워, E.C.." 버니시가 말했다. 그는 흡족한 기색으로 식탁 주위를 둘러보았다. 기나긴 세월 동안 고이 간직해 온 꿈을 드디어 실현하려고 하는 사내 같은 표정이었다. 이윽고 그는 스티브 델마리오를 표적으로 삼았다. "그럼 자네 일부터 시작하지. 사실, 자네부터 시작했으니까 말이야. 델마리오, 자넬 파멸로 몰아넣는 건 쉬웠어. 예전부터 지극히 한정된 삶을 살아왔으니까. 원래 시간선에서 자넨 이 시간선에 있는 나만큼이나 부유했다네. 내가 플래시백 드라이브를 완성시키는 일에 일생을 바치는 동안 자넨 넓은 세상에 나가서 엄청난 부를 축적했지. 처음에는 전자 게임, 나중에는 홈 컴퓨터 따위의 좀 더 기본적인 물건으로 성공했어. 자넨 그런 걸 위해 태어난 거나 마찬가지고, 업계 최고였으니까 말이야. 영감에 차 있던 데다가 독창적이었지.

나는 과거로 플래시백해서 자네의 그 자리를 고스란히 빼앗았어. 기계를 쓰기 전에 자네의 조촐한 초기 게임들을, 자네의 가장 뛰어난 아이디어들을, 훗날 자네를 억만장자로 만들어 준 특허들을 샅샅이 연구했지. 그리고 그것들을 몽땅 암기했어. 하나도 빠짐없이, 그걸 생각해 낸 날짜까지 포함해서 말이야. 그런 선견지명으로 무장하고 과거로 돌아간 뒤에 자네를 깔아뭉개는 건 누워서 떡 먹기였어. 잇달아 그랬던 거야. 어이, 델마리오, 처음 시작했을 무렵에, 자네가 새로운 묘안을 낼 때마다 내가 선수를 치는 걸 이상하게 생각해 본 적이 한 번도 없나? 난 자네의 인생을 살아가고 있었던 거야, 델마리오."

상대방의 얘기를 들으면서 델마리오의 손이 떨리기 시작했다. 죽은 사람처럼 창백한 안색이었다. "이 새끼." 그는 말했다. "이 죽일 놈의 새끼."

"이 녀석 술수에 놀아나지 마, 스티브." E.C.가 끼어들었다. "우리가 땅을 치는 걸 보려고 없는 말을 지어내고 있는 거야. 이건 이루 말할 수 없을 정도로 황당한 거짓말에 불과해."

"하지만 사실이라고." 델마리오는 흐느끼듯이 말하고 E.C.에서 버니시에게 시선을 옮겼고, 그런 다음 절망한 표정으로 피터를 보았다. 두꺼운 안경알 뒤에서 두 눈이 미친 듯이 번득였다. "피터, 방금 이 녀석이 한 얘기—내 모든 아이디어—언제나 내 선수를 쳤다는 얘기. 이 자식은, 이 자식은, 자네한테도 얘기했잖아. 이 자식은—."

"응." 피터는 단호한 어조로 말했다. "그리고 자넨 브루스한테도 얘기했어. 아까 얘기를 나누면서 말이야. 브루스는 지금 자네의 두려움을 이용해서 자네를 막다른 골목으로 몰아넣고 있는 거야."

델마리오는 말을 하려고 입을 열었지만, 아무 말도 나오지 않았다.

"한 잔 더 하라고." 버니시가 제안했다.

델마리오는 버니시를 쳐다보았다. 벌떡 일어나서 목을 조르기라도 할 듯한 기색이었다. 피터는 말리려고 몸을 긴장시켰다. 그러나 델마리오는 그러는 대신 반쯤 빈 와인 병에 손을 뻗치고 여기저기 흘리며 술을 따랐을 뿐이었다.

"정말이지 가증스럽군, 브루스." E.C.가 말했다.

버니시는 몸을 돌려 E.C.를 마주 보았다. "델마리오의 파멸은 쉽고 극적이었어. 하지만 스튜어트, 자네 경우엔 그보다 더 어려웠지. 알다시피 델마리오는 자기 일만을 위해 사는 친구였고, 내가 그걸 빼앗으니까 그냥 허물어졌어. 대여섯 번 선수를 치니까 완전히 자신감을 잃고 자멸해 버리더군. 하지만 E.C., 자넨 그렇게 호락호락하진 않았어."

"재밌는 망상이니 계속 얘기해 보라고, 버니시." E.C.는 어르듯이 말했다.

"델마리오의 아이디어 덕에 난 부자가 됐어." 버니시가 말했다. "그 돈을 써서 자네를 함정에 빠뜨렸지. 자네의 몰락은 델마리오에 비하면 덜 만족스러웠고, 덜 압도적이었지만 말이야. 델마리오는 성공의 정점에서 실패의 나락으로 떨어졌어. 하지만 자네 경우는 그럭저럭 성공한 인생에 불과했기 때문에, 그럭저럭 실패한 인생으로 바꿔 놓는 걸로 만족해야 했어. 하지만 난 해냈어. 숨은 영향력을 행사해서 자네가 몇몇 큰 고객들을 잃도록 유도했지. 자네가 풋&콘 사에 있었을 때 난 뒤에서 끈을 당겨 자네 밑에 있던 앨러드라는 이름의 카피라이터가 다른 광고 대행사로 옮겨 가도록 했어. 자네의 공으로 돌아갔을 광고 캠페인을 앨러드가 생각해 내기 직전에 말이야. 또 자네가 연봉이 더 높은 신생 광고사로 자리를 옮겼을 때의 일이 생각나? 그러자마자 그 회사가 도산하고, 자넨 수입이 전무한 상태가 되었던 걸. 그건 내 탓이야. 난 그런 식으로 사회에 나간 자네 앞길을 이삼십 번 가로막았지. 스튜어트, 자네가 내린 직업적 판단 대다수가 왜 그토록 기대에 반하는 결과밖에는 낳지 못했는지를 한 번이라도 의아하게 생각해 본 적이 없어? 왜 그렇게 운이 나쁜지?"

"아니." E.C.는 말했다. "미안하지만 난 충분히 잘하고 있어."

버니시는 미소 지었다. "자네에겐 또 하나의 조그만 장난을 쳤지. 작년에 자네가 걸린 헤르페스에 관해서는 내게 감사해도 좋아. 자네한테 그걸 옮긴 여성은 충분한 보수를 받았다네. 몇 년이나 공을 들인 끝에 찾아낸 인재였어. 올바른 조합을 찾아내야 했거든. 실직한 여배우였는데, 젊고, 깜짝 놀랄 만한 미녀고, 딱 자네 타입이어야 했고, 또 무슨 일이라도 할 만큼 자포자기한 상태여야 했지. 게다가 불치의 성병에 걸려 있어야 했고. 스튜어트, 그 여자 어땠어? 알다시피 그건 자업자득이야. 난 자네 앞길에 그 여자를 데려다 놓았을 뿐이니까 말이야. 나머지는 자네가 다 알아서 해 줬어. 나한테 그 소개팅이니 뭐니 하며 장난친 걸 감안하면 그야말로 인과응보라는 생각이 들더군."

E.C.의 표정은 변하지 않았다. "그런 얘기로 내가 무너지거나 그쪽 얘기를 믿을 거라고 생각하면 크나큰 오산이야. 지금까지 자네가 한 얘기는 내 뒷조사를 해서 몇몇 오점을 발굴했다는 증거밖에는 안 돼."

"아." 버니시가 말했다. "스튜어트, 자네의 그 회의적인 태도는 여전하군. 남의 말을 믿어 버린다면 멍청하게 보일 걸 두려워하고 있는 거야. 쯧." 그는 피터를 돌아보았다. "그리고 노턴. 자네. 두려움을 모르는 우리의 리더. 자네 경우가 가장 힘들었어."

피터는 버니시와 시선을 마주쳤고, 아무 말도 하지 않았다.

"난 자네 소설을 읽었다네." 버니시는 대뜸 말했다.

"난 한 번도 소설을 출간한 적이 없어."

"아, 출간했어! 그러니까, 원래 시간선에서는 말이야. 게다가 상당히 큰 성공을 거뒀지. 비평가들의 격찬을 받고 짧게나마 〈뉴욕타임스〉의 베스트셀러 목록 자락에 오르기까지 했어."

피터는 심드렁한 표정으로 말했다. "아무리 지어낸 얘기라고 해도 너무나도 뻔하고 한심하군."

"《우리 속의 짐승들》이라는 제목이었던 걸로 기억해." 버니시가 말했다.

피터는 느긋하게 앉아 경멸에 찬 표정으로 병적이고 가련한 사내의 이야기를 들어 주고 있었다. 그러다가 갑자기 마치 뺨을 얻어맞기라도 한 듯한 표정으로 상체를 곧추세웠다.

캐시가 훅 하고 숨을 들이켜는 소리가 들렸다. "맙소사." 그녀가 말했다.

E.C.는 당혹스러운 표정이었다. "피터? 왜 그래? 얼굴 표정이……."

"그 책에 관해 아는 사람은 아무도 없어." 피터는 말했다. "도대체 어디서 그걸 알아낸 거야? 내 옛날 에이전트로군. 그 친구한테서 제목을 알아낸 게 틀림없어. 맞아. 그랬을 거야, 그렇지?"

"아니." 버니시는 만족한 듯이 미소 지으며 말했다.

"거짓말하지 마!"

"피터, 자네 왜 그래?" E.C.가 물었다. "왜 그렇게 동요하는 거야?"

피터는 동료를 쳐다보았다. "내 책." 그는 말했다. 《우리 속의 짐승들》은……."

"그런 책이 정말로 있었어?"

"응." 피터는 말했다. 그는 불안한 표정으로 침을 삼켰다. 혼란스러웠고, 분노가 치밀었다. "응, 있었어. 내가…… 대학을 졸업하고 나서. 내 첫 번째 소설이었어." 그는 신경질적인 웃음소리를 냈다. "첫 번째 소설이 될 거라 생각했지. 그때는…… 나는 큰 희망을 품고 있었어. 야심적인 소설이었어. 진지한 책이지만 상업적인 가능성도 있다고 생각했지. 서커스. 서커스 얘기였어. 내가 언제나 서커스에 매료되었다는 건 알지. 인생에 대한 은유라고 생각했어. 일종의 인생이지만 아주 다채로운 데다가 죽어 가고 있는, 사라져 가는 양식이었던 거지. 난 서커스를 소재로 훌륭한 소설을 쓸 수 있을 거라고 생각했어. 학교를 졸업한 뒤에는 1년 동안 〈링글링 브라더스의 블루 쇼〉와 함께 여행하며 연구를 했어. 난 도살자였지. 난…… 그건 서커스를 따라다니는 노점상들을 부르는 말이야. 1년 동안 연구를 한 뒤에 2년 동안 소설을 썼어. 주인공은 고양잇과 대형동물들을 다루는 소년이었지. 마침내 탈고하고 내 에이전트에게 보냈는데, 그걸 우송한 지 3주가 채 되기도 전에 난, 난…….” 그는 말을 끝맺지 못했다.

그러나 E.C.는 이해했다. 그는 미간을 찌푸렸다. “베스트셀러가 된 그 서커스 소설 말이야? 제목이 뭐였더라?”

“《블루 쇼》.” 피터는 이렇게 말하며 쓰디쓴 맛을 느꼈다. “도널드 헤이스팅스 설리번이 쓴. 50권의 고딕소설하고 십여 편의 판에 박힌 웨스턴을 모두 필명으로 발표한 구닥다리 작가였어. 그런 작가가 그런 책을 썼다니 처음에는 아무도 믿지 못했어. E.C., 나도 믿을 수 없었어. 제목만 바꿨지 내 책이었거든. 오, 물론 단어 하나하나가 다 똑같았던 건 아냐. 《우리 속의 짐승들》 쪽이 훨씬 더 잘 쓰였지. 하지만 줄거리, 배경, 사건, 몇몇 등장인물의 이름까지……. 두려울 정도였어. 내 에이전트는 내 책을 팔려고조차 하지 않았어. 《블루 쇼》와 너무 비슷해서 출판할 수가 없고, 아무도 손을 대지 않을 거라고 하더군. 설령 책으로 내더라도 잘해봤자 아류작이라는 딱지가 붙을 거고, 최악의 경우에는 도작(盜作)을 했다는 비난까지 받을 수 있다고 했어. 마치 표절 같다고 하더군. 내 인생의 3년을 투자해서 쓴 건데, 그걸 표절이라고 부른 거야. 결국은 말싸움으로 번졌고 에이전트는 나를 방출했어. 그 뒤로 나를 받아 주는 에이전트는 없었고. 그 뒤로 책은 단 한 권도 쓰지 않았어. 데뷔작에 너무 많은 걸 빼앗겼던 거지.” 피터는 버니시를 마주 보았다. “난 원고를 파기했어. 한 장도 안 남기고 태웠지. 내 에이전트하고 나하고 캐시를 제외하면 그 책에 관해 아는 사람은 없었어. 그걸 어떻게 알아냈지?”

"얘기했잖나." 버니시가 말했다. "읽어 봤다고."

"이 거짓말쟁이 새끼!" 피터는 말했다. 분노로 머릿속이 새하얘진 그는 와인 잔을 들어 식탁 너머에 있는 버니시의 웃음 띤 얼굴을 향해 내던졌다. 저 자기만족에 가득 찬 미소를 지워 버리고, 그것이 피투성이의 무참한 얼굴로 변하는 꼴을 보고 싶었다. 그러나 버니시는 재빨리 고개를 숙였고, 유리잔은 벽에 부딪쳐 산산조각이 났다.

"진정해, 피터." E.C.가 말했다. 델마리오는 알코올의 안개 속에서 길을 잃고 멍하게 눈을 끔벅거리고만 있었다. 캐시는 양손으로 식탁 가장자리를 꼭 붙잡고 있었다. 손등의 관절이 새하얗게 변해 있다.

"우리 주장님께서는 항의할 때도 너무 과격해서 탈이로구먼." 버니시는 보조개를 보이며 말했다. "노턴, 내가 진실을 말하고 있다는 건 자네도 알잖나. 난 자네의 소설을 읽었어. 증명을 원한다면 줄거리 전체를 암송해 보일 수도 있어." 그는 어깨를 으쓱했다. "사실, 줄거리 전체를 암송해 보였지. 나한테 고용되어서 《블루 쇼》를 쓴 도널드 헤이스팅스 설리번 앞에서 말이야. 내가 직접 쓰고 싶었지만 난 글 쓰는 재주가 없어서. 설리번는 그럴 기회가 생긴 걸 무척이나 기뻐하더군. 사례금을 두둑이 받았고, 인세는 반씩 나눠 가졌어. 꽤 큰 액수였지."

"이 개자식." 피터는 말했지만, 목소리에는 힘이 없었다. 분노가 썰물처럼 스러지면서 견디기 힘들 정도의 탈력감, 패배의 확신만이 뒤에 남았다. 그는 사기를 당한 듯한 무력한 느낌에 시달렸고, 갑자기 자신이 버니시의 말을 믿는다는 사실을 깨달았다. 그가 한 황당무계한 이야기를 한마디도 빠짐없이 믿었던 것이다. "그건 사실이야, 그렇지?" 그는 말했다. "모두 정말이었어. 네가 나한테 그런 짓을 한 거야. 네가. 내 글을 훔치고, 내 꿈을 훔쳐 갔어. 모두."

버니시는 아무 말도 하지 않았다.

"그리고 남은 것들도 전부." 피터는 말했다. "다른 실패들, 그것들도 모두 네가 그런 거지, 안 그래?《블루 쇼》일이 있은 뒤에 난 저널리즘 쪽으로 진출했는데…… 엄청난 특종을 잡았다고 생각했는데 무산되어 버린 거 말이야. 내 증인들 모두가 했던 말을 부인하거나 자취를 감춰 버려서, 결국 내가 모든 걸 날조한 게 되어 버렸어. 할당받았던 일도 모두 증발해 버리고, 그 뒤에 남은 건 표절, 프라이버시 침해, 명예훼손 소송뿐이었어. 무엇을 하든 고소당했지. 2년을 그런 식으로 지내다가, 결국 그 업계에서 아예 추방당했어. 하지만 운이 나빠서 그랬던 게 아니었어, 그렇지? 네가 흑막이었어. 네가 내 인생을 훔쳐 갔던 거야."

"노턴, 자넨 칭찬을 받아 마땅해. 두 번이나 좌절시켜야 했으니까 말이야. 처음에는 《블루 쇼》를 써서 자네의 문학적 야심을 말살하는 데 성공했지. 그리고 잠시 등을 돌리고 딴 데 정신이 팔려 있는 사이에 자넨 엄청나게 인기 있는 기자가 되어 있었어. 그래서 다시 한 번 과거로 플래시백해서 자네를 잡고, 모든 걸 되풀이해야 했지."

"널 죽여야 하는 건지도 모르겠군, 버니시." 피터는 자기 입이 이렇게 말하는 것을 들었다.

E.C.는 고개를 가로저었다. "피터." 그는 중증의 노둔아에게 설명하는 듯한 어조로 말했다. "이건 모두 교묘한 사기야. 버니 이 자식이 하는 말을 곧이곧대로 받아들이면 안 돼."

피터는 왕년의 팀 동료를 응시했다. "아냐, E.C., 사실이야. 모두 사실이라고. 농담의 표적이 되는 걸 걱정하지 말고 잘 생각해 봐. 모두 아귀가 들어맞는다고. 그걸로 우리한테 일어난 모든 일이 설명이 돼."

E.C. 스튜어트는 넌더리가 난다는 듯한 신음을 흘리며 얼굴을 찌푸렸고, 콧수염 끝을 만지작거렸다.

"스튜어트, 자네 주장이 하는 말을 믿게나." 버니시가 말했다.

피터는 버니시를 돌아보았다. "왜? 내가 알고 싶은 건 그거야. 왜 그랬어? 우리가 너한테 장난을 쳐서? 놀려서? 그래, 아마 우린 괘씸한 작자였을지도 모르지. 하지만 그땐 그게 그렇게 끔찍한 일이라고는 생각 안 했어. 네가 당한 일은 대부분 자업자득에 가까워. 하지만 우리가 너한테 뭘 했든 간에, 이런 일을 당할 정도로 나쁜 짓은 하지 않았어. 우린 같은 팀 동료였어. 친구였다고."

버니시의 미소가 얼어붙었다. 보조개도 사라졌다. "너희들은 단 한 번도 내 친구였던 적이 없어."

스티브 델마리오는 옳다는 듯이 열심히 고개를 끄덕였다. "넌 내 친구가 아냐, 퍼니 버니. 인정하지. 네가 뭔지 알아? 겁쟁이야. 넌 언제나 얼어 죽을 겁쟁이밖에는 안 됐고, 아무도 널 좋아하지 않았던 건 바로 그 이유에서야. 넌 머리만 짧게 깎았지, 빌어먹을 겁쟁이 루저에 불과했다고. 염병할, 놀림을 당한 게 너 혼자만인 줄 알아? 난 어때? 지구 최후의 사내라고 놀림 받던 거, 기억 나? E.C.가 피트나 레스, 그 밖의 작자들을 상대로 한 장난질은 또 어떻고?" 그는 술을 한 모금 마셨다. "이런 식으로 우릴 여기로 유인하다니, 그것도 빌어먹을 겁쟁이가 할 만한 짓이야. 우리에겐 넌 지금도 예전과 똑같은 버니야. 뭔가를 하는 것만으로는 모자라서 그걸 자랑하고, 모두에게 알리지 않으면 성이 안 차는 거야. 그리고 뭔가 잘못되면 그건 절대로 네 잘못이 아니라, 이거지? 네가 그 시합에서 진 건 시합 장소가 너무 시끄러웠다든지, 조명 상태가 안 좋았던 탓이다, 뭐 그런 식으로 말이야." 델마리오는 일어섰다. "네 상판을 보기만 해도 구역질이 나. 흠, 네가 우리 인생을 망쳐 놓은 건 사실일지도 모르고, 또 그걸 우리한테 이렇게 친절하게 얘기까지 해 줬어. 좋겠군. 빌어먹을 겁쟁이다운 즐거움을 만끽했으니, 이제 여기서 나가게 해 줘."

"이하 동문일세." E.C.가 말했다.

"어, 아직은 그럴 생각이 없어." 버니시가 대답했다. "아직은 아냐. 아직 체스도 안 됐잖아. 옛날 생각을 해서라도 몇 판 붙자고."

델마리오는 의자 등받이를 잡은 채로 몸을 조금 움직이며 눈을 깜박였다. "그 시합." 그는 갑자기 버니시에게 몇 분 전에 했던 도전을 떠올린 듯 말했다. "그 시합을 다시 하겠다고 했지."

버니시는 탁자 위에 올려놓은 손을 꼼꼼하게 깍지 꼈다. "그보다 더 좋은 안이 있어." 그는 말했다. "난 알고 보면 매우 공평한 사내라고. 자네들 중 누구도 내게 그런 기회를 준 적이 없지만, 난 자네들에게도 기회를 주겠어. 각자에게 말이야. 난 자네들의 인생을 훔쳤어. 아까 그렇게 말했지, 노턴? 흐음, 친구들, 그 인생을 다시 되찾을 기회를 주지. 조촐한 체스 게임을 통해서 말이야. 예의 중대 국면에서 다시 게임을 시작하는 거야. 난 베셀리어 자리에서 게임을 시작하고 자네들은 원래 내가 하던 자리에서 시작하면 돼. 원한다면 서로 의논하면서 한꺼번에 진행해도 되고, 아니면 각자 따로따로 나하고 한 판씩 둬도 돼. 어느 쪽이든 난 상관없어. 자네들은 단지 나를 이기기만 하면 돼. 내가 틀림없이 이겼어야 한다고 자네들이 주장하는 게임에서 나를 이긴다면 나가게 해 주겠네. 뭐든 자네들이 원하는 것도 줄게. 돈이든, 부동산이든, 새 직장이든, 뭐든지."

"이 겁쟁이 새끼, 너 같은 놈은 지옥에나 떨어져야 해." 델마리오는 말했다. "난 네놈의 빌어먹을 돈 따위엔 관심이 없어."

버니시는 식탁 위에서 안경을 집어 올려 쓴 다음 만면에 미소를 떠올렸다. "혹은, 그쪽이 원한다면 내 플래시백 기계를 쓸 기회를 쟁취할 수도 있어. 그럼 당시의 나보다 앞선 과거로 돌아가서, 내가 개입하기 전에 자네들이 살 운명이었던 인생을 살아가는 것도 가능해지지. 생각해 보라고. 자네들 누구도 그 이상의 기회를 얻지는 못할 거야. 그리고 난 정말로 쉽게 그럴 수 있도록 해 주겠다는 거야. 자네들이 해야 하는 건 단지 한 시합에서 이기는 일뿐이야."

"이미 승패가 결정된 게임에서 승리하는 건 체스에서 가장 어려운 도전 중 하나야." 피터는 심드렁하게 대꾸했다. 그러나 이렇게 말하면서도 그의 머리는 핑핑 돌아가고 있었고, 배 속 깊은 곳이 흥분으로 꿈틀거리는 것을 느끼고 있었다. 기회가 맞아. 그는 생각했다. 황폐한 인생을 다시 시작해서, 원래의 진로에 올려놓을 수 있는 기회. 잘못된 선택을 말소하고, 실패의 고배 대신에 성공의 미주(美酒)를 맛볼 수 있는. 조롱거리가 되어 버린 캐시와의 결혼 생활을 피할 수 있는. 죽은 희망들이 망령처럼 몸을 일으켜 꿈의 묘지에서 다시 춤을 추기 시작했다. 그 기회를 잡아야 한다는 것을 피터는 알고 있었다. 그러는 수밖에 없다.

스티브 델마리오에게 선수를 빼앗겼다. "난 그 빌어먹을 시합에서 이길 수 있어." 그는 혀가 꼬이고 우렁우렁한 목소리로 말했다. "그 정돈 눈 감고도 이길 수 있다고. 그래, 하자고, 버니. 당장 체스 판을 꺼내, 이 자식아!"

버니시는 웃으며 몸을 일으켰고, 커다란 손바닥으로 식탁을 딛고 일어섰다. "아, 그건 안 돼, 델마리오. 지고 나서 취한 탓이라고 변명하도록 놓아둘 생각은 없어. 난 자네가 완전히 맨 정신일 때 박살낼 거야. 내일이야. 내일 하자고."

델마리오는 분연한 표정으로 눈을 깜박였다. "내일." 그는 상대방의 말을 되풀이했다.

● ○

나중에 방에서 두 사람만 있을 때 캐시는 그를 돌아보았다. "피터, 우린 여기서 나가야 해. 오늘 밤. 당장."

피터는 벽난로 앞에 앉아 있었다. 침대 옆 테이블의 위 서랍에서 찾아낸 조그만 체스 세트를 앞에 놓고, 베셀리어 대 버니시 시합의 중대 국면으로 말을 배열해 놓고 연구하던 중이었다. 그는 정신 집중을 방해받고 얼굴을 찌푸리며 말했다. "나가자고? 차고가 잠겨 있는데 뭘 타고 나가자는 거야?"

"틀림없이 어딘가에 전화기가 있을 거야. 집 안을 뒤져서 그걸 찾아내고, 도움을 요청하는 거야. 아니면 그냥 걸어가는 수도 있어."

"지금은 12월이고, 어디로 가든 산속을 몇십 마일이나 걸어가야 해. 그렇게 여기서 걸어 나가다가는 얼어 죽을 게 뻔해. 안 돼." 그는 체스 판으로 주의를 돌리고 다시 정신을 집중하려고 했다.

"피터." 캐시는 화난 목소리로 말했다.

그는 다시 고개를 들었다. "뭐야?" 그는 내뱉었다. "바쁜 거 안 보여?"

"뭔가 조치를 취해야 해. 이 모든 게 제정신이 아냐. 버니시는 정신병원에 감금해야 하고."

"그 작자는 진실을 얘기하고 있었어." 피터는 말했다.

캐시의 표정이 부드러워지더니, 한순간 슬픔에 가까운 표정이 얼굴을 스쳐 지나갔다. "알아." 그녀는 나직한 목소리로 말했다.

"알아." 피터는 거칠게 그녀의 말을 흉내 냈다. "안다, 이거지? 흠, 그럼 그게 어떤 기분인지 알아? 그 새끼는 그 대가를 치르게 될 거야. 나한테 일어난 모든 재난이 그 새끼 탓이었던 거야. 아마 당신도 그중 하나인지도 모르지."

캐시의 입술이 아주 조금 움직였다. 시선은 전혀 움직이지 않았지만, 갑자기 그녀의 얼굴에서 슬픔과 동정의 표정이 완전히 사라졌다. 그 뒤에 남은 것은 피터에게는 익숙한 연민과 날카롭게 다듬어진 경멸의 표정뿐이었다. "그럼 그 작자가 또 당신을 박살내는 걸로 끝날 뿐이야." 그녀는 차가운 어조로 말했다. "그 작자는 당신이 예의 기회를 손에 넣고 싶어서 안달하는 걸 바라고 있어. 왜냐하면 그걸 줄 생각이 없으니까 말이야. 피터, 그 작자는 당신을 이길 거야. 그럼 어떤 기분이 들 것 같아? 그 뒤로는 어떻게 살아갈 작정이야?"

피터는 체스 말들을 내려다보았다. "물론 그럴 작정인 게 맞아. 하지만 그 자식은 멍청해. 이건 어차피 이길 수밖에 없는 국면이라고. 그러니까 난 단지 승리로 이어지는 선택을, 올바른 베리에이션을 찾기만 하면 되는 거야. 그럴 기회도 세 번이나 있어. 스티브가 먼저 시합을 할 거잖아. 만약 스티브가 진다면 E.C.하고 나는 스티브가 한 잘못에서 교훈을 얻을 수 있어. 난 절대 지지 않아. 지금까지 모든 걸 잃었을지도 모르지만, 이번엔 아냐. 이번에는 내가 승리자가 될 거야. 두고 보라고."

"물론 두고 볼 거야." 캐시가 말했다. "이 가련한 머저리 같으니라고."

피터는 그녀를 무시하고 말을 하나 옮겼다. 나이트로 폰을 잡는다.

●○

캐시는 다음 날 아침에도 스위트룸에 남았다. "원한다면 가서 그놈의 빌어먹을 시합을 얼마든지 하라고." 그녀는 피터에게 말했다. "난 온수욕을 즐기고 책이나 읽을 거야. 난 그런 일에 관여할 생각이 추호도 없어."

"마음대로 해." 피터는 이렇게 대꾸하고 등 뒤로 문을 쾅 닫았다. 어떻게 저런 못된 여자와 결혼했을까 하는 생각이 또 떠올랐다.

아래층의 넓은 거실에서는 버니시가 체스 판 위에 말을 늘어놓고 있었다. 그가 고른 세트는 구석에 있는 화려하게 장식된 고가의 세트—모든 체스 말이 접착되어 있는—가 아니었다. 그런 식의 체스 세트는 장식용으로는 좋을지도 모르지만 진지한 시합에서는 아무 쓸모도 없었다. 그 대신 버니시는 질박한 나무 탁자를 거실 한가운데로 옮겨 놓고 표준적인 토너먼트 세트를 꺼내 왔다. 그는 초록색과 흰색 사각형들로 구획을 나눈 비닐제 체스 판을 조심스레 펼쳐 놓았고, 오래 쓴 티가 나는 표준적인 스턴튼 타입의 체스 말들을 꺼내 놓았다. 검정색과 흰색 플라스틱으로 만들어진 드루키 사의 말이다. 펠트 천을 덧댄 체스 말의 기부(基部) 안에 납 무게추가 들어 있는 덕에 적당히 묵직하게 느껴져서 좋았다. 버니시는 기억만으로 각각의 말을 체스 판 위에 배열했다. 방 너머에 있는 상감 가공이 된 고가의 체스 판 위에서 얼어붙어 있는 말들 쪽으로는 단 한 번도 눈길을 주지 않았다. 그런 다음 그는 문자판이 두 개 달린 체스 시계의 바늘을 맞추기 시작했다. "시계 없이 게임을 할 수야 없지." 그는 미소 지으며 말했다. "그날 에번스턴에서 봤던 그 시각에 정확하게 맞춰 놓겠어."

모든 준비가 끝나자 버니시는 흡족한 표정으로 체스 판을 훑어보고 베셀리어의 검은 말들 뒤에 앉았다. "준비됐나?" 그는 물었다.

스티브 델마리오는 그 반대편 자리에 앉았다. 지독한 숙취에 시달리고 있는 듯한 창백한 얼굴이었다. 오렌지 주스가 든 커다란 유리잔을 들고 있다. 두꺼운 안경 렌즈 뒤의 눈이 불안한 듯이 움직인다. "그래. 시작해."

버니시가 단추를 눌러 델마리오 쪽의 시계를 작동시켰다.

그러자마자 델마리오는 재빨리 손을 뻗어 나이트로 폰을 잡았고—그가 상대 폰을 잡으면서 말들끼리 부딪치며 딸깍 하는 소리가 났다—집어 올린 폰으로 그대로 시계 단추를 눌러 버니시의 시계를 작동시켰다.

"세크로군." 버니시가 말했다. "이렇게 놀라울 수가." 그는 상대방의 나이트를 잡았다.

델마리오는 비숍으로 폰을 잡아 또 자기 말을 희생시켰다. 버니시는 킹으로 비숍을 잡는 수밖에 없었다. 그러나 전혀 동요하는 기색이 아니었고, 오히려 희미한 미소를 떠올리기까지 했다. 부풀어 오른 양쪽 뺨에도 희미한 보조개가 떠올랐다. 색안경 뒤의 눈은 맑고 날카로우며 유쾌한 빛을 띠고 있었다.

스티브 델마리오는 체스 판 위로 몸을 내밀고 있었다. 그는 검은 눈으로 체스 판을 위아래로 훑었고, 위아래로 훑었고, 또 위아래로 훑었다.

마치 모든 말이 그가 생각했던 위치에 있는지를 재차 확인하려는 듯이, 그는 다리를 꼬았다가 다시 풀었다. 델마리오 바로 뒤에 서 있던 피터는 델마리오의 몸에서 파상적으로 발산되는 긴장감을 느꼈고, 그것이 델마리오를 뒤트는 것을 느꼈다. 몇 걸음 떨어진 곳에서 커다랗고 푹신한 안락의자에 앉아 있던 E.C. 스튜어트조차도 진행 중인 게임을 열심히 바라보고 있었다. 체스 시계가 나직하게 째깍거리며 시간을 쟀다. 델마리오는 손을 들어 퀸을 움직이려고 하다가, 그 위에서 주저했다. 손이 떨리고 있었다.

"왜 그래, 스티브?" 버니시가 물었다. 서로 맞댄 양손 끝에 턱을 괴고 앉아 있었다. 그는 델마리오가 고개를 들어 자기를 쳐다보자 미소 지었다. "망설이고 있군. 망설이는 자는 진다는 격언을 몰라? 갑자기 자신이 없어진 건가? 설마 그럴 리는 없겠지. 예전에는 그토록 자신감이 넘쳐흘렀잖아. 자넨 나한테 얼마나 많은 메이트를 보여 줬지? 얼마나 많은?"

델마리오는 눈을 껌벅이고 미간을 찌푸렸다. "그걸 한 번 더 보여 주지, 버니." 그는 화난 어조로 내뱉었다. 손으로 퀸을 쥐더니 체스 판을 가로질러 이동시켰다. "체크."

"아." 버니시가 말했다. 피터는 국면을 관찰했다. 연속 체크를 한 덕에 버니시의 검은 킹 앞의 폰들은 일소되었고, 이번의 퀸 체크는 후퇴를 허용하지 않는다. 버니시는 흰 말들이 북적거리고 있는 체스 판 중앙을 향해 자기 킹을 한 칸 전진시켰다. 바야흐로 버니시의 패배는 확실해 보였다. 그의 방어 진영이 온통 퀸 사이드에 몰려 있는 한편, 그의 킹은 적에게 온통 포위된 형세였다. 그러나 버니시는 걱정하는 표정이 아니었다.

시계가 째깍거리는 동안 델마리오는 국면을 유심히 관찰했다. 주스를 한 모금 마시고, 안절부절못하며 의자 위에서 몸을 뒤척였다. 버니시는 하품을 하고 조롱하는 듯한 표정으로 히죽 웃었다. "그날 자넨 승리자였 잖아, 델마리오. 무려 마스터를 이겼지. 자넨 우리 팀의 유일한 승리자였 어. 그런데 어째 지금은 못 이길 것 같아? 그 많은 메이트들은 다 어디로 간 걸까?"

"너무 많아서 어느 걸 고를지 못 정하고 있는 거야, 버니." 스티브는 말했다. "그러니까 이제 입 닥치고 있어, 염병할. 생각 중이잖아."

"아." 버니시가 말했다. "미안해."

델마리오는 제한 시간에서 10분을 쓴 뒤에야 손을 뻗어 하나 남아 있 는 나이트를 움직였다. "체크."

버니시는 자기 킹을 또 전진시켰다.

델마리오는 입술을 핥고 퀸을 한 칸 전진시켰다. "체크."

버니시의 킹은 옆으로 움직였다. 안전한 퀸 사이드 쪽으로.

델마리오는 폰 하나를 전진시켰다. "체크."

버니시는 그 폰을 잡는 수밖에 없었다. 그는 공격해 온 폰을 자기 킹으 로 잡았다. 흡족한 미소를 떠올리며.

종심이 열렸기 때문에 이제 델마리오는 두 개 있는 루크를 참전시킬 수 있었다. 그는 한쪽 루크를 측면 이동시켰다. "체크."

버니시는 연속 공격의 대상이 된 킹을 또다시 움직였다.

그러자 델마리오는 방금 옆으로 움직인 루크를 그대로 직진시켜 적의 킹 바로 옆 칸에 가져다 놓았다. "체크!" 그는 큰 소리로 말했다.

피터는 자기도 모르게 날카롭게 숨을 들이켰다. 이 루크는 무방비 상 태다! 버니시는 그것을 그대로 잡아 버릴 수 있었다. 그는 델마리오의 어깨 너머로 체스 판을 응시했다. 그렇다. 버니시는 자기 킹으로 적의 루크를 잡을 수 있다. 하지만 그러면 다른 루크의 공격을 받고 킹을 후퇴시키는 수밖에 없다. 그런 다음 델마리오가 퀸을 한 칸 이동시키기만 하면…… 그렇다……. 이 베리에이션에서는 메이트 당하는 수가 너무 많다. 검은색 진영에도 아직 많은 수가 남아 있지만, 어느 경우에도 참패로 끝날 것이다. 하지만 버니시가 킹 대신에 나이트로 저 루크를 잡는다면 그 일각은 무방비 상태가 되고…… 흐음…… 퀸으로 체크 당하고, 킹이 전진하고, 비숍이 들어가고…… 아니, 그런다면 더 빨리 체크메이트를 당하게 된다.

델마리오는 오렌지 주스를 모두 들이켜고 흡족한 표정으로 빈 유리잔을 탁 내려놓았다.

버니시는 킹이 루크와 대각선으로 엇갈리도록 한 칸 전진시켰다. 지금 가능한 유일한 수로군, 하고 피터는 생각했다. 델마리오는 상체를 내밀었다. 그 뒤에 있던 피터도 몸을 내밀었다. 흰 말들은 이제 고립된 검은 킹을 에워싸고 있다. 하지만 이 메이트 포위망을 더 조이려면 어떻게 해야 할까? 스티브에게는 세 개의 각각 다른 체크가 남아 있어. 피터는 생각했다. 아니, 네 개다. 그렇게 갈 수도 있다. 그는 말없이 국면을 관찰하며 분석했다. 루크에 의한 체크는 쓸모가 없다. 적의 킹은 그냥 후퇴했을 뿐이고, 계속 체크를 하며 몰아간다면 단지 그걸 안전지대로 몰아넣는 것밖에는 안 된다. 비숍을 쓴다면? 아니, 버니시는 그걸 자기 루크와 교환할 수 있다— 버니시의 두 루크는 아직 멀쩡하게 남아 있으니까 말이다. 퀸을 써서 두 번 체크를 하면, 국면은 몇 개의 하위 베리에이션으로 분기된다. 피터가 여전히 그 결과가 어떻게 될지 분석하고 있을 때,

델마리오는 느닷없이 손을 뻗어 자기 킹 앞의 폰을 집어 들고 두 칸 전진
시켰다. 폰을 체스 판 위에 굳게 내려놓은 다음 시계 단추를 때리듯이 눌
렀다. 그는 등받이에 등을 기대고 팔짱을 꼈다. "버니, 네 차례야."

피터는 체스 판을 관찰했다. 델마리오의 마지막 움직임은 적을 체크
하지는 않았지만 폰을 움직임으로써 킹의 중요한 도주로 하나를 차단했
다. 이러면 루크에 의한 체크 가능성도 더 이상 무해하지 않다. 안전지대
로 쫓겨나는 대신, 검은 킹은 세 수 뒤에 체크메이트에 직면하는 것이다.
물론 버니시가 둘 차례였기 때문에 아직은 한 수의 여유가 있다. 그걸 이
용해서 킹을 엄호해 줄 말을 움직이면 된다. 버니시가 지금 퀸을 움직인
다면…… 아니다, 그러면 도리어 상대방의 퀸으로 체크 당하고, 킹이 물
러나고, 루크로 체크 당하고, 검은 퀸이 떨어진다……. 잘하면 비숍으
로…… 아니다, 거기서 체크 당하면 한 수 뒤에는 무조건 체크메이트를
당하게 된다. 국면을 바라보면 바라볼수록 검은색 진영의 방어책은 줄
어드는 것처럼 보였다. 버니시는 패배를 늦출 수는 있지만, 멈출 수는 없
다. 막다른 골목에 몰린 것이다!

그러나 버니시는 막다른 골목에 몰린 기색이 아니었다. 그는 지극히
침착한 동작으로 나이트를 집어 들고 퀸 사이드의 나이트 6으로 이동시
켰다. "체크." 그는 나직한 목소리로 말했다.

델마리오는 체스 판을 빤히 바라보았다. 피터도 빤히 바라보았다.
E.C. 스튜어트는 의자에서 일어나서 천천히 다가왔다. 진행 중인 게임
을 응시하며 콧수염을 훑고 있다. 이번 체크는 시간 끌기에 불과해, 하
고 피터는 생각했다. 델마리오는 두 폰 중 하나로 나이트를 잡거나, 킹을
그냥 움직이기만 하면 되는 것이다. 단지…… 피터의 미간에 주름이 잡

했다…… 흰색 진영이 비숍 폰으로 나이트를 잡는다면, 검은 퀸이 와서 역으로 체크를 걸 수 있고, 그럼 킹은 제2열로 움직여야 하고, 검은 퀸이 루크 폰을 잡으며 체크를 걸고, 킹은…… 아니다. 이건 좋은 수가 아니다. 그러면 결국 흰색 진영은 체크메이트까지 몰리게 된다. 그렇다고 킹을 움직이는 다른 쪽 수를 채택한다면 적의 퀸이 제8열에서 체크를 걸어와서 처음 수보다 더 빨리 체크메이트로 몰리게 되는 것이다.

델마리오는 킹을 전진시켰다.

버니시는 대각선 진로를 따라 비숍을 움직였다. "체크."

이제 가능한 것은 한 수뿐이다. 스티브는 다시 자기 킹을 전진시켰다. 수세로 몰리고 있었지만, 일단 체크 공격들이 끝나면 그의 메이트 포위망은 그대로 남아 있을 것이다.

버니시는 나이트를 후퇴시키고 또다시 체크를 걸었다.

델마리오는 눈을 끔벅이며 탁자 아래에서 다리를 비비 꼬고 있었다. 그가 킹을 자기 진영으로 다시 가져온다면 버니시는 필연적인 체크메이트로 이어지는 일련의 메이트 공격을 가할 수 있었다……. 하지만 검은 나이트는 루크와 퀸 어느 쪽으로도 잡을 수 있고…… 델마리오는 루크로 나이트를 잡았다.

버니시는 앞으로 나가 있던 델마리오의 흰색 폰을 자기 퀸으로 잡음으로써 메이트 포위망의 초석을 제거했다. 이제 델마리오는 퀸으로 퀸을 잡을 수 있었지만, 그러면 버니시의 포크[16] 공격을 받고 자기 퀸을 잃게 되고, 이어지는 맞교환 뒤로는 제대로 손도 써 보지 못하고 패배한다.

---

16 fork. 상대방의 특정 말을 잡을 목적으로 두 개 이상의 말을 동시에 공격하는 전략.

그러는 대신 그는 킹을 후퇴시켰다.

버니시는 칫 하며 혀를 차고는 퀸으로 흰색 나이트를 잡았고, 또다시 자기 퀸을 잡아 보라고 델마리오를 도발했다. 나이트와 폰 양쪽을 잃은 델마리오의 메이트 포위망은 흔적도 없이 사라져 있었다. 만약 흰색 진영이 검은색 퀸을 잡는다면 체크를 걸게 되고, 핀[17] 상태가 되고, 잡고, 잡고, 잡고, 그다음에는…… 피터는 이를 악물었다……. 흰색 진영은 말 하나만 남은 상태로 갑자기 종반전에 돌입하고, 절망적인 필패 상황에 놓이게 된다. 아니다. 그보다는 나은 방법이 있을 것이다. 현 국면은 아직도 여러 가능성을 내포하고 있었다. 피터는 체스 판을 응시하며 분석을 계속했다.

스티브 델마리오도 체스 판을 응시했고, 그러는 동안 그의 시계는 줄곧 째깍거리며 시간을 재고 있었다. 시계는 남겨진 수를 알리는 계수기가 딸린 고급품이었다. 계수기는 델마리오가 제한 시간을 모두 쓸 때까지 일곱 번 더 말을 움직여야 한다는 것을 보이고 있었다. 시간적 압력을 받고 있는 것은 사실이었지만, 그리 심각한 것은 아니었다.

문제는 델마리오가 눈을 껌벅이며 체스 판을 위아래로 훑어보면서, 마냥 앉아만 있다는 점이었다. 그는 안경을 벗고 두꺼운 렌즈를 셔츠 자락으로 꼼꼼히 닦았다. 다시 안경을 낀 뒤에도 국면에 변화는 오지 않았다. 그의 시선은 검은 킹에 못 박혀 있었다. 마치 의지의 힘으로 그것을 쓰러뜨리려는 듯이. 이윽고 그는 의자에서 일어나려고 했다. "한 잔 해

---

17 pin. 퀸이나 비숍이나 루크를 써서 상대방의 말이 움직일 경우 자동적으로 체크 상태가 되도록 함으로써 그 자리에 못 박는 체스의 기본 전술.

야겠어." 그는 말했다.

"내가 가져올게." 피터는 내뱉었다. "앉아. 이제 8분밖에 안 남았어."

"응." 델마리오는 대꾸하고 다시 자리에 앉았다. 피터는 바로 가서 스크루드라이버를 만들었다. 델마리오는 체스 판에서 한 번도 눈을 떼지 않고 단번에 그 반을 들이켰다.

피터의 시선이 우연히 E.C. 스튜어트 쪽을 향했다. E.C.는 고개를 가로젓고 천장을 우러러보았다. 아무 말도 교환되지 않았지만, 피터는 상대방이 한 말을 들었다. 끝났어.

스티브 델마리오는 자기 자리에 죽치고 앉아 있었다. 점점 동요하는 기색이 역력했다. 남은 시간이 3분이 되었을 때 그는 손을 뻗었다가 퍼뜩 다시 손을 뺐다. 그는 의자 위에서 꿈틀거리다가 무릎을 꿇고 정좌했고, 상체를 체스 판 쪽으로 내밀었다. 체스 말에서 한 뼘밖에는 떨어지지 않은 곳까지 코를 바싹 갖다 댔다. 시계는 계속 째깍거렸다.

여전히 그렇게 체스 판을 응시하고 있었을 때 버니시가 미소 짓더니 말했다. "델마리오, 깃발이 내려갔잖아."

델마리오는 눈을 깜박이며 고개를 들었다. 입을 멍하니 벌리고 있었다. "시간." 그는 다급한 어조로 말했다. "이기는 수를 찾으려면 시간이 더 필요해. 반드시 여기 어딘가에 있을 거야. 체크로 가는 수가 이렇게 많은데……."

버니시는 일어섰다. "제한 시간이 다 됐어, 델마리오. 어차피 그런 건 상관없어. 이건 필패 국면이야."

"아냐! 빌어먹을, 난 안 졌어. 틀림없이 이길 수 있는 수가……."

피터는 델마리오의 어깨에 손을 얹었다. "스티브, 흥분하지 마. 유감이지만 브루스 말이 옳아. 자넨 졌어."

"아냐." 델마리오는 고집스럽게 말했다. "승리할 수 있는 조합이 있다는 걸 난 알아. 그러려면…… 그러려면…… 단지……." 체스 판 위에 놓인 그의 오른손이 떨리기 시작했다. 그 손이 자기 킹을 쓰러뜨렸다.

버니시의 뺨에 보조개가 파였다. "승리자 친구, 주장 말을 들으라고." 그는 이렇게 말하고는 델마리오에게서 오만상을 찌푸리고 서 있는 E.C.에게 시선을 돌렸다. "다음엔 자네야, 스튜어트. 내일 보자고. 같은 시간, 같은 장소에서."

"내가 게임을 할 생각이 없다면?" E.C.는 경멸하듯이 말했다.

버니시는 어깨를 으쓱했다. "마음대로 해. 난 여기 와 있을 거고, 게임도 여기서 이렇게 기다리고 있을 거야. 난 시계를 작동시킬 거고. 체스 판 위에서 지든지, 아니면 몰수 패를 당하는 거지. 어떻게 굴러도 자네는 져."

"그럼 나는?" 피터가 말했다.

"아, 주장." 버니시가 말했다. "자넨 마지막 차례로 남겨 둘 거야."

●○

스티브 델마리오는 엉망진창이 되었다. 새 술을 만들러 갈 때를 제외하면 체스 판에서 떨어지려고 하지 않았다. 남은 오전 시간 그리고 오후 시간 대부분을 그 자리에 못 박힌 채로 계속 술을 들이켜며 어디 홀린 사내처럼 체스 말을 여기저기로 움직였고, 끝난 시합을 되풀이해서 복기했다. 점심 무렵 피터가 만들어 준 샌드위치 두 조각을 우적우적 씹어 먹었지만, 아무리 말을 걸고 진정시키려고 해도 소용이 없었다. 피터가 노력하지 않은 것은 아니었다. 델마리오는 보는 사람이 겁이 날 정도로 많이 들이킨 술 탓에 한 시간쯤 뒤에는 인사불성이 될 것이 뻔하다.

마침내 피터와 E.C.는 델마리오를 내버려 두고 피터의 방으로 올라갔다. 피터는 문을 두들겼다. "옷 다 걸치고 있어, 캐시? E.C.하고 같이 왔어."

캐시는 문을 열었다. 청바지와 티셔츠 차림이었다. "더 걸칠 것도 없어." 그녀는 말했다. "들어와. 희대의 게임은 어떻게 끝났어?"

"델마리오가 졌어." 피터는 말했다. "하지만 박빙의 승부였어. 이겼다고 생각한 순간도 있었는데."

캐시는 콧방귀를 뀌었다.

"그럼 이젠 어떻게 할까?" E.C.가 말했다.

"내일 맞붙을 거야?"

E.C.는 어깨를 으쓱했다. "그렇게 되겠지. 어차피 잃을 게 없으니."

"좋아." 피터는 말했다. "자네라면 이길 수 있어. 스티브는 이기기 직전까지 갔고, 그때 스티브 몸 상태가 어땠는지 나도 자네도 잘 알잖아. 그걸 분석해서 뭐가 잘못되었는지를 알아봐야 해."

E.C.는 콧수염을 만지작거렸다. 침착하고 사려 깊은 표정이었다. "그 폰을 움직였을 때야. 체크를 거는 수가 아니잖아. 그 탓에 흰색 진영은 역습의 빌미를 줬어."

"그걸로 메이트 포위망을 완성했잖아." 피터가 말했다. 어깨 너머를 흘끗 보니 캐시가 팔짱을 끼고 서 있었다. "침실에서 체스 판을 가져다 줄래?" 그는 부탁했다. 그녀가 침실로 가자 피터는 E.C.를 다시 마주 보았다. "스티브는 그 폰을 움직인 시점에서 이미 졌다고 생각해. 그때 좋은 수는 그거밖에 없었어 ─ 여기저기에 위협이 도사리고 있었으니까 말이야. 버니시한테 체크를 몇 번 건 뒤에는 줄곧 내리막길이었지. 그 전에 뭔가를 잘못 둔 거라고 생각해."

"체크를 여러 번 걸었지." E.C.가 말했다. "혹시 너무 여러 번 그랬던 걸까?"

"바로 그거야. 상대방을 체크메이트로 몰아넣는 대신에 도리어 안전 지대로 몰아넣었어. 어딘가에서 다른 베리에이션으로 갔어야 했어."

"나도 동감이야."

캐시는 체스 세트를 가지고 돌아와서 두 사내 사이의 낮은 탁자 위에 내려놓았다. 피터가 재빨리 예의 중대 국면으로 말을 배열하는 동안 그녀는 무릎을 꿇고 방바닥에 앉았다. 그러나 그들이 분석을 시작하자 금세 싫증을 냈고, 얼마 되지도 않아 넌더리가 난다는 듯이 콧방귀를 뀌며 일어섰다. "당신들 모두 제정신이 아닌 것 같아." 그녀는 말했다. "난 가서 요깃거리나 찾아봐야겠어."

"그럼 올 때 우리한테도 좀 가져다줄래?" 피터가 말했다. "맥주 두 병도 부탁해." 그러나 다시 돌아온 그녀가 그들 옆에 쟁반을 내려놓았을 때도 피터는 거의 알아차리지 못했다.

두 사람은 밤이 깊어질 때까지도 그 자리에서 움직이지 않았다. 버니시와 저녁을 먹으러 간 사람은 캐시뿐이었다. 돌아온 뒤에 그녀는 말했다. "정말이지 역겨운 사내야." 너무나도 강한 어조였기 때문에 피터가 잠시 게임에서 눈을 떼고 그녀를 바라보았을 정도였다. 그러나 그런 것도 한순간에 불과했다.

"자, 이렇게 해 봐." E.C.가 나이트를 움직이자 피터는 재빨리 그쪽으로 시선을 돌렸다.

●○

"게임을 하기로 마음먹은 모양이군, 스튜어트." 다음 날 아침 버니시가 말했다.

모랫빛 머리카락을 단정하게 빗어 다듬은 E.C.는 깔끔하고 상쾌해 보였다. 그는 블랙커피가 든 김이 나는 머그잔을 들고 힘차게 고개를 끄덕였다. "예나 지금이나 예리하기 짝이 없는 관찰력이군, 브루시."

버니시는 쿡쿡거리며 웃었다.

"하지만 하나 해 둘 말이 있어." E.C.는 손가락 하나를 들어 보이며 말했다. "난 시간 여행이 어쩌고 하는 황당무계한 얘기를 믿지 않아. 우린 끝까지 자네와 놀아 줄 생각이지만, 그놈의 플래시백인가 뭔가 하는 걸 위해서 그러는 게 아니라 돈을 위해서 그러는 거야. 이해했어?"

"농담 좋아하는 친구치고는 정말 의심이 많군." 버니시는 한숨을 쉬었다. "물론 뭐든 원하는 대로 해 주지. 돈을 달라, 이거지. 좋아."

"백만 달러."

버니시는 파안일소했다. "푼돈이로군. 하지만 좋아. 나를 이기면 백만 달러를 가지고 여기서 나갈 수 있어. 수표로 줘도 괜찮지?"

"지불보증 수표." E.C.는 피터를 돌아보았다. "자네가 증인이야." 친구의 말에 피터는 고개를 끄덕였다. 오늘 아침에는 세 사람뿐이었다. 캐시는 여전히 전혀 흥미를 보이지 않았고, 델마리오는 폭음한 탓에 자기 방에서 널브러져 자고 있었다.

"준비됐어?" 버니시가 물었다.

"시작해."

버니시는 체스 시계를 작동시켰다. E.C.는 손을 내밀어 희생의 수를 두었다. 나이트로 폰을 잡은 것이다. 사무적이고 낭비가 없는 몸놀림이었다. 버니시가 나이트를 잡자 E.C.는 주저 없이 자기 비숍을 희생시켰다. 버니시는 비숍을 잡고 시계의 단추를 눌렀다.

E.C. 스튜어트는 콧수염을 쓰다듬고 체스 판 위로 손을 뻗어 폰을 움직였다. 체크는 아니다.

"아." 버니시가 말했다. "진보했구먼. 뭔가 비장의 수가 있는가 보군, 안 그래? 물론 있겠지. E.C. 스튜어트는 언제나 비장의 수를 갖고 있었으니까 말이야. 유쾌하고, 어디로 튈지 모르는 우리의 E.C. 스튜어트. 정말이지 농담하길 좋아했지. 정말 상상력이 풍부했어."

"체스를 둬, 브루시." E.C.가 내뱉었다.

"물론 그래야지." 버니시가 국면을 음미하는 동안 피터는 체스 판으로 다가갔다. 어젯밤 그와 E.C.는 되풀이해서 이 게임을 검토했고, 마침내 델마리오가 연속으로 자기 말을 희생시킨 뒤에 두었던 퀸에 의한 체크는 악수였다는 결론을 내렸던 것이다. 현 국면에서는 그 밖의 체크 가능성이 몇 개 남아 있었고 이것들 모두 구미가 당기는 선택이었지만, 몇 시간이나 분석해 본 끝에 그와 E.C.는 이것들도 포기했다. 각각의 체크는 검은색 진영이 실수한다면 함정에 빠지거나 체크메이트에 몰리는 길이 여러 개 있었지만, 상대가 올바르게 응수한다면 효력이 없는 것처럼 보였다. 그리고 버니시는 올바르게 응수할 것이라고 가정하는 수밖에 없었던 것이다.

E.C.의 폰을 움직이는 수가 더 유망해 보였다. 더 교묘하고, 더 정답에 가깝다. 이러면 흰색 진영의 말들이 움직일 수 있는 길이 생기고, 검은 킹과 퀸 사이드의 안전지대 사이에 또 하나의 장벽을 끼워 넣을 수 있기 때문이다. 갑자기 흰색 진영은 사방에서 위협을 받게 되었다. 이제 버니시는 장고(長考)에 들어갈 수밖에 없는 심각한 국면에 몰린 것이다.

그러나 그는 피터가 예상했던 것만큼 장고하지는 않았다. 겨우 2분쯤 국면을 검토하는가 했더니 자기 퀸을 집어 들고 무방비 상태였던 흰색 퀸 사이드의 루크 폰을 낚아챘던 것이다. 버니시는 폰을 쥔 손을 오므리고 하품을 하더니 칠칠치 못한 자세로 의자 등받이에 등을 기댔다. 느긋한 표정이었고 전혀 동요한 기색이 없었다.

국면을 훑어보고 E.C.는 잠깐 사이이긴 하지만 미간을 찡그렸다. 피터도 불안감을 느끼고 있었다. 폰을 움직이면 버니시는 지금보다 더 동요했어야 했어, 하고 그는 생각했다. 흰색 진영은 이제 상대를 위협할 수 있는 수를 잔뜩 가지고 있었고…… 어젯밤 두 사람은 모든 가능성을 빠짐없이 검토했고, 필승의 수를 찾았다고 확신할 때까지 모든 베리에이션과 베리에이션의 베리에이션 들을 계속 시험해 보지 않았던가. 피터는 거의 환희에 가까운 감정을 느끼며 잠자리에 들었던 것이다. 버니시는 폰 공격에 대해 십여 개의 타당한 방어책을 쓸 수 있다. 그러나 그중 어느 것을 고를지는 알 도리가 없었기 때문에 그것들 모두가 최종적으로는 각기 실패로 끝난다는 사실을 확인하는 것만으로 만족했던 것이다.

그런데 여기까지 와서 버니시에게 뒤통수를 맞았다. 버니시는 개연성이 높은 방어책을 하나도 채택하지 않았다. 그러는 대신, E.C.에게 메이트 당할 위협을 그대로 무시하고 마치 서투른 체스 초보자처럼 아무렇지도 않게 그 폰을 잡아 버렸던 것이다. 혹시 뭔가 그들이 간과한 수가 있는 것일까? E.C.가 최선의 응수를 찾아 곰곰이 생각하는 동안 피터는 좀 더 편하게 검토해 보기 위해서 체스 판 옆에 의자를 끌어다 놓고 앉았다.

아무것도 없잖아, 하고 그는 생각했다. 버니시는 원한다면 다음 수에서 퀸을 제8열로 밀어내는 방법으로 체크를 걸 수 있다. 하지만 그것은 무의미한 수였다. 어제 스티브는 체크메이트를 찾으려고 서두르다가 퀸 사이드를 약화시키는 무리수를 두었다. 그러나 E.C.는 그러지 않았다. 만약 버니시가 체크를 걸어온다면, 스튜어트는 단지 자기 킹을 퀸 2로 이동시키면 그만이다. 그러면 버니시의 검은색 퀸은 적 루크의 공격을 받게 되고, 결국 후퇴하거나 또 하나의 쓸모없는 폰을 잡는 수밖에 없다. 그렇게 가다가 체스 판 중앙부에서 체크메이트를 당하는 것이다. 피터가 이런 변화의 수들을 검토하면 검토할수록, 버니시가 스티브 델마리오를 박살냈을 때 썼던 식의 역습 상황을 만들어 낼 가능성이 전무하다는 확신은 강해져만 갔다.

오랫동안 신중하게 국면을 검토하던 E.C. 역시 같은 결론에 도달한 듯했다. 그는 냉정하게 팔을 뻗어 나이트를 움직였고, 버니시의 고립된 킹을 최종적으로 완전히 포위했다. 이제 퀸으로 체크한다면 한 수만에 체크메이트를 할 수 있다. 버니시는 성가신 나이트를 잡을 수 있지만, 그럴 경우 E.C.는 루크를 써서 상대의 말을 빼앗으면 그만이고, 조금 뒤에는 상대에게 체크메이트를 걸 수 있다. 낚싯바늘에 걸린 버니시가 아무리 몸부림친다 해도 말이다.

버니시는 체스 판 너머의 상대를 향해 미소 지었고, 느릿느릿하게 퀸을 한 칸 움직여 최종 열에 가져다 놓았다. "체크."

E.C.는 콧수염을 훑고는 어깨를 으쓱했고, 자기 킹을 전진시켰다. 그는 과장된 동작으로 시계 단추를 때렸다. "자넨 졌어." 그는 잘라 말했다.

피터도 동의하고 싶은 마음이었다. 버니시의 마지막 체크는 아무것도 만들어 내지 못했다. 사실, 그 탓에 검은색 진영의 곤란한 상황이 한층 더 악화된 것처럼 보였다. 메이트 당할 위협은 여전히 남아 있었고, 예전과 마찬가지로 그것은 저지 불가능해 보인다. 그리고 이제 검은색 퀸도 적의 공격에 직면하고 있었다. 물론 후퇴시킬 수는 있지만, 방어를 돕기에는 너무 늦었다. 버니시는 당황한 나머지 허둥거려야 마땅하다.

그러는 대신 버니시는 만면에 웃음을 띠었다. 너무나도 활짝 웃는 통에 뺨이 갈라질 듯했다. "졌다고?" 그는 말했다. "아, 스튜어트, 이번에 농담거리가 되는 건 자네야!" 그는 10대 소녀처럼 킥킥거렸고, 퀸을 직진시켜 흰색 루크를 낚아챘다. "체크!"

피터 노턴이 체스 대회에서 시합을 한 것은 정말로 오래전의 일이었지만, 적수가 뜻밖의 수를 둬서 게임의 양상이 완전히 바뀌어 버렸을 때 어떤 기분을 느꼈는지를 여전히 기억하고 있었다. 처음에는 짧은 혼란, 아니 이게 뭐야? 하는 느낌. 뒤이어 상대방의 예기치 않았던 수의 힘을 이해했을 때 몰려오는 패닉. 그리고 머릿속으로 패배로 이어지는 변화의 수들을 잇달아 전개하면서 찾아오는, 점점 부풀어 오르는 끔찍한 암울함. 체스를 두는 사람에게 이보다 나쁜 순간은 존재하지 않는다.

지금 피터의 기분이 그랬다.

완전히 간과했던 것이다. 버니시는 퀸을 상대 루크와 교환했다. 보통은 생각할 수도 없는 희생이지만, 이 국면에서는 달랐다. E.C.는 제공받은 퀸을 잡는 수밖에 없었다. 그러나 킹으로 그것을 잡는다면—피터는 갑자기 끔찍할 정도로 뚜렷하게 인식했다—검은색 진영에게는 필승의 조합이 생겨난다. 따라서 E.C.는 하나 남은 루크를 써야 하지만, 그런다면 중앙에 있는 나이트를 엄호하는 중요한 방어망이 무너져 버리고……그다음에는…… 아뿔사!

E.C.는 그것을 대체할 다른 수를 찾아보려고 15분 이상 노력했지만 그런 것은 없었다. 결국 그는 루크로 퀸을 잡았다. 버니시는 재빨리 자기 루크를 집어 들고 단 두 수 전에 그토록 위압적으로 그 자리로 들어갔던 나이트를 잡았다. 그런 다음 버니시는 가차 없는 정확함을 발휘해서 잇달아 서로의 말을 교환했고, 체스 판 위의 모든 위협을 단순화했다. 퍼뜩 정신을 차려 보니 게임은 이미 최종 국면에 돌입하고 있었다. E.C.는 퀸과 다섯 개의 폰을 가지고 있었다. 버니시는 루크 하나, 비숍 두 개, 나이트 하나, 폰 네 개를 가지고 있었고, 얄궂게도 아까는 그토록 위기에 처해 있던 킹은 이제 체스 판 중앙의 강력한 위치를 점령하고 있었다.

게임은 그 뒤로도 몇 시간이나 계속되었다. E.C.는 홀로 남은 퀸을 써서 체크에 이은 체크를 감행했다. 진영에서 이탈한 적의 말을 잡거나 공격을 되풀이해서 비김수를 만들어 내는 것을 목적으로 하는 행동이었지만, 버니시는 자포자기에 가까운 그런 전술에 휘말리기에는 너무 실력이 좋았다. 결국은 기술적인 문제에 불과했던 것이다.

마침내 E.C.는 자기 킹을 눕혔다.

"모든 방어책을 상정했다고 생각했는데." 피터는 망연자실한 목소리로 말했다.

"헛, 주장." 버니시가 쾌활하게 말했다. "어떻게 방어하든 간에 지게 돼 있어. 방어하는 말들은 모두 탈출로를 막거나 직접적으로 방해하거든. 그런데 내가 왜 일부러 힘들여 메이트를 해야 하지? 그러느니 차라리 상대가 고생하게 놓아두는 편이 나아."

"내가 메이트해 주겠어." 피터는 화난 목소리로 약속했다. "내일."

버니시는 손을 비볐다. "정말 기대되는군!"

●○

그날 밤에는 E.C.의 방에서 패전 원인을 분석했다. 캐시는 그들이 침울한 표정으로 그 소식을 전하자 "내가 그럴 거라고 했잖아"라고 말하며 경멸하는 듯한 미소를 떠올렸고, 그들이 자기 눈앞에서 새벽이 다 되도록 체스 판에 들러붙어 있는 꼴은 볼 생각이 없다고 잘라 말했다. 그녀는 피터가 마치 어린애처럼 행동하고 있다고 비난했다. 피터는 화를 내며 그녀와 다투다가 결국 방을 뛰쳐나왔던 것이다.

피터가 합류했을 때 스티브 델마리오는 오늘 오전의 패전을 E.C.와 함께 복기하고 있었다. 델마리오는 지독하게 핏발 선 눈을 하고 있었지만, 그것을 제외하면 초췌하기는 해도 맨 정신인 것처럼 보였다. 커피를 마시고 있다. "어때?" 피터는 의자를 끌어당기며 말했다.

"안 좋아." E.C.가 대꾸했다.

델마리오는 고개를 끄덕였다. "염병할, 안 좋은 정도가 아냐. 그 빌어먹을 세크는 결국은 악수가 아니었나 하는 생각이 들 정도로. 도저히 못 믿겠어. 믿기지가 않아. 처음엔 그토록 유망해 보였는데. 뭔가 다른 수가 있을 거야. 틀림없어. 하지만 아무리 죽어라 찾아봐도 찾을 수가 없는 거야."

E.C.가 덧붙였다. "그 녀석이 오늘 쓴 의외의 수는 꽤 많은 수의 베리에이션에서 위협으로 작용하고 있어. 잊으면 안 돼, 우리가 이 국면에 도달하기까지 말 두 개를 희생시켰다는 사실을. 유감스럽지만 그건 브루시가 곤경에서 벗어나기 위해 어느 정도는 같은 방법을 쓸 수 있다는 걸 의미해. 그래도 여전히 우위에 서고, 최종 국면으로 몰아가서 승리하는 거지. 오늘 아침 내가 했던 게임에서 몇 가지 개량점을 찾아내긴 했는데ㅡ."

"그 나이트를 포기할 필요는 없었어." 델마리오가 끼어들었다.

"ㅡ확실한 건 없었어." E.C.가 말을 끝맺었다.

"혹시나 해서 말인데." 델마리오가 말했다. "퍼니 버니 그 자식 말이 옳을지도 모른다는 생각은 안 해 봤어? 그 세크는 효과가 없고, 결국 그 게임을 이길 방법은 처음부터 아예 없었다는?" 음울한 불신이 깃든 목소리였다.

"그 지적에는 한 가지 결점이 있어." 피터가 말했다.

"그게 뭔데?"

"10년 전에 버니시가 시합에서 자멸한 뒤에, 로빈슨 베셀리어는 자기가 지고 있었다고 인정했어."

E.C.는 생각에 잠긴 기색이었다. "사실이야. 그걸 잊고 있었군."

"베셀리어는 거의 상급 마스터로 승급하기 직전이었어. 그러니까 허튼소리를 했을 리가 없어. 승리할 가능성은 있어. 난 그걸 찾아낼 작정이야."

델마리오는 박수를 치며 환호성을 올렸다. "빌어먹을. 바로 그거야, 피터. 네 말이 옳아! 자, 시작하자고!"

"드디어 방탕한 배우자가 납셨네." 캐시는 피터가 방에 들어오자 가시 돋친 어조로 말했다. "도대체 지금 시간이 몇 시인지 알아?"

그녀는 벽난로 가에 놓인 의자에 앉아 있었다. 불은 이미 꺼져서 재와 잉걸불밖에는 남아 있지 않았지만 말이다. 검은 로브 차림이었다. 피우고 있는 담배 끝이 어둠 속에서 빨갛게 빛났다. 피터는 방에 들어왔을 때는 미소 띤 얼굴이었지만, 이것을 보고 얼굴을 찡그렸다. 과거에는 골초인 적도 있었지만, 캐시는 이미 오래전에 담배를 끊었던 것이다. 이제 담배를 피우는 것은 크게 동요했을 때뿐이었다. 캐시가 담배에 불을 붙였다면, 십중팔구는 격렬한 언쟁으로 이어지기 마련이다.

"늦은 시간이야." 피터는 말했다. "얼마나 늦었는지는 모르겠지만. 그게 뭐 어때서?" 그는 E.C.와 스티브와 함께 거의 밤을 새웠지만 그럴 만한 가치가 있었다. 마침내 찾고 있던 것을 찾았던 것이다. 피터는 피곤하지만 고양된 기분으로 방으로 돌아왔고, 아내가 자고 있을 줄 알았다. 지금은 도저히 싸울 기분이 아니었다. "시간에 그렇게 연연하지 마, 캐시." 그는 달래듯이 말했다. "드디어 찾아냈다고."

그녀는 꼼꼼하게 담배를 비벼 껐다. "뭘 찾아내? 우리 사이코패스 집주인을 이길 수 있을지도 모르는 새로운 수? 내가 당신의 그 멍청한 게임에는 전혀 관심이 없다는 걸 아직도 모르겠어? 내가 뭐라고 하는지 귀담아들을 생각이 없는 거야? 난 밤이 다 가도록 여기서 이렇게 기다렸어. 새벽 세 시가 다 될 때까지. 당신한테 할 얘기가 있어."

"아, 그래?" 피터는 내뱉었다. 아내의 말투에 발끈한 상태였다. "혹시 내가 듣고 싶지 않아 할 거라는 생각은 안 해 봤어? 흠, 이제 생각하라고. 내일 난 중대한 시합을 치러야 해. 그래서 좀 자 둘 필요가 있다고. 동이 틀 때까지 눈도 못 붙이고 당신한테 고함을 지를 여유는 없어, 알겠어? 도대체 뭘 그렇게 얘기하고 싶어서 안달인 거야? 아직까지 내가 들어 본 적이 없는 얘기가 남아 있기는 해?"

캐시는 심술궂게 웃었다. "당신 옛 친구 버니시에 관해서 당신이 아직 들어 본 적이 없는 얘기 몇 가지는 해 줄 수 있지."

"그럴 것 같진 않군."

"정말 그렇게 생각해? 흠, 그럼 그 작자가 지난 이틀 동안 이런저런 수를 써서 나하고 자려고 했다는 건 알기나 해?"

캐시는 조롱하듯이 그의 얼굴을 향해 이 말을 내던졌다. 피터는 마치 망치로 얻어맞은 듯한 충격을 받았다. "뭐라고?"

"앉아." 캐시는 내뱉듯이 말했다. "그리고 내가 하는 얘기를 들어."

그는 힘없이 그녀의 말에 따랐다. "그랬어?" 그는 어둠 속의 검은 실루엣을 응시하며 말했다. 어딘지 불길한, 저 희미한 물체가 그의 아내란 말인가.

"그랬느냐고? 그 작자와 잤느냐는 뜻이야? 하느님 맙소사. 피터, 어떻게 그런 질문을 할 수 있어? 내가 그렇게까지 싫은 거였어? 그런 작자하고 자느니 차라리 바퀴벌레하고 잘 거야. 하여튼 그 작자를 보고 있으면 그게 생각나." 캐시는 한심하다는 듯이 웃었다. "게다가 유혹하는 방법도 도저히 세련되었다고는 할 수 없었어. 글쎄 돈을 주겠다고 하더라고."

"왜 나한테 그런 얘길 하는 거야?"

"당신이 조금이라도 제정신을 찾게 하려고! 버니시가 당신을, 당신들 모두를, 수단 방법을 안 가리고 파멸시키려고 하는 걸 모르겠어? 그 작자는 나를 위해서 유혹했던 게 아냐. 단지 당신한테 상처를 주고 싶었던 거야. 그리고 당신, 당신하고 그 머저리 같은 팀 동료들은 그런 작자의 손바닥 위에서 놀고 있어. 그 작자만큼이나 그 멍청한 체스 게임에 집착하고 있는 거야." 캐시는 그를 향해 몸을 내밀었다. 피터는 어렴풋하게나마 그녀의 얼굴 윤곽을 알아볼 수 있었다. "피터." 캐시는 거의 애원하는 듯한 어조로 말했다. "그런 수작에 놀아나지 마. 그 작자는 당신을 이길 거야. 내 사랑. 당신 친구들을 이긴 것처럼."

"그럴 것 같지는 않아, 내 사랑." 피터는 악문 이 사이로 말했다. 아내를 향해 되던진 애정 표현은 마치 욕설처럼 들렸다. "도대체 왜 그렇게 언제나 내 패배를 받아들일 준비가 되어 있는 거야? 빌어먹을, 단 1분이라도 좋으니 날 내조해 줄 수는 없어? 도울 생각이 없다면 그냥 꺼져 버리라고! 염병할, 이젠 더 이상 당신을 견딜 수 없어. 언제나 나를 업신여기고, 조롱했잖아. 당신은 한 번도 날 믿어 준 적이 없어. 도대체 왜 나하고 결혼했는지 모르겠어. 단지 내 인생을 지옥으로 만들려고 그런 거야? 제발 나를 그냥 내버려 둬!"

피터가 감정을 폭발시킨 뒤로 긴 침묵이 흘렀다. 어두운 방 안에 앉아 있는 그녀의 분노가 점점 더 커지는 것이 몸에 느껴질 정도였다. 이제는 언제든 고함을 지르기 시작할 것이다. 그런다면 그도 맞고함을 칠 것이고, 그녀는 일어나서 뭔가를 부술 것이고, 그러면 그는 그녀를 붙잡을 것이고, 그다음에는 정말로 살벌한 싸움이 벌어지는 것이다. 그는 부들부들 떨며 눈을 감았다. 눈물을 쏟기 직전이었다. 난 그러고 싶지 않아, 하고 그는 생각했다. 정말로 그러고 싶지 않다.

그러나 캐시는 의외의 행동을 보였다. 입을 열었을 때 흘러나온 목소리는 놀랄 정도로 상냥했다. "아아, 피터." 그녀는 말했다. "한 번도 상처를 입힐 생각은 없었어. 제발. 난 당신을 사랑해."

그는 망연자실했다. "날 사랑해?" 놀란 목소리였다.

"제발 들어 줘. 우리들 사이에 뭐든 조금이라도 남아 있다면 제발 몇 분이라도 내 말에 귀를 기울여 줘. 제발."

"알았어." 그는 말했다.

"피터, 난 당신을 한 번 믿었잖아. 처음에는 모든 게 얼마나 좋았었는지 기억나? 그때는 내조를 잘했잖아, 안 그래? 처음 몇 년 동안, 당신이 그 소설을 쓰고 있었을 때 말이야. 내가 밖에서 일해서 우리를 먹여살렸어. 당신에게 글을 쓸 시간을 주려고."

"아, 그랬지." 목소리에 다시 분노가 깃들기 시작했다. 캐시는 예전에도 이 얘기를 꺼내며 그를 공격한 적이 있었다. 그가 소설을 쓰던 2년 동안 그토록 힘들게 내조했건만, 결국 그 책은 종이의 낭비에 불과했다는 사실을 억지로 생각나게 했던 것이다. "부탁인데, 또 그걸로 비난하지는 말아 줄래? 그 책이 안 팔린 건 내 잘못이 아냐. 버니시가 뭐라고 했는지 당신도 들었잖아."

"빌어먹을, 난 당신을 비난하는 게 아냐!" 그녀는 내뱉었다. "왜 내가 입을 열 때마다 악담을 늘어놓을 거라고 생각하는 거야?" 그녀는 고개를 설레설레 흔들었고, 이내 침착한 어조를 되찾았다. "제발 피터, 필요 이상으로 힘들게 하진 말아 줘. 우리가 극복해야 할 고통의 세월은 너무나도 길고, 싸매야 할 상처는 너무나도 많아. 그러니까 그냥 내 말을 들어 줘.

난 당신을 믿었다는 얘기를 하려던 거야. 소설이 실패했을 때조차도, 당신이 원고를 태워 버린 뒤에도…… 그때조차도. 하지만 당신이 그걸 힘들게 만들었어. 난 당신이 실패했다고는 생각하지 않았지만 당신은 그렇게 생각했고, 그게 당신을 변화시켰어. 피터, 당신은 그게 당신을 변화시키도록 놓아두었던 거야. 이를 악물고 다른 책을 쓰는 대신, 당신은 책 쓰기를 아예 포기했어."

"내가 충분히 강하지 않았다는 건 나도 알아. 난 루저였어. 쓸개 빠진 위인이었지."

"입 닥쳐!" 그녀는 넌더리를 내며 말했다. "난 그런 소리 하지 않았어. 당신이 그랬지. 그런 다음 당신은 저널리즘으로 전향했어. 그때도 여전히 난 당신을 믿었어. 하지만 뭐 하나 제대로 되는 것이 없었어. 당신은 해고당했고, 고소당했고, 오명을 뒤집어썼어. 우리 친구들과도 소원해지기 시작했어. 그리고 그러는 내내 당신은 자기 잘못은 하나도 없다고 주장했어. 당신은 그나마 남아 있던 자신감까지 모두 잃어버렸어. 더 이상 꿈을 꾸지 않았어. 그러는 대신 당신은 징징거렸어. 자기가 얼마나 운이 나빴는지에 대해서만 끊임없이 불평했던 거야."

"당신은 그런 나를 도와주지 않았지."

"그랬을지도 모르지." 캐시는 시인했다. "처음에는 그러려고 했지만, 상황은 점점 더 나빠지기만 했고 난 더 이상 어떻게 할 수가 없었어. 당신은 내가 결혼했을 때의 몽상가가 아니었어. 그때 내가 얼마나 당신을 흠모하고 당신을 존경했는지 기억하는 것조차 힘들었어. 피터, 당신의 자기혐오가 너무나도 강했던 탓에 나도 그 영향을 안 받으려야 안 받을 수가 없었던 거야."

"그래서?" 피터는 말했다. "도대체 뭘 지적하고 싶은 거야, 캐시?"

"그래도 난 결코 당신을 저버리지 않았어, 피터. 그럴 수도 있었다는 거 알잖아. 그러고 싶었지만 난 당신 곁에 머물렀어. 그 모든 것, 당신의 모든 실패, 당신의 모든 자기 연민을 견뎌 냈어. 그게 무슨 뜻인지 모르겠어?"

"당신이 마조히스트라는 뜻이겠지." 그는 내뱉었다. "아니면 사디스트라고 해야 하나."

캐시도 이런 말까지는 견디지 못했다. 그녀는 대꾸하려고 했지만 제대로 말을 잇지 못했고, 흐느껴 울기 시작했다. 피터는 꼼짝 않고 앉아 그녀의 울음소리를 듣고 있었다. 마침내 눈물샘이 말라붙자 그녀는 조용한 목소리로 말했다. "나쁜 새끼. 이 나쁜 새끼. 난 네가 미워."

"날 사랑하는 줄 알았는데. 어느 쪽인지 확실히 정해."

"이 멍청이. 둔감한 자식. 아직도 이해 못 하겠어, 피터?"

"뭘 이해하라는 거야?" 그는 조급한 어조로 말했다. "들으라고 해서 이렇게 듣고 있잖아. 당신은 옛날 했던 얘기를 또 재탕 삼탕해서 들려줬을 뿐이야. 내 결점을 늘어놓으면서 말이야. 그건 이미 귀에 못이 박이도록 들었어."

"피터, 지난 며칠 동안 일어난 일이 모든 걸 변화시켰다는 걸 아직도 모르겠어? 날 미워하고, 나나 자기 자신을 혐오하는 걸 멈춘다면 아마 당신도 알아차릴 수 있을 거야. 우리에겐 또다시 기회가 생겼어, 피터. 당신이 그럴 생각만 있다면 말이야. 제발 그래 줘."

"뭐가 어떻게 변했다는 건지 모르겠군. 난 내일 중요한 체스 시합을 해야 하고, 당신도 그게 내게, 나의 자존감에 얼마나 큰 의미를 가진 일인지 잘 알고 있어. 그런데도 당신은 상관 안 한다, 이거지. 내가 이기든 말든 간에 말이야. 당신은 내가 질 거라고 계속 말했어. 잠을 자 둬야 하는 시간에 이렇게 논쟁을 벌여서 내가 지는 걸 돕고 있어. 도대체 뭐가 변했다는 거야? 당신은 지난 몇 년 동안 그랬던 것처럼 악처 노릇을 하고 있잖아."

"뭐가 변했는지 얘기해 줄게. 피터, 지난 몇 년 동안 우리 두 사람 모두 당신이 낙오자라고 생각하고 있었어. 하지만 그건 사실이 아냐! 그건 당신 잘못이 아니었어. 모든 것이. 당신이 줄곧 말해 오던 것처럼 운이 나빠서도 아니었고, 내심 믿고 있었던 것처럼 개인적인 역량이 부족해서도 아니었어. 모두 버니시가 한 짓이었던 거야. 거기서 뭐가 달라지는지 모르겠어? 피터, 지금까지 당신은 제대로 된 기회를 한 번도 갖지 못했지만, 이젠 가지고 있어. 자기 자신을 믿지 못할 이유가 없는 거야. 당신은 큰 성공을 거둘 수 있어! 버니시도 그걸 인정했잖아. 그러니까 당신하고 나는 여길 떠나서 처음부터 다시 시작할 수 있어. 당신은 또 다른 책을 쓸 수도 있고, 희곡을 쓸 수도 있고, 원하는 일이라면 뭐든지 할 수 있어. 당신에겐 재능이 있으니까. 재능이 없었던 적은 한 번도 없었어. 그러니까 우린 또다시 함께 꿈을 꿀 수 있고, 믿음을 가질 수 있고, 서로를 다시 사랑할 수 있어. 아직도 모르겠어? 버니시는 복수를 완수하기 위해서 자기가 한 짓을 우리들에게 과시해야 했어. 하지만 그렇게 함으로써 당신을 자유롭게 해 준 거야!"

피터는 어두운 방 안에서 미동도 않고 앉아 있었다. 캐시의 말이 점점 머릿속에 스며드는 동안 손을 꽉 쥐었다가 펴는 일을 되풀이하고 있었다. 그 체스 게임에 너무나도 몰두한 나머지, 버니시의 망집(妄執)에 너무나도 집착했던 나머지, 지금까지 단 한 번도 보지 못했고, 생각하지도 못했다. 내 탓이 아니었어. 그는 놀라움을 느끼며 생각했다. 그 긴 세월 동안 일어났던 일들은 내 탓이 아니었던 거야. "당신 말이 옳아." 그는 들릴락 말락 한 목소리로 말했다.

"피터?" 캐시가 걱정스러운 어조로 말했다.

그는 그녀의 그런 목소리에서 배려심을 느꼈고, 그 이상을 느꼈다. 사랑을 느꼈던 것이다. 거창한 약속을 하는 사람들은 너무 많아. 그는 생각했다. 더 나아지든 나빠지든, 더 부유해지든 가난해지든 간에 쉽게 약속을 하지만, 관계가 조금이라도 나빠지는 기색이 보이자마자 포기하고 떠나 버리지. 그러나 이 여자는 그대로 내 곁에 머물렀어. 좌절, 오명, 잔인한 말과 악의에 찬 생각들, 매주 되풀이되는 싸움, 빈곤을 감수하면서까지. 나와 함께 있어 줬던 거야.

"캐시." 그다음 말은 쉽게 나오지 않았다. "나도 당신을 사랑해." 그는 일어서서 그녀에게 가려고 하다가, 울기 시작했다.

●○

다음 날 아침 그들은 지각했다. 함께 샤워를 한 뒤에 피터는 평소 습관과는 달리 주의 깊게 옷을 차려입었다. 이유는 잘 모르겠지만 최상의 모습을 유지하는 것이 중요하다는 생각이 들었기 때문이다. 결국 이것은 새로운 시작이었으므로. 그는 캐시와 함께 아래층으로 내려갔다. 거실로 들어갔을 때는 손을 마주 잡고 있었다. 버니시는 이미 체스 판 뒤에서 기다리고 있었고, 피터의 시계는 째깍거리며 작동 중이었다. 다른 두 친구도 와 있었다. E.C.는 참을성 있게 의자에 앉아 있었다. 델마리오는 왔다 갔다 하고 있었다. "서둘러." 그는 계단을 내려오는 피터를 향해 말했다. "이미 5분이나 잃었어."

피터는 미소 지었다. "걱정 마, 스티브." 그는 이렇게 말하고 흰색 말들 뒤의 자기 자리로 가서 앉았다. 캐시는 그의 뒤에 섰다. 오늘 아침에는 정말 매력적으로 보이는군, 하고 피터는 생각했다.

"자네 차례야, 주장." 버니시는 심술궂은 미소를 띠며 말했다.

"알아." 피터는 말했다. 그는 말을 움직이려고 하지 않았고, 체스 판에도 아예 눈길을 주지 않았다. "브루스, 왜 나를 미워하는 거야? 나도 거기 관해서 좀 생각을 해 봤는데, 이유가 뭔지를 알고 싶어. 스티브하고 E.C. 일은 나도 이해할 수 있어. 스티브는 자네가 그 시합에서 졌을 때 주제넘게도 다른 시합에서 이겼고, 나중에는 계속 빈정거리면서 자네가 패했다는 사실을 상기시켰어. E.C.는 장난을 쳐서 자네를 언제나 웃음거리로 만들었고. 하지만 나는 왜? 내가 자네한테 도대체 뭘 했다는 거야?"

버니시는 허를 찔린 듯 잠시 곤혹스러운 표정을 지었다. 이내 그의 얼굴이 굳었다. "너. 넌 그중에서도 최악이었어."

피터는 깜짝 놀랐다. "내가 언제……."

"거물 주장님." 버니시는 신랄한 어조로 말했다. "지금으로부터 10년 전 그날, 넌 이기려고조차 하지 않았어. 네 오랜 친구인 할 윈슬로를 상대로 몇 번 말을 움직이지도 않고 합의 무승부를 선언했지. 이기기 위해 시합을 계속할 수도 있었지만 넌 그러지 않았어. 맞아, 바로 그랬지. 그것 때문에 남은 우리들이 얼마나 많은 압력을 받든 전혀 개의치 않았어. 그리고 우리 팀이 졌을 때조차도 아무런 비난을 받지 않았지. 반 점이나 빼앗긴 주제에 전혀. 우리가 진 건 모두 내 잘못이 됐어. 게다가 그게 전부가 아니었지. 노턴, 왜 내가 대전표 제일 윗자리에 있었던 거야? 우리 B팀의 플레이어들은 모두 대략 같은 평점이었는데, 하필 왜 내가 팀 대표가 되는 영광을 얻었던 거지?"

피터는 잠시 생각하며 10년 전에 대전표를 짜면서 어떤 전략을 염두에 두고 있었는지를 기억해 보려고 했다. 이윽고 그는 고개를 끄덕였다. "브루스, 자넨 언제나 큰 게임에서 졌어. 따라서 상대 팀의 거물들과 맞붙게 되는 첫 번째 위치에 자네를 집어넣는 쪽이 타당했던 거야. 우리가 누구를 내보내든 간에 상대방이 이길 가능성이 높았으니까 말이야. 그렇게 하면 대전표 아래쪽을 좀 더 신뢰도가 높은 선수들로 채울 수 있었어. 심적으로 큰 압력을 받는 상황에서도 믿을 수 있는 선수들을 말이야."

"바꿔 말해서." 버니시가 말했다. "난 버리는 수였다, 이거로군. 내가 질 걸 예상하고, 하위 순위의 시합에서 이기려고 했던 거야."

"응." 피터는 시인했다. "미안해."

"미안하다." 버니시가 이죽거렸다. "넌 나를 지게 만들었고, 질 거라고 예상했고, 그런 다음엔 졌다고 괴롭혔어. 그런데 지금 와서 미안하다는 건가. 넌 그날 체스를 뒀던 게 아냐. 넌 한 번도 체스를 둔 적이 없어. 넌 그보다 더 큰 게임을 하고 있었지. 몇 년 동안이나 너하고 시카고 대학의 윈슬로 사이에서 벌어졌던 게임을 말이야. 그리고 네 팀 동료들은 네가 조종하는 체스 말이었고, 폰이었어. 내 경우는 희생하는 말, 갬빗[18]밖에

---

18 gambit. 체스 게임 초반에 폰 등을 일부러 희생시킴으로써 진형이나 전개를 유리하게 만드는 전술.

는 안 됐지. 그게 다야. 어차피 성공하진 못했지만 말이야. 윈슬로가 널이겼어. 넌 졌고!"

"자네 말이 맞아." 피터는 시인했다. "난 졌어. 이젠 왜 그랬는지도 이해할 수 있을 것 같아. 왜 자네가 그런 짓들을 했는지를 말이야."

"넌 이번에도 질 거야." 버니시가 말했다. "제한 시간이 끝나기 전에 빨리 자기 말이나 움직이라고." 버니시는 그들 사이에 가로놓인 체크무늬의 황야를, 흑과 백의 말들이 복잡하게 뒤얽힌 장소를 턱으로 가리켰다.

피터는 무관심한 눈으로 체스 판을 흘끗 보았다. "어젯밤에 새벽 세 시까지 이걸 분석해 봤어. 세 명이서 말이야. 그래서 새로운 베리에이션을 마련해 놓았지. 연속 세크가 아니라 단독 세크로 시작되는. 난 나이트로 폰을 잡지만, 비숍을 버리는 걸 유보하고 대신 퀸을 여러 칸 움직여. 그게 요점이지. 상당히 괜찮아 보이는 수였어. 하지만 그건 결국 불완전해, 그렇지?"

버니시는 피터를 빤히 쳐다보았다. "그럼 그렇게 두라고. 그럼 알게 될 거니까!"

"아니. 난 두고 싶지 않아."

"피터!" 스티브 델마리오가 낭패한 어조로 말했다. "지금 와서 무슨 소릴 하는 거야. 넌 둬야 해. 이 망할 자식을 이겨야 한다고."

피터는 친구를 바라보았다. "그래 봤자 소용없어, 스티브."

침묵이 흘렀다. 마침내 버니시가 말했다. "넌 겁쟁이야, 노턴. 겁쟁이에 낙오자인 데다가 줏대도 없군. 끝까지 게임을 하라고."

"난 이 게임에 관심이 없어, 브루스. 그냥 한 가지만 확인해 줘. 방금 내가 말한 베리에이션은 불완전한 거 맞지?"

버니시는 넌더리가 난다는 듯한 소리를 냈다. "그래그래." 그는 물어 뜯을 듯한 어조로 말했다. "불완전해. 그 세크에 다른 세크로 반격할 수 있어. 난 루크를 버리고 네 메이트 위협들을 와해시킬 수 있어. 하지만 몇 수 뒤에는 다른 말을 되찾게 되지."

"그럼 모든 베리에이션은 불완전했던 거야, 그렇지?" 피터가 말했다.

버니시는 조롱하듯이 희미하게 웃었다.

"흰색 진영에게 필승 국면 따위는 아예 없었던 거야." 피터는 말했다. "모두 착각하고 있었어. 그 오랜 세월 동안. 자넨 다 이긴 게임을 망쳐 놓은 게 아니었어. 표면적으로는 우세인 것처럼 보이지만, 결국은 죽도 밥도 안 되는 국면이었던 거야."

"이제야 지혜를 얻은 건가." 버니시가 말했다. "난 컴퓨터를 써서 가능한 모든 베리에이션을 프린트 지로 출력해 봤어. 상상을 초월하는 시간이 걸렸지만 나도 여러 인생을 얼마든지 투자할 수 있었으니까 말이야. 내가 과거로 플래시백했을 때—새로운 아이디어를 잇달아 검토하기 위해서 내가 플래시백을 얼마나 자주 되풀이했는지 너희는 상상도 못 할 걸—목적지로 설정한 건 언제나 바로 그 지점이었어. 에번스턴에서 그날, 베셀리어와 맞붙었던 그날 말이야. 난 그 국면에서 가능했던 모든 수를 시도해 보았어. 아무리 황당한 수라고 해도 말이야. 그래도 아무 소용도 없었어. 베셀리어는 언제나 나를 이겼으니까. 결국 내게 주어진 베리에이션들 모두가 불완전했던 거야."

"하지만 그건 말도 안 돼." 델마리오가 항의했다. 당혹스러운 표정이었다. "베셀리어는 자기가 진 게임이라고 했어. 자기 입으로 그렇게 말했다고!"

버니시는 경멸의 눈초리로 델마리오를 보았다. "쉽게 이길 수 있었던 게임에서 난 그 작자에게 식은땀을 흘리게 만들었어. 앙갚음을 하고 싶었던 거겠지. 베셀리어는 복수심이 강한 사내였고, 그렇게 말하면 패배가 훨씬 더 고통스러워질 걸 잘 알고 있었던 거야." 그는 히죽 웃었다. "참고로 그 녀석도 나중에 손을 봐 줬지."

E.C. 스튜어트는 자기 자리에서 일어나 베스트를 가다듬었다. "브루시, 이제 다 끝났으면 이 버니시 랜드에서 우리를 해방해 주겠어?"

"넌 가도 돼." 버니시는 말했다. "주정뱅이도 가. 하지만 피터는 아냐." 그는 보조개를 지어 보였다. "왜냐고? 피터는 어떤 의미에서는 거의 승리했기 때문이야. 그러니까 난 관대해질 용의가 있어. 주장, 내가 자네를 위해 뭘 해 주려는지 알아? 내 플래시백 장치를 쓰게 해 줄게."

"고맙지만 사양하겠어." 피터는 말했다.

버니시는 어리둥절한 표정으로 피터를 응시했다. "사양한다니, 그게 무슨 소리야? 내가 자네한테 뭘 주려고 하는지 이해 못 해? 자넨 과거의 모든 실패를 다 지워 버리고, 다시 시작할 수 있어. 다른 움직임들을 시도해 보는 거야. 다른 시간선에서 성공자가 될 수 있다고."

"알아. 그런다면 이 시간선에서는 캐시 앞에 시체 하나가 남게 되는 것도 물론 알고, 그렇지? 그리고 자넨 섬뜩할 정도로 자살을 닮은 행위로 나를 몰아넣을 수 있었다는 만족감을 얻을 수 있겠지. 아냐. 난 과거 대신 미래에 운을 맡겨 볼 거야. 캐시와 함께."

버니시는 멍하니 입을 벌렸다. "왜 이런 여자한테 신경을 쓰는 거야? 어차피 자네를 증오하고 있잖아. 이 여자 입장에서도 자네가 죽는 편이 낫다고. 그럼 보험금을 받을 거고 자넨 이 여자보다 훨씬 나은 누군가를 얻을 수 있어. 자네를 좋아하는."

"하지만 난 이 남자를 좋아하는데." 캐시가 말했다. 그녀가 피터의 어깨에 손을 얹자 피터도 손을 들어 올려 그녀의 손을 어루만졌고, 미소 지었다.

"그렇다면 너도 바보 멍청이야!" 버니시가 외쳤다. "이 작자는 아무것도 아니고, 앞으로도 결코 성공할 수 없어. 그렇게 되도록 내가 손을 봐줄 거야."

피터는 일어섰다. "글쎄, 그럴 것 같진 않군. 자네가 더 이상 우리에게 해를 끼칠 수 있을 거라고는 생각 안 해. 우리들 모두에게 말이야." 그는 다른 사람들을 돌아보았다. "자네들은 어떻게 생각해?"

E.C.는 생각에 잠긴 표정으로 고개를 갸우뚱 기울였고, 손가락 끝으로 콧수염 아래쪽을 훑었다. "그렇군. 자네 말이 옳은 것 같아."

델마리오는 단지 어리둥절한 표정을 지었을 뿐이지만, 갑자기 얼굴에 이해의 빛을 떠올리더니 씩 웃었다. "넌 내가 아직 생각해 내지 못한 아이디어까지 훔치지는 못해, 그렇지?" 그는 버니시에게 말했다. "적어도 이 시간선에서는 말이야." 그는 환호성을 올리고는 체스 판으로 다가갔다. 그는 손을 내밀어 시계를 멈췄다. "체크메이트." 그는 말했다. "체크메이트, 체크메이트, 체크메이트!"

●○

그로부터 2주도 채 지나지 않은 어느 날, 캐시가 그의 서재 문을 나직하게 두드렸다. "잠깐만!" 피터는 외쳤다. 그는 한 문장을 더 타이프 쳤고, 타이프라이터의 스위치를 끈 다음 의자에 앉은 채로 뒤로 빙글 돌았다. "들어와도 돼." 캐시는 문을 열고 그를 향해 미소 지었다. "참치 샐러드를 좀 만들었어. 짬을 내서 점심을 먹을 생각이라면 말이야. 책은 얼마나 진행됐어?"

"순조로워. 계속 쓰면 오늘 중에 2장을 끝낼 수 있을 거야." 피터는 캐시가 신문을 들고 있다는 사실을 깨달았다. "뭐야 그거?"

"당신도 읽어 봐야 한다는 생각이 들어서." 그녀는 신문을 건넸다.

피터는 부고란을 펼쳐 놓은 신문을 받아 들고 읽었다. 억만장자이자 전자공학의 천재인 브루스 버니시가 콜로라도 주의 자택에서 사망한 채로 발견되었다는 내용이었다. 발견 시 그는 기묘한 장치에 접속되어 있었고, 그 장치에 의해 감전사한 듯하다고 쓰여 있었다. 피터는 한숨을 내쉬었다.

"또 시도할 작정인 거야, 그렇지?" 캐시가 말했다.

피터는 신문을 내려놓았다. "불쌍한 녀석, 아직도 깨닫지 못하다니."

"뭘?"

피터는 캐시의 손을 잡고 꼭 쥐었다. "모든 베리에이션은 불완전하다는 거." 이렇게 말하니 왠지 서글펐다. 그러나 점심을 먹은 뒤로는 그런 일은 곧 잊었고, 다시 글을 쓰기 시작했다.

유리꽃

The Glass Flower

옛날, 내가 아직 파릇파릇한 첫사랑의 경험에 설레는 소녀에 불과했을 무렵, 어떤 소년이 사랑의 징표로 내게 유리꽃 한 송이를 주었다.

내게는 특별하고 소중한 소년이었지만, 고백하자면 지금은 그 이름조차도 잊었다. 그가 준 꽃의 이름도 마찬가지다. 내가 살아오던 강철과 플라스틱투성이의 세계에서 고대의 기술인 유리 불기는 이미 사라지고 잊힌 지 오래였지만, 유리꽃을 제작한 이름 모를 장인은 그 기술을 온존하고 있었던 듯하다. 내 꽃에는 우아하게 만곡한 길고 가느다란 줄기가 달려 있다. 얇고 섬세한 이 유리 줄기 끝에 내 주먹만 한 크기의 믿을 수 없이 정교한 꽃이 활짝 피어 있는 것이다. 빠짐없이 재현된 세부는 수정 속에서 영원히 얼어붙어 있는 듯하고, 꽃부리 한복판에서는 크고 작은 투명한 꽃잎들이 복잡하게 겹치면서 흐드러지게 펼쳐진다. 꽃 주위를 왕관처럼 에워싸며 늘어진 여섯 개의 잎사귀에는 엽맥이 이루는 섬세한 무늬까지 고스란히 남아 있지만, 어느 하나 똑같은 무늬가 없다. 마치 어느 날 뜰을 산책하던 연금술사가 특별히 크고 아름다운 꽃이 피어 있는 것을 목격하고 장난삼아 유리로 변성(變性)시킨 것이 아닌가 하는 생각이 들 정도다.

이 꽃에 없는 것은 오직 생명뿐이다.

내게 꽃을 준 소년과 작별하고 그가 살던 세계를 떠나온 후로 오랜 세월이 흘렀지만, 나는 거의 2백 년 동안이나 이 꽃을 지니고 살아왔다. 내가 경험해 온 여러 삶의 다양한 장(章)을 통틀어 이 유리꽃은 항상 내 곁에 있었다. 매끄럽게 연마된 소박한 나무 꽃병에 꽂아 창가에 놓아두고 바라보는 것이 낙이었다. 이따금 유리꽃은 잎사귀와 꽃잎에 햇살을 받고 순간적으로 찬란한 빛을 발한다. 햇빛을 투과시키고 산산조각 내서 바닥에 희미한 무지개를 흩뿌릴 때도 있다. 황혼이 다가오며 세계가 박명(薄明) 속에 잠기기 시작할 무렵이면 주위의 어둠에 녹아들며 시야에서 완전히 사라지는 일도 종종 있다. 그럴 때면 가만히 앉아서 빈 꽃병을 응시하곤 한다. 그러나 아침이 되면 꽃은 다시 모습을 드러냈다. 그러지 않았던 적은 한 번도 없다.

유리꽃은 지극히 섬약했지만 파손될 위기에 처한 적은 한 번도 없었다. 내가 정성스레 보살핀 덕이다. 아마 그 어떤 것이나 그 어떤 사람을 대할 때보다 더 큰 정성을 들였는지도 모르겠다. 이 꽃은 지금까지 내가 사귄 십여 명의 연인들보다 더 오래되었고, 일일이 열거할 수도 없을 정도로 많은 세계를 여행하며 알게 된 수많은 친구들보다 더 오래되었다. 애쉬와 에리컨과 샘디자르에서 보냈던 젊은 시절에도, 나중에 로그스호프와 베거번드에 살았을 무렵에도, 노인이 되어 댐 튤리언과 릴리스와 걸리버에서 살던 시절에도 이 꽃은 항상 내 곁에 있었다. 그리고 마침내 과거의 모든 삶과 모든 사람들의 세계를 뒤로하고, 인간 우주를 완전히 떠나와서 젊음을 되찾은 뒤에도, 유리꽃은 여전히 내 곁에 있었다.

그리고, 오랜 연월이 흐른 지금, 우리를 찾아 헤매는 극소수의 지옥에 떨어진 영혼들을 제외하면 인류의 발길이 전혀 닿지 않는 이곳, 행성 크로운데니의 악취가 피어오르는 늪지대 한복판의 높은 지주 위에 우뚝 서 있는 나의 성, '정신 게임'이 행해지는 이 고통과 재생의 집에서도— 유리꽃은 내 곁에 있었다.

클레로노마스가 도착했던 그날에도.

●○

"요아힘 클레로노마스." 나는 말했다.

"그렇소."

사이보그에도 온갖 종류가 있다. 우주에는 수많은 행성, 수많은 문화, 수많은 가치관과 수많은 기술 수준이 존재한다. 사이버잭(Cyberjack) 중에는 원래의 육체를 반쯤 남긴 자가 있는가 하면, 그보다 많이 남기거나 그보다 적게 남긴 자도 있다. 달랑 금속 의수 하나만을 드러내고 나머지 사이버 반신(半身)을 맨살 밑에 교묘하게 숨긴 사이보그도 있다. 진짜 인간 피부와 거의 구별할 수 없는 인공 피부를 뒤집어 쓴 사이보그도 있다. '천 개의 세계'에서 볼 수 있는 다채로운 피부색을 감안하면 그리 대단한 업적이라고 할 수는 없지만 말이다. 금속 부분을 숨기고 맨살을 과시하는 경우도 있고, 그와는 정반대인 경우도 있다.

클레로노마스를 자처하는 사내는 숨기거나 과시할 맨몸이 아예 없었다. 이 사내는 자기를 사이보그라고 불렀고 그 이름에 부수된 전설에서도 그는 사이보그로 간주되고 있었지만, 지금 내 앞에 서 있는 모습은 오히려 로봇에 더 가까워 보였다. 안드로이드라고 하기에도 뭐할 정도로 유기적인 부분이 전혀 눈에 띄지 않는다.

그는 나체였다. 금속과 플라스틱으로 이루어진 몸을 나체라고 부를 수 있다면 말이다. 칠흑처럼 번들거리는 흉부는 광택이 있는 합금인지 매끄러운 플라스틱인지 분간하기 힘들었다. 팔다리는 투명한 플라스틸(plasteel)제였다. 이 가짜 피부 아래로 두랄루민 합금으로 만들어진 검은 골격과, 근육과 힘줄 역할을 하는 피스톤과 굴신 장치, 마이크로모터와 감각 컴퓨터 따위가 보였다. 투명한 팔다리 안에서 빠르게 움직이는 복잡한 빛의 패턴은 초전도 신경계의 움직임을 나타낸다. 손가락은 강철제였다. 오른손으로 주먹을 쥘 때마다 손등 관절에서 길고 날카로운 은빛 갈고리들이 비스듬하게 튀어나온다.

클레로노마스는 나를 응시하고 있었다. 그의 두 눈은 금속 안와에 끼워진 투명한 렌즈였고, 녹색의 반투명한 젤 속에서 위아래로 움직인다. 딱히 동공처럼 보이는 것은 없었다. 심홍색의 무표정한 홍채 뒤에서 불타오르는 희미한 빛은 그의 응시에 불길한 붉은 느낌을 더하고 있었다. "내가 그렇게 신기하오?" 놀랄 정도로 굵고 자연스러운 목소리였다. 잘 울렸지만, 인간적인 억양을 망치는 금속의 반향음은 전혀 없었다.

"클레로노마스." 나는 말했다. "그 이름이 신기해서 그래. 옛날 옛적 그런 이름을 가진 사내가 있었지. 전설상의 사이보그. 물론 너도 알고 있겠지만, '클레로노마스 탐험대' 대장. 아발론의 〈인류지식학술원〉의 창설자 말이야. 네 조상인가? 아마 너희 일족은 금속을 좋아하는 가풍을 갖고 있는지도 모르겠군."

"아니오." 사이보그가 말했다. "내가 그 요아힘 클레로노마스요."

나는 그를 보며 미소 지었다. "그럼 나는 예수 그리스도야. 내 '사도'들을 만나게 해 줄까?"

"내 말을 믿지 못하겠다는 거요, '위즈덤[知慧]'?"

"클레로노마스는 천 년 전에 아발론에서 죽었어."

"아니오. 그는 지금 당신 앞에 서 있는 인물이오."

"사이보그, 여긴 크로운데니야. 재생을 원하지 않았다면, 정신 게임에서 새로운 삶을 쟁취할 생각이 없었다면 넌 여기 오지도 않았을 거야. 그러니까 미리 경고해 두지. 정신 게임에서는 어떤 허위도 위선도 박탈당한다는 걸 말이야. 우린 너의 살과 금속과 착각을 모조리 박탈할 거고, 마지막으로 남는 건 오직 너 혼자뿐이야. 상상을 초월할 정도로 벌거벗겨지고 고독한 너. 그러니까 그런 말로 내 시간을 낭비하진 말아 줘. 내겐 시간이야말로 가장 소중한 것이니까 말이야. 시간은 그 누구에게도 가장 소중하지. 사이보그, 도대체 넌 누구지?"

"클레로노마스." 그는 말했다. 말투에 조롱하는 듯한 기색이 섞여 있었을까? 확신할 수 없었다. 그의 얼굴은 미소 따위와는 인연이 없었다. "그러는 당신 이름은?" 그가 물었다.

"몇 개 있지."

"그중 어느 것을 쓰시오?"

"게임 참가자들은 나를 위즈덤이라고 불러."

"그건 칭호지 이름이 아니잖소."

나는 미소 지었다. "너도 여행을 통해 많은 걸 배웠나 보군. 진짜 클레로노마스처럼. 좋아. 내가 태어날 때 받은 이름은 시레인이라 해야겠지. 내가 가진 모든 이름 중에 개인적으로 가장 익숙한 이름이야. 태어나서 처음 50년 동안은 그 이름을 썼거든. 댐 튤리언으로 가서 수행하며 위즈덤이 되는 법을 배우고 그 칭호를 이름 대신 쓰게 되기 전에는."

"시레인." 그는 되풀이했다. "한 단어요?"

"그래."

"그럼 어느 행성에서 태어났소?"

"애쉬."

"애쉬의 시레인. 당신은 얼마나 나이를 먹었소?"

"표준년으로?"

"물론."

나는 어깨를 으쓱했다. "2백 살에 가까워. 일일이 세는 건 이미 그만뒀지만."

"어린애처럼 보이는데. 사춘기를 맞게 될 어린 소녀로밖에는 생각되지 않소."

"난 내 몸보다 더 나이를 먹었거든."

"나와 마찬가지로군." 그는 말했다. "위즈덤, 사이보그의 저주란 부품을 교환할 수 있다는 점이오."

"그럼 넌 불사(不死)라고 주장하는 건가?" 나는 도전적으로 물었다.

"거친 일반화이긴 하지만, 어떤 의미에서는 그렇소."

"흥미롭군. 모순적이기도 하고. 넌 여기 있는 나를 만나러 왔어. 크로운데니와 그 '유물'이 있는 곳으로 정신 게임을 하러. 이유가 뭐지? 사이보그, 이곳은 죽어 가는 자들이 새 생명을 얻을 희망을 품고 오는 곳이야. 불사의 존재 따위는 거의 들르지 않아."

"나는 다른 상을 획득하기 위해 왔소." 사이보그가 말했다.

"어떤?" 나는 반문했다.

"죽음." 그는 말했다. "생명. 죽음과 생명."

"그 두 가지는 달라. 서로 정반대의 성질을 가진 적이잖아."

"아니오." 사이보그가 말했다. "그것들은 같은 것이오."

●○

6백 표준년 전, 전설에 의하면 '백(白)'이라고 불리는 생물이 행성 크로운데니에 착륙했다. 행성의 원주민들은 그때 처음 항성 간 우주선을 봤다고 한다. 크로운데니 인들의 전승을 믿는다면, 백은 오랜 여행을 통해 넓은 견문을 쌓은 나도 만나 본 적이 없고 들어 본 적조차 없는 종족의 일원이었다. 그 사실 자체는 그리 놀랄 만한 일이 아니다. 인류가 개척한 천 개의 세계에 (실제로는 그 두 배가 되거나 그보다 적을지도 모르지만, 누가 일일이 그것을 셀 수 있겠는가?) 우주에 산재한 핀디, 다무시, 그베른, 노르 탈러시 족, 기타 우리가 알거나 소문을 들은 적이 있는 지적 종족들의 영토를 모두 합쳐도, 오로지 볼크린(volcryn)만이 진정으로 알고 있다는 칠흑의 심연을 가로질러 몇백 몇천 광년에 걸친 판도(版圖)를 획득한 제국들을 내세워도, 정념과 피와 역사로 채색된 수많은 행성과 항성과 삶 들로 이루어진 우리의 조그만 우주를 총동원한다 하더라도……결국은 광대무변한 회색 지대—불가지(不可知)의 궁극적인 암흑으로 이어지는—로 에워싸인 조그만 빛의 고도(孤島)에 불과한 것이다. 게

다가 이 고도는 무수히 많은 은하계들 중 하나에 불과하다. 설령 우리가 10억 년을 존속하더라도, 그 끝에 도달하는 일은 결코 없다. 아무리 노력해도, 아무리 절규해도, 이 상상을 초월하는 광막함 앞에서는 결국 무릎을 꿇게 될 것이다. 그것이 피할 수 없는 진실임을 나는 확신한다.

그러나 나도 그렇게 쉽게 패배할 생각은 없었다. 그것이 나의 자긍심, 유일하게 남은 마지막 자긍심이기 때문이다. 암흑에 도전하기에는 턱없이 비소(卑小)하지만, 그래도 없는 것보다는 낫다. 종말이 찾아오면 나는 격렬하게 저항할 것이다.

백은 그런 점에서 나와 닮았다. 그것은 우리 인류가 도달한 적이 없는 회색 지대의 피안 어딘가에 있는 연못에서 튀어나온 개구리, 인류의 조그만 빛들이 아직 닿지 않은 곳의 검은 수면을 뚫고 나온 존재였다. 그것이 어떤 종류의 생물이었든 간에, 어떤 역사와 어떤 진화의 무거운 짐을 그 유전자에 걸머지고 있었던 간에, 나의 동류라는 점에는 변함이 없었다. 우리들은 화난 하루살이처럼 별에서 별로 쉴 새 없이 날아다니는 존재였다. 동족 중에서는 유일하게, 각자에게 주어진 하루가 얼마나 짧은지를 실감하고 있었기 때문이다. 그리고 우리들은 크로운데니의 이 소택지에서 일종의 숙명을 찾아냈던 것이다.

백은 혈혈단신으로 이 장소로 와서 그 조그만 우주선을 (장난감이나 장신구처럼 보이는 그 잔해를 본 적이 있는데, 완전히 이질적인 선체의 윤곽은 나의 내부에 감미로운 전율을 불러일으켰다) 착륙시켰고, 행성을 탐험하던 중에 무엇인가를 찾아냈다.

그 자신보다 더 오래되고 기이한 것을.

'유물'을.

백이 어떤 기이한 장치를 갖추고 왔는지, 어떤 외계의 비밀을 갖고 있었는지, 또 어떤 본능에 이끌려 이곳으로 왔는지에 관해서는 모두 잊히고 사라졌다. 그러나 그런 것들은 중요하지 않다. 백은 알고 있었다. 이 행성의 지적 종족이 추측조차도 하지 못했던 그 유물의 목적을 알고 있었고, 어떻게 하면 그것을 작동시킬 수 있는지를 알고 있었던 것이다. 천년 만에—백만 년 만에?—처음으로 정신 게임이 행해졌다. 그리고 그 과정에서 백은 변했고, 유물에서 나와 다시 모습을 드러냈을 때는 완전히 다른 존재가 되어 있었다. 그가 바로 초대 '정신의 주(主)'였고, '생과 사의 주인'이었으며, '고통의 주'이자 '생명의 주'였던 것이다. 이런 칭호들은 생겨난 후 진부해지고 파기되고 잊혔지만, 그런 것은 전혀 중요하지 않다.

나를 뭐라고 부르든, 백이야말로 그 자리에 앉았던 첫 번째 존재였다.

●○

사이보그가 내 사도들과 만나기를 청했다면 나는 기꺼이 그의 청을 들어주었을 것이다. 그가 떠나가자 나는 사도들을 소환한 다음 말했다. "새로 온 참가자는 클레로노마스를 자처하고 있어. 난 그자가 누구이고, 정체가 무엇이고, 무엇을 얻기를 희망하고 있는지를 알아내야겠어. 각자 조사해서 보고하도록."

나는 그들의 탐욕과 두려움을 느낄 수 있었다. 사도들은 도구로써는 쓸모가 있지만 충성심과는 인연이 멀다. 언제든 배신의 입맞춤을 할 용의가 있는 열두 명의 이스카리옷 유다를 모아 놓은 것이나 마찬가지다.

"풀스캔 준비가 되어 있습니다." 사도들 중 하나인 닥터 라이먼이 푸르스름하고 푸석푸석한 눈으로 나를 보며 말했다. 아첨하는 듯한 미소를 떠올린 입가가 작게 경련하고 있다.

"그자가 인터페이스 접속에 동의할까요?" 나 자신의 사이버잭인 데이시 그린-9가 말했다. 주먹 쥔 오른손은 볕에 그은 검붉은 맨살로 이루어져 있지만, 왼손 대신 달린 은빛 구체가 갈라지면서 꿈틀거리는 금속 촉수들이 잔뜩 튀어나온다. 돌출한 커다란 이마 아래의 응당 눈이 있어야 할 부분에는 얼굴뼈에 직접 이식된 이음매가 없는 미러글래스의 띠가 번들거리고 있다. 이를 전부 크롬으로 도금했기 때문에 웃으면 눈이 부시다.

"두고 봐야겠지." 나는 말했다.

세바스천 케일은 수조 안에 떠 있었다. 괴물 같은 거대한 머리를 가진 뒤틀린 태아의 모습을 하고 있다. 물갈퀴를 막연하게 움직이며, 시력을 결여한 거대한 두 눈으로 나를 응시하고 있는 것처럼 보인다. 녹색을 띤 정체된 양수(羊水)에 잠긴 희뿌연 나신 주위로 거품이 솟아오른다. 그 사내는 거짓말을 하고 있어. 내 머릿속으로 이런 속삭임이 들려왔다. 위즈덤, 당신을 위해 진실을 알아낼게.

"좋아." 나는 말했다.

나의 핀디 인 정신 고문 전문가인 트르큰르가 인간 가청역의 한계에 근접한 높고 날카로운 목소리로 나를 향해 노래를 불렀다. 어린애가 그린 삐뚤빼뚤한 선화(線畵)를 연상시키는 길이 3미터의 수수깡 인형 같은 몸이 사도들 위로 우뚝 솟아 있다. 전신의 관절이 과도할 정도로 많았고, 관절의 위치나 꺾이는 각도도 모두 어딘가 이상하다는 느낌을 준다.

고대의 화장터에서 재처럼 하얗게 타 버린 뼈들을 주워 와서 아무렇게나 조립한 느낌이랄까. 그러나 노래를 부를 때 그 안와상융선(眼窩上隆線) 아래의 수정 같은 두 눈은 형형한 빛을 발하고, 입술이 없는 수직으로 찢어진 입에서는 향기로운 검은 액체가 흘러나온다. 그가 부르는 고통과 절규의 노래는 신경에 불을 붙이고 비밀을 까발리며 마음의 크레바스 속에 은닉된 진실을 김을 뿜는 내장처럼 뽑아낸다.

"아니, 그건 힘들어." 나는 그에게 말했다. "사이보그가 고통을 느끼는 건 본인이 그걸 원할 때뿐이야. 그자는 통각 수용기를 차단하고 외톨이 네 노래를 꺼 버릴 수가 있다는 뜻이야."

신경 창부(娼婦)인 샤알라 로셴이 체념의 미소를 떠올리며 말했다. "그렇다면 위즈덤, 제가 할 일도 아예 없다는 얘기네요?"

"아직 잘 모르겠어." 나는 시인했다. "한눈에 성기처럼 보이는 건 없었지만, 내부에 조금이라도 원래 몸의 일부가 남아 있다면 쾌락 중추가 그대로 살아 있을 가능성도 있어. 원래는 남성이었다고 주장하더군. 따라서 여전히 성욕을 느낄지도 몰라. 그걸 알아봐."

샤알라는 고개를 끄덕였다. 부드럽고 새하얀 그녀의 몸은 본인이 원한다면 눈처럼 차가워지기도 하고, 새하얗게 달아오르기도 한다. 입꼬리가 말려 올라간 입술이 기대감으로 인해 새빨갛게 홍조하고, 약동하는 것처럼 보였다. 그녀를 휘감고 있는 드레스의 모양과 색채는 내가 바라보는 동안에도 계속 변했고, 매니큐어를 칠한 긴 손가락 끝에서는 불꽃이 튀며 호(弧)를 그렸다.

"약물은 어때요?" 생체 의학자이자 유전자 엔지니어이며 독극물 전문가이기도 한 브라제가 물었다. 의자에 앉아 직접 조제한 신경안정제를 씹어 먹고 있는 그녀의 부풀어 오른 몸은 성 밖의 늪 못지않게 축축하고 부드럽다. "진실 고백제? 고문 약? 공감 약?"

"글쎄. 효과가 있을 것 같진 않은데." 나는 말했다.

"그럼 병에 걸리게 한다든지?" 그녀가 제안했다. "인간 탄저병이라든지 괴저도 가능한데요. 진행이 느린 병을 심어 놓고, 그 특효약을 우리만 가지고 있다면?" 그녀는 킥킥 웃었다.

"안 될 거야." 나는 잘라 말했다.

이런 식의 대화가 계속되었다. 사도들은 각자의 전문 분야를 구사해서 내가 알고 싶은 것을 알아내도록 돕겠다고 하며 내 환심을 사려고 했다. 그것이 사도들의 본성이기 때문이다. 나는 그들의 주절거림에 수동적으로 귀를 기울이며 그들의 제안을 가늠하고, 평가했고, 각자에게 명령을 내린 다음 모두 방에서 나가게 했다. 한 사람만 남기고.

카르 도리언. 배신의 날이 오면, 내게 입을 맞출 사내다. 굳이 위즈덤의 통찰력을 발휘하지 않아도 그쯤은 알 수 있다.

나머지 사도들은 내게서 원하는 것이 하나씩 있다. 그것을 얻은 뒤에는 떠나갈 자들이다. 카르는 이미 오래전에 원하는 것을 얻었지만, 여전히 나의 세계로, 나의 침대로 되풀이해서 돌아온다. 그로 하여금 그런 행동을 하게 하는 것은 나에 대한 사랑도, 내가 두르고 있는 젊은 육체 때문도 아니다. 내게서 받는 막대한 보수처럼 단순한 것 때문도 아니다. 그의 가슴속에는 그보다 훨씬 더 장대한 야심이 자리 잡고 있다.

"릴리스를 출발했을 때부터 줄곧 함께였다고 했지." 나는 말했다. "그자의 정체가 뭐야?"

"게임 참가자." 도리언은 나를 조롱하는 듯한 뒤틀린 미소를 지으며 말했다. 숨이 멎을 정도로 아름다운 사내다. 날씬하고 탄탄하며 단련된 몸의 소유자고, 30대 특유의 오만함과 거친 남성적 매력을 겸비했으며, 터질 듯한 건강함과 정력을 발산하고 있다. 사자 갈기처럼 흐트러진 긴 금발, 수염을 말끔하게 깎은 강인한 턱, 곧고 모양 좋은 코, 강렬한 눈빛을 발하는 새파란 눈. 그러나 이 눈 뒤에는 노회함이 깃들어 있다. 노회하고 신랄하고 불길한 무엇인가가.

"도리언." 나는 경고했다. "나를 상대로 게임을 할 생각은 하지 마. 그자는 단순한 참가자가 아냐. 정체가 뭐야?"

카르 도리언은 일어나서 느릿하게 기지개를 켜고 하품을 하더니 씩 웃었다. "자기가 말하는 대로의 인물이야." 나의 노예 상인이 말했다. "클레로노마스."

●○

윤리란 조건이 맞을 경우 빈틈없이 잘 뜨개질한 옷처럼 몸을 조여 오지만, 별들 사이의 광막한 공간은 모든 매듭을 개개의 흐트러진 실로 풀어헤치는 경향이 있다. 제아무리 선명한 빛깔을 가진 실들이라 해도 이들을 잇는 질서 있는 패턴을 찾기가 불가능해지는 것이다. 최신 패션으로 차려입은 베거번드 인은 캐서데이에서는 유치찬란한 촌뜨기에 불과하고, 이미르 인은 베스에서는 더위를 먹고, 베스 인은 이미르에서 강추위에 얼어붙고, 펠라노라 인이 옷 대신에 걸치는 변화하는 빛은 대여섯 개의 행성에서는 강간과 폭동과 살인을 유발하고도 남는다. 윤리도 마찬가지다. 선(善)이라는 개념은 옷깃의 디자인만큼이나 천차만별이어서, 지적 생물의 생명을 박탈한다는 행위는 자기 젖가슴을 드러낼지 숨길지를 선택하는 행위 정도의 무게밖에는 가지지 못하는 것이다.

나를 괴물 취급하는 행성들도 있을 것이다. 나는 이미 오래전에 그런 일에 연연하는 것을 그만두었지만 말이다. 나는 나 자신의 패션 센스를 갖춘 채로 이곳 크로운데니로 왔고, 다른 자들의 미적 판단 기준 따위에는 관심이 없다.

카르 도리언은 노예 상인을 자처하며 우리가 실제로 인신매매에 종사한다는 사실을 지적한 적이 있다. 그가 무엇을 자처하든 내가 알 바 아니지만 나는 노예 상인이 아니다. 이런 호칭은 불쾌하다. 노예 상인은 희생자를 구속한 채로 노예 노동을 강요하며 자유의지와 이동의 자유와 시간을 비롯한 삶의 소중한 요소를 박탈하지만, 나는 그런 짓을 하지 않는다. 나는 단지 육체 도둑에 불과하기 때문이다. 카르와 그의 졸개들은 릴리스의 거대 도시들, 댐 튤리언의 가혹하고 황폐한 산야, 베스의 운하 빈민가, 펠라노라와 시메란스와 슈라이크의 우주항 술집, 기타 어디서든 닥치는 대로 제물을 납치해서 내게 데려오고, 나는 그들의 육체를 훔침으로써 그들을 해방한다.

해방된 자들 중 다수가 이곳을 떠나기를 거부한다.

그들은 성벽 밖의 도시에 살며 내가 지나갈 때마다 공물을 던지고 내 이름을 부르며 자비를 내려 주길 간원한다. 그들에게 자유의지와 이동의 자유와 시간을 주었지만, 그들은 그곳에 눌러살며 그것들을 허비할 뿐이다. 내가 그들로부터 훔친 유일한 것을 되돌려받기를 희망하며.

나는 그들의 육체를 훔쳤을 뿐이다. 그러나 그들은 자진해서 영혼을 잃었다.

그 부분을 감안한다면 내가 도둑을 자처하는 사실은 과도한 자기 규탄의 산물일지도 모르겠다. 카르가 내게 데려오는 희생자들은 자기 의도와는 상관없이 정신 게임에 억지로 참가해야 하지만, 참가자라는 점에는 아무 차이도 없다. 같은 특권을 얻기 위해 막대한 금액을 지불하고 크나큰 위험을 무릅쓰는 자들도 있지 않은가. 어떤 자들은 참가자라고 불리고 다른 자들은 제물이라고 불리지만, 고통이 찾아오면서 정신 게임이 시작되면 우리는 모두 동등해진다. 부(富)나 건강이나 사회적 지위와는 무관한, 태어났을 때 그대로의 모습으로 홀로 서서, 오로지 내면의 힘만으로 무장하고 상대와 맞서는 것이다. 이기든 지든, 살든 죽든 간에 모든 것은 우리들, 오직 우리들에게만 달렸다.

나는 제물들에게 기회를 준다. 몇몇 제물은 이길 때조차 있다. 물론 그런 자들이 극소수인 것은 사실이지만, 희생자들에게 어떤 식으로든 기회를 주는 도둑이 얼마나 있다고 생각하는가.

크로운데니에서 까마득하게 먼, 인류 우주 반대편에 위치한 성역에 서식하는 '강철 천사'들은 자기 자식들에게 유일한 미덕이란 힘이며 유일한 죄는 약함이라고 가르치고, 그들의 이런 신앙의 진실은 우주 그 자체에 대문자로 각인되어 있다고 설파한다. 반박하기 힘든 주장이다. 그들의 신조를 따르자면 나는 내가 빼앗는 모든 육체들을 소유할 윤리적 권리를 가지고 있다는 얘기가 된다. 왜냐하면 나는 그들보다 더 강하고, 고로 그 육체를 가지고 태어난 자들보다 더 성스럽고 나은 존재이기 때문이다.

불행히도 내가 지금 두른 육체를 가지고 태어난 어린 소녀는 강철 천사와는 거리가 멀었다.

● ○

　"그리고 아기를 넣으면 세 사람[1]." 나는 말했다. "설령 그 아기가 금속하고 플라스틱으로 만들어져 있고, 전설임을 자처한다고 해도 말이야."

　"예?" 라나르는 멀뚱하게 나를 쳐다보았다. 내가 방금 쓴 표현은 먼 옛날 젊은 시절에 방문했던 어떤 세계에서 들은 것이지만, 그는 나만큼 견문이 넓지도 않고 그 세계에 가 본 적도 없기 때문에 아예 알아듣지도 못하는 것이다. 라나르의 길쭉하고 뚱한 얼굴에는 다소곳한 당혹감이 떠올라 있었다.

　"참가자가 세 명 모였잖아." 나는 느린 어조로 말했다. "이제 정신 게임을 할 수 있어."

　이 부분만은 라나르도 문제없이 이해했다. "아, 그렇군요. 지당하신 말씀입니다. 당장 준비를 시작하겠습니다, 위즈덤."

　첫 번째 참가자는 크레이머 델휸이었다. 거의 나만큼이나 나이를 먹은 고령의 노인이지만, 지금까지 원래의 조그만 육체 속에서만 줄곧 살아왔다. 따라서 그의 육체가 피폐한 것도 하등 놀랄 일이 아니다. 털이 전혀 없는 쪼그라든 몸. 당장이라도 숨이 넘어갈 듯 씨근거린다. 눈도 거의 보이지 않는 탓에 인간이라기보다는 인간의 희화에 가깝다. 몸을 뒤덮다시피 한 보형물과 금속제 인공 조직이 밤낮으로 가동하고 있는 덕에 겨우 살아 있을 뿐이다. 이런 연명 조치도 이제는 한계에 달했지만,

---

1　And baby makes three. 부부에게 첫 아이가 생김으로써 가족이 생기는 기쁨을 나타낸 영어 표현.

크레이머 델훈은 아직 자기가 충분히 살았다고는 생각하지 않는 듯했다. 그래서 그는 새로운 육체를 얻어 새로운 삶을 시작하기 위해서 크로운데니로 왔지만, 지금까지 거의 반 표준년 동안이나 하릴없이 대기하고 있어야 했다.

두 번째 참가자인 리신 제이는 그보다는 특이한 경우였다. 아직 50살이 되지 않았고 건강 상태도 양호하지만, 그 육체에는 나름대로 세월의 상처가 새겨져 있었다. 리신은 따분함을 이기지 못해서 이곳으로 왔다. 그녀는 릴리스가 제공하는 모든 쾌락을 빠짐없이 맛보았다. 그리고 릴리스는 쾌락의 행성으로 이름이 높다. 그녀는 모든 음식을 맛보았고, 모든 약물을 만끽했고, 남자, 여자, 외계인, 동물 등 상대를 가리지 않고 교접해 보았고, 빙하에서 목숨을 걸고 스키를 탔고, 구덩이 드래곤을 사냥했고, 전 우주의 홀로 팬들이 환호하는 비상(飛翔) 전투 게임에 참가했다. 그녀는 새로운 육체야말로 인생에 새로운 자극을 줄 수 있을 것이라고 생각한 듯했다. 아마 남자 육체나 괴상한 색채를 가진 외계인의 육체를 갖고 싶어 하는지도 모르겠다. 이런 타입은 가끔 있다.

그리고 요아힘 클레로노마스를 넣으면 세 사람이 된다.

정신 게임에는 참가자가 들어갈 자리가 일곱 개 있다. 세 명의 참가자와 세 명의 제물과 내가 들어갈 자리다.

라나르가 두꺼운 서류철을 내게 건넸다. 카르 도리언 휘하의 우주선인 '눈부신 불사조'와 '두 번째 기회'와 '뉴딜'과 '육욕의 전당' 호에 실려 (카르는 이런 식으로 특유의 블랙 유머를 발휘할 때가 있다) 최근 도착한 제물들의 사진과 이력이 빼곡히 차 있었다. 시종장인 라나르는 내가 서류 갈피를 넘기며 제물을 선별하는 동안 내 곁에서 겸허하고 헌신적인 태도로 대령하고 있었다. "이 여자는 아주 구미를 돋우는군요." 날씬한 베스 인 소녀의 사진을 보자 그가 말했다. 두려움에 가득 찬 노란 눈은 타종족과의 유전자 혼합을 시사하고 있다. 우람한 근육에 녹색 눈을 가지고 허리까지 내려오는 흑발을 땋은 청년의 사진을 보자 그는 "아주 강하고 건강한 제물입니다"라고 촌평했다. 나는 라나르의 말을 무시했다. 나는 그의 의견을 언제나 무시한다.

"이자가 좋겠군." 나는 단검처럼 날씬하며 붉은 피부가 온통 문신으로 뒤덮인 소년의 파일을 꺼내며 말했다. 카르는 이 소년을 행성 슈라이크 당국으로부터 직접 매입했다. 이 열여섯 살의 소년은 같은 연령의 소년을 살해한 죄로 감옥에 갇혀 있었다고 한다. 대다수의 세계에서 카르 도리언은 자유 무역상이자 밀수꾼, 약탈자, 노예 상인으로 악명이 높다. 그의 이름은 악과 동일시되며, 부모들은 어린 자식을 야단칠 때 그의 이름을 말하며 겁을 줄 정도다. 그러나 슈라이크에서만은 감옥의 인간쓰레기들을 매입함으로써 사회에 공헌하는 존경받는 시민이다.

"그리고 이 여자." 나는 두 번째 사진을 뽑아 옆에 놓으며 말했다. 표준년으로 서른 살쯤 되어 보이는 통통하고 젊은 여자였다. 커다란 녹색 눈에는 어딘가 퀭한 빛이 깃들어 있다. 파일에 의하면 행성 사이머랜스 출신자였다. 카르는 휘하의 공격정 한 척을 정신 손상을 입은 환자들을 위한 냉동 보존 시설에 강행 착륙시킨 다음 젊고 건강하고 매력적인 육체 몇 개를 약탈해 왔던 것이다. 이 여자의 육체는 젊고 뚱뚱했지만, 활발한 정신이 깃들기만 한다면 변화할 것이다. 원래 주인은 드림더스트를 과다하게 흡입한 듯했다.

"그리고 이것." 나는 말했다. 세 번째의 파일은 그베른 인의 갓 부화한 유생(幼生)이었다. 살벌한 자홍색의 완와상우관(眼窩上羽冠)을 가진 소름 끼치는 머리와, 무지갯빛 기름으로 번들거리는, 박쥐 날개를 닮은 가죽 같은 거대한 비막이 인상적이다. 이 개체라면 비(非)인간의 육체에 관심을 가진 리신 제이에게는 안성맞춤일지도 모른다. 이것을 탈취할 수 있다면 말이다.

"잘 생각하셨습니다, 위즈덤." 라나르는 흡족한 어조로 말했다. 그는 언제나 이런 식이다. 처음 크로운데니에 왔을 때 그의 육체는 기괴했다. 고용주인 블라도르 혈기사(血騎士)의 딸과 동침했다가 발각돼 벌로 온 몸을 제례적 방법으로 절단당했던 것이다. 게임의 참가비조차도 제대로 지불할 수 없는 상태였다. 그러나 다른 두 명의 참가자가 거의 1년 가까이 대기하고 있었던 데다가 그중 한 명은 인간 탄저병에 걸려 죽어 가고 있었다. 그래서 라나르가 모자라는 참가비 대신 하인으로 10년 동안 충실하게 봉사하겠다고 제안했을 때 나는 그 제안을 받아들였던 것이다.

이따금 그런 결정을 내린 것을 후회할 때도 있다. 내 몸을 훑는 라나르의 시선을 느끼고, 그가 마음속에서 부드러운 갑옷 같은 내 옷을 벗기고 조그맣게 부풀어 오른 나의 젖가슴에 거머리처럼 달라붙는 것을 느낄 때는 말이다. 그가 동침하다가 발각된 여자는 지금 내가 두르고 있는 육체보다 그리 나이를 먹지도 않았다고 했다.

●○

나의 성은 흑요석으로 지어졌다.

이곳에서 북쪽으로 멀리 떨어진 곳에 있는 극지의 우중충한 황야에는 영원한 불길이 자줏빛 하늘을 그을리고, 검은 화산성 유리가 돌멩이처럼 지면에 널려 있다. 내 성을 짓기에 충분한 양의 흑요석을 찾아내서 몇백 킬로미터나 떨어진 이곳 늪지대까지 운반해 오기까지는 몇천 명이나 되는 크로운데니 광부들과 9표준년의 세월을 필요로 했다. 그런 다음 몇백 명의 석공을 동원해서 나의 거처가 될 검게 번들거리는 모자이크 무늬의 성을 짓기 위한 석재를 자르고, 연마하고, 조립하기까지는 6년의 세월을 더 필요로 했다. 그런 노력을 경주할 만한 가치가 있었다는 것이 나의 판단이다.

나의 성은 크로운데니 소택지의 악취와 습기 위로 높게 솟아 있는 네 개의 삐쭉빼쭉한 기둥 위에 세워져 있다. 흑요석 성벽은 햇살을 반사하며 형형색색으로 불타오르고, 칠흑의 유리 내부에서는 끊임없이 그 잔영(殘影)이 번득인다. 어렴풋한 빛을 발하는 나의 성은 장엄하고 섬뜩한 지고(至高)의 장소다. 그 주위를 에워싸는 형태로 생성된 빈민가에는 낙오자와 폐인과 원래의 육체를 빼앗긴 자들이 모여들어 물에 뜨는 갈대 오두막과 다 썩어 가는 수상(樹上) 가옥과 반쯤 썩은 목제 지주로 지탱한 가축우리 같은 판잣집에서 절망적인 삶을 영위하고 있다. 흑요석은 나의 심미안을 만족시키며, 이 고통과 재생의 집에 걸맞은 상징성을 갖추고 있다. 흑요석이 화산 폭발의 불길 속에서 태어나는 것처럼, 생명 또한 성적인 정열 한복판에서 태어나기 때문이다. 빛이라는 순수한 진실이 이따금 칠흑의 성 안을 통과할 때면 어둠 속에서 미(美)를 일별할 수 있다. 그리고 흑요석은 생명과 마찬가지로 지독하게 섬약하지만, 그 가장자리는 위험할 정도로 날카로울 수 있다.

내 성의 내부에 있는 수많은 방 중에는 현지의 향기로운 목제 패널을 붙이고 바닥에 모피와 두꺼운 융단을 깐 방이 있는가 하면, 흑요석이 그대로 노출된 검은 의식용 방도 있다. 후자 안으로 들어가면 유리벽에 반사되어 어른거리는 검은 그림자들에 둘러싸인 채로 유리 바닥 위를 또각또각 걷는 발소리를 듣게 된다. 성 중앙의 정상에 해당하는 부분에는 양파 모양의 지붕이 달린 탑이 높게 솟아 있다. 강철로 보강된 이 돔 안에 있는 것은 단 하나의 방이다.

오래되고 훨씬 더 허름한 원래 건물을 부수고 그 자리에 성을 지을 것을 명령했을 때, 나는 이 탑 정상의 방에 유물을 가져다 놓도록 했다.

그곳이야말로 정신 게임이 시행되는 장소다.

나 자신의 거처는 탑의 기부에 자리 잡고 있다. 그런 결정 또한 역시 상징적인 이유에 기인한다. 그 누구도 나를 거치지 않고서는 재생을 얻을 수 없다.

●○

내가 침대에서 버터 프루트와 날생선과 블랙커피로 아침을 먹고 있었을 때—곁에는 카르 도리언이 나태하고 불손하게 사지를 뻗고 드러누워 있다—내 학자 사도인 알타-크-나르가 보고서를 가지고 들어왔다.

침대 발치에 선 그녀의 등은 지병 탓에 거대한 물음표처럼 구부러졌다. 길쭉한 얼굴에는 평소 버릇대로 찌푸린 표정이 떠올라 있고, 살갗 여기저기서 도드라지는 정맥은 거대한 파란색 지렁이를 연상케 한다. 이내 그녀는 불필요할 정도로 나직한 목소리로 역사상의 인물인 클레로노마스에 관해 직접 조사한 결과를 보고하기 시작했다.

"본명은 요아힘 샤를 클레로노마스입니다. 옛 지구에서 70광년도 채 떨어지지 않은 1세대 식민지인 뉴알렉산드리아 출신이지만, 실제 생년월일이나 유아기나 청소년기의 기록은 단편적이고 서로 모순되는 것이 많습니다. 가장 잘 알려진 전설에 의하면 그의 어머니는 스티븐 코발트 노스스타 휘하의 제13인류함대 소속 군함의 고급 장교였다고 하지만, 클레로노마스가 실제로 자기 어머니를 만난 것은 두 번밖에 안 된다고 합니다. 태아였을 때 직업적 대리모의 자궁으로 이식되었다가, 태어난 뒤에는 뉴알렉산드리아에 있는 도서관에 근무하는 평연구원이었던 아버지에 의해 양육되었습니다. 이런 출생에 관한 이야기는 클레로노마스가 어떻게 해서 학자와 군인의 자질 양쪽을 겸비하고 있었는지를 설명해 주지만, 제가 보기에는 너무 아귀가 딱딱 들어맞는다는 생각이 듭니다. 따라서 이 전설의 신빙성에는 좀 문제가 있습니다.

그보다 좀 더 확실해 보이는 건 클레로노마스가 '천년전쟁' 말기에, 매우 어린 나이에 입대했다는 사실입니다. 처음에는 제17인류함대 소속의 스크리머급(級) 공격정에 시스템 기술병으로 복무했고, 엘도라도와 아르투리우스 근처의 심우주 작전 그리고 흐라그 드룬에 대한 기습 공격에서 수훈을 세웠습니다. 그 뒤에 사관후보생으로 발탁되어서 지휘관이 되는 훈련을 받았습니다. 17함대가 원래 사령부가 있던 펜리스에서 별로 중요하지 않은 성역 수도였던 행성 아발론으로 파견된 시점에서 그는 더 많은 공을 세웠고, 강습 강하함인 〈한니발〉에서 부함장 대리로까지 승진했습니다. 하지만 흐룬-14 강습 작전 때 〈한니발〉은 흐랑 측 방어군의 반격으로 대파되었고, 결국 승무원들 모두가 배를 버리고 탈출했습니다. 탈출 시에 클레로노마스가 조종하던 스크리머급 공격정은 적의 공격을 받고 항행 불능 상태에 빠져서 행성 표면에 불시착했고, 동승했던 장병들은 그때 모두 전사했습니다. 클레로노마스가 유일한 생존자였죠. 다른 공격정이 그의 잔해를 건져 올렸는데, 치명상을 입고 죽기 직전이었기 때문에 구조자들은 그를 즉시 냉동 보존했습니다. 클레로노마스는 결국 아발론까지 후송되었지만 워낙 물자가 부족하고 손이 모자랐기 때문에 소생시킬 시간적 여유가 없었습니다. 그래서 그는 몇 년 동안이나 그 상태로 방치되어 있었습니다.

그러는 동안에도 〈대파국〉은 진행되고 있었습니다. 사실 그가 태어난 이래 줄곧 진행되고 있었다는 쪽이 더 정확하지만, 옛 연방 제국의 광대한 판도를 가로질러 정보가 전달되는 속도가 극히 느렸던 탓에 아무도 그런 징조를 깨닫지 못했던 겁니다. 하지만 겨우 10년이라는 기간 사이에 행성 토르가 반란을 일으켰고, 제15인류함대는 완전히 와해됐고, 스티븐 코발트 노스스타를 13함대 사령관 자리에서 축출하려는 옛 지구 정부의 시도는 필연적으로 뉴홈을 위시한 1세대 식민 행성들의 분리 독립을 촉발했습니다. 그 결과 노스스타는 웰링턴을 소멸시켰고, 내전이 발발했고, 제국의 식민 행성들이 잇달아 독립을 선언했고, 여러 행성들이 기록에서 사라졌고, 제4차 대확산이 일어났고, '지옥함대'의 전설이 탄생했습니다. 이 모든 일은 궁극적으로는 옛 지구의 완전 봉인으로 이어졌고, 상업적 목적의 항성 간 항행은 한 세대 동안 실질적으로 중단되었습니다. 더 먼 곳에 위치한 변경 행성들의 경우는 그보다 훨씬 더 오랫동안 고립 상태에 빠졌고, 그중 다수는 반(半)미개 상태로 퇴화하거나 기이한 변종 문화를 발달시켰습니다.

전선에 인접한 아발론의 경우는 제17인류함대 사령관인 라진 토우버가 문민정부에 의한 통제를 거부했을 때 〈대파국〉의 여파를 직접적으로 경험했습니다. 토우버는 휘하 함대를 이끌고 흐랑가 인들 및 인류의 보복으로부터 안전한 〈유혹자의 베일〉로 가서 자기 자신의 제국을 창설했습니다. 17함대가 떠나 버린 탓에 아발론은 실질적으로 무방비 상태가 되었습니다. 해당 성역에 여전히 남아 있던 군함들은 제5인류함대 소속의 노후함들뿐이었습니다. 이 군함들이 실전에 참가한 것은 아발론이 흐랑 제국에 대항하기 위해 오지에 설치된 강습 기지였던 7세기 전의 일이었습니다. 게다가 아발론 궤도를 돌고 있던 제5인류함대의 주력함 십여 척과 삼십여 척의 소형함들 대다수는 대대적인 수리를 필요로 하는 데다가 완전히 구식화되어 있었습니다. 하지만 공황 상태에 빠진 행성을 지켜 줄 군사력이 달리 없었기 때문에 아발론 정부는 이것들 모두를 개장(改裝)하고 복구하려고 결심했습니다. 이런 골동품들을 조종할 승무원들을 찾기 위해 정부는 냉동 보존 병동을 조사했고, 실전을 경험한 군인들을 닥치는 대로 소생시키기 시작했습니다. 그리고 그중에 요아힘 클레로노마스가 있었습니다. 그의 육체는 광범위한 손상을 입은 상태였지만 아발론은 한 명이라도 더 많은 전투원을 필요로 하고 있었습니다. 결국 클레로노마스는 인간이라기보다는 기계에 더 가까운 몸을 가지고 소생했습니다. 즉, 사이보그가 되었던 겁니다."

나는 상체를 내밀며 알타의 단조로운 보고를 가로막았다. "당시 그자의 사진이 남아 있지 않아?" 나는 물었다.

"아, 사이보그로 개조되기 전과 후의 사진이 남아 있습니다. 클레로노마스는 검푸른 피부를 가진 거구의 사내였고, 튀어나온 육중한 턱에 잿빛 눈, 새하얗고 긴 머리카락을 가지고 있었습니다. 개조 수술 뒤에는 턱과 얼굴 하반부는 완전히 제거되고 이음매가 없는 금속 부품으로 대체되었습니다. 입도 코도 없었죠. 영양은 정맥으로 직접 섭취했습니다. 부상으로 잃은 한쪽 눈은 적외선 및 자외선 투시 능력을 가진 크리스털 센서로 교환되었습니다. 오른팔하고 오른쪽 가슴 전체도 강철판, 듀랄로이 그물망, 플라스틱 부품 등으로 사이버화 됐습니다. 내장의 3분의 1은 인공기관이었습니다. 물론 인터페이스 접속용 잭도 부착됐고 소형 컴퓨터도 이식됐습니다. 클레로노마스는 처음부터 겉치레로 자기 모습을 감추는 걸 싫어했습니다. 그래서 예나 지금이나 그런 모습이었죠."

나는 미소 지었다. "하지만 과거에는 지금 와 있는 손님보다 원래 육체를 훨씬 더 많이 남겨 놓은 상태였다는 거야?"

"사실입니다." 학자가 대답했다. "그 이후의 행보에 관해서는 좀 더 잘 알려져 있습니다. 소생 조치를 받은 군인들 중 장교는 그리 많지 않았습니다. 클레로노마스는 소형 연락함의 지휘관으로 임명되었습니다. 10년 동안 그렇게 복무했고, 여가 시간에는 취미였던 역사와 인류학 연구에 열중했습니다. 아발론이 결코 오지 않는 배들을 기다리며 자체적으로 건조한 배의 수를 늘리고 있는 동안, 클레로노마스는 점점 더 높은 자리로 승진했습니다. 다른 항성계들과의 교역은 전무했고, 적의 습격도 없었습니다. '공백의 시대'가 시작됐던 겁니다.

그러나 새로 발족한 문민 당국은 위험을 무릅쓰더라도 귀중한 우주선 몇 척을 보내서 아발론 밖의 인류 문명이 어떻게 되었는지를 알아내려고 결심했습니다. 제5함대의 골동품에 가까운 드레드노트급 전함 여섯 척을 과학 탐사선으로 개조해서 파견했던 거죠. 클레로노마스는 그중 한 척의 지휘관으로 임명됐습니다. 탐사선 중 두 척은 연락이 두절됐고, 세 척은 2년 안에 몇 안 되는 인접 항성계들에 관한 최소한의 정보만을 가지고 귀환했습니다. 그 결과 아발론 인들은 매우 제한적이긴 했지만 인근 항성계들로의 항행을 재개시켰습니다. 클레로노마스는 임무 수행 중 실종된 걸로 간주됐습니다.

그러나 그는 살아 있었습니다. 당초 예정한 탐험 목적을 달성한 뒤에도 아발론으로 귀환하는 대신 조사를 계속하기로 마음먹었던 겁니다. 한 항성계를 샅샅이 훑은 뒤에는 다음 항성계로 옮겨 가고, 또 그다음 항성계로 옮겨 가는 식으로 집요하게 항해를 계속했습니다. 그 탓에 승무원들의 반란이나 탈주가 이어졌고 수많은 위기 상황에 직면했지만 클레로노마스는 그것들을 모두 극복했습니다. 사이보그이기 때문에 엄청나게 긴 수명을 갖고 있었던 겁니다. 전설에 따르면 항해를 계속하면서 그는 점점 더 기계화되었고, 행성 에리스에 갔을 때는 매트릭스 크리스털[結晶]을 발견해서 최초의 크리스털-매트릭스 컴퓨터를 자기 몸에 장착함으로써 스스로의 지적 능력을 몇백 배나 확장했다고 합니다. 이 전승은 클레로노마스의 성격과도 부합됩니다. 그는 지식의 획득에만 매달렸던 것이 아니라 그걸 유지하는 일에도 집착했으니까요. 그런 식의 개조를 통해 그는 무엇이든 절대로 잊는 법이 없는 몸이 되었던 겁니다.

마침내 그가 아발론으로 귀환했을 때는 백 표준년 이상의 세월이 흐른 뒤였습니다. 클레로노마스와 함께 아발론을 출발한 남녀 승무원들 중 살아남은 사람은 그가 유일했습니다. 그의 우주선은 원래 승무원들의 자손들에 덧붙여 그가 방문한 세계에서 모집한 지원자들에 의해 운용되고 있었습니다. 그럼에도 불구하고 그는 449개의 행성을 탐사했고, 그 밖에도 상상을 초월할 정도로 많은 수의 소행성, 혜성, 위성을 찾아냈

습니다. 클레로노마스가 이 항해에서 획득한 정보는 훗날 설립된 〈인류
지식학술원〉의 초석이 되었습니다. 그가 견본으로 수집해 온 매트릭스
크리스털들은 아발론의 컴퓨터 시스템과 결합되어 그 지식을 저장하는
매체로 활용되었고, 최종적으로 그 시스템은 〈학술원〉의 방대한 인공지
능 시스템과 아발론의 전설적인 크리스털 탑들로 진화했습니다. 그 뒤
로 곧 재개된 대규모 항성 간 교통에 의해 공백의 시대는 진정한 종언을
맞이했습니다. 클레로노마스 본인은 죽을 때까지 〈학술원〉 초대 원장으
로 근무했습니다. 클레로노마스의 사망 연도는 ai-42년, 그러니까 그가
아발론으로 귀환하고 나서 42표준년 후로 추정됩니다.”

　나는 웃었고, 알타-크-나르에게 말했다. “훌륭해. 그렇다면 가짜라는
얘기가 되는군. 진짜는 적어도 7백 년 전에 죽었으니까 말이야.” 나는 카
르 도리언 쪽을 보았다. 길고 섬세한 금발을 베개 위에 펼친 채로 벌꿀
술빵 끝을 야금야금 씹어 먹고 있다. “너도 감을 좀 잃은 것 같아, 카르.
그런 자에게 속다니.”

　카르는 빵을 삼키고 씩 웃었다. “위즈덤 님 말씀을 받들어 명심하겠습
니다.” 그러나 전혀 주눅 든 말투가 아니었다. “그럼 죽일까?”

　“아니. 그도 참가자야. 정신 게임에서는 경력 사칭 따위는 존재하지
않아. 그러니까 상관없어. 참가시키겠어.”

●○

　게임 일시가 확정된 며칠 뒤에 나는 사이보그를 소환했다. 회견 장소
는 내 집무실이었다. 심홍색 융단이 깔린 넓은 방이다. 성의 홍벽과 그

아래의 늪 마을을 내려다보는 거대한 창 옆에는 내 유리꽃이 놓여 있다.

그의 얼굴은 무표정했다. 물론 그렇다. 표정이 아예 없으니까. "애쉬의 시레인, 나를 부르셨다고 들었소."

"게임 일시가 정해졌어. 나흘 뒤야."

"기쁜 소식이로군."

"제물들을 보고 싶어?" 나는 그에게 소년과 젊은 여자와 갓 부화한 유생의 파일을 넘겼다.

그는 흥미 없는 표정으로 흘끗 그것을 바라보았을 뿐이었다.

"내가 듣기로는." 나는 말을 이었다. "지난 며칠 동안 여기저기를 돌아다녔다던데. 내 성하고 늪 마을, 소택지 등을."

"사실이오. 나는 잠을 자지 않으니까. 내게 지식은 기분 전환을 위한 소일거리이자 중독성을 가진 취미요. 여기가 어떤 종류의 장소인지 궁금하기도 했고."

나는 엷은 미소를 지으며 말했다. "그래서, 어떤 종류의 장소였어, 사이보그?"

그는 미소 지을 수도, 얼굴을 찡그릴 수도 없다. 그러나 그의 대답은 침착하고 정중했다. "혐오스러운 장소요, 여긴. 절망과 퇴폐의 땅이라고나 할까."

"영원한, 끝없는 희망의 땅이야." 나는 대꾸했다.

"병이 만연한 땅이오. 육체와 영혼 양쪽의."

"병자가 회복하는 땅이라고 해야 해." 나는 반박했다.

"건강한 자가 병드는 땅이기도 하고. 죽음의 땅이지." 사이보그가 말했다.

"생명의 땅이야. 너도 그래서 여기 온 거 아니었어? 생명을 얻으려고?"

"그리고 죽음을." 그는 말했다. "이미 얘기하지 않았소. 그 둘은 같은 거라고."

나는 몸을 내밀었다. "나도 이미 얘기했어. 그 둘은 매우 다른 거라고. 사이보그, 너의 판단은 가차 없군. 기계라면 경직된 사고를 하는 것은 당연하지만, 소중하고 근사한 윤리적 감수성 따윈 거기 어울리지 않아."

"기계인 건 내 몸뿐이오."

나는 그의 파일을 집어 올렸다. "그건 내가 아는 것하고는 다른데. 네 윤리에서 거짓말은 어떤 위치를 점유하고 있지? 특히 이렇게 뻔한 거짓말의 경우엔?" 나는 책상 위에 파일을 펼쳐 놓았다. "내 사도들에게서 흥미로운 보고를 받았어. 넌 믿기 힘들 정도로 협력적이었다고 하던데."

"정신 게임에 참가하려면 고통의 주의 심기를 거스를 수는 없지 않소."

나는 미소 지었다. "나는 네가 생각하는 것만큼 쉽게 마음을 상하지는 않아." 나는 보고서를 훑어보았다. "닥터 라이먼이 너를 완전히 스캔해 봤는데, 실로 정교하고 독창적인 구조물이라고 하더군. 그것도 완전히 플라스틱과 금속만으로 만들어진. 너의 내부에는 그 어떤 유기물도 남아 있지 않아, 사이보그. 아니, 이제는 로봇이라고 불러야 할까? 컴퓨터도 정신 게임을 할 수 있는 걸까? 물론 시도해 보면 확인할 수 있겠지. 내가 보기엔 넌 세 대의 컴퓨터로 이루어져 있어. 두개골이 있어야 할 자리에서 운동 기능, 감각 입력, 내부 모니터링을 맡고 있는 컴퓨터, 그보다 훨씬 크고 네 몸통 아래쪽 대부분을 차지하고 있는 라이브러리 장치 그리고 네 가슴에 자리 잡은 크리스털-매트릭스." 나는 고개를 들었다. "그렇다면 사이보그, 네 마음은 어디 있지?"

"내 마음이 어디 있는지는 닥터 라이먼에게 물어보시오. 그럼 나와 같은 케이스가 여럿 있다고 말해 줄 테니까. 인간의 마음이 뭐라고 생각하시오? 기억이오. 그리고 기억은 데이터요. 성격, 인격, 개인의 의지란 말이오. 이것들은 프로그램된 것에 지나지 않소. 따라서 인간의 마음 전체를 크리스털-매트릭스 컴퓨터에 각인하는 것이 가능해지는 것이오."

"그렇게 해서 네 영혼을 크리스털에 가뒀다는 건가? 넌 영혼을 믿어?"

"그러는 당신은 믿소?" 그가 되물었다.

"믿는 수밖에 없어. 나는 정신 게임의 주최자니까 말이야. 필요조건인 것 같아." 나는 내 사도들이 스스로를 클레로노마스라고 부르는 이 구조물에 관해 정리한 다른 보고서들로 눈을 돌렸다. "너와 인터페이스 접속을 해 본 데이시 그린-9는 네가 믿기 힘들 정도로 정교한 시스템을 가지고 있고, 네 회로의 연산 속도는 인간 사고의 속도를 훌쩍 뛰어넘고, 너의 라이브러리 기억장치는 유기적 뇌 하나가 설령 모든 능력을 발휘하더라도 결코 보유할 수 없는 엄청난 양의 이용 가능한 정보를 가지고 있고, 그 크리스털-매트릭스 안에 고정되어 있는 마음과 기억은 요아힘 클레로노마스 본인의 것이라고 했어. 맹세해도 좋다는군."

사이보그는 아무 말도 하지 않았다. 아마 그럴 능력이 있다면 미소 지었을지도 모르겠다.

"그런 반면에, 내 학자 사도인 알타-크-나르는 클레로노마스가 7백 년 전에 죽었다고 하더군. 그럼 난 누구를 믿어야 할까?"

"당신이 선택하면 그만 아니오." 그는 무관심한 어조로 말했다.

"너를 여기 억류하고 아발론으로 사람을 보내서 확인시킬 수도 있어." 나는 이렇게 말하고 씩 웃었다. "가는 데 30년, 오는 데 30년 걸리는 심부름을 보내는 거지. 현지 조사에도 1년쯤 잡아야겠군. 사이보그, 게임에 참가할 때까지 61년 기다릴 용의가 있어?"

"필요하다면 언제까지라도." 그는 말했다.

"샤알라는 네가 완전히 무성(無性)이라고 하던데."

"그들이 나를 소생시켜 다시 만든 날, 그 능력은 사라졌소. 그 뒤로도 몇 세기 동안은 그래도 어느 정도 관심을 느꼈지만, 그조차도 마침내 스러졌지. 원한다면 나는 내가 유기적 육체를 가지고 있던 시절 생성된 에로틱한 기억들을 하나도 빠짐없이 액세스할 수 있소. 내 컴퓨터에 입력되었을 시점의 생생함을 고스란히 유지하고 있는 기억들을 말이오. 인간 뇌의 경우와는 달리 일단 크리스털 내부에 고정된 기억은 결코 스러지지 않소. 언제든 액세스할 수 있는 거지. 하지만 몇 세기 동안이나 성에 관한 기억을 불러낼 생각은 하지 않았소."

나는 큰 흥미를 느꼈다. "잊을 수 없다는 거로군."

"지울 수는 있소. 기억하지 않는다는 선택을 할 수도 있고."

"만약 네가 우리의 조촐한 정신 게임의 승리자 중 하나가 된다면, 넌 또다시 성을 손에 넣게 될 거야."

"그 사실은 나도 알고 있소. 흥미로운 경험이 되겠지. 그런다면 고대의 그런 기억들을 다시 불러내게 될지도 모르겠소."

"바로 그거야." 나는 맞장구쳤다. "넌 그것들을 쓸 거고, 바로 그 순간부터 잊기 시작하겠지. 사이보그, 네가 잃는 건 네가 얻게 되는 것만큼이나 통렬하게 느껴질걸."

"얻는 것과 잃는 것. 사는 것과 죽는 것. 시레인, 이미 말하지 않았소. 이것들은 서로 분리할 수 없는 거라고."

"난 그 주장을 받아들일 수 없어." 나는 말했다. 내가 믿는 모든 것, 나의 존재 전체에 반하는 주장이었기 때문이다. 그의 되풀이되는 거짓말은 내 신경을 건드렸다. "브라제 말에 의하면 넌 약물이나 질병의 영향을 받지 않는다고 하더군. 당연하다고 해야겠지. 하지만 널 해체할 수는 있어. 내 사도 몇몇은 명령만 내리면 당장 너를 말살하겠다고 하더군. 외계인 사도들은 특히 피에 굶주려 있는 것 같아."

"내게는 피가 없소." 그는 말했다. 비꼬려는 것일까? 아니면 단지 내가 그렇게 들었을 뿐일까?

"네 윤활제로도 충분할지 몰라." 나는 메마른 어조로 대꾸했다. "트르큰르는 고통을 느끼는 너의 능력을 시험해 볼 거고, 내 그베른 족 공중 곡예사인 안테르그 문스코어러는 너를 까마득하게 높은 곳으로 데려가서 떨어뜨리고 싶어 하겠지."

"그건 그의 '둥지'의 기준으로 보면 절대 용납될 수 없는 범죄일 텐데."

"그렇다고도 할 수 있고, 안 그렇다고도 할 수 있겠지. 둥지에서 태어난 그베른 인이라면 비행을 그런 식으로 악용한다는 얘기를 들으면 아연실색하겠지. 하지만 내 그베른 족 사도는 산아제한에 관한 얘기를 들으면 한층 더 아연실색할 거야. 기름으로 번들거리는 가죽 날개를 펄럭거리는 걸 보면 뉴 로마에서 온 반쯤 미친 불구자의 마음을 이해할 수 있을지도 모르겠군. 여긴 크로운데니야. 여기 있는 모든 자는 겉보기와는 다르다고."

"그런 것 같소."

"요나도 너를 없애 주겠다고 하더군. 앞서 언급한 것들보다는 덜 극적이지만 그 못지않게 효율적인 방식으로 말이야. 내 사도들 중에서는 가장 덩치가 크지. 뇌하수체 이상으로 기형화한 탓이야. 고성능 자동화기를 다루는 솜씨는 신기에 가까워. 내 보안부 책임자이기도 하지."

"그리고 당신은 명백히 그런 제안들을 각하한 것 같군." 사이보그가 말했다.

나는 의자 등받이에 등을 기댔다. "그래, 각하했어. 언제든 마음을 바꿀 수 있는 권리를 가지고 있지만 말이야."

"나는 게임 참가자이지 않소. 카르 도리언에게 수수료를 지불했고, 크로운데니의 우주항 경비원들에게 뇌물을 건넸고, 당신의 시종장과 당신에게도 상당액을 지불했소. 인류의 영역 안쪽에 있는 릴리스, 키메란스, 슈라이크, 그 밖의 수많은 세계에서도 이 검은 궁전과 반쯤 전설이 된 여주인에 관한 이야기가 전해지는데, 그 이야기에 따르면 참가자들은 공정한 대우를 받는다고 했소."

"그건 사실이 아냐. 사이보그, 난 한 번도 공정했던 적이 없어. 이따금 정의로워지긴 하지. 마음이 내킬 때는."

"지금 나를 위협하는 것처럼 다른 참가자들도 모두 위협하시오?"

"아니." 나는 시인했다. "네 경우에만 한해서 특별히 이러는 거야."

"그건 왜?"

"넌 위험인물이니까." 나는 미소 지었다. 마침내 문제의 핵심에 도달했다. 나는 사도들의 보고서를 훌훌 넘기다가 가장 중요한 마지막 문서를 꺼내 들었다. "사이보그, 네가 만난 적이 없는 사도들 중 적어도 한 명은 너의 상상을 초월할 정도로 너에 관해 잘 알고 있어."

사이보그는 아무 말도 하지 않았다.

"내 애완 텔레파스인 세바스찬 케일 얘기야. 눈이 안 보이고 뒤틀린 육체를 갖고 있어서 커다란 항아리 안에서 키워야 하지만 나름 쓸모가 있지. 어떤 벽이든 투시할 수 있으니까. 그 녀석은 네 마음의 크리스털을 훑었고, 네 이드(id)를 이루는 이진법적 시냅스들을 건드렸어. 보고서는 좀 모호하긴 해도 감탄스러울 정도로 간결하더군." 나는 사이보그가 읽을 수 있도록 책상 위로 보고서를 밀어 놓았다.

망집에 사로잡힌 사고의 미궁. 강철의 유령. 죽음 속의 생명, 생명 속의 죽음이라는 거짓말에 깃든 진실. 가능하다면 당신에게서 모든 것을 빼앗아 갈 거야. 당장 죽여.

"그 친구의 충고를 무시하려나 보군." 사이보그가 말했다.
"그래, 무시하겠어." 나는 대꾸했다.
"왜?"
"왜냐하면 넌 수수께끼니까. 내가 정신 게임을 하면서 풀게 될. 넌 도전이기도 해. 내가 도전을 받는 건 오랜만이거든. 감히 나를 심판하고, 파멸로 몰아가려고 몽상하고 있으니까. 내가 그런 짓을 할 용기를 가진 자와 만난 게 언제인지 기억도 안 날 정도야."

●○

혹요석 거울은 검고 일그러진 경상(鏡像)밖에는 보여 주지 않지만, 내게는 그쪽이 훨씬 잘 어울린다. 우리는 살아가는 내내 거울에 비친 자기 모습을 당연한 것으로 받아들이지만, 익숙한 이목구비를 찾다가 그 대신 낯선 이방인의 얼굴이 눈에 들어올 때가 언젠가는 오기 마련이다. 이 방인의 눈에 한참 못 박혀 있던 시선을 떼고, 익숙하지 않은 손을 들어 뺨을 어루만지고, 가볍고 서늘하고 주뼛거리는 그 손가락들이 당신의 살갗을 스치는 것을 느낄 때까지는 그 누구도 공포나 매혹의 진정한 의미를 알았다고는 할 수 없다.

1세기 이상 지난 옛날 이곳 크로운데니로 왔을 때도 나는 이미 이방인이었다. 자기 얼굴이 어땠는지는 샅샅이 알고 있었다. 거의 90년 동안이나 달고 다닌 얼굴이니 당연하다. 강하고 가차 없는 여성의 얼굴이었다. 눈을 가늘게 뜨고 외계의 태양을 응시하는 버릇 탓에 잿빛 눈 주위에 팬 깊은 주름, 좀 관대한 느낌이 없지도 않은 큰 입, 한번 부러졌다가 완전히 곧게 아물지는 않은 코, 언제나 헝클어진 짧은 갈색 머리카락. 익숙하고 편안한 얼굴이었고, 나름대로 애착이 있는 얼굴이었다. 그러나 나는 어딘가에서—아마 행성 걸리버에 살고 있을 무렵인 듯하다—너무 바쁘게 살다가 그 얼굴을 잃어 버렸다. 릴리스에 도달했을 무렵에는 첫 번째 이방인이 거울에서 나를 쳐다보기 시작했다. 주름투성이의 노파였다. 언제나 눈물로 축축한 잿빛 눈은 어두워지기 시작했고, 듬성듬성해진 백발 사이로 분홍색 두피가 엿보였고, 입가는 부들부들 떨리고, 코는 군데군데의 모세혈관이 터져 있었다. 턱 밑에는 여러 겹의 잿빛 살이 닭의 육수(肉垂)처럼 늘어져 있었다. 언제나 팽팽하고 붉은빛이 돌던 건강한 살갗은 이제 흐늘흐늘해졌다. 그 밖에도 거울에 비친 모습만으로는 알 수 없는 한 가지가 더 있었다— 그녀 주위를 늙은 창녀의 싸구려 향

수 같은 죽음의 냄새가 에워싸고 있었던 것이다. 죽음의 페로몬이.

이런 나이 들고 병든 여자를 나는 알지 못했다. 함께 있고 싶지도 않았다. 아발론이나 뉴홈이나 프로메테우스 같은 선진적인 행성에서는 노쇠나 병이 느리게 찾아온다고 한다. 전설에 의하면 반짝이는 장벽 뒤에 있는 옛 지구에서는 더 이상 죽음이 존재하지 않는다고 한다. 그러나 아발론과 뉴홈과 프로메테우스는 너무나도 멀었고, 옛 지구는 완전히 봉인되어 인류의 손이 닿지 않았고, 나는 릴리스에서 거울 속의 이방인을 우두커니 바라보고 있었다. 그래서 나는 인류의 영역 너머로 나아갔고, 인류의 영향력이 미치는 가장 먼 영역을 지나 축축한 늪과 어스레한 박명의 지배를 받는 이곳 크로운데니로 왔다. 이곳에 오면 새로운 삶을 찾을 수 있다는 은밀한 소문을 들었기 때문이다. 다시 한 번 거울을 들여다보고, 잃어버린 옛 친구를 되찾고 싶었던 것이다.

그러는 대신 내가 거울에서 본 것은 다른 이방인들이었다.

처음에 본 것은 고통의 주, 본인의 얼굴이었다. 정신의 주, 생명의 주, 생과 사의 지배자였던 존재의 얼굴. 내가 오기 전에 그것은 사십여 년 동안 이곳을 지배해 왔다. 현지 종족인 크로운데니 인이었다. 둥글납작한 거구에 튀어나온 눈과 얼룩덜룩한 청록색 피부를 가진 기괴한 두꺼비를 닮았다. 이중 관절을 가진 가느다란 팔이 달렸고, 악취를 풍기는 복부에는 검은 상처 같은 세 개의 수직 섭취구(攝取口)가 있었다. 한번 보기만 해도 그 육체의 허약함을 느낄 수 있었다. 같은 종족의 위병들과 하인들이 근육질의 단단한 몸을 가진 것과는 대조적으로 엄청난 비만체였고, 전신을 뒤덮은 흐늘흐늘한 지방층은 썩은 달걀 냄새를 풍겼기 때문이다. 그러나 정신의 주를 실각시키려면 스스로 그 정신의 주가 되는 수밖에 없다. 그와 함께 정신 게임에 참가한 나는 그 생명을 박탈했고, 그 추악한 육체 안에서 깨어났다.

외계인의 육체를 둘렀다는 사실을 인간의 정신이 받아들이기는 쉽지 않다. 나는 밤낮으로 그 소름 끼치는 육체 안에 갇힌 채로 악몽의 정경 못지않게 아무 의미도 없는 시각 정보와 소리와 냄새를 분류해야 했고, 통제력과 맨 정신을 유지하기 위해 끊임없이 절규하며 악전고투했다. 나는 거기서 살아남았다. 육체에 대한 정신의 승리라고나 할까. 육체를 장악하자 나는 또 다른 정신 게임을 개최했고, 그것이 끝나고 방에서 나왔을 때는 내가 고른 육체를 두르고 있었다.

그녀는 인간이었다. 본인 말로는 39세였고, 건강했고, 얼굴은 평범하지만 몸은 튼튼했다. 직업적 도박사였고, 궁극적인 게임을 하기 위해 크로운데니로 왔다고 했다. 긴 적갈색 머리카락과 걸리버의 바다를 연상케 하는 청록색 눈동자를 가지고 있었다. 힘은 어느 정도 갖추고 있었지만 충분하다고는 할 수 없었다. 당시는 카르 도리언과 그의 노예 상인 함대가 도래하기 훨씬 전이었고, 크로운데니를 찾아오는 인간은 거의 없었다. 선택의 여지는 거의 없었기 때문에 나는 그녀의 육체를 내 것으로 만들었다.

그날 밤 다시 거울을 보았다. 낯선 사람의 얼굴이었다. 머리카락이 너무 길고, 눈 색깔이 다르고, 콧날은 칼날처럼 곧고, 너무 신중해 보이는 입가에는 미소가 전혀 어울리지 않았다.

몇십 년 뒤에, 이 육체가 크로운데니의 늪에서 전염된 어떤 악성 질환 탓에 각혈하기 시작하자 나는 흑요석 거울로 에워싸인 방을 만들었다. 새로운 이방인들과 처음 대면할 때 쓰기 위한 것이었다. 세월은 너무나도 빨리 흘렀다. 이 흑요석의 방은 쓰이지 않을 때는 굳게 봉인되어 그 누구도 들어갈 수 없었지만, 내가 마침내 그곳을 다시 한 번 방문해야 하는 날은 언제나 찾아왔다. 그럴 때 내 시종들은 층계를 올라가서 검은 거울들이 반들반들하게 빛날 때까지 닦는다. 정신 게임이 끝난 뒤에 나는 혼자서 그곳에 올라가 옷을 벗고 서서 천천히 몸을 돌리며 이방인들의 이미지와 함께 느리게 춤을 췄다.

높고 예리한 안골, 이마 아래의 움푹한 곳에서 반짝이는 검은 눈. 하트 모양의 얼굴을 후광처럼 에워싼 흐트러진 흑발, 조그만 갈색 젖꼭지가 돋보이는 희고 커다란 유방.

향유를 바른 적갈색 피부 밑에서 약동하는 탄탄한 근육, 갈고리처럼 길고 날카로운 손톱, 갸름하고 뾰족한 턱, 가느다란 줄무늬 모양으로 두피를 덮었다가 등 중간께까지 흘러내리는 철사처럼 뻣뻣한 갈색 머리카락, 양 허벅지 사이에서 농후하게 피어오르는 발정한 암컷의 냄새. 이게 나의 허벅지라고? 그러나 천 개의 세계로 퍼져 나간 인류가 천변만화(千變萬化)를 겪었다고 한들 하등 이상한 일이 아니다.

3미터 가까운 높이에서 세계를 내려다보는 거대한 골질(骨質)의 머리통, 사자 갈기처럼 하나로 이어지며 두드려 편 금박처럼 번득이는 긴 수염과 머리카락, 모든 뼈와 힘줄에 대문자로 각인된 힘, 아무 쓸모도 없는 빨간 젖꼭지가 달린 넓고 편평한 가슴, 고간에 매달린 길고 부드러운 페니스의 위화감. 내게는 너무 위화감이 컸다. 페니스는 내가 이 육체를 두르고 있던 몇 달 내내 부드러운 채로 있었고, 같은 해에 내 거울의 방은 두 번 열려야 했다.

내 기억에 있는 얼굴과 아주 흡사한 얼굴. 하지만 어떻게 그런 것을 기억하고 있단 말인가? 1세기가 티끌처럼 날아간 이래 나는 한 번도 비슷한 얼굴을 가진 적이 없었다. 먼 옛날 내가 처음으로 청춘을 경험했던 이래 나와 줄곧 함께해 온 것은 오직 이 유리꽃뿐이다. 그러나 이 여자는 짧은 갈색 머리카락에 미소 띤 얼굴과 녹회색 눈을 가지고 있었다. 목은 너무 길고 가슴은 너무 작았는지도 모르겠다. 그래도 그녀는 가까웠다. 정말로 가까웠다. 그녀가 나이를 먹고, 내가 나와 함께 성 안을 걷는 또 다른 이방인의 모습을 보았을 때까지는.

그리고 이제 무엇인가에 홀린 듯한 이 소녀. 거울 속의 그녀는 내가 꿈꾸던 딸처럼 보인다. 내가 실제보다 훨씬 더 사랑스러운 여자였다면 낳았을지 모르는 딸. 카르는 선물, 가장 아름다운 선물이라며 그녀를 데리고 왔다. 불능이 된 우중충한 몸에 쉰 목소리와 흉터투성이의 얼굴을 가지고 나를 찾아왔던 그를 젊고 잘생긴 사내로 만들어 준 대가라고 하며.

소녀의 나이는 열한 살 내지 열두 살쯤 되어 보였다. 몸은 비쩍 마르고 어색한 느낌을 주지만 아름다움의 씨앗을 뚜렷하게 품고 있고, 이제 갓 피어나려는 것이 보인다. 가슴도 조금씩 부풀기 시작했고, 초경을 경험한 지 반 년도 채 안 되었다. 은빛을 띤 길고 곧은 금발은 폭포수처럼 쏟아져 내리며 거의 발꿈치에 닿는다. 조그만 얼굴에 커다란 눈이 인상적이다. 눈동자 색깔은 깊고 순수한 보라색이며, 얼굴은 조각 같다. 이런 용모가 되도록 만들어졌다는 점에는 의심의 여지가 없었다. 슈라이크의 무역왕들과 릴리스와 펠라노라의 부유층은 유전자 조작을 통해 숨 막힐 만큼 아름다운 모습을 가지고 태어난다.

카르가 이 소녀를 내게 데려왔을 때는 아직 일곱 살도 안 된 나이였지만 마음은 이미 사라져 버린 상태였다. 두개골 내부의 어두운 방에 갇혀

서 훌쩍이고 절규하는 동물에 더 가까웠다. 카르에 의하면 처음 샀을 때부터 그런 식이었다고 한다. 원래는 펠라노라의 범죄 귀족의 딸이었다고 했다. 그 귀족은 정치적 실책으로 인해 실각하고 처형당했고, 그의 가족과 친구와 가신 들도 다 함께 처형되었지만, 그 일부는 승리한 그의 정적들에 의해 마음이 없는 성의 노리개로 전락했던 것이다. 적어도 카르는 그렇게 설명했다. 대부분의 경우 나는 그의 말을 의심하지 않는다.

아무리 기억을 뒤져 보아도 나는 이토록 젊고 사랑스러웠던 적이 없다. 애쉬에서 처음 청춘을 경험하고 이름 모를 소년에게 유리꽃 한 송이를 선물받았을 때조차도 말이다. 내가 가지고 태어난 첫 번째 육체만큼이나 오랫동안 이 아름다운 육체를 두르고 싶다. 이곳에 충분히 오래 머무른다면, 검은 거울을 들여다보고 나 자신의 얼굴을 발견하는 날이 올지도 모르겠다.

●○

참가 희망자들은 차례로 한 명씩 나에게 올라온다. 위즈덤을 통해 다시 태어나기 위해. 적어도 그들은 그러기를 희망했다.

늪지대 높이 솟아 있는 나의 탑 안에 자리 잡은 '변화의 방'에 틀어박혀 나는 게임 준비에 착수했다. 나의 옥좌는 평범하고, 유물 또한 겉보기에는 그리 인상적이지 않다. 모종의 부드러운 외계 합금으로 거칠게 빚어낸 거대한 사발이라고나 할까. 색깔은 회흑색이고 손으로 만지면 조금 따뜻하다. 안쪽 가장자리를 따라 우묵하게 패인 곳이 여섯 군데 있다. 이것들은 좌석이다. 좁고 딱딱하고 불편한 좌석은 비인류의 체형에 맞춰 설계된 것이 명백해 보이지만, 좌석이라는 데는 변함이 없다. 사발 바닥 한복판에서 가느다란 기둥이 올라오다가 펼쳐지며 또 하나의 좌석을 형성한다. 이 불편한 옥좌에 앉는 자는…… 고통의 주, 정신의 주, 생명의 주, 주고 빼앗는 자, 조작자, 유발자, 마스터, 기타 뭐든지 마음에 드는 이름으로 불러도 좋다. 그들 모두가 나니까. 내가 오기 이전 이 옥좌에 앉았던 자들도 마찬가지다. 그들은 백으로까지 이어지는 긴 사슬의 일부이며, 이 사슬은 영겁에 가까운 멀고 흐릿한 과거에 이 기계를 만든 이름 모를 종족으로까지 이어질는지도 모른다.

이 '방'에 극적인 부분이 있다고 한다면 내가 만들어 낸 것이다. 만곡한 벽과 천장은 몇천 개에 달하는 연마된 흑요석을 엄청난 공을 들여 끼워 맞춘 것이다. 어떤 흑요석 조각은 아주 얇은 박편으로 가공된 탓에 크로운데니의 희끄무레한 햇살을 투과시킬 수 있고, 반대로 워낙 두꺼워서 거의 불투명에 가까운 것들도 있다. 방 자체는 단색이지만 무수히 많은 색조를 띠고 있으며, 그것을 알아볼 안목이 있는 사람들의 눈에는 생과 사, 꿈과 악몽, 고통과 희열, 방종과 공허함, 전체와 무(無)가 일체화한 거대한 모자이크로 보인다. 이것들은 끊임없이 돌고 돌며 원을 이루고, 주기를 이루고, 영원히 자기 꼬리를 무는 뱀으로 변한다. 각기 분리된 섬약하고 면도날처럼 날카로운 모자이크 조각 하나하나가 광대무변하고 검고 부스러지기 쉬운 큰 그림의 일부를 이루고 있는 것이다.

나는 입고 있던 옷을 모두 벗어 라나르에게 건넸다. 그는 그것들을 차곡차곡 개켰다. 상반부를 잘라 낸 달걀 모양을 한 옥좌 안으로 기어 올라가서 결가부좌를 틀었다. 유물 내부의 곡면에 맞춰 인간이 취할 수 있는 자세 중에서 그나마 가장 편한 것이다. 그러자 기계의 내벽이 피를 흘리기 시작했다. 달걀의 잿빛 금속 표면에 검붉게 번들거리는 액체가 알알이 맺힌다. 액체 방울은 점점 부풀어 오르고 육중해지다가 마침내 파열한다. 액체는 매끄럽게 만곡한 옥좌의 내벽을 따라 흘러내렸고, 바닥에 고이기 시작했다. 맨살에 액체가 닿으면 불에 덴 듯한 느낌을 받는다. 액체의 흐름이 점점 더 빨라지고 농후해짐에 따라 불타는 듯한 감각은 내 몸을 침식했다. 마침내 내 몸은 검붉은 액체에 반쯤 잠겼다.

"들여보내." 나는 라나르에게 말했다. 도대체 몇 번이나 이렇게 말했을까? 수를 세는 것은 오래전에 그만두었다.

먼저 제물들이 이끌려 들어왔다. 카르 도리언은 문신한 소년을 데리고 왔다. "저기야." 카르는 퉁명스럽게 말하며 좌석 하나를 가리켰고, 그러면서 나를 향해 호색스러운 미소를 지어 보였다. 탄탄한 몸을 가진 소년, 살인자, 피에 굶주린 살벌한 깡패는 호송자로부터 떨어져 나와 자기 자리에 앉았다. 나의 생체 의학자인 브라제는 여자를 데리고 왔다. 창백하고 비만하다는 점에서 두 사람의 용모는 흡사했다. 브라제는 순순히 따라온 제물의 몸에 수갑과 족쇄를 채우며 킥킥 웃었다. 갓 부화한 유생은 거세게 저항했다. 얇지만 탄탄한 근육을 꿈틀거리고, 거대한 날개를 극적으로 퍼덕이며 천둥 같은 소리를 냈지만 결국은 헛수고였다. 오만상을 찌푸린 거구의 요나스와 그의 부하들이 억지로 좌석에 밀어 넣었기 때문이다. 그들이 유생을 제자리에 결박하는 광경을 카르는 히죽거리며 구경하고 있었다. 그베른 인 유생이 휘파람 소리처럼 높고 새된 소리를 발하자 귀가 먹먹해졌다.

크레이머 델휸은 심복들과 돈을 주고 산 하인들에게 떠메인 채로 들어와야 했다. "저기야." 내가 손으로 가리키자 그들은 좌석에 그를 힘겹게 앉혔다. 쪼그라든 주름투성이의 얼굴이 나를 응시한다. 반쯤 먼 눈으로 변화의 방 여기저기를 불안하게 둘러보는 모습은 사로잡힌 조그만 야생동물 같고, 탐욕스럽게 입을 쩝쩝거리는 광경은 마치 이미 재생을 마치고 어머니의 젖을 찾는 광경을 연상케 한다. 모자이크는 전혀 눈에 들어오지 않는 눈치였다. 그에게는 검은 유리벽으로 둘러싸인 어두운 방에 불과한 것이리라.

다음 참가자인 리신 제이는 성큼성큼 방으로 들어오기도 전에 이미 싫증을 느낀 듯한 표정이었다. 모자이크를 인식하기는 했지만 흘끗 보았을 뿐이었다. 마치 구경할 만한 가치도 없고, 일일이 훑어보기도 귀찮다는 듯한 기색이었다. 그러는 대신 그녀는 유물 내부를 천천히 돌아다니며 각 좌석을 둘러보았고, 직접 도살한 고기를 검사해 보는 백정처럼 각각의 제물을 자세히 검토했다. 두려움에 떨며 몸부림치는 그베른 인유생 앞에서 가장 오래 머물렀다. 유생이 쉭쉭거리고 높다란 절규를 발하며 밝고 살벌한 눈으로 노려보자 리신 제이는 기쁜 기색을 감추려고 하지도 않았다. 손을 뻗어 유생의 날개를 만지려다가 물릴 뻔했다. 뒤로 펄쩍 물러나면서 웃음을 터뜨린다. 마침내 자기 자리로 들어간 그녀는 느른하게 사지를 뻗고 앉아 게임이 시작되기를 기다렸다.

그리고 마지막으로 클레로노마스가 왔다.

그 즉시 모자이크를 보며 멈춰 섰고, 고개를 들고 크리스털 눈으로 천천히 방 안을 스캔했다. 이따금 동작을 멈추고 어떤 세부를 유심히 관찰하는 것처럼 보였다. 한번은 너무 오래 그러고 있던 탓에 리신 제이가 참지 못하고 빨리 앉으라고 딱딱거렸다. 사이보그는 무표정한 금속 얼굴로 그녀를 응시했다. "조용히 해." 나는 말했다.

클레로노마스는 시간을 들여 돔 내부의 관찰을 마친 뒤에야 마지막으로 남은 빈자리에 앉았다. 마치 다른 좌석들도 비어 있고, 순전히 자기 판단으로 그 자리를 선택했다는 듯한 태도였다.

"방에서 나가." 나는 명령했다. 라나르는 고개를 숙여 절하고 요나스와 브라제를 위시한 동료들을 퇴출시켰다. 카르 도리언은 마지막으로 나가며 나에게 어떤 손짓을 했다. 무슨 뜻일까? 행운을 빈다? 그럴지도 모르겠다. 라나르가 방문을 봉인하는 소리가 들렸다.

"이제 어떻게 돼?" 리신 제이가 힐문하듯이 말했다.

나는 눈빛으로 그녀의 입을 다물게 만들었다. "너희들 모두가 '위험한 자리[2]'에 앉아 있어." 나는 말했다. 나는 언제나 이 말로 운을 뗀다. 아무도 이해하는 사람은 없었지만 말이다. 그러나 이번에는…… 클레로노마스라면 아마 이해했는지도 모르겠다. 나는 그의 얼굴을 이루는 가면을 바라보았다. 두 눈의 크리스털 내부에서 뭔가 조금 움직이는 듯한 기색을 느끼고, 그 의미를 찾아보려고 했다.

"정신 게임에서 정해진 규칙은 없어. 하지만 그것이 끝나고 너희들이 다시 내 영역으로 돌아온 다음에는 몇 가지 규칙이 적용될 거야.

자기 의지에 반해서 여기 온 자들. 너희들이 지금 두르고 있는 육체를 유지할 수 있을 정도로 강하다면 그건 영원히 네 거야. 상으로 그걸 너희에게 주지. 제물은 두 번 다시 게임에 참가하지 않아. 너희들이 태어날 때 받은 육체를 고수하는 데 성공한다면, 게임 뒤에 카르 도리언은 너희

---

2 Siege Perilous. 아서왕 전설에 등장하는 원탁에서 하나 비어 있던 자리. 성배를 찾을 운명에 있는 기사를 위한 자리이고, 그럴 자격이 없는 사람이 앉으면 죽는다고 한다.

를 찾아낸 세계로 다시 너희를 데려가서 천 표준크레디트와 자유를 안겨 주고 풀어 줄 거야.

오늘 재생하게 될 참가자들. 게임이 끝난 뒤에 새로운 육체를 입고 일어서는 자들한테 미리 고해 두는데, 무엇을 얻거나 잃든 간에 그건 너희들 자신의 의지에 의한 거니까 후회하거나 나를 비난할 생각은 하지 말도록. 이 게임의 결과에 만족하지 못한다면 물론 다시 참가해도 좋아. 참가비를 지불할 수 있다면 얘기지만.

마지막으로 너희들 모두에게 한 가지 경고하겠어. 너희들은 고통을 느낄 거야. 너희들이 지금까지 뭘 상상했든 간에, 그걸 초월하는 고통을."

이렇게 경고한 다음 나는 정신 게임을 시작했다. 다시 한 번.

●○

고통에 관해서 당신은 무엇을 알고 있는가?

단어를 동원한다면 단지 그 그림자의 윤곽만을 형언할 수 있을 뿐이다. 격렬하고 날카로운 육체적 고통은 그 어떤 것에도 비할 수 없다. 고통은 언어를 초월한 것이므로. 우리를 둘러싼 세계는 밤낮을 가리지 않고 우리와 동행하지만, 우리가 고통을, 진정한 고통을 느낄 때 세계는 녹아들고 스러지며 원래 세계의 유령, 희미한 기억, 사소하고 중요하지 않은 것으로 변해 버린다. 그 전에 우리가 그 어떤 이상을, 꿈을, 사랑을, 두려움을, 생각을 가지고 있었던 간에 궁극적으로는 중요하지 않게 되어 버리는 것이다. 고통에 사로잡히면 누구나 혼자가 된다. 고통은 우주의 유일한 힘이고 유일한 실체이자 유일한 관심의 대상이며, 그 고통이 절망적으로 끔찍하고 절망적으로 오래 계속된다면, 끝나지 않고 한없이 계속되는 성질의 것이라면, 우리의 인간성을 이루는 모든 것들은 그 앞에서 녹아 버리고 인간의 뇌라는 자긍심 높고 정교한 컴퓨터는 오로지 한 가지의 생각밖에는 할 수 없게 된다.

제발 멈춰 줘. 제발 멈춰 줘! 제발!

그리고 잠시 그런 상태가 계속되다가 시간이 흘러 마침내 고통이 멈추면, 그것을 직접 경험한 당사자조차도 그것을 이해할 수 없게 되고, 그것이 실제로 얼마나 끔찍했는지를 기억할 수 없게 되고, 묘사할 수 없게 된다. 실제로 그것이 일어났을 때 경험했던 소름 끼치는 진실에 접근조차 못하는 것이다.

정신 게임에서 경험하는 고통의 장(場)이 주는 고뇌는 그 어떤 고통에도 비견될 수 없고, 일찍이 내가 경험해 본 그 어떤 것과도 다르다.

고통의 장 자체는 참가자들의 육체에 아무 해도 끼치지 않는다. 그 어떤 후유증도, 흉터도, 육체적 손상도 없다. 그것이 지나갔다는 흔적조차도 남기지 않는 것이다. 그것은 참가자의 정신으로 하여금 나의 능력으로는 도저히 표현할 도리가 없는 고통을 직접 체험하게 한다. 그것이 얼마나 오래 계속되느냐고? 상대주의적인 대답밖에는 할 수 없다. 마이크로초(秒)의 극히 일부만 계속된다고도 할 수 있고, 영원히 계속된다고도 할 수 있기 때문에.

댐 튤리언의 위즈덤들은 세 자리 수에 달하는 심신 양면의 수행법에 통달한 달인들이며, 제자들에게 고통을 분리하고, 차단하고, 밀어냄으로써 고통을 초월하는 기술을 가르친다. 내가 처음으로 정신 게임에 참가했던 것은 반생을 그런 위즈덤으로 살아온 뒤의 일이었다. 나는 그때까지 내가 배운 모든 것을 이용했다. 내가 체득하고 신뢰하는 모든 기술과 진리를 동원했던 것이다. 그러나 그것들은 전혀 쓸모가 없었다. 게임의 고통은 육체를 건드리는 고통이 아니었고, 신경 전달로를 따라 질주하는 고통이 아니었기 때문이다. 그것은 마음을 완전무결하게 채워서 산산조각 냄으로써 정신의 가장 작은 일부조차도 생각하거나 계획을 세우거나 명상할 수 없게 만드는 종류의 고통이었다. 고통은 곧 나였고, 나는 곧 고통이었다. 분리 대상 자체가 존재하지 않았고, 도피해서 초연한 사고를 이어 갈 수 있는 성역 따위도 존재하지 않았다.

고통의 장은 무한하고 영원하며, 끊기는 법이 없다. 그리고 사고를 정지시키는 그 고통으로부터 확실하게 해방되는 방법은 오직 하나밖에는 없다. 예부터 바뀌지 않는 진실한 방법, 시간이 시작된 이래 무수히 많은 남녀들을—가장 비천한 짐승들까지도—구제해 준 그 유일한 방법 말이다. 고통을 지워 주는 암흑의 신. 나의 적. 나의 연인. 또다시, 단지 고통을 끝내고 싶다는 단 하나의 욕구에 또다시 사로잡힌 나는, 그의 검은 포옹을 향해 달려갔다.

죽음이 나를 껴안았고, 고통이 그쳤다.

생명의 피안 너머에 있는 광막한 메아리의 원야에서, 나는 다른 자들이 오기를 기다렸다.

●○

안개 속에서 어렴풋한 그림자들이 모양을 갖추기 시작했다. 넷, 다섯. 다섯 명이다. 그렇다면 참가자 일부가 탈락한 것일까? 놀랄 일은 아니다. 네 번 게임을 하면 그중 세 번은 죽음에서 진실을 찾고 더 이상의 것을 갈구하지 않는 참가자가 한 명씩은 나오기 때문이다. 이번에도 그럴까? 아니다. 꿈틀거리는 안개 속에서 여섯 번째의 그림자가 걸어 나오는 것이 보인다. 모두 나타난 것이다. 다시 한 번 내 주위를 둘러보고 수를 세었다. 셋, 넷, 다섯, 여섯, 일곱. 나를 합치면 여덟 명이다.

여덟 명?

뭔가 잘못됐다. 아주 크게. 나는 현기증을 느끼고 방향감각을 잃었다. 누군가가 곁에서 비명을 지르고 있다. 귀여운 얼굴을 한 순진무구한 소녀. 파스텔조의 옷을 입고 반짝거리는 보석으로 치장하고 있다. 어떻게 해서 여기 왔는지를 모르는 것이다. 여기가 어딘지를 이해 못 하고 있다. 먹먹한 눈초리는 천진난만한 어린애의 것이었다. 방금 경험한 강렬한 고통이 드림더스트의 도원경에 빠져 있던 그녀를 공포로 가득 찬 낯선 땅에서 깨어나게 한 것이리라.

나는 작고 강인한 손을 들어 올려 뭉뚝한 갈색 손가락을 응시했다. 엄지손가락에 굳은살이 박여 있고, 넓고 뭉뚝한 손톱은 바싹 깎여 있다. 나는 대뜸 주먹을 쥐었다. 이런 익숙한 동작을 하자마자 강철과 같은 나의 의지와 수은 같은 욕망에 의해 만들어진 손거울이 내 손에 쥐어진다. 반짝이는 거울 깊숙한 곳에서 얼굴이 하나 떠오른다. 강하고 가차 없는 여성의 얼굴이었다. 눈을 가늘게 뜨고 외계의 태양을 응시하는 버릇 탓에 잿빛 눈 주위에 팬 깊은 주름, 좀 관대한 느낌이 없지도 않은 큰 입, 한번 부러졌다가 완전히 곧게 아물지는 않은 코, 언제나 헝클어진 짧은 갈색 머리카락. 익숙하고 편안한 얼굴이다. 실제로 마음이 편안해진다.

거울이 흐릿해지며 연기로 변했다. 땅도 하늘도 이곳에서는 모든 것이 계속 변화하고, 그 무엇도 확실한 것이 없다. 귀여운 어린 소녀는 여전히 아빠를 부르며 울부짖고 있었다. 다른 사람들은 망연자실한 표정으로 나를 응시하고 있다. 그중 한 명은 평범한 얼굴의 청년이다. 뒤로 넘겨 빗은 흑발을 깃털처럼 염색한 헤어스타일은 걸리버에서 1세기 전에나 유행한 것이다. 몸은 부드러워 보이지만 두 눈에는 어딘가 카르 도리언을 연상시키는 가혹한 빛이 깃들어 있었다. 리신 제이는 충격을 받고 경계와 두려움이 섞인 표정을 하고 있었지만 겉모습만으로도 여전히 리신 제이임을 알 수 있었다. 무슨 악평을 듣든 간에, 적어도 자기 자신이 누구인지에 대해 확고한 개념을 가지고 있다. 그리고 여기서는 그것만으로 충분할지도 모른다. 그녀 근처에 우뚝 서 있는 그베른 인 유생은 현실보다 훨씬 덩치가 컸다. 온몸이 기름으로 번들거리는 유생이 악마의 날개를 연상케 하는 거대한 비막을 펼치고 퍼덕거리자 주위의 잿빛 안개가 채찍을 맞은 것처럼 길게 갈라지며 흘러갔다. 정신 게임이 시작된 지금 유생은 더 이상 수갑도 족쇄도 차고 있지 않았다. 리신 제이는 그것을 한참 바라보다가 위압당한 듯이 뒷걸음질 쳤다. 또 다른 참가자 역시 뒷걸음질 쳤다. 온몸이 기괴한 문신으로 뒤덮인, 희박한 느낌을 주는 잿빛 그림자였다. 알아보기 힘든 희끄무레한 이목구비에서는 목적의식도, 뚜렷한 특징도 찾아볼 수 없다. 어린 소녀는 계속 비명을 질렀다. 나는 그런 그들을 내버려 두고 등을 돌려 마지막 참가자를 마주 보았다.

거구의 사내였다. 반들반들해질 때까지 연마한 흑단을 연상케 하는 살갗에는 검푸른 광택이 깃들어 있고, 그 아래의 근육이 불룩거릴 때마다 번득인다. 나체였다. 육중한 사각턱은 앞으로 튀어나와 있었다. 얼굴 전체를 에워쌌다가 등까지 흘러내리는 긴 머리카락은 갓 빤 침대 시트처럼 새하얗고 빳빳하다. 인류의 발길이 닿지 않은 세계에 쌓인 처녀 설처럼 새하얗다. 내가 바라보는 동안 그의 굵고 검은 페니스가 까닥거리더니 점점 더 커지다가 완전히 발기했다. 그는 나를 보며 미소 지었다. "위즈덤." 그가 말했다.

느닷없이 나도 벌거벗은 몸이 되었다.

나는 미간을 찌푸렸고, 다음 순간에는 화려하게 장식된 갑옷을 몸에 두르고 있었다. 금도금된 듀랄로이 장갑판을 겹쳐 만든 갑옷 표면에는 금단의 룬 문자가 선조세공(線條細工)으로 새겨져 있다. 나는 그와 짝을 이루는, 오색 깃털 장식이 달린 고색창연한 투구를 옆구리에 끼고 있었다. "요아힘 클레로노마스." 나는 말했다. 그의 페니스가 점점 더 커지며 굵어지더니 황당할 정도로 거대해졌고, 급기야는 그의 단단한 복부에 밀착한 채로 하늘을 찌를 듯이 솟구친 육봉(肉棒)으로 변했다. 나는 그것과 그의 몸 전체에 역사 교과서에 나오는 검정색과 은색 제복을 입혔다. 오른쪽 소매에는 옛 지구 소속임을 나타내는 청록색의 둥근 수장이 박혀 있고, 상의의 좌우 깃에는 소용돌이치는 은빛 은하계를 본뜬 계급장이 붙어 있다.

"이건 아니오." 그는 재미있다는 듯이 말했다. "이렇게 높은 계급까지 승진하지는 못했소." 그러자 은하계가 사라지더니 원을 그리는 여섯 개의 은빛 별로 바뀌었다. "게다가 위즈덤, 나는 군인 시절 대부분을 지구가 아닌 아발론에 충성하며 보냈다오." 그의 제복이 덜 위압적이고 더 기능적인 것으로 변화했다. 검은 천제 벨트를 두르고 펜이 잔뜩 꽂힌 호주머니가 달린 단순한 디자인의 녹회색 점프 슈트였다. 바뀌지 않은 것은 여섯 개의 은빛 별로 이루어진 계급장뿐이다. "자. 이걸로 됐군."

"아니." 나는 말했다. "그걸로는 충분하지 않아." 내가 이렇게 말하자마자 제복만 뒤에 남았다. 제복 안의 육체는 사라지고 은빛 금속으로 이루어진 우스꽝스러운 존재가 그것을 대신했다. 머리 대신 반짝거리는 토스터를 얹은, 속이 빈 인형. 그러나 한순간만 그랬을 뿐이었고, 금세 원래의 인간 사내의 모습으로 돌아왔다. 불쾌한 듯이 얼굴을 찌푸리고 있다. "잔인하군." 그는 말했다. 여전히 팽팽하게 발기한 페니스 탓에 제복 사타구니가 당장이라도 찢어질 것처럼 부풀어 있다.

그때, 클레로노마스 뒤에 있던 여덟 번째 사내가, 이곳에 있어서는 안 되는 유령, 존재해서는 안 되는 환영이, 작게 속삭이는 듯한 소리를 발했다. 말라붙은 고엽이 차가운 가을바람에 날려 부스럭거리는 듯한 소리였다.

침입자는 그림자처럼 존재감이 희박했다. 한참을 응시해야 겨우 알아볼 수 있을 정도였다. 클레로노마스보다 훨씬 작고 늙고 약한 인상을 준다. 전체적으로 어렴풋하고 실체가 없기 때문에 확언할 수는 없지만 말이다. 흘러 다니는 안개가 만들어 낸 환영일지도 모르고, 빛바랜 연무의 옷을 두른 잔향(殘響)일지도 모른다. 그러나 두 눈만은 광채를 발하며 일렁거린다. 덫에 걸린 듯한, 두려움에 찬 눈이다. 그는 문득 나를 향해 손을 뻗었다. 그 손의 살은 반투명했고, 지독하게 오래된 잿빛의 뼈가 팽팽하게 드러나 있었다.

어떻게 대처해야 할지 몰라 나는 뒤로 물러났다. 정신 게임에서는 아무리 가벼운 접촉이라도 끔찍한 현실을 야기할 수 있는 것이다.

등 뒤에서는 절규가 계속 들리고 있다. 공포의 극에 달한 누군가가 내는, 사납고 소름 끼치는 비명 소리가. 나는 뒤를 돌아보았다.

본격적인 투쟁이 시작된 것이다. 참가자들이 제물들을 공격하고 있다. 젊고 활력에 가득 찬 크레이머 델휸은 아까 보았던 것보다 훨씬 더 근육질의 몸으로 변해서 한 손에 쥔 불타오르는 장검을 문신으로 뒤덮인 소년을 향해 휘두르고 있었다. 소년은 무릎을 꿇고 비명을 지르며 들어 올린 양팔로 자신을 지키려고 했지만, 델휸의 빛나는 칼날은 소년의 희미한 잿빛 맨살을 그대로 통과해서 반짝이는 문신들을 갈랐다. 델휸이 장검을 휘두를 때마다 소년의 문신은 하나씩 떨어져 나왔고, 분리된 문신은 안개로 바뀌어 뿌연 공중으로 둥실거리며 떠오른다. 그때까지 갇혀 있던 잿빛 피부에서 마침내 해방되어 반짝이기 시작한 생명의 단상처럼. 델휸은 문신이 위로 떠오를 때마다 낚아채서 통째로 삼켰다. 그의 콧구멍과 열린 입에서 연기가 피어오른다. 소년은 절규하며 몸을 움츠렸다. 곧 소년이 있던 자리에는 그림자밖에는 남지 않을 것이다.

부화한 그베른 유생체는 하늘로 날아 올라가서 우리들 머리 위를 선회하고 있었다. 날개를 천둥처럼 퍼덕이며, 우리를 향해 높고 가느다란 목소리로 괴성을 발하고 있다.

리신 제이는 이 광경을 보고 마음을 바꾼 듯했다. 지금은 훌쩍이는 조그만 소녀 위에 우뚝 서 있었고, 소녀의 몸집은 시시각각 불어나고 있었다. 제이가 소녀를 변화시키고 있는 것이다. 소녀는 이제 더 나이를 먹고 살이 쪘고, 두 눈에 깃든 공포는 여전하지만 처음보다 훨씬 더 퀭한 느낌이다. 소녀가 고개를 돌릴 때마다 그 앞에 거울이 출현하며 두껍고 젖은 입술로 노래 부르듯이 그녀를 조롱한다. 소녀의 살이 점점 더 부풀어 오르며 마침내 그나마 걸치고 있던 다 해진 옷을 찢고 나왔다. 입에서 여러 갈래로 흘러나온 침이 턱을 적신다. 울부짖으며 그것을 닦아 내려고 하지만 침은 한층 더 세차게 흐를 뿐이고, 이제는 피가 섞인 분홍색으로 변했다. 엄청나게 비대해진 소녀의 육체는 기괴하고 혐오스러운 모습으로 변모했다. "이게 너야." 거울들이 말한다. "눈을 돌리지 마. 네 모습을 봐. 넌 조그만 소녀가 아냐. 봐, 봐, 봐. 너 예쁘지 않아? 너 귀엽지 않아? 널 봐. 널 봐." 리신 제이는 팔짱을 끼고 만족한 듯한 미소를 떠올렸다.

클레로노마스가 혐오에 찬 차디찬 표정으로 나를 바라보았다. 검은 천으로 된 띠가 내 눈을 가렸다. 나는 눈을 깜박여 그것을 사라지게 하고 그를 쏘아보았다. "난 장님이 아냐." 나는 말했다. "나도 보고 있어. 저건 내가 관여할 싸움이 아냐."

비대한 여자는 이제 트럭만 한 크기까지 부풀어 올랐다. 희끄무레하고 부드러운 몸이 구더기를 연상케 한다. 벌거벗은 거대한 육체는 제이가 눈을 깜박일 때마다 점점 더 괴물처럼 변해 갔다. 얼굴, 양손, 허벅지에서 거대한 유방들이 튀어나왔고, 그 끝에서 튀어나온 갈색의 육감적인 유두가 아가리를 벌리더니 노래를 부르기 시작했다. 그녀의 음부 위에 두꺼운 녹색 페니스가 출현하더니 아래로 구부러지며 질을 꿰뚫었다. 악성 종양이 그녀의 피부를 검은 꽃밭처럼 뒤덮었다. 그리고 모든 곳에 거울이 있었다. 거울들은 나타났다가 사라지는 것을 되풀이하며 그녀의 모습을 반사하고 일그러뜨리고 거대화시켰고, 그녀의 모든 것을 가차 없이 까발렸고, 제이가 마음 내키는 대로 그녀에게 부과하는 추악하고 기괴한 망상을 하나도 빠뜨리지 않고 반영했다. 살찐 여자는 더 이상 인간의 모습을 하고 있지 않았다. 내 머리통만 한, 잇몸도 없이 피를 흘리는 입에서 저주받은 자의 호흡을 연상케 하는 절규가 터져 나왔다. 그녀의 살이 연기를 뿜으며 경련하기 시작한다.

사이보그가 손가락으로 그것을 가리켰다. 모든 거울이 폭발했다.

산산조각 난 거울의 단검처럼 날카로운 은빛 파편들이 안개 속에서 난무했다. 그중 하나가 이쪽으로 날아오는 것을 보고 나는 그것을 소멸시켰다. 그러나 다른 파편들, 다른 파편들은…… 스마트 미사일처럼 만곡한 궤도를 그리며 공중에서 진영을 짜더니 공격을 개시했다. 몇천 개나 되는 파편에 꿰뚫린 리신 제이의 두 눈과 젖가슴과 절규하듯이 열린 입에서 피가 뚝뚝 흘렀다. 괴물은 또다시 울부짖는 어린 소녀로 변했다.

"모럴리스트로군." 나는 클레로노마스에게 말했다.

그는 나를 무시하고 몸을 돌려 크레이머 델흄과 그림자 소년 쪽을 바라보았다. 소년의 살갗에서 새로운 문신이 불길처럼 되살아났고, 그의 손에 장검이 쥐어지더니 불길을 발했다. 델흄은 동요하고 한 걸음 뒤로 물러났다. 소년은 자기 살을 만져 보더니 소리 없는 악담을 발했고, 신중하게 몸을 일으켰다.

"이타주의자이기도 하고 말이야." 나는 말했다. "약자에게 구원의 손길을 뻗치는."

클레로노마스는 나를 돌아보았다. "학살을 못 본 체하는 취미는 없소."

나는 그를 보며 웃었다. "혹시 사이보그, 너 자신을 위해 남겨 두려고 그런 건 아닐까. 그게 본심이라면 네 제물이 날아가 버리기 전에 빨리 날개를 기르는 편이 나을 거야."

그의 얼굴은 차가웠다. "내 제물은 지금 내 눈앞에 있소."

"왠지 나도 그걸 알고 있었어." 나는 깃털 장식이 달린 투구를 쓰며 말했다. 내 갑옷이 금빛 광채를 발하며 힘차게 맥동하고, 나의 장검은 빛의 창이 되었다.

나의 갑옷이 갑자기 칠흑처럼 검게 변했다. 그 위에 각인된 검은 장식은 거미와 뱀과 인간의 두개골과 고통으로 일그러진 얼굴들이었다. 길고 곧았던 나의 은빛 장검은 흑요석으로 변했고, 뒤틀리면서 기괴한 가시와 갈고리와 살벌한 못으로 뒤덮였다. 이 빌어먹을 사이보그는 아무래도 극적인 것을 좋아하는 듯하다. "아냐." 나는 말했다. "나는 사악한 이미지를 두를 생각은 없어." 나는 또다시 금빛과 은빛으로 빛나는 존재가 되었다. 투구의 깃털 장식도 선명한 붉은색과 푸른색을 되찾았다. "그 모습이 그렇게 좋다면 네가 입으라고."

내 눈앞에 서 있는 사내가 검고 소름 끼치는 모습으로 변했다. 헬멧의 열린 면갑(面甲) 뒤로 희죽거리며 웃는 해골이 보인다. 클레로노마스는 이 이미지를 떨쳐 냈다. "난 소도구 따위를 필요로 하지 않소." 그는 말했다. 그 곁에서는 예의 희끄무레한 유령이 너울너울 움직이며 그의 몸을 잡아끌었다. 저건 뭘까? 나는 또다시 의아함을 느꼈다.

"좋아." 나는 말했다. "그럼 상징 따위는 내버려 두기로 하지." 내 갑옷이 사라졌다.

나는 맨손을 펼치며 내밀었다. "자, 만져, 사이보그. 나를 만져 보라고."

그가 내 손을 잡기 위해 손을 뻗치자 그의 길고 검은 손가락은 금속으로 뒤덮이기 시작했다.

●○

정신 게임에서는 이미지와 은유가 실제 살아가는 현실보다도 더 큰 의미를 가진다.

시간을 초월한 공간, 안개에 뒤덮인 망망한 평원, 차가운 하늘과 발밑의 불안정한 대지. 이것들조차도 모두 환영인 것이다. 아무리 이 세상 것으로 보이지 않고, 아무리 초현실적으로 보이더라도, 이곳, 이 모든 것은 내가 만들어 낸 이미지이며, 게임의 참가자들은 이 무대 위에서 지배와 굴복, 정복과 절망, 죽음과 재생, 육체의 강간과 마음의 강간이라는 번지르르한 드라마를 연출해야 하는 것이다. 내가 나의 비전 그리고 영겁에 가까운 세월 동안 고통의 주들이 만들어 온 비전이라는 형태를 부여하지 않는다면, 그들에게는 발치의 지면도, 머리 위의 하늘도, 디딜 수 있는 장소도, 디딜 수 있는 팔다리조차도 존재하지 않는다. 현실은 내가 그들에게 보여 주는 황폐한 풍경의 티끌 같은 위안조차도 허락하지 않는다. 혼돈스럽고 견딜 수 없는 현실은 시간과 공간 밖에 있고, 물질이나 에너지의 간섭조차도 받지 않으며, 그 어떤 척도도 존재하지 않는 고로 소름 끼치도록 무한하며 숨 막히게 폐쇄적이며 끔찍하게 영원하고 통절하게 짧다. 이 현실 속에 갇힌 일곱 참가자들의 마음은 텔레파시적 게슈탈트로 일체화되어 있고, 너무나도 긴밀하게 통합된 탓에 대다수의 정신은 그 중하를 이겨 내지 못한다. 따라서 그들의 정신은 위축하며, 원한다면 신이나 악마, 또는 그 양쪽이 될 수 있는 이 장소에서 그들이 가장 먼저 창조하는 것은 우리가 남기고 온 육체다. 이 육체의 장벽 속으로 도망쳐서 혼돈에 질서를 부과하려고 하는 것이다.

피에서는 짠맛이 났다. 그러나 피는 없고, 오로지 환영만이 존재한다. 잔에는 검고 쓴 액체가 담겨 있지만, 잔은 없으며 오로지 허상만이 존재한다. 상처는 아가리를 벌리고 시뻘건 내부에서 고뇌를 뚝뚝 흘리지만, 상처는 없고, 상처 입을 육체도 없고, 단지 소환해 낼 은유와 상징이 존재할 뿐이다. 그 무엇도 현실이 아니지만, 모든 것이 해를 가하고, 죽이고, 영속적인 광기를 불러일으킬 수 있는 것이다.

여기서 살아남으려면 참가자들은 탄력적이고 절제되고 안정적인 인격과 무자비함을 겸비하고 있어야 한다. 임기응변의 상상력과 상징을 조작하는 풍부한 어휘력과 일정한 심리적 통찰도 갖추고 있어야 한다. 이것들을 활용해서 상대방의 약점을 찾아내고, 스스로 품고 있는 공포를 철저하게 감춰야 하는 것이다. 규칙은 단순하다. 모든 것을 믿고, 그 어느 것도 믿지 말라. 자기 자신과 자신의 냉철함에 천착하라.

설령 상대방이 자신을 죽인다고 해도 본인이 그것을 믿지 않는다면 아무 뜻도 없다.

너무나도 쉽게 변모하는 육체들이 파반[3]을 추듯 회전하며 적을 무찌르려고 하는 광경은 이미 수없이 보아 왔던 진부한 것이다. 허공에서 장검과 거울과 괴물을 꺼내서 미친 곡예사처럼 서로에게 내던지는 이런 장소에서 가장 무시무시한 것은 단순한 접촉이다.

그 행위가 상징하는 것은 직접적이며, 그 의미 또한 명쾌하다. 살과 살의 접촉. 은유를 박탈당하고, 보호막을 박탈당하고, 가면을 박탈당한 상태. 마음 대 마음. 서로를 만지면 장벽은 무너지는 법이다.

정신 게임에서는 시간조차도 환영의 일부다. 우리가 원하는 만큼 빠르거나 느리게 움직이기 때문이다.

나는 시레인이야. 나는 되뇌었다. 행성 애쉬에서 태어나 까마득하게 먼 곳까지 여행하고, 댐 튤리언에서의 수행을 통해 위즈덤이 되고, 정신

---

3 pavane. 16세기 서양 궁정에서 유행한 느리고 우아한 춤.

게임의 달인이자 흑요석 성의 여성주, 크로운데니의 지배자, 정신의 주, 고통의 주, 생명의 주가 되어 완전무결하며 난공불락한 불사를 얻은 존재. 내 안으로 들어오라.

그의 손가락은 서늘하고 딱딱했다.

●○

나는 여러 번 정신 게임을 해 왔고, 그럴 때마다 자신이 강하다고 생각하는 자들과 손을 마주 잡아 보았다. 그들의 마음, 그들의 영혼 속에서 나는 무수히 많은 것들을 보았다. 어두운 잿빛 터널 속에 낙서처럼 남아 있는 옛 흉터들을 찾아냈고, 불안감이라는 유사(流砂)에 발목을 잡힌 적도 있다. 나는 그들이 느끼는 공포의 역한 냄새를 맡았고, 움켜잡을 수 있을 정도로 농밀한 살아 있는 암흑 속에 서식하는 거대하게 부풀어 오른 짐승들을 감지했다. 결코 이름을 대려고 하지 않는 육욕의 뜨거운 살에 손가락을 덴 적도 있다. 나는 그들의 정적이고 조용한 비밀의 망토를 낚아채서 벗겨 냈다. 그리고 그것들을 모두 섭취하고, 그들이 되어 그들의 삶을 살고, 그들의 지식을 차가운 맥주처럼 단숨에 들이켜고, 그들의 기억 속을 뒤졌던 것이다. 나는 십여 번을 다시 태어나 수십 개의 젖을 빨고 동정과 처녀성을 수십 번 상실했다.

클레로노마스는 이들과는 달랐다.

나는 빛이 살아 움직이는 거대한 동굴 안에 서 있었다. 동굴의 벽과 바닥과 천장은 반투명한 크리스털이었고, 사방에서 붉고 딱딱한 첨탑과 원추와 뒤틀린 리본이 튀어나와 붉은 광휘를 발하고 있었다. 만지면 딱딱하고 차가웠지만 살아 있었고, 영혼의 불꽃들이 그 내부를 쉴 새 없이 이동하고 있었다. 크리스털로 지은 동화의 도시가 동굴 안에 자리 잡고 있었다고나 할까. 가장 가까운 곳에 있던 돌출부에 손을 대 보자 기억이 한꺼번에 몰려와서 나의 내부를 가득 채웠다. 그곳에 각인되었던 당일 못지않게 명확하고 선명하고 확실한 지식의 형태로. 몸을 돌려 새로운 눈으로 주위를 둘러보던 나는 처음에는 혼돈스러운 아름다움으로만 지각했던 곳에서 명백한 질서를 발견했다. 그 청결함에 나도 모르게 숨을 들이켰을 정도였다. 취약한 곳을 찾아 모든 곳을 샅샅이 둘러보았다. 괴저에 걸린 살로 이루어진 문, 피가 고인 웅덩이, 흐느낌의 장소, 마음속 깊은 곳을 배회하는 부정(不淨)한 것들을 찾아보았지만 그런 것은 전혀 없었다. 전혀. 전혀. 오로지 완벽함만이, 깨끗하고 날카로운 크리스털만이, 새빨간 크리스털만이 존재했다. 내부에서 빛을 발하고, 자라나고, 변화하지만, 영원히 계속되는. 다시 손을 대 보았다. 내 눈앞에서 석순처럼 솟아 있는 돌출부를 움켜잡았다. 지식은 나의 것이었다. 나는 걷기 시작했다. 만지고, 만지며, 닥치는 대로 지식을 흡수하기 시작했다. 모든 측벽에서 유리꽃들이 활짝 피어났다. 섬약하고 아름답고 환상적인 진홍색 꽃들이. 한 송이 따서 코에 대 보았지만 아무 향기도 나지 않는다. 이곳의 완벽함은 압도적이었다. 그의 약점은 어디 있을까? 이 다이아몬드에 은닉된 결점은 어디에 있는 것일까? 단 한 번의 날카로운 일격만으로 박살낼 수 있는?

이 사내의 마음에는 부패한 곳이 전혀 없었다.

이곳에는 아무도 살고 있지 않다.

마치 집에 온 듯한 기분이다.

이렇게 생각했을 때 눈앞에서 예의 유령이 출현했다. 잿빛의 비쩍 마르고 불안정한 존재. 빛을 발하는 크리스털 바닥을 가볍게 딛는 그의 맨발에서 가느다란 연기가 피어오른다. 살이 타는 냄새를 맡고 나는 미소 지었다. 이 망령은 크리스털 미궁 속에 갇혀 내부를 배회하지만, 접촉할 때마다 고통과 파괴를 몰고 온다. "이리 오렴." 내가 말하자 그는 나를 쳐다보았다. 그의 아지랑이처럼 불확실한 육체를 동굴 반대편의 빛들이 그대로 투과하고 있다. 그는 내게 다가왔다. 나는 팔을 활짝 펼치고 그의 내부로 들어가서 그에게 빙의했다.

●○

나는 성에서 가장 높은 탑의 발코니에 앉아 조그만 잔으로 브랜디를 조금 넣은 향긋한 블랙커피를 마시고 있다. 늪은 사라졌고, 그 대신에 내가 바라보고 있는 것은 견고하고 차갑고 깨끗한 산이었다. 청백색의 높은 봉우리들이 성 주위를 에워싸고 있고, 가장 높은 정상에서 끊임없이 불어오는 바람이 새하얀 눈의 결정을 길게 날려 보낸다. 살을 에는 듯한 바람이지만 추위는 거의 느끼지 않았다. 나는 고고한 평온함에 잠겨 있었고, 커피 맛도 좋았다. 죽음은 멀리 떨어진 곳에 있다.

그는 발코니로 걸어 나와 낮은 흉벽 위에 걸터앉았다. 자연스럽고 오만하고 자신감에 찬 자세다. "난 당신이 누군지 알고 있소." 그는 말했다. 궁극적인 위협을 담아.

나는 두렵지 않았다. "나도 네가 누군지 알아. 네 유령을 소환해 줄까?"

"어차피 곧 올 거요. 나한테서 멀리 떨어지는 법이 없으니까."

"그렇군." 나는 커피를 홀짝이며 그를 기다리게 만들었다. "난 너보다 강해." 이윽고 나는 말했다. "사이보그, 난 이 게임에서 이길 수 있어. 나한테 도전한 건 오산이었어."

그는 아무 말도 하지 않았다.

나는 커피를 모두 들이켠 다음 빈 잔을 내려놓고 그 위를 손으로 한 번 훑었다. 그곳에서 유리꽃이 자라나며 무색의 투명한 꽃잎을 펼치는 광경을 보고 미소 지었다. 무지개의 단편이 탁자 위에서 어른거린다.

그는 얼굴을 찡그렸다. 내 꽃 안으로 색채가 스며들기 시작했다. 꽃이 부드러워지며 아래로 처지자 무지개가 사라졌다. "당신의 꽃은 진짜가 아니오. 유리꽃은 살아 있는 것이 아니니까."

나는 그가 변화시킨 장미를 집어 들고 부러진 줄기를 가리켰다. "이 꽃은 죽어 가고 있어." 내 손에서 꽃은 다시 유리로 변했다. "유리꽃은 영원히 존속하지."

그는 유리꽃을 또다시 살아 있는 조직을 가진 생화로 변화시켰다. 적어도 고집스런 사내라는 점은 인정해야 할 것이다. "죽으면서도 이렇게 살아 있지 않소."

"불완전한 부분들을 봐." 나는 그것들을 하나씩 가리키며 말했다. "여긴 벌레 먹은 곳이야. 여긴 꽃잎 모양이 이상하고, 여긴 검은 반점들이 있고, 여긴 마름병 자국이고, 여긴 바람 탓에 구부러졌어. 그리고 이렇게 될 수도 있어." 나는 엄지와 검지로 가장 크고 예쁜 꽃잎을 홱 뜯어내서 바람에 날려 보냈다. "아름답다고 해서 보호받는 건 아냐. 생명은 지독하게 취약하지. 그리고 모든 생명은 결국 이렇게 끝나는 법이야." 내 손안의 꽃은 갈색으로 변하며 쪼그라들더니 썩기 시작했다. 잠깐 벌레가 꾀었다가 악취를 풍기는 검은 액체가 흘렀고, 곧 완전히 시들었다. 나는 바삭바삭해진 꽃을 손으로 부순 다음 날려 보냈고, 그의 귀 뒤에서 또 다른 꽃을 꺼냈다. 유리꽃을.

"유리는 딱딱하고, 차갑소." 그가 말했다.

"따뜻함은 부패의 부산물이고, 엔트로피의 서자(庶子)야." 나는 말했다.

그는 이 말에 대꾸할 작정이었는지도 모르지만, 이제 발코니에 있는 사람은 우리들뿐만이 아니었다. 총안이 나 있는 흉벽까지 유령이 기어 올라왔던 것이다. 섬약한 회백색 손으로 자기 몸을 끌어 올린 자리에 남은 핏자국이 내 성의 무구(無垢)한 석재를 더럽혔다. 유령은 말없이 우리를 응시했다. 반쯤 투명한 희끄무레한 몸에서 속삭임이 들려온다. 클레로노마스는 그것을 외면했다.

"저건 누구지?" 나는 물었다.

사이보그는 대답하지 못했다.

"저자의 이름조차 기억 못 해?" 나는 물었지만 그는 침묵으로 응했을 뿐이었다. 나는 양자를 향해 웃음을 터뜨렸다. "사이보그, 넌 나를 심판했고, 내 윤리성에 문제가 있고 내 행동이 오점을 남겼다고 주장했지. 하지만 내가 뭘 했든 간에 네가 한 일에 비하면 아무것도 아냐. 난 육체를 훔칠 뿐이지만, 넌 이자의 마음을 훔쳤으니까 말이야. 맞지? 안 그래?"

"그럴 생각은 추호도 없었소."

"요아힘 클레로노마스는 7백 년 전에 아발론에서 죽었어. 전설에 나와 있듯이 말이야. 강철과 플라스틱의 외피를 입고 있었을지도 모르지만 그 안에는 여전히 원래의 쇠퇴해 가는 육체 일부를 남기고 있었어. 죽었을 때조차 말이야. 그리고 모든 육체는 세포가 죽으면서 언젠가는 죽음을 맞기 마련이지. 기계 속에서, 어둠 속에서, 뇌파 탐지기의 수평한 선만이 반짝였고, 그 뒤에는 빈 금속 껍데기만 남았어. 전설이 종말을 맞았던 거지. 사람들은 그걸 어떻게 했을까? 뇌를 쓸어 담아서 터무니없이 큰 기념비 밑에 매장했을까? 보나 마나 그랬겠지." 커피는 진하고 달았다. 이곳에서 내가 마시는 커피는 결코 식지 않는다. 내 의지가 그런 일을 허용하지 않기 때문이다. "하지만 기계 부분까지 묻지는 않았어, 그렇지? 고가의 정교한 사이버네틱 오거니즘, 엄청나게 방대한 지식을 보유한 라이브러리 컴퓨터, 얼어붙은 기억으로 충만한 크리스털-매트릭스. 이 모든 것들은 버리기에는 너무나도 소중했던 거야. 아발론의 근면한 과학자들은 그걸 〈학술원〉의 중앙 시스템과 인터페이스 접속된 상태로 유지했어, 그렇지? 그 사이보그의 몸을 다시 두르고 다가오는 죽음을 회피하려고 결심한 과학자가 나오기까지는 몇 세기가 걸렸지?"

"1세기도 걸리지 않았소." 사이보그가 말했다. "50표준년도 안 걸렸지."

"그 과학자는 응당 네 기억을 말소했어야 했어. 하지만 왜 안 그랬을까? 어차피 그자의 뇌가 기계 부분을 조종할 예정이었으니까 상관없다고 생각했던 거겠지. 결정화된 기억들은 경이로운 지식의 보고에 접속할 수 있는 유일한 방법인데, 그걸 지우다니 말이 안 되잖아, 안 그래? 그걸 고스란히 보존해서 남이 살았던 인생을 자유자재로 이용하고, 자신이 직접 체득하지도 않은 지혜를 끄집어내서 이용하고, 한 번도 가 보지 않은 장소들과 한 번도 만난 적이 없는 사람들을 기억할 수 있다니 실로 멋지잖아, 이렇게 생각했던 거겠지." 나는 어깨를 으쓱하고 유령을 쳐다보았다. "멍청하고 가련한 작자 같으니. 한 번이라도 정신 게임을 해 봤다면 그럴 생각은 하지 않았을 텐데."

마음이 기억으로 이루어져 있지 않다고 한다면, 무엇으로 이루어져 있단 말인가? 기억이 없다면, 결국 우리는 누구란 말인가? 자기가 자기라고 생각하는 존재 이상도, 이하도 아니다.

자기 기억을 다이아몬드에 각인하든 썩어 없어질 고깃덩어리에 각인하든 간에, 그것은 개인의 선택이다. 육체는 조금씩 쇠퇴하다가 언젠가는 죽고 강철과 다른 금속으로 대체된다. 마지막까지 살아남아 육체를 움직이는 것은 다이아몬드의 기억뿐이다. 최종적으로 육체는 모두 사라지고, 사라진 기억의 잔향은 크리스털 위에 각인된 기억의 유령으로 남게 된다.

"그는 자기가 누군지를 잊었소." 사이보그가 말했다. "더 정확히 말하자면, 나는 내가 누군지를 잊었다고 해야겠지. 나는…… 그는, 자기가 나라고 생각했던 거요." 그는 고개를 들고 나와 시선을 마주쳤다. 새빨간 크리스털로 된 두 눈 뒤에서 무엇인가가 빛을 발하고 있다. 내가 바라보는 동안 사이보그의 외피는 딱딱해졌고 광택을 띠기 시작했다. 점점 은빛으로 변하고 있다. 이번에는 본인의 의지로 그러고 있는 것이다. "당신에게도 당신만의 약점이 있소." 그는 손을 들어 나를 가리키며 말했다.

커피 잔 손잡이에 끼운 내 손가락이 검게 변하며 괴사 반점이 점점이 생겨났다. 살이 썩은 냄새를 맡을 수 있었다. 살갗이 벗겨지고 떨어져 나가면서 피에 물든 뼈가 드러났고, 그조차도 말라붙으며 백골만이 남았다. 괴사는 손에서 내 맨 팔로 가차 없이 확산되었다. 이것이 나를 공포에 빠뜨리기 위한 수단이라면 착각이다. 나는 단지 혐오감을 느꼈을 뿐이니까.

"아냐." 내가 말하자 다시 멀쩡하고 건강한 팔로 돌아왔다. "아냐." 내가 되풀이해 말하자 이번에는 나의 몸이 금속으로 변했다. 은빛으로 반짝이는 불사의 몸, 오팔 같은 두 눈, 백금 머리카락 사이에서 피어난 유리 꽃송이들. 상대방의 반들반들 연마된 칠흑의 가슴에 비친 내 모습을 볼 수 있었다. 아름답다. 아마 그도 나의 은빛 크롬 몸에 반사된 자기 모습을 볼 수 있을지도 모른다. 방금 고개를 돌려 외면한 것을 보면.

처음에는 그토록 강해 보였던 인물이 말이다. 그러나 크로운데니의 내 흑요석 성에서는, 정신 게임이 행해지는 이 고통과 재생의 집에서는, 모든 것이 겉보기 그대로인 것은 아니다.

"사이보그." 나는 그에게 말했다. "넌 졌어."

"하지만 다른 참가자들을 상대한다면……." 그는 운을 뗐다.

"안 돼." 나는 유령을 가리켰다. "네가 어떤 희생자를 선택하든 너와 그자 사이에 서서 가로막을 거야. 네 유령. 네 죄책감이 말이야. 그 육체를 빼앗는 걸 절대로 허용하지 않을 거야. 너도 그걸 허용하지 않을 거고."

사이보그는 나를 직시하지 못했다. "그렇군." 금속에 사로잡히고 절망으로 부식된 목소리가 말했다.

"넌 영원히 살아가야 해." 나는 말했다.

"아니오. 나는 단지 영원히 작동할 뿐이오. 위즈덤, 사는 것과 존속하는 건 각기 다른 일이오. 어떤 환경이든 나는 그 정확한 온도를 계측할 수 있소. 하지만 나는 열이나 한기를 느끼지는 못하오. 나는 적외선이나 자외선을 볼 수 있고 시각 센서의 확대율을 높여 당신 피부의 모공 하나하나를 셀 수 있지만, 당신이 필시 가지고 있을 아름다움에 대해서는 장님이나 다름없소. 내가 원하는 건 삶, 진짜 삶이오. 가차 없이 자라나는 죽음의 씨앗을 내포하고, 바로 그렇기에 의미를 가지는 삶 말이오."

"좋아." 나는 만족감을 느끼며 말했다.

마침내 그는 나를 보았다. 반짝이는 금속제 얼굴에 박혀 있는 것은 두 개의 푸른 눈, 망연자실한 인간의 눈이었다. "좋다고?"

"삶이 어떤 의미를 가지는지 정하는 사람은 나야, 사이보그. 생명은 죽음의 적이지 그 어머니가 아냐. 축하해. 넌 이겼어. 나도 이겼고." 나는 일어서서 탁자 너머로 손을 뻗었고, 차가운 검은 가슴에 그대로 손을 박아 넣고 크리스털 심장을 뜯어냈다. 높이 치켜들자 심장은 점점 더 밝게 빛나기 시작했다. 심장이 발하는 심홍색의 빛줄기들이 내 마음의 검고 차가운 산맥 위에서 눈부시게 난무한다.

●○

눈을 떴다.

아니. 이것은 정확한 표현이 아니다. 다시 센서들을 작동시켰다고 해야 한다. 변화의 방 내부의 정경이 지금껏 경험해 본 적이 없을 정도로 뚜렷하고 선명하게 눈에 들어왔다. 검은색에 검은색이 겹쳐진 내 흑요석 모자이크는 이제는 서로 다른, 백 가지는 되는 색조로 이루어져 있다. 그런 패턴 하나하나를 극명하게 구분할 수가 있다. 나는 사발 가장자리를 따라 배치된 오목한 곳 하나에 앉아 있었다. 사발 중앙의 잔 안에 있던 소녀가 몸을 뒤척이며 커다란 보라색 눈을 깜박였다. 방문이 열리며 사도들이 그녀를 데리러 왔다. 염려하는 듯한 얼굴의 라나르, 호기심을 숨기려고 노력하며 짐짓 초연한 표정을 띠고 있는 카르 도리언, 주사를 놓으며 킥킥 웃는 브라제.

"아냐." 나는 그들에게 말했다. 굵고, 너무나도 남성적인 목소리다. 나는 그것을 조절했다. "아냐, 난 여기 있어." 나는 평소 때에 더 가까운 목소리로 말했다.

그들의 응시가 채찍처럼 나를 때렸다.

●○

정신 게임에는 언제나 승자와 패자가 있다.

사이보그가 게임 중에 개입했던 것이 어느 정도 효과가 있었던 것일까. 아니다. 게임이 끝을 맺기 전에도 결과는 이미 정해져 있었던 것인지도 모르겠다. 크레이머 델휸은 죽었고, 그 시체는 어제 저녁 늦에 던져졌다. 그 대신 드림더스트에 중독된 뚱뚱하고 젊은 여자의 눈에서는 퀭한 빛이 사라졌다. 지금 이 순간에도 다이어트와 운동에 여념이 없다. 카르 도리언은 행성을 출발하며 그녀를 걸리버에 있는 델휸의 영지로 데려갈 예정이다.

리신 제이는 속았다며 불평했다. 성 밖에 위치한 저주받은 자들의 도시에 머무를 공산이 커 보인다. 그런다면 따분함 따위는 곧 잊게 될 것이다. 부화한 그베른 유생체는 자기 날개에 정교한 상징을 그려 놓았고, 여전히 말을 하려고 악전고투하고 있다. 온몸에 문신을 새긴 소년은 현실 세계로 돌아온 지 몇 시간 뒤에 성벽에서 뛰어내렸고, 마지막 순간까지 양팔을 퍼덕이다가 까마득하게 아래에 있는 삐죽삐죽한 흑요석 말뚝에 전신을 관통당해 죽었다. 날개와 살벌한 눈빛을 가지고 있다고 그것이 곧 힘이 되는 것은 아니다.

새로운 정신의 주는 통치를 시작했고, 새로운 성을 지으라고 부하들에게 명령했다. 살아 있는 나무를 깎아 만든 이 성의 기초는 늪 깊숙한 곳에 뿌리를 박고 있고, 외부는 넝쿨과 꽃과 그 밖의 생물들로 뒤덮이게 될 것이다. "그럼 벌레가 꼬일걸." 나는 그녀에게 경고했다. "기생충에 독침 파리에 나무를 갉아 먹는 채굴충이 들끓고 성의 기부는 엽고병(葉枯病)에 침식되고, 성벽은 썩어 들어갈 거야. 침대를 모기장으로 덮은 채로 자야 하고, 밤낮을 가리지 않고 해충들을 죽여야 할걸. 나무로 만들어진 네 성은 죽은 벌레들의 독기 속에 푹 잠길 거고, 몇 년 뒤에는 셀 수도 없이 많은 곤충의 망령이 밤마다 복도를 습격하겠지."

"그럼에도 불구하고." 소녀는 말했다. "내 집은 따스하고 살아 있는 곳이 될 거요. 차갑고 부서지기 쉬운 당신의 집과는 달리."

사람은 모두 자기 자신만의 상징을 가지고 있는 것이리라.

그리고 공포도.

"그를 지워 버리시오." 그녀는 내게 경고했다. "크리스털의 내용을 소거하지 않는다면 언젠가는 그쪽이 당신을 집어삼킬 거고, 그럼 당신은 또 다른 '기계 속의 유령'이 되는 수밖에 없소."

"지우라고?" 나는 웃었을 것이다. 내가 두른 기계가 웃는 것을 허용했다면 말이다. 나는 그를 있는 그대로 볼 수 있었다. 그의 영혼은 소녀의 부드럽고 섬약한 얼굴에 고스란히 그려져 있는 것이나 마찬가지였다. 모공 하나하나를 셀 수도 있고, 보라색 눈동자에 의구심이 떠오를 때마다 알아차릴 수 있었던 것이다. "나를 지우라는 소리로군. 크리스털은 나나 그가 함께 사는 집이야. 어차피 난 그를 두려워하지도 않고. 넌 중요한 점을 착각하고 있군. 클레로노마스는 크리스털이고 유령은 유기체의 고깃덩이였잖아. 그런 결과가 나오는 건 피할 수 없었어. 하지만 내 경우는 달라. 난 클레로노마스 못지않게 크리스털적이고 영원한 존재야."

"위즈덤……." 소녀는 입을 열었다.

"난 더 이상 위즈덤이 아냐." 나는 말했다.

"그럼 시레인이라고 부르겠는데……."

"그것도 아냐. 이젠 클레로노마스라고 불러." 길고 다양한 삶들을 살아오며 나는 여러 존재가 되어 보았지만, 전설이었던 적은 한 번도 없었다. 그런 흠모의 대상이 되는 것도 나쁘지 않다는 생각이 든다.

어린 소녀는 나를 쳐다보았다. "클레로노마스는 난데." 그녀는 높고 귀여운 목소리로 말했다. 당혹스런 눈빛으로.

"그건 사실인 동시에 사실이 아냐. 지금까지는 우리 두 사람 모두 클레로노마스였어. 지금까지 같은 생을 살아왔고, 같은 일을 해 왔고, 같은 기억을 저장했지. 하지만 오늘부터 우리는 각기 다른 길을 걷게 돼. 나는 강철과 크리스털로 되어 있고 너는 어린애의 몸을 가지고 있지. 넌 생명을 원한다고 했지. 그러니까 그걸 포용해. 이제 넌 생명을 손에 넣었어. 거기 수반되는 모든 것들도 포함해서 말이야. 네 육체는 젊고 건강해. 이제 막 꽃이 피려는 나이니까, 넌 길고 풍성한 삶을 살아가게 될 거야. 오늘 너는 여전히 자기가 클레로노마스라고 생각하고 있어. 하지만 내일은 어떨까?

내일 넌 다시 육욕에 관해 알게 되고, 카르 도리언 앞에서 너의 그 갸름한 허벅지를 벌릴 거야. 네 몸에 올라탄 도리언에 의해 오르가슴에 도달하면서 절규하겠지. 훗날 너는 피와 고통 속에서 아이들을 낳을 거고, 그들이 자라 나이를 먹고 자기 아이들을 낳은 다음 죽는 걸 목격할 거야. 훗날 네가 늪을 누비며 돌아다니면 원래의 육체를 잃은 자들은 네게 공물을 던지고, 너를 저주하고, 너를 찬양하고, 네게 기도를 올릴 거야. 훗날에는 새로운 게임 참가자들이 도착해서 새로운 육체를 얻어 재생할 수 있게 해 달라고, 다시 한 번 기회를 달라고 간원하겠지. 훗날에는 카르의 우주선들이 새로운 제물들을 잔뜩 싣고 도착하겠지. 그러면 너의 그 윤리적 확신은 시험받고, 또 시험받다가, 결국 뒤틀리며 새로운 형태를 가지게 될 거야. 훗날 카르나 요나스나 세바스천 케일은 이젠 기다릴 만큼 기다렸다고 판단할 거고, 그러면 넌 꿀을 바른 배신이라는 그자들의 입맞춤을 받게 되겠지. 거기서 넌 이길지도 모르고, 질지도 몰라. 그런 일에 확실한 거라곤 없으니까. 하지만 한 가지는 확신을 가지고 약속할 수 있어. 내일 당장이 아니라 긴 세월이 흐르고 난 뒤에, 일단 지나고 나면 그리 길었다고 생각되진 않겠지만, 너의 내부에서 죽음이 자라기 시작할 거야. 그 씨앗은 언제나 처음부터 심어져 있지. 그건 라나르가 그토록 빨고 싶어 하는 너의 그 부드럽고 가련한 젖가슴 안에서 퍼지는 어떤 병일 수도 있고, 네가 자고 있을 때 네 목을 조이는 가늘고 질긴 철사일 수도 있겠지. 갑작스런 항성 플레어가 이 행성을 깨끗하게 태워 버릴 수도 있고. 늦든 빠르든 죽음은 찾아와, 네가 생각하는 것보다 빨리."

"받아들이겠소." 그녀는 이렇게 말하며 미소 지었다. 본심인 듯했다. "그 모두를, 세부까지 모조리 포함해서. 삶과 죽음. 나는 너무나도 오랫동안 그것 없이 살아왔으니까. 위즈— 클레로노마스."

"기억력이 예전 같지 않지." 나는 말했다. "너는 날이 갈수록 더 많은 기억을 잃게 될 거야. 오늘은 두 사람 모두 과거를 기억하고 있어. 에리스의 크리스털 동굴을 기억하고, 우리가 처음으로 근무했던 우주선을 기억하고, 우리 아버지의 얼굴에 팬 주름을 기억해. 우리가 아발론으로 귀환하지 않겠다는 결정을 내렸을 때 토머스 청이 뭐라고 말했는지도 기억하고, 쓰러진 채로 죽어 가던 그가 마지막으로 뭐라고 중얼거렸는지도 기억하지. 마지막으로 사랑을 나눴던 여자도, 그 모습과 체취도, 그 젖가슴의 맛도, 쾌감의 극에 달했을 때 그녀가 냈던 교성까지도. 8백 년 전에 이미 죽은 여자지만, 여전히 우리 기억 속에서 살아 있었던 거야. 하지만 지금 네 기억 속에서는 죽어 가고 있지 않아? 넌 오늘은 클레로노마스겠지. 하지만 나도 클레로노마스고, 애쉬의 시레인이기도 해. 그리고 나의 작은 일부는 여전히 그 유령, 가련하고 불쌍한 그 사내야. 하지만 내일이 와도 나는 그들 모두를 단단히 품고 있을 거야. 하지만 너, 너는 정신의 주로 있을 거야. 혹은 사이머랜스의 향기로운 매음굴의 성 노예가 될지도 모르고, 아발론의 학자가 되는 수도 있겠지. 하지만 어떤 식으로든 지금의 너와는 다른 사람이 될 거야."

그녀는 그것을 이해했고, 받아들였다. "그럼 당신은 정신 게임을 영원히 하고 있겠군. 나는 죽지 않을 거고."

"넌 죽어. 확고부동하게. 불사의 존재는 클레로노마스야."

"애쉬의 시레인도."

"맞아, 그 여자도."

"앞으로 뭘 할 거요?" 소녀가 물었다.

나는 창가로 갔다. 목제의 소박한 꽃병에 꽂혀 있는 유리꽃의 꽃잎이 빛을 반사하며 번득였다. 고개를 들어 그 빛의 원천인 행성 크로운데니의 태양이 맑게 갠 한낮의 하늘에서 불타고 있는 광경을 바라본다. 이제는 태양을 직시하고 그 흑점과 탑처럼 솟구치는 홍염에 초점을 맞출 수도 있다. 눈의 크리스털 렌즈를 미세하게 조정하자 태양밖에 없던 빈 하늘이 갑자기 별들로 가득 찼다. 이렇게 많은 수의 별들은 일찍이 본 적이 없다. 이렇게 많은 별들이 있다고는 상상조차 하지 못했다.

"뭘 할 거냐고?" 나는 육안으로는 볼 수 없는, 내게만 보이는 별들을 여전히 올려다보며 말했다. 어딘가 나의 흑요석 모자이크를 생각나게 하는 광경이다. "내가 아직 한 번도 가 보지 않은 세계들이 있어." 나의 쌍둥이 자매이자, 아버지이자, 딸이자, 적이자, 경상(鏡像)인 동시에 그밖의 다양한 것인 존재를 향해 나는 말했다. "아직도 내가 모르는 일들, 지금도 아예 볼 수 없는 별들이 있어. 내가 뭘 할 거냐고? 모든 걸 할 거야. 우선 모든 것부터 시작하는 거지."

이렇게 말했을 때 줄무늬가 있는 통통한 벌레가 창문을 통해 날아 들어왔다. 사람 눈으로 보기에는 너무 빠른 속도로 여섯 개의 섬세한 날개를 퍼덕이며 방 안을 날아다녔지만, 원한다면 나는 그 날갯짓 하나하나까지 느린 속도로 볼 수도 있다. 벌레는 내 유리꽃 위에 잠시 내려앉았지만 아무 향기도 나지 않고 꽃가루도 없다는 사실을 알고는 다시 창밖으로 날아갔다. 나는 그것을 쳐다보고 있었다. 거리가 벌어지면서 점점 조그맣게 변해 가던 벌레는 내가 렌즈의 배율을 최대한 올려야 겨우 보일 정도가 되었다. 잠시 후, 언젠가는 죽을 운명에 있는 조그만 벌레는 늪과 별들 사이에서 자취를 감췄다.

아이들의 초상

Portraits of His Children

리처드 캔틀링은 현관문 밖에 기대어 놓은 소포를 발견했다. 10월 말의 어느 날 저녁, 산책을 하려고 집을 나섰을 때의 일이었다. 짜증이 몰려왔다. 너무 커서 우편함 안에 들어가지 않는 우편물이 있을 때는 언제나 초인종을 울려 달라고 그렇게 여러 번 부탁했건만, 우체부는 여전히 현관 포치에 소포를 던져두고 간다. 지나가는 행인이라면 누구든 슬쩍 들고 가 버릴 수 있는 곳에. 물론 공평을 기한다면 캔틀링의 집이 외진 곳에 있다는 사실은 인정해야겠지만 말이다. 저택은 강에 면한 절벽 위의 막다른 길 끝에 위치해 있었고, 나무가 무성하게 자란 덕에 길가에서는 거의 보이지 않는다. 그래도 비바람이나 눈을 맞고 소포가 손상될 위험성은 언제나 있었다.

그러나 그런 불쾌감도 한순간이었다. 두꺼운 갈색 포장지에 싸이고 테이프로 주의 깊게 봉인된 소포는 한눈에 알아볼 수 있는 모양을 하고 있었다. 그림이다. 그리고 굵은 녹색 마커 펜으로 또박또박 쓰인 주소의 필적은 명백하게 미셸 것이었다. 그렇다면 또 다른 자화상을 보낸 것이다. 필시 자기 행동을 뉘우치고 있는 것이리라.

본인도 뜻밖이었을 정도로 놀랐다. 캔틀링은 옛날부터 고집스러운 사내였다. 남에 대한 원한을 몇 년, 때로는 몇십 년이 지날 때까지도 잊지 않았고, 자기 잘못을 인정하는 것을 죽도록 싫어했다. 그리고 그의 유일한 자식인 미셸은 그의 그런 기질을 고스란히 물려받은 듯했다. 설마 이런 식의 제스처를 보일 것이라고는 예상하지 못했다. 이건…… 뭐랄까, 다정한 느낌이다.

캔틀링은 지팡이를 내려놓고 습기나 10월의 거센 바람이 없는 곳에서 끄를 수 있도록 집 안으로 소포를 끌고 들어왔다. 소포 높이는 1미터쯤 됐고 예상외로 무거웠다. 거북한 자세로 그것을 끌어안고 발로 현관문을 닫은 다음 서재로 이어지는 긴 현관홀을 힘겹게 나아간다. 갈색 커튼이 굳게 닫힌 서재 안은 껌껌했고 퀴퀴한 먼지 냄새로 가득 차 있었다. 그는 일단 소포를 내려놓고 전등 스위치를 더듬어야 했다.

두 달 전 그날 밤, 미셸이 분연히 자리를 박차고 나간 이래 서재는 거의 쓰지 않았다. 미셸의 자화상은 여전히 벽난로의 폭넓은 슬레이트 선반 위에 걸려 있었다. 그 아래의 아궁이는 당장이라도 청소할 필요가 있었고, 붙박이 책장 속에 있는 그의 소설들—모두 어두운 색깔을 한 양질의 가죽으로 장정되어 있다—은 먼지를 뒤집어쓴 채로 난잡하게 진열되어 있었다. 벽난로 위의 오래된 그림을 본 순간 캔틀링은 또다시 분노의 파도에 휩싸였고, 마음이 침울해지는 것을 자각했다. 어떻게 그렇게 못된 짓을 할 생각을 했을까. 사실 이것은 아주 괜찮은 자화상이었다. 미셸 자신이 즐기려고 그리는 골 아픈 추상화나 생계를 위해 제작하는 페이퍼백용의 진부한 표지화들보다 훨씬 더 그의 취향에 맞는다. 그녀가 스무 살이었을 때 아버지에게 생일 선물로 주려고 그린 작품이었다. 캔틀링은 처음 보았을 때부터 이 그림을 좋아했다. 사진만으로는 결코 알 수 없는 부분까지 포착하고 있었기 때문이다. 얼굴의 선이라든지 각지고 높은 안골, 잿빛이 도는 헝클어진 금발뿐만 아니라, 내면의 성격까지 보여 주고 있었던 것이다. 그림 속의 그녀는 정말로 젊고 생기 있고 자신감에 차 있었고, 그 미소를 보면 결혼식 날 아내인 헬렌의 얼굴에 떠오른 미소가 자꾸 생각나서 견디기 힘들 정도였다. 미셸에게 그가 그런 미소를 얼마나 좋아하는지 강조한 것도 한두 번이 아니었다.

그리고 물론 그녀가 처음 손을 댄 것은 바로 그 미소였다. 그가 수집한 골동품 단검을 가지고 네 개의 삐뚤빼뚤한 상처를 내서 입 부분을 찢어 버렸던 것이다. 그다음에는 마치 초상화의 눈을 멀게 하려는 듯이 커다란 파란색 눈들을 도려냈다. 그가 그녀를 쫓아 방문을 박차고 들어왔을 때는 분노에 찬 손길로 캔버스를 갈가리 찢어 대고 있었다. 캔틀링은 아직도 그 순간을 잊을 수가 없었다. 너무나도 추악한 장면이었다. 게다가 자기 자신의 작품에 그런 짓을 한다는 것은…… 그로서는 상상조차 할 수 없는 일이었다. 그는 자기 손으로 자기 책 한 권을 그런 식으로 훼손하는 광경을 머리에 떠올리며 도대체 무엇이 사람을 그런 행위로 몰아가는지 이해해 보려고 했지만, 전혀 이해할 수 없었다. 그로서는 생각할 수도 없고, 상상조차도 불가능한 일이었기 때문이다.

갈가리 찢긴 초상화는 여전히 그 자리에 걸려 있었다. 떼어 놓기에는 그의 고집이 너무 셌기 때문이지만, 도저히 정시할 수가 없었다. 그래서 서재를 피하고 있었던 것이다. 그러는 것은 그리 어렵지 않았다. 거대하고 대책 없이 넓기만 한 저택이었고, 그처럼 혼자 사는 사람에게는 필요하지도 않고 원하지도 않는 방들이 얼마든지 있었기 때문이다. 이 저택은 페로가 하천의 요충지로 번성하던 1세기 전에 지어졌고, 대대로 증기선의 선장들이 살고 있었다고 전해진다. 스팀보트 고딕 양식과 요란스러운 장식 들이 하천 교통 전성기의 화려한 환영을 떠올리게 하는 것은 사실이었고, 3층 창문과 지붕 전망대에서는 미시시피 강의 멋진 전망을 즐길 수 있었다. 그 일이 있고 난 이래 캔틀링은 안 쓰는 침실 하나에 책상과 타이프라이터를 옮겨 놓았다. 서재는 미셸이 나갔을 때 그대로의 상태로 놓아둘 결심이었다. 그녀가 사과를 하러 돌아올 때까지.

그러나 이토록 빨리 사과를 해 올 것이라고는 미처 생각 못 했고, 이런 형태로 그러리라고도 예상 못 했다. 울음 섞인 목소리로 전화를 걸어온다든지, 그런 생각을 하고 있었지만, 설마 초상화를 하나 더 보낼지는 몰랐다. 그러나 어쩐지 이쪽이 더 진심이 담겨 있고, 더 친밀하다는 생각이 들었다. 게다가 이것은 화해를 향해 한 걸음 나아가겠다는 제스처였다. 아무리 고독해지더라도 이쪽에서 먼저 한 걸음을 디디는 것은 절대 불가능하다는 사실을 리처드 캔틀링은 뼈저리게 자각하고 있었다. 이 아이오와 주의 강변 도시로 이사 오면서 뉴욕에 있는 친구들과는 소원해졌고, 그들을 대체할 현지 친구들도 생기지 않았다. 하등 이상한 일이 아니었다. 애당초 그는 외향적인 성격이 아니었다. 그에게는 어딘가 내성적인 데가 있었고, 그 탓에 친구들과도 일정한 거리를 두는 경향이 있었다. 심지어는 가족들조차도 예외가 아니었다. 헬렌은 현실 세계의 사람들보다도 자기 소설의 등장인물들을 더 좋아한다며 곧잘 그를 비난했고, 미셸도 10대가 되자 어머니의 의견을 이어받았다. 그랬던 헬렌도 지금은 없다. 그들은 10년 전에 이혼했고, 그녀는 5년 전에 죽었다. 아무리 짜증이 난다고 해도 미셸은 그에게 남겨진 유일한 혈육이었다. 그녀가 그리웠다. 말다툼의 추억조차도 그리웠다.

투박한 갈색 포장지를 뜯어내며 미셸 생각을 했다. 물론 전화를 걸 생각이었다. 전화를 걸어서 새 초상화가 얼마나 훌륭한지, 얼마나 마음에 드는지를 알리는 것이다. 보고 싶었다고 하고, 추수감사절 때 오라고 하자. 그렇다, 그러면 잘될 것이다. 싸웠던 일은 언급하지 말자. 또다시 그런 싸움을 벌이고 싶지는 않았고, 그도 미셸도 순순히 타협하는 타입이 아니었다. 그 고집스런 자존심은 높은 안골과 사각 턱 못지않게 유전이었다. 캔틀링 가문의 유산이라고나 할까.

액자는 골동품이었다. 정교한 조각으로 장식된 육중한 목제 액자였고, 마음에 딱 든다. 집 안의 빅토리아풍 내장에도 옛 사진을 끼워 놓은 얄팍한 놋쇠 액자들보다 훨씬 더 잘 어울릴 것이다. 캔틀링은 딸의 작품을 빨리 보고 싶어서 서둘러 포장지를 잡아 뜯었다. 이제 거의 서른이 됐나? 아니, 이미 서른을 넘긴 나이였던가? 딸의 나이는커녕 생일조차도 제대로 챙긴 적이 없었다. 하여튼 간에, 스무 살 때보다는 훨씬 더 그림 솜씨가 좋아졌다는 점만은 확실했다. 새로 그린 초상화는 매우 뛰어난 작품임이 틀림없다. 그는 마지막 포장지를 뜯어내고 그림을 뒤집었다.

그가 처음 받은 인상은 정말로 근사하기 그지없는 작품이라는 것이었다. 아마 미셸 캔틀링의 최고 걸작이 될지도 모른다.

그러다가 뒤늦게 감탄하는 마음이 스러지며 분노가 그것을 대신했다. 그녀의 초상이 아니다. 미셸을 그린 것이 아니었다. 그렇다면 그녀가 그토록 보라는 듯이 훼손한 초상화를 대신하는 그림이 아니라는 얘기가 된다. 이것은 뭔가…… 다른 것이었다.

누군가 다른 사람을 그린 것이다.

지금까지 한 번도 본 적이 없는 얼굴이었다. 그러나 마치 천 번은 본 적이 있는 것처럼 한눈에 알아볼 수 있는 얼굴이었다. 그렇다.

초상화의 사내는 젊었다. 곱슬거리는 갈색 머리카락에서는 이미 새 치가 많이 눈에 띄었지만, 실제 나이는 스무 살 또는 그 이하일지도 모른다. 머리는 잔뜩 헝클어졌고, 마치 방금 잠에서 깬 것처럼 헝클어진 채로 눈게까지 내려와 있었다. 눈은 밝은 녹색이었다. 어딘가 게을러 보이고, 뭔가 은밀한 재미를 느끼고 있는 것처럼 반짝이고 있다. 캔틀링 가문 특유의 높은 안골을 가지고 있지만, 턱의 선은 전혀 달랐다. 넓고 납작한 코 밑의 입에는 신랄한 미소가 떠올라 있었다. 전체적으로 어쩐지 오만무례하다는 인상을 준다. 초상화 속에서는 빛바랜 작업복 바지와 'YMCA 굿가이'라는 글자가 찍힌 올이 풀린 운동복 상의 차림이었다. 한 손에는 반쯤 먹은 날 양파가 들려 있다. 배경은 낙서로 뒤덮인 벽돌 벽이었다.

캔틀링이 창조한 사내였다.

에드워드 도너휴. 친구나 동료들은 더너후[1]라는 별명으로 부르는 사내. 모두 리처드 캔틀링의 데뷔 장편인 《어울려 다니기》의 등장인물들이다. 잘난 체하고 입만 살아 있고 잔머리가 너무 잘 돌아가서 문제인 사내. 초상화를 내려다보며 캔틀링은 마치 지난 반생 동안 이 사내와 알고 지낸 듯한 느낌을 받았다. 어떤 의미에서는 사실이다. 그를 잘 아는 것이

---

1 Dunnahoo. 영어의 '누군지 몰라(don't know who)'와 발음이 흡사하다.

맞고, 소설에 등장시켰을 때부터 무척이나 아꼈다. 작가에게만 가능한 특유의 방식으로 말이다.

미셸은 더너후를 제대로 포착했다. 초상화를 응시하면서 캔틀링은 모든 기억이 되살아나는 것을 느꼈다. 너무나도 오래전에 심혈을 쏟았던 모든 일들, 그토록 애정을 담아 조형(造形)하고 묘사한 모든 사람들이. 그는 조코와 스퀴드와 낸시를 회상했고, 그 책의 사건 대부분이 일어나는 리치의 피자 가게를 기억했다. (뇌리에 선명하게 떠오를 정도였다.) 아서와 모터사이클 사건도, 클라이맥스의 피자 던지기 싸움도. 그리고 더너후, 특히 더너후를 기억했다. 비아냥거리고, 노닥거리고, 친구들과 어울려 다니고, 성년이 되려 하는. "농담을 모르는 새끼들은 엿이나 먹으라고 해." 더너후는 이렇게 말하곤 했다. 십여 번쯤. 이것은 소설의 마지막 문장이기도 했다.

한순간 리처드 캔틀링은 자기 내부에서 기묘한 애정이 한꺼번에 솟아오르는 것을 느꼈다. 마치 오랫동안 헤어져 있었던 옛 친구와 재회한 듯한 기분이었다.

그러자 다음 순간, 마치 뒤늦게 깨달은 것처럼, 그날 밤 그와 미셸이 서로를 향해 내뱉었던 추악한 말들이 모두 되살아났다. 갑자기 모든 것이 들어맞았다. 캔틀링의 얼굴이 딱딱하게 굳었다. "망할 년." 그는 큰 소리로 말했다. 그는 분연하게 몸을 돌렸다. 분노를 풀 대상이 없었기에 달리 방법이 없었다. "망할 년." 그는 또다시 말하고, 뒤로 손을 돌려 서재의 문을 쾅 닫았다.

●○

"망할 년." 캔틀링은 그렇게 내뱉었다.

그녀는 한 손에 단검을 든 채로 뒤를 돌아보았다. 몹시 운 탓에 눈이 붓고 벌겋게 충혈되어 있었다. 미소를 손에 쥐고 있었다. 그녀는 그것을 공처럼 구겨 그를 향해 던졌다. "자, 가져, 이 새끼야. 그놈의 미소가 그렇게 좋다고 했으니, 어서 가지라고."

그것은 그의 뺨에 맞고 떨어졌다. 그의 얼굴이 벌겋게 달아올랐다. "제 어머니와 똑같군." 그는 말했다. "그 여자도 언제나 물건을 부수곤 했지."

"그러고도 남을 만한 이유가 있었잖아, 안 그래?"

캔틀링은 이 말을 무시했다. "도대체 너 어떻게 된 거지? 막장 드라마 같은 이런 멍청한 짓을 해서 도대체 뭘 성취하고 싶은 거냐고? 그래, 이건 막장 드라마가 맞아. 도대체 넌 자기가 뭐라고 생각하는 거지? 테네시 윌리엄스 연극의 등장인물? 정신 차려라, 미셸. 내 책에 이런 장면이 나온다면, 난 독자들의 웃음거리가 될 거야."

"이건 당신의 빌어먹을 책이 아냐!" 그녀는 절규했다. "이건 현실의 인생이라고. 내 인생. 개 같은 새끼. 난 살아 있는 사람이지 책에 나오는 얼어 죽을 등장인물이 아냐." 그녀는 몸을 홱 돌려 칼을 들어 올리고 캔버스를 찢고, 또 찢었다.

캔틀링은 그 자리에 우뚝 서서 팔짱을 끼고 그 광경을 바라보았다. "적어도 그런 짓을 하면서 즐거움을 느낀다면 좋겠군."

"그래, 즐거워서 미칠 지경이야." 미셸은 고함을 질렀다.

"잘됐군. 아무 의미도 없이 그런 짓을 한다고는 생각하고 싶지 않으니까 말이야. 정말이지 흥미롭다는 생각이 드는군. 네가 지금 찢고 있는 건 네 자신의 얼굴이야. 설마 그렇게까지 자기혐오가 강할 줄은 몰랐다."

"그게 그렇게 강하다면, 누구 때문에 그렇게 됐는지 당신도 나도 잘 알지 않아?" 미셸은 일을 끝마쳤다. 돌아서서 그를 마주 보더니 칼을 내던졌다. 그러고는 다시 울기 시작했다. 헐떡이면서. "이제 갈 거야. 비열한 새끼. 여기서 영원히 이렇게 행복하게 살고 있으라고. 진심으로 하는 말이야."

"난 결코 이런 꼴을 당할 만한 짓을 하지 않았어." 캔틀링은 어색한 어조로 말했다. 사죄의 말과는 거리가 멀었고, 서로를 이해하기 위해 다리를 놓는 행위와도 거리가 멀었지만, 그가 할 수 있는 최선의 노력이었다. 리처드 캔틀링에게 사죄가 쉬웠던 적은 결코 없었다. "당신은 이것보다 몇천 배는 더 끔찍한 일을 당해도 싸." 미셸은 고함을 질렀다. 그토록 예뻤던 딸이, 지금은 너무나도 추해 보인다. 화가 나면 오히려 더 아름답게 보인다는 예의 헛소리는 진부할 뿐만 아니라 틀렸다. 소설에서 그런 얘기를 늘어놓지 않아서 천만다행이다. "당신은 내 아버지잖아." 미셸이 말했다. "그러니까 나를 사랑했어야 하잖아. 그러는 대신 당신은 나를 강간했어. 이 비열한 새끼."

●○

캔틀링은 잠이 옅은 편이었다. 그는 한밤중에 잠에서 깼고, 상체를 일으키고 앉아 몸을 떨었다. 뭔가 잘못되었다는 느낌.

침실은 어둡고 조용했다. 방금 뭐였지? 무슨 소리인 듯한데? 그는 소리에 매우 민감했다. 캔틀링은 침대 커버 밑에서 미끄러지듯이 나와 실내화를 신었다. 잠자리에 들기 전에 쬐던 벽난로의 장작불은 다 타서 뜬 숯만 남았고, 실내는 추웠다. 그는 거대한 골동품 4주식 침대 발치에 걸어 놓은 타탄 무늬의 가운을 걸치고 벨트를 조인 다음 침실 문을 향해 조용히 걸어갔다. 문은 이따금 삐걱거릴 때가 있었기 때문에 아주 천천히, 아주 신중하게 열었다. 그러고는 귀를 기울였다.

누군가가 아래층에 있다. 돌아다니는 소리가 난다.

배 속에서 공포가 똬리를 틀었다. 2층에 총은 없었다. 총을 집 안에 두지는 않는다. 그런 것의 신봉자가 아니기 때문이다. 게다가 여긴 안전한 곳이 아니었던가. 뉴욕이 아닌 것이다. 아이오와 주의 유서 깊은 도시 페로에서 위험한 꼴을 당할 리가 없지 않는가. 그러나 지금 누군가가 그의 집 안을 돌아다니고 있다. 몇십 년 동안 맨해튼에서 살면서도 직면한 적이 없는 상황이었다. 도대체 어떻게 해야 할까?

경찰. 그는 생각했다. 침실로 들어가서 문을 잠그고 경찰을 부르자. 그는 침대 옆으로 가서 전화로 손을 뻗쳤다.

전화가 울렸다.

리처드 캔틀링은 전화를 응시했다. 집에는 회선 두 개가 설치되어 있었다. 자동 응답기에 연결해 놓은 비즈니스용 회선과, 전화번호부에 등재되어 있지 않고 아주 가까운 친구들만 번호를 알고 있는 개인 회선이다. 불이 두 개 모두 들어와 있었다. 개인 회선으로 온 전화다. 그는 주저하다가 수화기를 집어 들었다. "여보세요."

"몸소 받으셨네?" 목소리가 말했다. "꼰대가 떨기는. 방금 경찰 부르려고 했지? 멍청한 짓 하지 마. 나야 나. 어서 내려와서 얘기를 하자고."

캔틀링은 목이 쉬고 옥죄어 오는 듯한 느낌을 받았다. 한 번도 들어 본 적이 없는 목소리지만, 알고 있었다. 알고 있었다. "넌 누구지?" 그는 힐문했다.

"멍청한 질문이로군." 전화 속의 사내가 말했다. "누군지 알잖아."

알고 있었다. 그러나 캔틀링은 거듭 물었다. "누구지?"

"누구(who)가 아냐. 더너후야." 캔틀링이 책에서 쓴 대사다.

"넌 현실의 존재가 아냐."

"서평에서 그런 소리를 했던 비평가가 두 명쯤 있었지 아마? 그때 당신이 얼마나 열을 받았는지 기억이 나는군."

"넌 현실의 존재가 아냐." 캔틀링은 고집스럽게 되풀이했다.

"정말이지 골수에 사무치는 한마디로구먼." 더너후가 말했다. "내가 현실의 존재가 아니라면, 그건 당신 잘못이야. 그러니까 내가 어쩌니 하고 주절거리지 말아 줄래? 그놈의 무거운 엉덩이를 들고 빨리 내려와서 회포를 풀자고." 전화가 끊겼다.

전화의 불이 꺼졌다. 리처드 캔틀링은 망연자실한 표정으로 침대 가장자리에 앉았다. 이걸 어떻게 받아들여야 할까? 꿈이라고? 그러나 꿈이 아니다. 난 어떻게 하란 말인가?

그는 아래층으로 내려갔다.

더너후는 거실 벽난로에 불을 지피고 캔틀링의 커다란 가죽제 안락의자에 앉아 펩스트 블루리본[2] 맥주병으로 병나발을 불고 있었다. 캔틀링

---

2 대량생산되는 저가 맥주의 상품명.

이 거실로 통하는 아치 입구에 나타나자 그는 나른한 미소를 지어 보였다. "드디어 납셨군. 흠, 반쯤 죽은 것 같은 얼굴이네. 맥주 마실래?"

"도대체 넌 누구지?" 캔틀링은 힐문했다.

"어이, 그 얘긴 아까 끝났잖아. 그따위 따분한 얘긴 집어치우고 맥주라도 한 병 가져와서 저기 난롯가에 앉으라고."

"배우로군." 캔틀링은 말했다. "넌 염병할 배우나 뭐 그런 게 틀림없어. 미셸이 시켰군, 그렇지?"

더너후는 히죽 웃었다. "배우라고? 흐음, 설마 본심으로 그런 좆같은 소릴 하는 건 아니겠지? 말해 보라고. 당신이라면 자기 소설에 이런 황당한 상황을 끼워 넣겠어? 말이 안 되지. 당신은 결코 그런 걸 쓸 리가 없고, 만약 창작 강좌의 애송이나 서평을 써야 하는 책의 저자가 그런 짓을 했더라면 아주 젓갈을 담아 버렸을 게 뻔해."

리처드 캔틀링은 천천히 거실로 걸어 들어가서 그의 안락의자에 큰대자로 누워 있는 청년을 응시했다. 배우 따위가 아니었다. 더너후였다. 그의 책에 등장하는. 초상화에 그려진. 캔틀링은 여전히 상대를 응시하며 키가 크고 푹신한 안락의자에 앉았다. "이건 말이 안 돼." 그는 말했다. "마치 디킨스 소설에나 나올 법한 일이로군."

더너후는 웃음을 터뜨렸다. "이건 좆같은《크리스마스 캐럴》이 아냐, 늙은이. 난 지나간 크리스마스의 유령도 아니고."

캔틀링은 미간을 찌푸렸다. 이 사내가 누구든 간에, 지금 한 말은 그에게 어울리지 않는다. "그 말은 이상하군." 그는 내뱉었다. "더너후는 디킨스 따위를 읽지는 않았어. 〈배트맨과 로빈〉이라면 또 모를까, 디킨스는 아냐."

"꼰대스럽긴. 영화를 봤던 거야." 더너후가 말했다. 맥주를 입가로 들어 올려 한 모금 마신다.

"왜 나를 자꾸 꼰대(Dad)라고 부르는 거지?" 캔틀링은 말했다. "그것도 좀 이상하군. 시대착오적이야. 더너후는 거리의 청소년이지 히피가 아니었어."

"나한테 설교하겠다는 거야 뭐야? 내가 아무것도 모르는 병신이야?" 그는 웃었다. "염병할. 그럼 도대체 당신을 뭐라고 부르라는 거야?" 그는 손가락으로 앞머리를 긁어 올렸다. "누가 뭐래도 난 당신의 빌어먹을 장남이잖아."

●○

사내아이라면 에드워드라는 이름을 붙이고 싶다고 그녀는 말했다. "멍청한 소리 하지 마, 헬렌." 그는 이렇게 대꾸했다.

"당신도 에드워드라는 이름을 좋아하는 줄 알았는데."

남은 열심히 일하고 있는 데 와서 뜬금없이 무슨 소리일까. 그는 일하는 중이고, 그게 아니라면 적어도 그러려고 노력하던 중이었다. 타이프라이터로 원고를 쓸 때는 절대 들어오지 말라고 못을 박지 않았는가. 결혼 초기에는 헬렌도 그 규칙을 잘 지켰지만, 임신한 뒤로는 대책이 없었다. "에드워드란 이름을 좋아하는 건 맞아." 그는 침착한 목소리를 내려고 악전고투하며 대꾸했다. 그는 누가 방해하는 것을 정말로 싫어했다. "에드워드란 이름을 아주 좋아하지. 빌어먹을 에드워드란 이름과 아예 사랑에 빠졌다고. 그래서 내 주인공에게 그 이름을 쓰기로 한 거야. 에

드워드, 그게 그의 이름이야. 에드워드 도너휴. 그러니까 이미 이렇게 써
버린 이름을 우리 아이한테 쓸 수는 없어. 도대체 몇 번이나 같은 설명을
해야 하지?"

"하지만 책에서는 한 번도 에드워드라고 부르지 않잖아." 헬렌은 항
의했다.

캔틀링은 양미간을 찌푸렸다. "또 내 원고를 맘대로 읽었어? 빌어먹
을. 헬렌, 다 끝날 때까지는 내 원고를 건드리지 말라고 했잖아."

헬렌은 화제를 돌리는 것을 거부했다. "한 번도 에드워드라고 부르지
않잖아." 그녀는 같은 말을 되풀이했다.

"안 불러. 맞아, 한 번도 에드워드라고 부르지는 않지. 그 대신 더너휴
라고 불러. 거리를 배회하는 아이고, 또 그게 거리에서 불리는 별명이니
까. 게다가 본인도 에드워드라고 불리는 걸 싫어하지. 하지만 여전히 그
게 자기 이름인 거야. 알겠어? 에드워드가 진짜 이름이라고. 본인은 좋
아하지 않지만, 그게 빌어먹을 본명이라고. 그리고 마지막에 가서는 누
군가한테 자기 이름이 에드워드라고 말하게 돼. 그건 정말로 중요한 부
분이라고. 그러니까 우리 아이한테 에드워드라는 이름을 붙일 수는 없
어. 그건 이 책 주인공 이름이니까 말이야. 이런 얘기는 이제 넌더리가
나. 사내라면 그 아이 할아버지 이름을 따서 로렌스라고 부르자고."

"하지만 난 로렌스라고 부르고 싶지 않아." 헬렌은 우는 소리를 했다.
"정말 구닥다리 이름이고, 사람들은 보나 마나 래리로 줄여 부를 거야.
내가 그 래리라는 이름을 얼마나 싫어하는데. 왜 주인공 이름을 로렌스
로 하면 안 되는 거지?"

"에드워드는 주인공 이름이니까."

"이건 우리 두 사람의 아기잖아." 헬렌은 이렇게 말하며 잔뜩 부푼 배에 손을 갖다 댔다. 마치 캔틀링에게 그 사실을 시각적으로 상기시키려는 듯이.

말씨름을 하는 것도 이제 지쳤다. 대화 자체가 신물이 난다. 방해받는 것도 신물이 난다. 그는 의자 등받이에 등을 기댔다. "아이를 가진 지 얼마나 됐지?"

헬렌은 영문을 모르겠다는 표정이었다. "당신도 알잖아. 이제 7개월이 됐어. 7개월하고 한 주."

캔틀링은 상체를 내밀고 타이프라이터 옆에 쌓인 원고 뭉치를 손바닥으로 쳤다. "흠, 난 이 아이를 빌어먹을 3년 동안이나 가지고 다녔어. 이건 빌어먹을 4고에 해당하고, 최종고에 해당해. 내 주인공은 1고부터 에드워드라는 이름이었고, 2고에서도 그랬고, 3고에서도 그랬어. 그놈의 빌어먹을 책이 나올 때도 싫든 좋든 에드워드로 불릴 거야. 추억의 그날 밤, 당신이 페서리[3]를 몰래 내팽개치고, 임신했다는 말로 나를 놀라게 하려고 결심하기 훨씬 전부터 줄곧 에드워드라는 이름이었다고."

"공평하지 못해." 헬렌은 불평했다. "그냥 등장인물일 뿐이잖아. 난 우리 아기 얘기를 하고 있는 거라고."

"공평하지 못하다고? 공평한 걸 원해? 좋아. 그럼 공평하게 하지. 처음 태어나는 사내아이 이름은 에드워드로 하자고. 자, 이럼 공평해?"

헬렌의 얼굴 표정이 부드러워졌다. 그녀는 수줍게 미소 지었다.

캔틀링은 아내가 뭐라고 말할 기회를 주지 않고 대뜸 한 손을 들어 올

---

3 여성용 피임 기구.

렸다. "물론 난 한 달쯤 있으면 이 빌어먹을 원고를 탈고할 거야. 당신이 이렇게 방해만 하지 않는다면 말이야. 당신은 나보다 조금 더 걸리겠지. 하지만 내가 공평할 수 있는 건 거기까지가 한계야. 내가 '끝'이라고 타이프 치기 전에 당신이 먼저 낳는다면 그 이름은 당신 거야. 그러지 못한다면 여기 있는 내 아기가—." 그는 또다시 손바닥으로 원고를 철썩 내리쳤다. "—장남이 될 거야."

"그럴 수는—." 그녀는 말하려고 했다.

그는 다시 타이프를 치기 시작했다.

●○

"내 장남이라고." 리처드 캔틀링은 말했다.

"피와 살을 나눈." 더너후가 말했다. 그는 건배하듯이 맥주병을 들어 올렸다. "아버지와 아들을 위하여!" 그는 남은 맥주를 길게 들이켜고 거실 너머로 빈 병을 던졌다. 병은 벽난로 안에서 깨졌다.

"이건 꿈이야." 캔틀링은 말했다.

더너후는 우우 하는 소리를 내며 그를 야유했다. "어이, 노땅, 이제 받아들이라고. 난 여기 이렇게 와 있잖아." 그는 벌떡 일어섰다. "아버님, 탕자가 돌아왔습니다." 그는 허리를 굽혀 절했다. "그래서 말인데, 그놈의 살진 소니 뭐니 하는 건 어디 있는 거야? 적어도 피자라도 주문할 수 있었잖아."

"일단 놀아 주지." 캔틀링은 말했다. "내게서 뭘 원하는 거지?"

더너후는 씩 웃었다. "뭐라고? 지금 나한테 질문하는 거야? 염병할,

그걸 어떻게 알아? 내가 뭘 원하는지 나도 모른다는 걸 당신도 잘 알잖아. 그 좆같은 책에서 자기가 뭘 원하는지 알고 있던 작자는 한 명도 없었어."

"책이 말하려던 건 바로 그거야." 캔틀링은 말했다.

"아, 무슨 얘긴지 알겠어." 더너후가 말했다. "난 멍청이가 아니니까. 그 잘난 디키⁴ 캔틀링 옹의 아들이 바보일 리가 없잖아, 안 그래?" 그는 어슬렁거리며 주방 쪽으로 갔다. "냉장고에 맥주가 더 있는데, 하나 갖다줘?"

"그래." 캔틀링은 말했다. "장남이 찾아오다니 매일 있는 일이 아니지. 도스 에퀴스에 라임 한 조각을 곁들여서 가져다줘."

"요즘은 비싼 멕시코 놈들 맥주만 먹는 모양이네? 염병할. 그놈의 필스⁵는 어디로 간 거야 그럼? 옛날엔 필스만 죽어라고 퍼마셨으면서." 더너후는 주방 문을 지나 모습을 감췄다. 돌아왔을 때는 병목을 잡고 딴 주둥이를 손가락으로 틀어막은 도스 에퀴스 두 병을 한 손에 들고, 다른 손에는 깐 통양파를 들고 있었다. 맥주병들이 맞닿으며 딸각였다. 그는 한 병을 캔틀링에게 건넸다. "자. 나도 이 잘난 맥주를 한 병 빨겠어."

"라임을 잊어버렸잖아." 캔틀링이 말했다.

"좆같은 라임이 그렇게 필요하면 직접 가지고 오라고." 더너후가 말했다. "아니면 어쩔 건데. 내 용돈을 깎을 거야?" 그는 히죽 웃고 양파를 공중에 슬쩍 던졌다가 되받았고, 크게 한입 베어 물었다. "양파라니." 그

---

4 디키는 리처드의 애칭.
5 뉴욕 원산의 염가 맥주.

는 말했다. "이렇게 된 건 꼰대, 당신 탓이야. 날로 양파를 먹는 것만 해도 고역인데, 염병할, 내가 이걸 안 좋아하는 걸로 설정했잖아. 그 빌어먹을 책에 그렇게 써 놓기까지 했으니."

"물론 그랬지." 캔틀링은 대꾸했다. "양파에는 두 가지 목적이 있었어. 한 측면에서는 넌 네가 얼마나 터프한지를 보여 주려고 양파를 씹어 먹지. 리치의 피자 가게에 들락거리는 작자들 중 그럴 수 있는 사람은 하나도 없었어. 덕택에 넌 일종의 지위를 얻게 됐지. 하지만 더 깊은 측면에서는 넌 양파를 씹어 먹을 때마다 삶에 대한 욕심, 모든 것에 대한 갈망에 대해 상징적인 선언을 하고 있었던 거야. 달달한 부분뿐만 아니라 쓰고 톡 쏘는 부분들까지 다 포용하겠다는 뜻이지."

더너후는 양파를 한입 더 베어 물었다. "지랄하고 있네." 그는 말했다. "네 입에 이걸 틀어박고 얼마나 좋아하는지 알아볼까."

캔틀링은 맥주를 홀짝였다. "그때 난 젊었어. 내가 쓴 첫 번째 책이었고. 당시엔 괜찮은 아이디어라고 생각했던 거야."

"날로 먹었다, 이거지." 더너후는 이렇게 대꾸하고 남은 양파를 모두 먹었다.

리처드 캔틀링은 이런 식의 아늑한 가정적인 장면도 이젠 충분하다고 판단했다. "어이, 더너후인지 누군지는 잘 모르겠지만." 그는 잡담하듯이 말했다. "넌 내가 기대했던 것과는 다르군."

"뭘 기대했는데?"

캔틀링은 어깨를 으쓱했다. "난 정자가 아니라 내 마음으로 너를 만들었어. 그래서 넌 내 육신의 자식보다 훨씬 더 진짜 나를 닮았어. 넌 나라고."

"어이." 더너후가 말했다. "듣던 중 좆같은 소리로구먼. 내가 너라니."

"선택할 수 있는 게 아냐. 네 이야기는 나 자신의 사춘기를 바탕으로 지어낸 거니까. 원래 데뷔작이란 그런 법이지. 리치의 가게는 실은 뉴워크에 있는 폼페이 피자였어. 네 친구들은 내 친구들이었고. 그리고 넌 나였어."

"정말?" 더너후는 히죽거리며 대꾸했다.

리처드 캔틀링은 고개를 끄덕였다.

더너후는 웃음을 터뜨렸다. "정말이지 우리 꼰대는 운이 좋군."

"그게 무슨 뜻이지?" 캔틀링은 내뱉었다.

"당신이 꿈속에서 살고 있다는 걸 알아? 아마 나와 마찬가지인 척하고 싶은 건지도 모르지만, 그게 사실일 가능성은 전무해. 난 리치의 가게에서 거물 대우를 받았지. 하지만 폼페이에서 당신은 언제나 구석의 핀볼 머신에만 달라붙어 있던 안경잡이였잖아. 내가 열여섯 살 때부터 틈만 나면 여자들하고 떡을 쳤다고 책에 나와 있지만, 당신은 스무 살 넘어서 대학에 들어갈 때까지 여자 젖도 제대로 구경 못 했어. 내가 책에 등장할 때마다 주위에 뿌리고 다니는 재치 있는 농담 하나를 머리에서 쥐어짜는 데도 몇 주씩 걸렸고. 내가 그 책에서 했던 미치고 맛이 간 짓들 중 어떤 것들은 당신이 아니라 더치한테 일어난 일이고, 어떤 것들은 조이한테 일어난 일이었어. 아예 일어나지도 않은 일들도 있고. 하지만 당신이 실제로 경험한 일은 단 하나도 없었어. 그러니까 제발 좀 날 웃기지 말아 줘."

캔틀링은 조금 얼굴을 붉혔다. "내가 쓴 건 소설이었어. 그래, 난 젊은 시절 주위에 적응하는 게 좀 서투르긴 했지만—"

"왕따였잖아." 더너후가 말했다. "미화하지 말라고."

"그건 사실이 아냐." 캔틀링은 발끈하며 말했다. "《어울려 다니기》는 진실을 보여 주고 있어. 현실의 나보다 소설에서 일어나는 일에 더 중심적인 역할을 하는 주인공을 쓰는 게 사리에 맞았기 때문이야. 예술은 실제의 삶에서 소재를 얻지만 그걸 다시 조형하고, 재배열하고, 구조를 부여해야 해. 단지 모사하는 것만으로는 안 된다는 뜻이야. 내가 한 일은 그런 거야."

"아냐. 당신은 더치나 조이나 그 밖의 작자들을 빨아먹는 것밖에는 한 일이 없어. 제멋대로 그 작자들의 인생을 훔쳐서 자기 거라며 팔아먹었던 거지. 심지어는 내가 당신을 기반으로 하고 있다는 괴상망측한 망상에 사로잡히기까지 했고. 너무 오랫동안 그렇게 생각해 왔기 때문에 급기야는 아예 믿어 버리기에 이른 거야. 어이, 꼰대, 당신은 거머리야. 빌어먹을 도둑놈이라고."

리처드 캔틀링은 격앙했다. "당장 여기서 나가!" 그는 말했다.

더너후는 일어나서 기지개를 켰다. "씨팔, 난 마음의 상처를 입었어. 귀여운 친자식을 차가운 아이오와의 밤으로 내쫓을 생각이야? 도대체 뭐가 문제지? 그 빌어먹을 책 속에서는 나를 무척이나 귀여워했잖아. 내가 하는 일이나 말을 모조리 통제할 수 있었을 때는 말이야, 그렇지 않아? 하지만 현실에서 나를 보니까 그렇게 마음에 들지 않았다는 건가. 그건 당신 문제야. 당신은 현실의 인생을 그 잘난 책 속의 인생의 반도 좋아하지 않았어."

"됐어. 난 내 인생을 충분히 즐기고 있어." 캔틀링은 내뱉었다.

더너후는 미소 지었다. 그곳에 서 있는 그의 모습은 갑자기 빛이 바래고, 실체를 잃어 가는 것처럼 보였다. "그래?" 목소리도 더 희미해진 느낌이다.

"그래!" 캔틀링은 대답했다.

이제 더너후는 눈에 띄게 희박해지고 있었다. 몸에서 모든 색채가 빠져나가고, 이제는 거의 투명하게 보였다. "그럼 증명해 보라고." 그는 말했다. "부엌으로 들어가서, 인생이라는 이름의 그 좆같은 양파를 날로 처먹어 보라고." 그는 고개를 홱 젖혀 앞머리를 뒤로 넘기고 웃었다, 웃었다, 웃었다. 완전히 사라질 때까지.

리처드 캔틀링은 우뚝 서서 상대방이 서 있던 곳을 오랫동안 응시했다. 이윽고 그는 녹초가 된 몸을 이끌고 2층으로 올라가서 잠자리에 들었다.

● ○

다음 날 아침 그는 식탁 위에 먹을 것을 잔뜩 차렸다. 오렌지 주스와 갓 끓인 커피. 버터와 블랙베리 잼을 양껏 곁들인 잉글리시 머핀. 치즈 오믈렛. 두껍게 자른 베이컨 여섯 조각. 요리를 하고 먹는다는 행위로 기분을 바꿔 볼 생각이었다. 그러나 그렇게 되지는 않았다. 줄곧 더너후 일이 뇌리에서 떠나지 않았기 때문이다. 그건 꿈이다. 그렇다, 일종의 미친 꿈에 불과하다. 벽난로 안의 깨진 유리 조각과 거실에 널린 빈 맥주병들을 설명할 수는 없었지만, 마침내 해답을 하나 찾아냈다. 그는 정신이 나갈 때까지 술을 먹고 일종의 몽유병적인 상태를 경험했던 것이다. 캔틀링은 그렇게 판단했다. 물론 그와 미셸 사이에 진행 중인 알력이 스트레스의 원인이고, 그녀가 보내온 그 초상화에 의해 촉발되었던 것이다. 누군가에게 상담을 받아 보는 편이 나을지도 모르겠다. 의사라든지 심리학자 따위에게 말이다.

아침을 먹자마자 캔틀링은 서재로 직행했다. 정면으로 문제에 맞서서 해결을 보려고 결심한 상태였다. 미셸의 갈가리 찢긴 초상화는 여전히 벽난로 위에 걸려 있었다. 곪은 상처야. 그는 생각했다. 그는 그것에 감염되었고, 그것을 제거할 때가 온 것이다. 캔틀링은 난로에 불을 지폈다. 불이 활활 타오르자 그는 엉망이 된 초상화를 떼어 내서 금속 액자와 분리하고—평소의 근검절약 정신이 어디로 갈 리가 없다—찢기고 일그러진 캔버스를 태웠다. 기름진 연기가 피어오르자 다시 깨끗해진 기분이 들었다.

다음은 더너후의 초상화를 처리할 차례다. 캔틀링은 몸을 돌려 그것을 감상했다. 사실, 꽤 괜찮은 그림이다. 해당 인물의 성격을 제대로 포착했다. 태울 수도 있지만, 그런다면 미셸의 파괴적인 놀이를 답습하는 꼴이 된다. 예술 작품은 결코 파괴해서는 안 된다. 캔틀링은 파괴가 아닌 창조에 의해 이 세계에 자취를 남겼고, 지금 와서 그걸 바꾸기에는 너무 나이를 먹었다. 더너후의 초상화는 잔인한 비아냥거림을 의도하고 제작된 것이지만, 캔틀링은 이런 비아냥거림을 딸의 면상에 그대로 되던져 주고 예술에 대한 찬가로 승화시킬 작정이었다. 걸어 놓자. 그것도 눈에 띄는 곳에 당당하게. 어디가 가장 좋을지도 안다.

계단을 끝까지 올라간 곳에 긴 층계참이 있었다. 화려하게 장식된 목제 난간 너머로 1층 복도와 현관홀을 내려다볼 수 있는 곳이다. 층계참의 너비는 4미터 반쯤 되었고, 안쪽 벽은 텅 비어 있었다. 근사한 초상화

갤러리로 꾸밀 수 있겠군. 캔틀링은 판단했다. 집으로 들어오는 모든 사람의 시야에 들어올 것이고, 2층 방들로 올라가려면 싫어도 여기를 지나가야 한다. 그는 망치와 못을 꺼내 와서 명당자리에 더너후의 초상화를 걸었다. 미셸이 화해하려고 돌아온다면 여기서 이 초상화와 마주칠 것이고, 그 즉시 그녀가 보낸 선물의 의미를 캔틀링이 전혀 깨닫지 못했다고 지레짐작할 것이 틀림없다. 그때 야단스럽게 감사하는 것도 잊지 말자.

리처드 캔틀링의 기분은 훨씬 나아졌다. 어젯밤의 대화는 나쁜 기억 정도로 축소되고 있었다. 그는 그것을 마음속에서 단호하게 쫓아내고 대리인과 출판사에 보낼 편지를 쓰며 그날 남은 시간을 보냈다. 늦은 오후가 되자 기분 좋은 피로감을 느끼며 커피 한 잔과 냉장고 깊숙한 곳에 숨겨 놓은 버터 슈트로이젤을 느긋하게 즐겼다. 그런 다음 일과인 산책을 하기 위해 집을 나섰고, 상쾌하고 차가운 바람을 얼굴로 느끼며 강가 절벽을 따라 족히 90분을 걸었다.

집에 돌아오니 커다란 사각형 소포가 포치에서 그를 기다리고 있었다.

● ○

팔걸이의자 위에 올려놓고 안락의자에 앉아 찬찬히 훑어보았다. 불안감을 느꼈다. 이 그림이 모종의 효과를 가지고 있다는 데는 의심의 여지가 없었다. 남근이 꿈틀 발기하면서, 바지 앞쪽을 불편하게 압박하는 것을 느꼈다.

이 초상화는…… 노골적으로 에로틱하다.

그녀는 침대에 누워 있었다. 그의 침대와 흡사한 덮개가 달린 커다란 4주식 골동품 침대였다. 전라였다. 반쯤 몸을 틀어 오른쪽 어깨 너머로 뒤를 돌아보고 있다. 등골의 매끄러운 선과 오른쪽 젖가슴의 곡선이 그대로 눈에 들어온다. 커다랗고 모양이 좋은, 아름다운 가슴이었다. 젖꽃판은 연한 분홍색이었고 아주 컸으며, 젖꼭지가 서 있다. 구겨진 침대 시트를 잡고 턱까지 끌어 올리고 있지만, 몸을 감추는 효과는 거의 없었다. 머리카락은 불그스름한 금발이고 눈은 녹색이며 장난스러운 미소를 띠고 있다. 매끄럽고 젊은 살갗은 발그레한 빛으로 물들어 있었다. 마치 애인과 잤다가 방금 몸을 일으킨 듯한 느낌이다. 오른쪽 엉덩이 높은 위치에 평화의 상징 문신이 있었다. 그녀가 어리다는 사실은 명백했다. 리처드 캔틀링은 정확히 얼마나 어린지 알고 있었다. 열여덟 살이다. 여인이 되기 직전의 소녀. 무구함과 경험 사이를 잇는 그 귀중한 시기, 섹스는 단지 멋지고 자극적인 새로운 장난감에 불과한 그 시기에 딱 와 있는 존재다. 그렇다. 그는 그녀에 관해 많은 것을 알고 있었다. 아주 잘 알고 있다.

씨시.

그는 씨시의 초상화를 더너후의 초상화 옆에 걸었다.

●○

캔틀링이 그 책에 붙인 제목은 《시든 꽃》이었지만 편집자는 그것을 《흑장미》로 바꿔 놓았다. 전자에 비해 상상력을 더 자극하고, 더 로맨틱하고 더 낙관적이라는 이유에서였다. 캔틀링은 예술적인 견지에서 제목 변경에 저항했지만 결국 패했다. 나중에 이 소설이 베스트셀러 목록에 오르자 그는 애써 자존심을 억누르고 자기 예상이 틀렸음을 순순히 시인했고, 편집자인 브라이언이 좋아하는 와인을 한 병 선사하기까지 했다.

그것은 그의 네 번째 장편이었고, 마지막 기회였다. 데뷔작인 《어울려 다니기》는 아주 좋은 평을 얻었고 꽤 많이 팔렸지만, 그다음에 낸 두 장편은 평론가들에게는 혹평을 받고 독자들에게는 무시당했다. 따라서 뭔가 새로운 시도를 할 필요가 있었고, 실제로 그것을 실행에 옮겼다. 그 결과 《흑장미》는 크나큰 논쟁을 불러일으켰다. 어떤 평론가들은 격찬했고, 어떤 평론가들은 혹평했다. 그러나 책은 불티나게 팔렸고, 페이퍼백으로 다시 나왔을 때도 많이 팔리고 영화 제작권도 (결국 영화는 안 만들어졌지만) 팔린 덕에 태어나서 처음으로 금전적인 걱정에서 해방되었다. 마침내 그는 집의 매입 계약금을 지불할 수 있었고, 미셸을 사립학교로 전학시키고 치아 교정기도 달아 줄 수 있었다. 캔틀링은 남은 돈을 가능한 한 현명하게 투자했다. 그는 《흑장미》가 자랑스러웠고 그 성공에 흡족해했다. 이 소설은 그의 이름을 세상에 알렸던 것이다.

헬렌은 이 소설을 지독하게 싫어했다.

소설이 마침내 베스트셀러 목록 끄트머리에서 전락했던 날에도 그녀는 만족감을 완전히 감추지는 못했다. "영원히 계속되지는 않으리라는 걸 알고 있었어." 그녀는 말했다.

캔틀링은 화난 얼굴로 신문을 식탁에 내팽개쳤다. "충분히 오래 계속됐어. 도대체 당신, 뭐가 문제야? 우리가 간신히 먹고살던 무렵에도 싫어했잖아. 우리 아이는 치아 교정기를 달아 줘야 하고, 더 나은 학교로 보내야 하고, 매일 땅콩버터에 잼을 바른 샌드위치를 빌어먹을 도시락이라고 싸 줄 수는 없는 일이잖아. 헛, 그런 것들은 이제 옛날얘기가 됐어. 그런데도 당신은 예전보다 한층 더 불평불만으로 가득 차 있어. 조금은 내 입장이 되어 보라고. 실패한 작자와 사는 게 그렇게 좋았어?"

"난 포르노 작가와 사는 게 싫어." 헬렌은 내뱉었다.

"씨팔." 캔틀링은 말했다.

헬렌은 불쾌한 미소를 떠올렸다. "언제 그랬는데? 몇 주 동안이나 내 몸에 손도 안 댔으면서. 실은 당신의 그 씨시하고 씹하고 싶으면서."

캔틀링은 아내를 빤히 쳐다보았다. "당신 미친 거야 뭐야? 씨시는 내가 쓴 소설의 등장인물이잖아. 단지 그뿐이라고."

"흥, 허튼소리 작작해." 헬렌은 격렬한 어조로 말했다. "나를 저능아 취급이나 하고. 내가 글을 못 읽기라도 한다는 거야? 모를 거라고 생각했어? 난 당신의 그 지저분한 책을 읽었어. 난 멍청이가 아냐. 아내인 마샤. 둔하고 무지하고 따분한 마샤, 되새김질하며 주절대는 것밖에 모르는 칙칙한 마샤, 우둔하기 짝이 없고, 잔소리밖에 할 줄 모르는 골칫덩어리 마샤. 바로 내 얘길 한 거잖아. 내가 눈치 못 챌 거라고 생각했어? 난 눈치챘고, 내 친구들도 모두 눈치챘어. 다들 크게 동정해 주더군. 당신은 리처드슨이 마샤를 사랑하는 것만큼 나를 사랑한다, 이거지. 씨시는 그냥 등장인물에 불과하고. 그래, 그게 정말이라면 내 손에 장을 지지겠어." 그녀는 울고 있었다. "당신은 그 빌어먹을 여자와 사랑에 빠졌잖아. 꿈에서 보면서 몽정하는 상대잖아. 지금 저 문으로 그년이 들어오면 당신은 리처드슨이 조강지처 마샤를 버린 것처럼 냉큼 날 버릴 거야. 사실이 아니라고 부인할 수 있으면 부인해 봐. 말해 봐. 사실이 아니라고!"

캔틀링은 도저히 못 믿겠다는 눈길로 아내를 바라보았다. "기가 막혀서 말이 안 나오는군. 내 책에 나오는 등장인물에게 질투를 하다니. 존재하지도 않는 사람을 상대로."

"그년은 당신 머릿속에 존재하고, 당신한테 중요한 장소는 오직 거기뿐이야. 물론 그 빌어먹을 책은 베스트셀러가 됐지. 그게 당신 글솜씨 덕택이었다고 생각해? 그건 섹스 덕택이었어. 그년 덕택이었다고!"

"섹스는 인생의 중요한 일부야." 캔틀링은 변명하듯이 말했다. "따라서 예술의 주제가 되는 건 지극히 타당해. 혹시 내 등장인물들이 동침할 때마다 커튼을 내려 주기를 원하는 거야? 성을 있는 그대로 받아들이는 일, 그게 《흑장미》의 주제였어. 당연히 노골적으로 쓸 수밖에 없었지. 당신이 내숭만 안 떤다면 이해했을 텐데."

"난 내숭 떨지 않아!" 헬렌은 그를 향해 고함을 질렀다. "어떻게 나한테 그런 소리를." 그녀는 아침 식사가 담긴 접시 하나를 집어 들고 그에게 던졌다. 캔틀링은 재빨리 몸을 숙였다. 접시는 그의 등 뒤의 벽에 맞아 산산조각이 났다. "내가 당신의 그 지저분한 책을 좋아하지 않는다고 해서 내숭쟁이라고?"

"그 소설하고는 아무 상관도 없어." 캔틀링은 말했다. 팔짱을 끼고 있었지만 목소리는 침착했다. "당신이 내숭쟁이인 건 당신이 침대에서 하는 일 때문이야. 아니, 안 하는 일이라고 해야 하나?" 그는 미소 지었다.

헬렌의 얼굴이 새빨개졌다. 홍당무처럼 새빨갛군, 하고 캔틀링은 생각했지만, 곧 철회했다. 너무 오래되고 진부한 표현이다. "아, 맞아. 하지만 그년은 한다, 이거지?" 헬렌의 목소리는 신랄함 그 자체였다. "씨시, 당신의 그 귀엽고 조그만 씨시. 당신이 원한다면 엉덩이에 섹시하고 작은 문신도 새겨 주지? 야외에서도 하고, 온갖 괴상한 장소에서 주위 사람의 시선도 아랑곳 않고 하는 거야. 변태적인 속옷도 입겠지. 재밌다고 하면서. 언제든 당신 말을 들어줄 준비가 되어 있고 임신선 따위도 없고 열여덟 살의 젖꼭지를 갖고 있어. 앞으로도 언제나 열여덟 살의 젖꼭지를 갖고 있을 거지, 안 그래? 내가 어떻게 그런 것하고 경쟁할 수 있단 말이지? 어떻게? 어떻게?"

리처드 캔틀링 자신의 분노는 차갑고, 통제되고, 신랄한 것이었다. 그는 분노로 일그러진 그녀의 얼굴 앞에서 일어서서 씩 웃고는 말했다. "책을 읽어 봐. 메모를 하라고."

●○

어둠 속에서 퍼뜩 깨어났다. 발에 살짝 닿은 살갗의 감촉을 느끼고.

씨시는 침대 발판 위에 살짝 앉아 있었다. 빨간 새틴 시트를 몸에 두르고 길고 날씬한 발로 그가 덮은 담요 밑을 더듬고 있다. 그와 발장난을 하며, 짓궂은 웃음을 떠올린다. "아빠, 안녕." 그녀가 말했다.

캔틀링은 바로 이것을 두려워하고 있었다. 저녁 내내 마음에 걸렸던 것이다. 잠도 잘 오지 않았다. 그는 발을 빼고 힘겹게 몸을 일으켜 앉았다.

씨시가 입을 뿌루퉁 내밀었다. "안 놀아 줄 거야?" 그녀는 물었다.

"난 안 믿어. 이게 현실일 리가 없어."

"그래도 재밌잖아."

"도대체 미셸은 나한테 무슨 짓을 하고 있는 거지? 어떻게 이런 일이 일어날 수 있는 거지?"

그녀는 어깨를 으쓱해 보였다. 시트가 아래로 조금 흘러내리며 분홍빛의 유두를 가진 열여덟 살의 완벽한 가슴이 살짝 드러났다.

"여전히 열여덟 살의 젖꼭지를 가지고 있군." 캔틀링은 멍한 목소리로 말했다. "앞으로도 언제나 열여덟 살의 젖꼭지를 가지고 있을 거고."

씨시는 웃음을 터트렸다. "물론 그렇죠. 원한다면 아빠한테 빌려줘도 좋아. 틀림없이 그걸 가지고 뭔가 재미있는 걸 생각해 낼 테니까."

"날 아빠라고 부르지 마." 캔틀링은 말했다.

"하지만 아빠가 맞잖아요." 씨시는 어린 여자아이 목소리로 말했다.

"그만해!" 캔틀링은 말했다.

"왜? 아빠도 원하잖아. 어린 딸하고 놀고 싶은 거 아냐?" 그녀는 윙크했다. "다른 악덕도 좋지만 역시 근친상간이 최고야. 함께 노는 가족은 언제나 함께니까." 그녀는 주위를 둘러보았다. "난 이런 4주식 침대가 좋아. 나 끈으로 묶고 싶어, 아빠? 나 그거 좋아하는데."

"아니." 캔틀링은 이렇게 대꾸하고 침대 커버를 밀쳐 낸 후 침대에서 나와 실내화를 신고 가운을 입었다. 발기한 성기가 허벅지에 닿아 욱신거렸다. 여기서 나가야 한다. 씨시와 거리를 둬야 한다. 그러지 않는다면…… 그는 그런 경우를 상상하고 싶지 않았다. 그는 서둘러 벽난로에 불을 지폈다.

"나 그거 좋아." 불이 타오르자 씨시가 말했다. "난롯불은 정말 로맨틱하잖아."

캔틀링은 몸을 돌려 다시 그녀를 마주 보았다. "왜 너지?" 그는 침착한 목소리를 내려고 노력하며 말했다. "《흑장미》의 주인공은 리처드슨이었어, 네가 아니라. 게다가 왜 네 번째 책으로 건너뛴 거지? 왜 《가계도》나 《비》에 나오는 사람이 아닌 거지?"

"그 걸귀 같은 작자들?" 씨시가 말했다. "아무도 리얼하지 않잖아.

설마 리처드슨을 원했다는 얘긴 아니지? 내가 훨씬 더 즐겁잖아." 그녀
가 일어서자 새틴 시트가 스르르 흘러내렸다. 시트는 그녀의 발목에 휘
감겼다. 반짝이는 주름이 불길을 반사하며 번득였다. 그녀의 몸은 부드
럽고 여리고 젊었다. 그녀는 시트를 걷어차고 그를 향해 타박타박 걸어
왔다.

"그만둬, 씨시." 캔틀링은 고함을 질렀다.

"깨물지 않으니까 걱정 마." 씨시는 이렇게 말하고 킥킥 웃었다. "아빠
가 원하지 않는 이상은 말이야. 아빠를 묶어 줬으면 좋겠어?" 그녀는 그
의 몸에 팔을 둘러 포옹했고, 키스해 달라는 듯이 고개를 들어 올렸다.

"날 놓아줘." 그는 힘없는 소리로 말했다. 기분 좋은 팔의 감촉. 바싹
몸을 밀착시키는 감촉이 좋았다. 리처드 캔틀링이 이렇게 여자를 품은
것은 오래전의 일이었다. 얼마나 오래전 일이었는지는 생각하고 싶지도
않았다. 게다가 그는 씨시 같은 여자를 품어 본 적이 한 번도 없었다. 단
한 번도. 그러나 두려웠다. "이럴 수는 없어. 안 돼. 이러면 안 돼."

씨시는 그가 입은 가운의 주름 사이로 손을 뻗어 그의 브리프 안에 휙
집어넣었고, 살짝 쥐었다. "거짓말쟁이. 날 원하면서. 지금까지 줄곧 나
를 원했잖아. 섹스 장면을 쓰다가 멈추고 딸딸이 쳤던 거 다 알아."

"아냐." 캔틀링은 말했다. "그런 적은 한 번도 없어."

"한 번도?" 그녀는 입을 내밀었고, 손을 위아래로 움직였다. "흠, 그러
고 싶어 했다는 건 틀림없어. 적어도 이렇게 딱딱해지긴 했을 거 아냐.
보나 마나 나를 묘사할 때마다 딱딱해졌겠지."

"나는." 그는 말했다. 부인하는 말은 나오지 않았다. "씨시, 제발."

"제발." 그녀는 중얼거렸다. 바쁘게 손을 움직인다. "응, 제발." 그녀는

그의 브리프를 잡아당겨 방바닥에 떨어뜨렸다. "제발." 그녀는 말했다. 그의 가운 벨트를 풀고 벗는 것을 도와주었다. "제발." 그녀의 손이 그의 옆구리를 따라 움직였고, 그의 젖꼭지를 만지작거렸다. 한층 더 다가오자 그녀의 젖가슴이 그의 가슴을 살짝 압박했다. "제발." 그녀는 말했고, 그를 올려다보았다. 그녀의 입술 사이에서 혀가 움직였다.

리처드 캔틀링은 신음하고 떨리는 팔로 그녀를 껴안았다.

그녀 같은 여자를 품은 적은 단 한 번도 없었다. 그녀의 감촉은 불과 새틴이었고, 그를 감전시켰고, 그녀의 은밀한 장소는 꿀처럼 달았다.

● ○

아침이 되자 그녀는 사라져 있었다.

캔틀링은 늦잠을 잤다. 너무나도 피곤했던 탓에 아침 식사를 준비하는 대신 옷을 입고 걸어서 읍내로 갔다. 절벽 밑동에 자리 잡은, 지은 지백 년이나 되는 고풍스러운 벽돌 건물에 있는 조그만 카페로 들어갔다. 커피를 마시고 블루베리 팬케이크를 먹으며 그는 그에게 일어난 일을 정리해 보려고 했다.

무엇 하나 이해가 되지 않았다. 일어날 리가 없는 일이었지만 실제로 일어나고 있는 것이다. 그것을 부인해 보았자 아무 소용도 없다. 캔틀링은 포크로 자가제 블루베리 팬케이크를 찍어 한입 베어 물었지만 입에서는 공포의 맛밖에는 나지 않았다. 제정신을 잃어버리는 것이 두려웠다. 이해할 수 없었기 때문에 두려웠다. 그리고 그보다 더 깊고 더 원초적인 두려움이 하나 더 있었다.

다음에 무엇이 올지 두려웠다. 리처드 캔틀링은 아홉 권의 소설을 출간했던 것이다.

미셸 생각을 했다. 전화를 걸어서 그가 미쳐 버리기 전에 그만둬 달라고 간원할 수도 있다. 그녀는 그의 딸이고, 피와 살을 나눈 혈육이지 않는가. 그러니까 그의 간원에 귀를 기울여 줄 것이다. 그를 사랑하니까 말이다. 물론 그를 사랑하는 게 맞다. 그리고 그도 딸이 어떻게 생각하든 간에 그녀를 사랑했다. 캔틀링은 자신의 결점을 알고 있었다. 책갈피 속에서 다양한 모습으로 변장한 자기 자신을 수없이 들여다보았던 것이다. 그는 도저히 어떻게 할 수 없을 정도로 고집이 셌고, 제멋대로였고, 독단적이었다. 경직되고 결코 자기 의견을 굽히려 하지 않았다. 냉담했다. 그러나 여전히 자기 자신을 그런대로 괜찮은 사내로 간주하고 있었다. 미셸은…… 그의 외골수적인 성격의 일부를 이어받았고, 그에 대해 엄청나게 분노하고 있었다. 증오는 사랑과 종이 한 장 차이다. 그러나 그에게 본심으로 심각한 해를 입힐 작정이라고는 도저히 생각하기 힘들었다.

그렇다. 미셸에게 전화를 걸어 그만둬 달라고 요청하자. 그의 말을 들어줄까? 용서해 달라고 매달린다면 그래 줄지도 모른다. 그날, 그 끔찍했던 날, 그녀는 그를 결코 용서하지 않을 거라고 했지만, 설마 본심으로 그런 것은 아닐 것이다. 그의 유일한 자식이 아니던가. 그러니까, 실제로 피와 살을 나눈 자식은 그녀뿐이다.

캔틀링은 빈 접시를 밀어 놓고 의자에 등을 기댔다. 그의 입은 한일자로 굳게 닫혀 있었다. 자비를 간원한다고? 마음에 들지 않았다. 사실, 내가 무슨 짓을 했단 말인가? 왜 다들 이해해 주지 않는 걸까? 헬렌은 결코 이해하지 못했고 미셸도 자기 어머니만큼이나 맹목적이었다. 작가라면 모름지기 자기 작품 세계를 위해 사는 법이다. 그가 뭘 그렇게 끔찍한 일을 했단 말인가? 용서를 구해야 할 정도로? 미셸 쪽에서 먼저 그에게 전화를 걸어와야 마땅하지 않은가.

염병할, 됐어. 캔틀링은 생각했다. 겁에 질려 움츠러들 생각은 추호도 없다. 그의 생각이 옳고, 딸의 생각은 틀렸다. 미셸이 화해를 원한다면 전화를 걸어오면 그만이다. 공포에 빠뜨려 그를 굴복시킬 수는 없다. 어차피 뭐가 그렇게 두렵단 말인가? 얼마든지 초상화를 보내라고 하자. 그리고 싶은 걸 전부. 그럼 그는 그것들을 벽에 걸고 자랑스럽게 전시할 것이고 (결국 그것들은 그의 작품 세계에 대한 오마주가 아니던가) 빌어먹을 그림들이 밤에 살아나서 집 안을 돌아다닌다면 돌아다니게 놓아두자. 오히려 와 줘서 고마울 지경이다. 캔틀링은 미소 지었다. 그가 씨시의 방문을 즐겼다는 점에는 의심의 여지가 없었다. 그의 일부는 아직도 그녀가 돌아와 주기를 고대하고 있었다. 더너후조차도 그렇다. 흐음, 버릇없는 자식인 것은 맞지만, 실제로 해가 있는 것은 아니다. 단지 나불대기를 좋아할 뿐이다.

흐음, 이렇게 한숨 돌리고 생각해 보니, 그럴 가능성에 어떤 도취적인 매력이 있다는 점을 부인할 수 없다. 이런 특권이 주어진 작가는 캔틀링한 사람뿐이니까. 스코트 피츠제럴드는 개츠비의 전설적인 파티에 실제로 참가한 적은 한 번도 없었고, 코난 도일은 홈스와 와트슨과 앉아서 담소할 수 없었고, 나보코프는 실제로 롤리타를 자빠뜨리지는 않았다. 그들이라면 이런 상황에 대해 뭐라고 했을까?

생각해 보면 생각해 볼수록 기분이 나아졌다. 미셸은 그를 힐책하고 두려움에 빠뜨리려고 했지만, 실제로는 근사한 경험을 선사해 주었던 것이다. 그가 쓴《앙파상*》의 냉소적인 이민자이자 사기꾼인 세르게이 테데렌코와 체스를 둘 수도 있다. 대공황을 배경으로 한《고난의 시대》에 등장하는 노조 조직책 프랭크 코원과 정치 논쟁을 벌일 수도 있다. 아름다운 베스 매켄지를 희롱하거나, 맛이 간 미스 에기와 춤을 추러 가거나, 댄징거 쌍둥이 자매를 유혹함으로써 씨시가 아직 손대지 못한 성적 환상 하나를 충족시키는 것도 가능하다. 그렇다. 도대체 그는 뭘 그렇게 두려워하고 있었던 걸까? 이것들 모두가 그의 창조물이고, 그의 등장인물이고, 그의 친구이자 가족이 아니던가.

물론 신작을 감안할 필요는 있다. 캔틀링은 미간을 찌푸렸다. 심란한 생각이다. 그러나 미셸은 그의 딸이고 그를 사랑하니까 설마 그렇게까지 하지는 않을 것이다. 그렇다. 그럴 리가 없다. 그는 이 생각을 단호하게 머릿속에서 쫓아내고 전표를 집어 들었다.

● ○

예상은 하고 있었다. 거의 고대하고 있었을 정도였다. 건강을 위한 저녁 산책에서 돌아온 그의 뺨은 강풍으로 붉게 상기해 있었고, 심장은 기대로 인해 평소보다 조금 더 빨리 뛰고 있었다. 그리고 그것이 그를 기다리고 있었다. 투박한 갈색 포장지에 싸인 직사각형의 낯익은 물체가. 리처드 캔틀링은 그것을 조심스레 집 안으로 운반했다. 포장을 뜯기 전에

---

6 En Passant. 체스 규칙의 명칭이지만 프랑스어로 '지나가며 던진 말', '통과 중'이라는 의미도 있다.

일단 커피부터 끓인 것은 일부러 긴장감을 길게 끌어서 그 순간을 만끽하기 위해서였다. 미셸의 잔인하고 치사한 계략을 어떻게 역으로 이용했는지를 떠올리며 그는 기쁨을 느꼈다.

커피를 모두 들이켜고, 한 잔 더 따른 다음에 다 마셨다. 소포는 몇 걸음 떨어진 곳에 놓여 있었다. 캔틀링은 자기 자신을 상대로 게임을 하며 누구의 초상화가 안에 들어 있을지 맞춰 보려고 했다. 씨시는《가계도》나《비》의 등장인물 중 진짜 같은 작자는 아무도 없다는 취지의 언급을 했다. 캔틀링은 그의 전 작품을 머릿속에서 검토하며 어떤 등장인물이 가장 진짜 같은지 정해 보려고 했다. 그런 생각을 하는 것은 즐거웠지만, 확실한 결론을 내지는 못했다. 마침내 그는 커피 잔을 옆으로 밀어 놓고 포장지를 뜯으러 갔다. 초상화가 드러났다.

베리 레이튼.

이번에도 역시 그림 자체는 뛰어났다. 레이튼은 신문사의 지방판 편집실에 앉아서 낡은 수동식 타이프라이터의 잿빛 금속 케이스에 팔꿈치를 괴고 있었다. 구겨진 갈색 양복 차림이었다. 깃을 푼 흰 와이셔츠는 땀에 젖은 채로 그의 몸에 밀착해 있었다. 적어도 한 번 이상 부러졌던 것처럼 보이는 코는 넙적하고 못생기고 어딘가 느긋한 느낌을 주는 얼굴 한복판을 점령하고 있다. 졸린 듯한 눈이었다. 레이튼은 과체중에 늘어진 턱을 가지고 있었고, 급속한 탈모 증세를 겪고 있었다. 담배는 끊었지만 담배 자체를 끊지는 않았다. 불을 붙이지 않은 캐멀 담배가 한쪽 입가에 매달려 대롱거리고 있다. "이 빌어먹을 물건에 불만 안 붙인다면, 안전해." 그는 캔틀링의 소설《서명 기사》에서 한 번 이상 이렇게 말했다.

책은 그리 성공적이지 못했다. 의기소침해지는 책이었고, 실적 부진에 시달리던 유서 깊은 대(大)신문사의 마지막 한 주를 다루고 있었다. 그러나 단순한 이야기 이상의 것이기도 했다. 캔틀링이 흥미를 느끼는 것은 신문이 아니라 사람들이었기 때문이다. 그는 좌절한 인생의 메타포로서 망해 가는 신문사를 이용했다. 편집자는 강하고 선정적인 복선을 넣고, 레이튼을 위시한 등장인물들로 하여금 어떤 엄청난 특종을 쫓게 함으로써 난관을 극복하도록 하면 어떻겠느냐고 제안했다. 그러나 캔틀링은 그 아이디어를 거부했다. 그는 시대 상황과 나이에 의해 가차 없이 짓밟히는 소시민들의 이야기를 하고 싶었고, 고독과 패배의 불가피함에 관해 이야기하고 싶었기 때문이다. 그는 신문지 못지않게 잿빛으로 물들고 손상되기 쉬운 소설을 썼다. 그리고 그 사실을 무척 자랑스러워했다.

그러나 아무도 그런 책을 읽어 주지 않았다.

캔틀링은 초상화를 들고 2층으로 올라가서 더너후와 씨시의 초상화 옆에 걸었다. 오늘 밤은 재미있겠군, 하고 그는 생각했다. 베리 레이튼은 이 작자들과는 달리 어린애가 아니다. 그는 캔틀링과 같은 연배였다. 지극히 총명하고, 성숙한 인물이다. 레이튼이 인생의 쓴맛을 알고 있다는 사실을 캔틀링은 잘 알고 있었다. 소득 없는 삶, 제아무리 뛰어난 서명 기사나 특종도 다음 날이면 사람들의 기억 속에서 사라지기 마련이라는 사실에 대한 실망감. 그러나 이 기자는 이 모든 상황에서도 결코 유머 감각을 잃지 않았고, 신랄한 위트와 불도 붙이지 않은 캐멀 담배만으로 악령들을 물리쳤던 것이다. 캔틀링은 그런 그를 존경했다. 그와 얘기를 나눈다면 즐거울 것이다. 오늘 밤은 아예 잠자리에 들지 말자. 그는 결심했다. 진한 블랙커피를 주전자 가득 끓이고, 시그램 세븐[7]을 좀 챙겨두고, 기다리는 것이다.

●○

주방 쪽에서 얼음이 부딪치며 딸각거리는 소리가 들려온 것은 자정 넘은 시각에 캔틀링이 가죽 장정이 된 《서명 기사》를 다시 읽고 있었을 때의 일이었다. "마음대로 꺼내 마셔, 베리." 그는 큰 소리로 말했다.

레이튼은 술잔을 들고 스윙도어를 지나 거실로 들어왔다. "그러고 있어." 그는 이렇게 대꾸했고, 두꺼운 눈꺼풀 밑의 눈으로 캔틀링을 쳐다보더니 작게 콧방귀를 뀌었다. "우리 아버지라고 해도 믿겠군. 설마 사람이 이토록 늙어 보일 수 있을 거라고는 생각 못 했어."

캔틀링은 책을 덮고 옆으로 밀어 놓았다. "앉게. 자넨 발이 아팠던 걸로 기억하는데."

"내 발은 언제나 아프지." 레이튼은 대꾸했다. 그는 안락의자에 앉아 위스키를 한 모금 마셨다. "아. 이제 좀 살겠군."

캔틀링은 소설책을 손가락 끝으로 두들겨 보였다. "내 여덟 번째 책이야. 미셸은 그 전의 세 권을 그대로 건너뛰었어. 애석하군. 거기 나온 사람들도 좀 만나 보고 싶었는데."

"이제 요점을 보여 주고 싶은 건지도 몰라." 레이튼이 말했다.

"요점이라니, 무슨?"

---

7 미제 블랜드 위스키.

레이튼은 어깨를 으쓱했다. "낸들 어떻게 알겠나. 난 일개 신문기자에 불과해. 육하원칙만 지키면 되는. 소설가는 자네 아닌가. 뭐가 요점인지 말해 보라고."

"내 아홉 번째 장편." 캔틀링은 말해 보았다. "신작."

"마지막 소설?" 레이튼이 말했다.

"설마 그럴 리가 있나. 최신작이라는 뜻이야. 지금도 새 책 준비를 하고 있다고."

레이튼은 미소 지었다. "내 소식통에 의하면 그건 사실이 아닌데."

"그래? 그 소식통이 뭐라고 했는데?"

"자넨 죽음을 기다리는 노인이라고 하더군. 그리고 자네가 혼자 죽을 거라고 했어."

"난 쉰두 살밖에 안 됐어." 캔틀링은 뻣뻣하게 말했다. "노인이라고 불릴 나이가 아냐."

"생일 축하 케이크에 단박에 불어 끌 수 없을 정도로 많은 초가 꽂힌다면 자넨 늙은 거야." 레이튼은 메마른 어조로 대꾸했다. "헬렌은 자네보다 젊었지만 5년 전에 죽었잖나. 모든 건 마음 가지기에 달렸다네, 캔틀링. 80대라도 젊고, 10대라도 늙은 경우를 난 봐 왔어. 그리고 자네, 자네는 불알에 털이 나기도 전에 뇌에 검버섯이 돋아 있었잖나."

"그건 공평하지 못해." 캔틀링은 항의했다.

레이튼은 시그램을 마셨다. "공평하지 못해? 캔틀링, 자넨 공평함 따위를 믿기엔 너무 나이를 먹었잖나. 인생을 사는 건 젊은이들이야. 늙은이들은 단지 앉아서 그걸 구경할 뿐이고. 자넨 태어날 때부터 늙은이였어. 자넨 구경꾼이지, 생활자(liver)가 아냐." 그는 미간을 찌푸렸다. "생활자가 아니라. 맙소사, 뭐 이런 표현이 다 있나. 그래도 담낭보다는 간 (liver)이 낫겠군. 하지만 자넨 담낭조차도 못 됐어. 몇십 년 동안이나 허튼 오줌으로 잔뜩 차 있었지만, 담력 따위하곤 거리가 멀었잖아. 자넨 콩 팥이었는지도 모르겠군."

"허튼소리를 하지 말게, 베리." 캔틀링은 말했다. "난 작가야. 난 언제나 작가였어. 그게 내 인생이었던 거야. 작가는 인생을 관찰하고, 인생에 관해 기술하는 법이야. 그게 작가의 직무라고. 자넨 알고 있다고 생각했는데."

"물론 알아." 레이튼은 말했다. "내가 기자라는 걸 잊었나? 난 다른 사람들의 얘기를 쓰는 걸로 몇십 년이나 허송했다고. 나 자신의 얘기 따윈 없어. 캔틀링, 자네도 알잖아. 자네가《서명 기사》에서 나한테 어떤 짓을 했는지 생각해 보라고. 〈쿠리어〉가 망한 뒤에 비망록을 쓰려고 마음먹은 내게 무슨 일이 일어났더라?"

캔틀링은 기억하고 있었다. "글을 아예 쓰지 못했지. 자넨 옛날 썼던 얘기들, 20년, 30년이나 지난 얘기들을 다시 그대로 썼어. 경이로운 기억력을 구사해서. 취재 대상이 됐던 사람들을 모조리 기억할 수 있었지. 날짜, 세부, 무슨 얘기를 했는지까지 빠짐없이. 처음 쓴 서명 기사를 글자 하나 빠뜨리지 않고 완벽하게 암송할 수 있었어. 하지만 자넨 처음 잤던 여자 이름도 기억하지 못했고, 전처의 전화번호도 기억하지 못했고, 또…… 또……." 그는 말꼬리를 흐렸다.

"딸의 생일도 기억 못 했지." 레이튼이 말했다. "캔틀링, 자넨 도대체 어디서 그런 말도 안 되는 아이디어를 얻었나?" 캔틀링은 침묵했다.

"혹시 인생에서 얻었나?" 레이튼은 온화한 목소리로 말했다. "난 좋은 기자였어. 자네가 나에 관해 얘기할 수 있는 건 그게 다야. 자넨, 흐음, 아마 좋은 소설가일지도 모르지. 그걸 판단하는 건 비평가들 몫이고, 난 아픈 발을 가진 땀 냄새 나는 신문기자에 불과해. 그렇지만 말이지, 설령 자네가 좋은 소설가라고 해도, 설령 위대한 소설가 중 하나라고 해도, 자넨 형편없는 남편이었고, 한심한 아버지였어."

"아냐." 캔틀링은 말했다. 항의라고 하기에는 힘없는 목소리였다.

레이튼은 술잔을 빙글빙글 돌렸다. 얼음이 부딪치며 딸깍거렸다. "헬렌은 언제 자네를 두고 떠났나?" 그는 물었다.

"그건 기억하지……. 10년쯤 전의 일이야. 내가《앙파상》의 최종고를 반쯤 끝냈을 무렵이었지."

"이혼이 성립한 건?"

"아, 그건 1년 뒤였어. 화해해 보려고 했지만 잘 안 됐지. 미셸은 대학에 다니고 있었던 걸로 기억해. 그땐《고난의 시대》를 쓰고 있었지."

"딸이 초등학교 3학년 때 나갔던 연극을 기억해?"

"내가 못 갔던 거?"

"내가 못 갔던 거? 마치 '내가 거짓말했을 때?'라고 말하는 닉슨을 연상케 하는군. 캔틀링, 미셸이 주연을 맡았던 연극을 얘기하고 있는 거야."

"그땐 어쩔 수 없었어." 캔틀링은 말했다. "나도 가고 싶었지만 시상식에 참가해야 했거든. 전미문학협회의 만찬 초대를 거절할 수는 없는 일이잖나. 그런 건 불가능해."

"그거야 그렇겠지." 레이튼이 말했다. "헬렌이 죽은 건 언젠데?"

"내가《서명 기사》를 쓰고 있었을 때."

"실로 흥미로운 날짜 기억 방식을 갖고 있군그래. 달력이라도 하나 내지 그러나." 레이튼은 위스키를 들이켰다.

"알았어." 캔틀링은 말했다. "일이 내 인생의 주요 관심사라는 건 부인할 생각이 없어. 아마 너무 중요했던 건지도 모르겠군. 그래, 글쓰기는 내 인생의 가장 큰 부분을 차지하고 있었어. 하지만 레이튼, 난 괜찮은 사내고, 언제나 최선을 다했어. 자네가 시사한 것과는 전혀 다르다고. 헬렌하고도 좋은 시절이 있었어. 서로 사랑했던 적도 있지. 그리고 미셸은…… 난 미셸을 사랑했어. 아직 어렸을 적에는 딸만을 위해 이야기를 써 주기까지 했지. 괴상한 동물이나 우주 해적에 관한 얘기, 우스꽝스러운 시 따위를 말이야. 시간이 날 때 직접 써서 자기 전에 읽어 줬지. 그건 오로지 미셸만을 위해 한 일이었어. 사랑하기 때문에."

"그랬구면." 레이튼은 냉소적으로 대꾸했다. "그래서 그걸 출간할 생각조차도 한 적이 없다, 이거지."

캔틀링은 얼굴을 찌푸렸다. "그건…… 설마 자넨…… 그건 왜곡이야. 미셸이 워낙 그 얘기들을 좋아하기에 다른 아이들도 좋아할지 모른다고 생각했던 거야. 그건 단지 아이디어에 불과했어. 구체적으로는 아무 일도 안 했어."

"단 한 번도?"

캔틀링은 주저했다. "이봐, 버트는 내 대리인일 뿐만 아니라 친구였다고. 버트에게도 어린 딸이 있었어. 그래서 내가 쓴 얘기를 보여 줬을 뿐이야. 단 한 번!"

"내가 임신했을 리가 없어요." 레이튼이 말했다. "한 번밖에 안 잤다고요. 단 한 번!"

"게다가 좋은 평도 듣지 못했어." 캔틀링은 말했다.

"그거 유감이로군." 레이튼이 말했다.

"자넨 아예 흙손을 가지고 내 얼굴에 죄를 처바르려고 하지만, 그건 내 잘못이 아냐. 물론 최고의 아버지로 뽑힐 자격 따윈 없지만, 난 괴물도 아니었어. 기저귀도 수없이 갈아 줬다고. 《흑장미》를 쓰기 전에 헬렌은 직장에 다녀야 했고, 집에 남은 내가 매일 아홉 시에서 다섯 시까지 애를 보며 지냈어."

"애가 울 때 자기 타이프라이터와 이별하는 걸 그토록 싫어했잖나."

"맞아." 캔틀링은 말했다. "내가 방해받는 걸 지독하게 싫어하는 건 사실이야. 언제나 방해받는 걸 싫어했어. 상대방이 헬렌이든 미셸이든 우리 어머니든 대학 때 룸메이트든 상관 안 해. 난 글을 쓸 때 방해받는 걸 정말로 싫어해. 염병할, 그게 무슨 죽을죄라도 된다는 거야? 내가 비인간적인 괴물이라는 거야? 미셸이 울면 나는 달래 주러 갔어. 물론 마음에 안 들었지. 나는 그게 정말 싫었고, 분개하기까지 했어. 하지만 가긴 갔잖아."

"우는 소리가 들렸을 때는 그랬지." 레이튼이 말했다. "씨시와 한 침대에 있거나, 미스 에기와 춤을 추고 있거나, 프랭크 코윈과 함께 비노조원들을 두들겨 패고 있지 않을 때는 그랬다는 얘기겠지. 머릿속이 그들의 목소리로 잔뜩 차 있지 않았을 때, 맞아, 자넨 이따금 딸이 우는 소리를 듣고 가 봤어. 축하하네, 캔틀링."

"난 미셸한테 책 읽는 법을 가르쳤어." 캔틀링은 말했다. "《보물섬》에 《버드나무 숲에 부는 바람》에 《호비트》에 《톰 소여》, 그 밖의 온갖 책들을 읽어 줬다고."

"어차피 자네가 다시 재독하고 싶어 하던 책들 전부를 읽어 줬지." 레이튼이 말했다. "진짜로 가르친 건 헬렌이야.《딕 앤드 제인》독본으로."

"난《딕 앤드 제인》따윈 정말 싫어!" 캔틀링은 외쳤다.

"그래서?"

"자넨 자기가 무슨 얘길 하고 있는지 몰라." 리처드 캔틀링은 말했다. "자넨 거기 있지도 않았잖아. 미셸은 거기 있었어. 그 애는 나를 사랑했고, 지금도 사랑하고 있어. 어딘가를 다쳤을 때, 무릎이 까졌거나 코피가 나든 하여튼 어디가 아프면 언제나 나한테 달려왔어. 헬렌이 아니라. 엉엉 울면서 나한테 달려오면, 난 그 아이를 껴안고 눈물을 닦아 준 뒤에 이렇게…… 이렇게 말하곤……." 그러나 그는 말을 끝맺지 못했다. 그도 울음을 터뜨리기 직전이었다. 눈가에 눈물이 번지는 것을 느꼈다.

"뭐라고 말하곤 했는지 아네." 베리 레이튼은 슬프고 온화한 목소리로 말했다.

"그걸 기억하고 있었던 거야." 캔틀링은 말했다. "그렇게 오랜 세월이 지난 뒤에도 기억하고 있었던 거야. 헬렌은 양육권을 얻고 그 애를 데리고 집에서 나갔어. 그 뒤로는 거의 만나지 않았지만, 미셸은 언제나 기억하고 있었던 거야. 자라서 성인이 된 뒤에도, 헬렌이 죽고 미셸이 독립한 뒤에, 사고를 당한 적이 있는데, 그때 난…… 난……."

"응." 레이튼이 말했다. "나도 아네."

● ○

전화를 걸어온 것은 경찰이었다. 조이스 브레넌 형사. 그는 앞으로도 영원히 그 이름을 잊지 못할 것이다. "캔틀링 씨?" 그때 그녀는 이렇게 말했다.

"예?"

"리처드 캔틀링 씨?"

"맞습니다만." 그는 말했다. "제가 작가인 리처드 캔틀링입니다." 예전에도 괴상한 전화를 받아 본 경험이 있었다. "무슨 용건이신지?"

그녀는 신분을 밝히고 말했다. "병원으로 오셔야 할 것 같습니다. 따님 일입니다, 캔틀링 씨. 유감이지만 폭행을 당해서."

그는 상대가 말을 얼버무리는 것을, 완곡어법을 쓰는 것을 정말 싫어했다. 캔틀링의 등장인물들은 결코 세상을 떠나거나 하지는 않는다. 그들은 죽는다. 속이 안 좋아 가스가 나오는 것이 아니라 그들은 방귀를 뀐다. 그리고 리처드 캔틀링의 딸은…… "폭행을 당했다고요?" 그는 말했다. "폭행을 당했다는 겁니까, 아니면 강간당했다는 겁니까?"

전화선 너머에서 침묵이 흘렀다. "강간당했습니다." 마침내 형사는 말했다. "성폭행을 당했습니다, 캔틀링 씨."

"당장 가겠습니다." 그는 말했다.

알고 보니 미셸은 여러 번 무자비하게 강간당했다고 했다. 미셸은 헬렌 못지않게 고집이 셌고, 캔틀링 못지않게 고집이 셌다. 독립한 뒤에는 그의 돈을 받으려고 하지도 않았고, 그의 충고를 받아들이지도 않았으며, 출판계의 지인들을 통해 제안한 조력조차도 거절했다. 혼자만의 힘으로 살아갈 작정이었다. 그녀는 그리니치빌리지의 커피하우스에서 웨이트리스로 일하며 부둣가에 있는 다 무너져 가고 외풍이 심한 커다란 창고 2층에 살았다. 치안이 나쁜 위험천만한 지역이었다. 캔틀링은 백번은 그렇게 얘기한 듯하다. 그러나 미셸은 들은 척도 하지 않았다. 튼튼한 자물쇠와 보안 시스템을 설치할 돈을 내주겠다는 그의 제안조차도 거절했다. 이것은 끔찍한 결과로 이어졌다. 범인은 금요일 새벽이 오기 전에 침입했고, 그때 미셸은 혼자였다. 범인은 벽에서 전화선을 잡아 뜯은 다음 월요일 밤까지 그녀를 감금했다. 연락이 안 되는 것을 걱정한 커피하우스의 테이블 담당이 마침내 창고에 들렀고, 강간범은 비상계단을 타고 도망쳤다.

면회 허가가 떨어진 뒤에 만나 본 딸의 얼굴은 자줏빛 멍으로 뒤덮여 있었다. 온몸이 화상 자국투성이였다. 범인이 담배로 지진 곳이다. 갈비뼈도 세 대나 부러졌다. 히스테리 따위를 일으킬 계제가 아니었다. 누가 손을 대기만 해도 그녀는 절규했다. 의사든 간호사든 간에 누가 다가오기만 하면 절규했던 것이다. 그러나 캔틀링이 침대 가장자리에 앉아 안아 주자 저항하지 않았다. 미셸은 그의 품에 안겨 몇 시간 동안이나 울었다. 더 이상 흘릴 눈물이 남아 있지 않을 때까지. 한번은 흐느끼며 목멘 소리로 "아빠"라고 말했다. 그녀 입에서 나온 유일한 말이었다. 말하는 능력을 아예 상실한 듯했다. 그녀는 마침내 진정제를 맞고 잠들었다.

미셸은 2주 동안 깊은 쇼크 상태에 빠진 상태로 입원해 있었다. 시간이 흐르며 히스테리 반응은 줄어들었고, 완전히 가라앉았다. 그래서 그녀의 베개를 부풀리거나 화장실로 데려가는 것도 가능해졌다. 그러나 여전히 말을 하지 않거나 하지 못했다. 심리학자는 미셸이 다시는 말을 되찾을 수 없을지도 모른다고 캔틀링에게 말했다. "그건 받아들일 수 없어." 그는 이렇게 말하고 미셸의 퇴원 수속을 밟는 동시에 그녀와 함께 이 불결한 지옥 구멍 같은 도시에서 나가려고 결심했다. 미셸이 언제나 유령이 나올 듯한 낡고 커다란 저택을 좋아했다는 사실을 그는 떠올렸다. 물가도 좋아했다. 바다, 강, 호수를. 캔틀링은 부동산 업자들과 상의했고, 메인 주 연안에 있는 커다란 저택을 검토했고, 최종적으로는 아이오와 주 페로의 높은 강변 절벽 위에 있는 스팀보트 고딕 양식의 커다란 저택을 선택했다. 그곳에 이사했을 때는 세부까지 빠짐없이 감독했다.

조금씩 회복이 시작되었다.

그녀는 어린애로 되돌아간 것 같았다. 호기심이 많고, 들떠 있고, 느닷없는 활력에 가득 차 있었다. 여전히 말을 하지는 않지만, 모든 것을 탐험하고 모든 곳을 돌아다녔다. 봄이 오자 지붕 위 망대로 올라가서 까마득하게 아래쪽을 흐르는 미시시피 강을 왕래하는 거대한 예인선들을 몇 시간씩 구경하곤 했다. 매일 저녁에는 절벽 위를 산책했다. 그의 손을 잡고. 그러던 어느 날 그녀는 몸을 돌려 그의 뺨에 느닷없이, 충동적으로 입을 맞췄다. "사랑해요, 아빠." 그녀는 이렇게 말하고는 후다닥 뛰어갔다. 캔틀링은 달려가는 그녀의 모습에서 20대 중반의 상처 입은 사랑스러운 여인을 보았고, 키가 크고 비쩍 마른 말괄량이 소녀의 모습도 보았다.

그날을 경계로 둑이 무너졌다. 미셸은 다시 말을 하기 시작했다. 처음에는 짧고 어린애 같은 문장이었다. 어린애의 두려움과 어린애의 순진함으로 가득 찬. 그러나 그 뒤로는 빠르게 성숙했고, 얼마 되지도 않아 그와 정치, 책, 예술 얘기를 나누는 데까지 발전했다. 저녁 산책을 하며 흥미로운 대화를 수도 없이 나눴다. 그러나 그녀는 성폭행에 관해 결코 언급하지 않았다. 단 한 번도. 단 한 마디도.

여섯 달 뒤에는 요리를 하고, 뉴욕에 있는 친구들에게 편지를 쓰고, 집안일을 돕고, 정원 손질에 열중했다. 여덟 달 뒤에는 다시 그림을 그리기 시작했다. 그것은 아주 좋은 영향을 끼쳤다. 이제 그녀는 매일 활짝 꽃 피는 것처럼 보였고, 점점 더 반짝이는 것처럼 보였다. 리처드 캔틀링은 딸이 그리기 좋아하는 추상화를 제대로 이해한 적이 없었다. 그는 구상 미술 쪽을 선호했고, 그중에서도 가장 좋아하는 것은 딸이 아직 대학에서 미술을 전공하고 있었을 때 그려 준 그녀의 자화상이었다. 그러나 그는 새롭게 캔버스에 그려진 그림들에서 고통을 느낄 수 있었다. 그녀가 일종의 엑소시즘을 실행하고 있다는 사실을 감지했다. 내면 깊숙한 곳에 난 상처에서 고름을 짜내려고 하는 것이다. 그도 그것에 찬성했다. 캔틀링 또한 글쓰기를 통해 향유(香油)를 바른 것처럼 상처가 치유되는 경험을 한 것이 한두 번이 아니었다. 어떤 의미에서는 딸이 부러웠다. 리처드 캔틀링은 지난 3년 동안 단 한 글자도 쓰지 못했다. 그의 최고 걸작인 《서명 기사》의 참담한 상업적 실패 이래 아예 글을 쓰지도 못하는 무기력한 상태에 빠졌던 것이다. 혹시 환경의 변화가 미셸의 경우처럼 그를 회복시켜 줄지도 모른다는 생각도 했지만 결국은 헛된 희망으로 끝났다. 그러나 적어도 그들 중 한 사람은 바쁘게 일하고 있었다.

그러던 어느 날 늦은 밤에 캔틀링이 잠자리에 들었을 때, 문이 열리더니 미셸이 조용히 들어와서 침대 가장자리에 앉았다. 맨발이었고, 조그만 분홍색 꽃으로 뒤덮인 플란넬제 나이트가운을 입고 있었다. "아빠." 그녀는 불명료한 목소리로 말했다.

침실 문이 열렸을 때 캔틀링은 잠에서 깬 상태였다. 그는 몸을 일으켜 앉으며 미소 지었다. "여어, 너 술 마셨구나."

미셸은 고개를 끄덕였다. "돌아갈 작정이에요. 아빠한테 그 얘기를 하려면 용기가 좀 필요할 것 같아서."

"돌아가?" 캔틀링은 말했다. "뉴욕에 다시 간다고? 설마 제정신으로 그런 소리를 하는 건 아니겠지!"

"가야 해요. 화내지 말아요. 예전보다 나아졌어요."

"여기 그냥 있어. 나하고. 미셸, 뉴욕은 사람 살 데가 못 돼."

"나도 돌아가고 싶지는 않아요. 두려우니까. 하지만 그래야 해요. 내 친구들은 모두 거기 있고, 내 일도 거기 있으니까. 내 인생도 거기 있어요, 아빠. 지미라는 친구가 있는데, 기억하죠? 지미는 조그만 페이퍼백 출판사의 미술 책임자인데, 표지화 그림 그리는 일을 몇 개 시켜 주겠다고 했어요. 편지에 그렇게 쓰여 있었어요. 그러니까 웨이트리스 노릇은 더 이상 안 해도 돼요."

"내 귀를 못 믿겠군." 리처드 캔틀링은 말했다. "거기서 그런 일을 당하고도, 어떻게 그 저주받은 도시로 돌아갈 수 있단 말이지?"

"그래서 돌아가려는 거예요." 미셸은 고집스럽게 말했다. "그 남자, 그 자가 한 일…… 그자가 나한테 한 일은……." 그녀는 말을 맺지 못했다. 그녀는 깊이 숨을 들이쉬고 평정을 되찾았다. "돌아가지 않는다면, 그자가 나를 거기서 쫓아낸 게 되어 버려요. 내 인생을, 내 친구들을, 내 그림을, 모든 걸 송두리째 빼앗아 간 게 되어 버리는 거예요. 난 그런 걸 용납할 수 없어요. 나한테 겁을 줘서 쫓아내게 할 수는 없는 거예요. 그래서 다시 돌아가서 내 걸 되찾고, 내가 두려워하지 않는다는 걸 보여 주려는 거예요."

리처드 캔틀링은 속수무책으로 딸을 바라보았다. 그는 손을 뻗어 그녀의 길고 부드러운 머리를 살짝 만졌다. 딸은 마침내 그도 이해할 수 있는 방식으로 뭔가를 털어놓았던 것이다. 그도 같은 일을 했을 것이라는 사실을 그는 알고 있었다. "나도 이해해." 그는 말했다. "네가 없으면 외롭겠지만, 난 이해해. 정말로."

"난 두려워요." 미셸이 말했다. "비행기 표를 사 놓았어요. 내일 출발하는."

"그렇게 빨리?"

"겁이 나서 포기하기 전에 빨리 해 버리려고 그랬어요. 이렇게 두려운 건 난생 처음이에요. 그 일이…… 그 일이 일어났을 때조차도 이렇게 두렵지는 않았어요. 웃기지 않아요?"

"아니." 캔틀링은 말했다. "그쪽이 사리에 맞아."

"아빠, 안아 줘요." 미셸이 말했다. 그녀는 그의 품 안으로 파고들어 왔다. 그녀를 껴안자 부들부들 떨고 있는 것이 느껴졌다.

"떨고 있구나."

미셸은 그에게 매달렸다. "기억하죠? 내가 아주 어렸을 때 악몽을 자주 꿨고, 한밤중에 엉엉 울면서 엄마하고 아빠 방으로 달려와서 침대로 파고들었던 거 생각나요?"

캔틀링은 미소 지었다. "생각나."

"오늘 밤에는 여기 있을래요." 미셸은 한층 더 세게 그를 껴안았다. "내일 난 혼자 거기로 돌아가잖아요. 오늘 밤은 혼자 있고 싶지 않아요. 있어도 되죠, 아빠?"

캔틀링은 부드럽게 몸을 떼어 내고 그녀의 눈을 들여다보았다. "정말 그러고 싶니?"

그녀는 고개를 끄덕였다. 작고, 재빠르고, 수줍어하는 듯한 어린애의 끄덕임.

그가 침대 커버를 젖히자 미셸은 그의 곁으로 파고들어 왔다. "가지 말아요." 그녀는 말했다. "화장실에도 가면 안 돼요. 알았죠? 그냥 나와 함께 여기 있어 줘요."

"여기 있을게." 그가 양팔로 그녀를 끌어안자 미셸은 그의 어깨에 머리를 얹고 침대 커버 아래의 몸을 웅크렸다. 그런 자세로 오랫동안 누워 있었다. 그녀 가슴 속의 심장 고동을 느낄 수 있었다. 마음을 위무(慰撫)하는 소리. 곧 캔틀링은 조금씩 잠에 빠져들기 시작했다.

"아빠?" 그의 품에서 미셸이 속삭였다.

그는 눈을 떴다. "미셸?"

"아빠, 난 제거해야 하는 게 있어요. 내 안에 있는 독을. 돌아갈 때 그걸 함께 가지고 가고 싶지 않아요. 꼭 제거해야 해요."

캔틀링은 말없이 그녀의 머리를 쓰다듬었다. 길고, 느리고, 착실한 손길로.

"기억나요? 어릴 적에 넘어지거나 친구하고 싸우면 엉엉 울면서 달려와서 아빠한테 호호 해 달라고 했던 거. 다쳤을 때는 언제나 그렇게 호호 해 달라고 했던 거 기억나죠?"

"응, 기억해." 캔틀링은 말했다.

"그럼 아빠는 언제나 나를 껴안아 주고 '우리 딸, 아픈 데가 어딘지 보여 줘'라고 말했고, 내가 그걸 보여 주면 거기 입을 맞추고 아픈 걸 낫게 해 줬죠. 기억하죠, 어디가 아픈지 보여 달라고 한 거?"

캔틀링은 고개를 끄덕였다. "응." 그는 조용한 목소리로 말했다.

미셸은 소리를 죽이고 울고 있었다. 그의 잠옷 위쪽이 축축해졌을 정도였다. "난 그걸 가지고 돌아갈 수 없어요, 아빠. 어디가 아픈지 보여 주게 해 줘요. 제발. 제발."

그는 그녀의 정수리에 입을 맞췄다. "그래."

그녀는 처음부터 얘기하기 시작했다. 띄엄띄엄, 속삭이듯이.

새벽빛이 침실 창문에 비쳤을 때도 그녀는 여전히 얘기하고 있었다. 그들은 한숨도 자지 않았다. 그녀는 실컷 울었고, 한두 번은 비명을 질렀고, 두꺼운 담요를 덮고 있었음에도 불구하고 자꾸 몸을 떨었다. 리처드 캔틀링은 그런 그녀를 한 번도 품에서 놓지 않았다. 단 한 번도. 단 한 순간도. 그녀는 아픈 곳을 보여 주었던 것이다.

● ○

베리 레이튼은 한숨을 쉬었다. "그건 당신이 했던 그 어떤 일과 비교하더라도 훨씬, 훨씬 더 좋은 일이었어. 만약 딱 거기서, 딱 거기까지만 하고 그만뒀더라면 만사 원만하게 끝났을 텐데 말이야." 그는 고개를 설레설레 흔들었다. "당신은 언제 글을 그만 써야 하는지를 결코 터득하지 못했어, 캔틀링."

"왜?" 캔틀링은 힐문했다. "자넨 좋은 사내야, 레이튼. 그러니까 말해 줘. 왜 이런 일이 일어나는지를. 왜지?"

기자는 어깨를 으쓱했다. 모습이 사라지기 시작하고 있었다. "골치를 썩이는 건 언제나 그놈의 육하원칙이었어." 그는 지친 목소리로 말했다. "어떤 사건이든 간에 취재하게 하면 난 누가 언제 어디서 무엇을 했는지를 알려 줄 수 있어. 어떻게 그랬는지까지도 알려 줄 수 있겠지. 하지만 왜냐고 묻는다면…… 흠, 소설가는 당신이잖아, 캔틀링. '와이(why)'

는 당신의 영역이지 내 영역이 아냐. 내가 그나마 안면이라도 튼 Y 자는 MCA 앞에 붙어 있는 것 정도였다고."

레이튼의 미소는 체셔 고양이처럼 그의 몸이 사라진 뒤에도 오랫동안 그 자리에 머무르고 있었다. 리처드 캔틀링은 멍하게 앉아 텅 빈 의자를 응시했고, 주인 없는 술잔 속에서 위스키에 잠긴 얼음덩이들이 천천히 녹는 광경을 바라보았다.

● ○

어느새 잠들었던 것 같다. 의자에서 밤을 새운 탓에 딱딱해진 몸이 쑤셨고, 추웠다. 그가 꾼 꿈은 어둡고 형태가 없었으며 공포로 가득 차 있었다. 이미 오후였다. 하루의 반이 지나가 버린 것이다. 안개에 휩싸인 듯한 몽롱한 상태로 아무 맛도 없는 아침 식사를 준비했다. 몸에서 정신이 분리되어 나온 듯한 느낌. 모든 동작이 느리고 서툴렀다. 커피가 끓자 머그잔에 따른 다음 집어 올렸다가 떨어뜨렸다. 머그잔은 산산조각이 났다. 캔틀링은 멍한 눈으로 뜨거운 갈색 액체가 타일 사이를 시냇물처럼 흐르는 광경을 내려다보았다. 치울 기력이 도저히 나지 않기 때문에 새 머그잔을 꺼내서 커피를 붓고 가까스로 몇 모금 넘겼다.

베이컨은 너무 짰다. 달걀은 콧물처럼 흐늘거려서 역겨웠다. 캔틀링은 반쯤 먹은 음식을 밀쳐 내고 검고 쓰디쓴 커피를 들이켰다. 숙취에 시달리는 듯한 기분이었지만 술이 문제가 아닌 것은 알고 있었다.

오늘이야. 그는 생각했다. 어느 쪽으로 구르든 간에 오늘 끝날 거야. 미셸은 되돌아가지 않을 것이다.《서명 기사》는 그가 쓴 여덟 번째 장편소설이었다. 그 뒤로는 한 권밖에 없다. 오늘 마지막 초상화가 도착할 것이다. 그의 아홉 번째 소설, 그의 마지막 소설의 등장인물이 말이다. 그걸로 끝이다.

혹은 시작에 불과할지도 모른다.

미셸은 얼마나 그를 미워하는 것일까? 그는 그녀에게 얼마나 큰 잘못을 저지른 것일까? 캔틀링의 손이 떨렸다. 머그잔 위로 넘친 커피로 손가락을 데었다. 그는 움찔하며 소리를 냈다. 고통은 너무나도 분명하지 않다. 화상. 불이 붙은 담배를 머리에 떠올렸다. 끝 부분이 조그만 빨간 눈처럼 빛나는. 구토감이 치밀어 올랐다. 캔틀링은 비틀거리며 일어나서 욕실로 뛰어들어 갔다. 아슬아슬하게 도착해서 변기에 방금 먹은 아침 식사를 쏟아 냈다. 그 뒤에도 힘이 빠져 움직일 엄두가 나지 않았다. 그는 차가운 흰색 도기 위로 축 늘어졌다. 머리가 핑핑 돈다. 누군가가 뒤에서 다가와서 그의 머리카락을 움켜잡고 변기 물에 처박은 다음 물을 흘려보내고, 흘려보내는 광경을 상상했다. 그러면서 계속 웃고, 더러워, 더러워, 내가 깨끗하게 해 주지, 넌 너무 더러우니까, 이렇게 말하며 물을 흘려보내고, 또 흘려보내고, 머리를 계속 누르고 있는 탓에 물과 토사물이 그의 입을 가득 채우고, 코로 들어오고, 급기야는 숨을 거의 쉴 수가 없고, 세계가 거의 칠흑처럼 검게 변하고, 거의 모든 것이 끝나는가 했지만, 다시 위로 끌어 올리고, 그가 헐떡이자 웃음을 터뜨리고, 다시 그의 머리를 누르고, 다시 물을 틀고, 또 틀고, 틀고, 틀었다. 그러나 이것은 그의 상상에 불과했다. 이곳에는 아무도 없다. 아무도. 욕실에 있는 사람은 캔틀링 혼자였다.

억지로 일어섰다. 거울에 비친 그의 얼굴은 노쇠했고 흙빛이었다. 머리카락은 불결하고 헝클어져 있었다. 등 뒤, 어깨 너머에 또 하나의 얼굴이 보였다. 창백하고 여윈 사내의 얼굴. 검은 머리를 중간에서 갈라 뒤로 넘겼다. 작고 동그란 안경알 뒤의 두 눈은 더러워진 얼음 색깔이다. 덫에 걸린 짐승처럼 끊임없이 희번덕거리는 눈. 덫에서 벗어나기 위해 자기 다리를 이빨로 끊을 것 같은 눈. 캔틀링이 눈을 깜박이자 얼굴은 사라져 있었다. 그는 차가운 물을 틀고 오목하게 오므린 양손으로 받아 얼굴에 끼얹었다. 까칠하게 자란 수염의 감촉. 면도할 필요가 있다. 그러나 그럴 시간은 없었다. 중요하지 않다. 그는 단지…… 단지…….

뭔가 강구해야 했다. 여기서 나가야 한다. 집을 나가 어딘가 안전한 곳으로 가야 한다. 그의 자식들이 찾지 못하는 곳으로.

그러나 안전한 곳은 어디에도 없다는 사실을 알고 있었다.

미셸에게 연락해야 한다. 말을 나누고, 설명하고, 간원해야 한다. 미셸은 나를 사랑하지 않는가. 그러니 용서해 줄 것이다. 용서하는 수밖에 없을 것이다. 그만둘 것이다. 그가 무슨 일을 해야 하는지 얘기해 줄 것이다.

캔틀링은 미친 듯이 거실로 달려가서 낚아채듯이 수화기를 집어 들었다. 미셸의 전화번호가 생각나지 않는다. 주위를 뒤져 주소록을 찾아낸 다음 마구 넘겼다. 여기다, 여기다. 그는 번호를 눌렀다.

발신음이 네 번 울렸다. 그러더니 누군가가 전화를 받았다.

"미셸?" 그는 입을 열었다.

"안녕하세요." 그녀가 말했다. "미셸 캔틀링의 번호지만, 지금은 집에 없어요. 삑 소리가 들린 다음 이름하고 전화번호를 남겨 주시면 나중에 걸겠습니다. 뭘 팔려고 걸었다면 안 그럴 거지만."

삑 하는 신호음이 울렸다. "미셸, 거기 있니?" 캔틀링이 말했다. "대답하고 싶지 않을 때 자동 응답기 뒤에 숨어 있을 때가 있다는 걸 알아. 나야. 전화를 받아 줘. 제발."

아무 반응도 없었다.

"그럼 나중에라도 걸어 줘." 그는 말했다. 지금 한꺼번에 얘기해 버리고 싶었다. 너무 서두르는 통에 말이 꼬였다. "난, 넌, 넌 그러면 안 돼. 제발 설명하게 해 줘. 난 절대로, 절대로 그럴 생각이 아니었어. 그러니까 제발……" 또다시 삑 소리가 울리더니 뚜뚜 하는 통화음이 들렸다. 캔틀링은 수화기를 응시하다가 천천히 내려놓았다. 틀림없이 걸어 줄 것이다. 그럴 수밖에 없다. 딸이 아닌가. 서로를 사랑하지 않는가. 설명할 기회를 줄 것이다. 물론 예전에도 설명하려고 한 적이 있지만.

●○

집의 초인종은 구식이었다. 현관문 밖으로 튀어나온 놋쇠 열쇠다. 손으로 직접 돌려야 하고, 그러면 다그치는 듯한 금속성이 시끄럽게 들리는 방식이다. 그리고 지금 누군가가 그것을 미친 듯이 돌리고, 돌리고, 돌리고, 또 돌리고 있다. 캔틀링은 완전히 당혹한 표정으로 현관문으로 달려갔다. 그는 누구와도 쉽게 친해지는 성격이 아니었고, 지금처럼 일상 습관이 굳어져 버린 뒤로는 한층 더 그러는 것이 어려워졌다. 페로에 진짜 친구는 없었다. 안면이 있는 사람은 몇 명 되지만, 그들 중 이렇게 느닷없이 찾아와서 이토록 세차고 결연하게 초인종을 울릴 만한 사람은 아무도 없었다.

그는 사슬을 벗고 문을 활짝 열어젖혔다. 그 탓에 초인종 열쇠가 미셀의 손에서 빠져나왔다.

벨트가 달린 레인코트 차림에 털실로 짠 스키 모자를 쓰고 거기 맞춘 목도리를 두르고 있었다. 목도리와 흐트러진 머리카락 몇 가닥이 바람에 계속 휘날리고 있었다. 무릎 밑까지 올라오는 패셔너블한 부츠를 신고 커다란 가죽 숄더백을 메고 있었다. 건강해 보였다. 캔틀링이 그녀를 본 것은 거의 1년 만이다. 지난 크리스마스에 뉴욕을 방문했을 때 본 것이 마지막이었다. 미셸이 동부로 이주한 지 2년이 흘렀다.

"미셸." 캔틀링은 말했다. "설마 네가…… 깜짝 놀랐어. 뉴욕에서 이 먼 곳까지 오면서 미리 연락조차 안 하다니?"

"안 했어." 그녀는 내뱉었다. 뭔가 이상하다. 말투도, 눈빛도. "미리 경고하고 싶지 않아서 그랬어, 이 나쁜 새끼. 나한테도 아무 경고 안 해 줬잖아."

"아무래도 화가 난 것 같군." 캔틀링이 말했다. "들어와서 얘기하자."

"얘기 안 해도 들어갈 거야." 미셸은 그를 밀치고 들어왔고, 초인종이 절로 울릴 정도로 세차게 현관문을 걷어차서 닫았다. 찬바람이 불지 않는 곳으로 들어오자 그녀의 얼굴은 한층 더 경직되었다. "내가 왜 왔는지 알고 싶어? 난 지금부터 내가 당신을 어떻게 생각하는지 얘기해 줄 거야. 그런 다음 뒤로 돌아서 나갈 거야. 이 집에서 아예 나가서, 당신의 빌어먹을 인생에서 완전히 사라져 버릴 거라고. 엄마가 그랬던 것처럼 말이야. 엄마는 똑똑했지. 난 아니지만. 당신이 나를 사랑한다고 믿어 버릴 정도로 난 멍청했고, 당신이 나를 위한다고 생각할 정도로 맛이 가 있었던 거야."

"미셸, 제발이니 그만둬." 캔틀링은 말했다. "그건 오해야. 난 너를 사랑해. 넌 내 귀여운 딸이잖아, 그렇지?"

"지랄하지 마!" 그녀는 그를 향해 절규하고 숄더백에 손을 집어넣었다. "이걸 사랑이라고 부르다니, 이 비열한 새끼!" 그녀는 그것을 꺼내서 그를 향해 내던졌다.

캔틀링은 예전만큼은 민첩하지 못했다. 몸을 숙여 피하려고 했지만 목 옆에 맞았다. 고통이 몰려왔다. 미셸은 혼신의 힘을 다해 그것을 던졌다. 가벼운 페이퍼백이 아니라 크고 두껍고 육중한 하드커버였다. 양탄자 위를 구르며 책장이 펄럭였다. 캔틀링은 책 표지 뒤쪽에 인쇄된 그 자신의 얼굴 사진을 내려다보았다. "네 어머니와 똑같군." 그는 책에 맞은 목 부분을 문지르며 말했다. "그 여자도 언제나 이렇게 물건을 던지곤 했지. 네 조준이 더 정확하긴 하지만." 그는 힘없이 웃었다.

"당신 농담 따위엔 관심이 없어." 미셸이 말했다. "난 절대로 당신을 용서하지 않을 거야. 절대로. 영원히. 난 단지 당신이 어떻게 나한테 이런 짓을 할 수 있었는지를 알고 싶어서 왔어. 그러니까 당장 얘기해. 지금 당장."

"내가." 캔틀링은 말했다. 그는 무기력하게 양손을 내밀었다. "그러니까 난…… 넌 지금 너무 흥분했어. 일단 커피라도 마시고, 좀 침착해진 다음에 얘기하면 어떨까. 여기서 이렇게 대판 싸움을 벌이고 싶지는 않아."

"당신 같은 개새끼가 뭘 원하든 난 상관 안 해!" 미셸은 고함을 질렀다. "당장 여기서 얘기해야겠어!" 그녀는 바닥에 떨어진 책을 걷어찼다.

리처드 캔틀링은 그의 마음에도 분노가 숫구치는 것을 자각했다. 이런 식으로 그에게 고함을 지를 권리는 그녀에게도 없다. 그는 이렇게 규탄받을 만한 짓은 전혀 하지 않았던 것이다. 그러나 그는 아무 말도 하지 않았다. 행여나 안 좋은 말을 해서 사태를 더 악화시키고 싶지는 않았기 때문이다. 그는 한쪽 무릎을 꿇고 자기 책을 집어 들었다. 무심코 먼지를 털어 내고, 거의 상냥하게 보일 정도의 동작으로 뒤집어 보았다. 제목이 그를 노려보았다. 검은 배경에 뚜렷하고 삭막하게 부각된 뒤틀린 빨간 글자들. 젊고 예쁜 여자의 일그러진 얼굴. 비명을 지르고 있는 열린 입. 《어디가 아픈지 보여 주렴》.

"네가 오해하지나 않을까 걱정하고 있었어." 캔틀링은 말했다.

"오해라고!" 미셸은 말했다. 믿지 못하겠다는 표정이 그녀의 얼굴을 스쳐 갔다. "내가 이걸 마음에 들어 할 거라고 생각했어?"

"그 확신은 없었어." 캔틀링은 말했다. "그러니까…… 네가 어떤 반응을 보일지 자신이 없었던 거야. 그래서 무슨 책을 쓰고 있는지는 얘기 안 하는 것이 낫다고 생각했어. 그러니까, 이 책이…….""

"이 빌어먹을 책이 서점 윈도에 진열될 때까지 말이지." 미셸이 그의 말을 끝맺었다.

캔틀링은 제목이 인쇄된 책장을 넘겼다. "이걸 봐." 그는 책을 내밀었다. "난 너에게 이 책을 헌정했어." 그는 그 부분을 보여 주었다.

아픔을 알고 있는 미셸에게

미셸은 캔틀링의 손에 들린 책을 쳐서 떨어뜨렸다. "비열한 새끼." 그녀는 말했다. "이런다고 그게 나아질 거라고 생각한 거야? 이 구역질나는 헌사가 당신이 한 짓의 변명이 될 거라고 생각했어? 그 무엇도 변명 거리가 될 수 없어. 난 당신을 절대로 용서 안 할 거야."

미셸의 분노한 형상에 주춤한 캔틀링은 자기도 모르게 한 걸음 뒤로 물러났다. "난 나쁜 짓을 하지 않았어." 그는 고집스럽게 말했다. "난 책을 썼을 뿐이야. 소설을. 그게 죄야?"

"당신은 내 아버지잖아." 그녀는 절규했다. "이 망나니 같은 새끼. 당신은 알아…… 알고 있었다고. 내가 도저히 그 얘길 하지 못한다는 걸. 어떤 일이 일어났는지 털어놓지 못한다는 걸. 애인한테도 못 털어놓고, 친구들한테도 못 털어놓고, 내 치료사한테조차도 털어놓지 못한다는 걸. 난 그럴 수 없어. 절대로 그럴 수가 없어. 생각조차도 할 수 없다고. 당신은 알잖아. 내가 얘기했으니까. 난 당신한테만은 얘기했어. 당신이 내 아버지이기 때문에 당신을 믿었고, 그걸 밖으로 쫓아내야 했기 때문에 얘기했던 거야. 그건 사적인 대화였어. 우리 두 사람만 알고 있어야 하는. 당신은 그걸 알고 있었지만, 실제로는 무슨 짓을 했지? 빌어먹을 책에 그걸 몽땅 옮겨 놓고 몇백만이나 되는 독자를 상대로 출간했잖아! 개새끼. 이 비열한 새끼. 처음부터 그럴 작정이었던 거야? 정말 그랬어? 그날 밤 침대에서, 내가 하는 말을 모조리 기억하고 있었던 거야?"

"나는……." 캔틀링은 말했다. "아냐. 난 아무것도 기억할 생각이 없었어. 단지, 뭐랄까, 그냥 머리에 들어 있었던 거야. 넌 모든 걸 오해하고 있어, 미셸. 이건 너한테 일어난 일을 다룬 책이 아냐. 그래, 영감을 얻은 건 사실이고, 그게 단초가 되어 준 건 맞지만, 픽션이라고. 난 내용을 바꿨어. 이건 그냥 소설에 불과해."

"아, 그래요, 아빠? 제대로 내용을 바꿔 놓으셨더군요. 미셸 캔틀링 대신 니콜 미첼이라는 주인공에 관한 거고, 직업은 화가가 아니라 패션 디자이너고, 또 머리도 좀 모자란다, 이거죠? 정말로 바꾸려고 그렇게 바꾼 거야, 아니면 내가 그런 곳에 살 정도로 멍청했고, 그런 자식이 침입하도록 내버려 뒀을 정도로 멍청했다고 생각한 거야? 맞아, 전부 픽션이겠지. 소설 속의 그 여자가 감금당하고, 강간당하고, 고문당하고, 위협받고, 또 강간당한 거하고, 당신 딸이 감금당하고, 강간당하고, 고문당하고, 위협당하고, 위협받고, 또 강간당한 건 우연의 일치다, 이거지. 그래, 그건 그냥 빌어먹을 우연의 일치에 불과했던 거야!"

"넌 오해하고 있어." 캔틀링은 힘없이 말했다.

"아니. 오해하고 있는 건 당신이야. 그게 어떤 일인지도 모르면서. 이건 몇 년 만에 나온 히트작이 맞지? 베스트셀러 1위. 그 전에는 한 번도 1위에 오른 적이 없었고, 《힘든 세월》 뒤로는 아예 베스트셀러 목록에도 끼지 못했잖아. 아니, 《흑장미》 이래였던가? 그래 맞아, 베스트셀러 1위가 된 것도 당연해. 이건 몰락한 신문에 관한 따분한 얘기가 아니라 강간을 다룬 거잖아. 그래, 이것보다 더 세고 좋은 게 어디 있겠어? 섹스에 폭력에 고문에 떡 치는 얘기에 공포가 가득한 데다가 실제로 일어난 일이기까지 하니." 미셸의 입이 일그러지며 부들부들 떨렸다. "그건 나한테 일어난 최악의 일이었어. 지금도 가끔 비명을 지르며 깨곤 하지만 점점 나아지고 있었어. 과거의 것이 되어 가고 있었다고. 그런데 이제 서점이란 서점의 진열창에 그게 늘어서 있고, 내 친구들 모두가, 모든 사람이 알게 됐고, 파티에서 다가온 낯선 사람한테는 정말로 안됐다는 얘기를 듣고." 미셸은 울음이 나오려는 것을 억지로 참았다. 분노와 슬픔의 어딘가에 있는 상태였다. "그래서 당신이 쓴 이 책을, 아무 쓸모도 없는 이 개 같은 책을 집어 들어 보니, 뚜렷한 활자로 모조리 까발려져 있었던 거야. 정말이지 누구도 따라올 수 없는 최고의 작가야, 우리 아빠는. 이렇게까지 생생하게 묘사할 수 있다니. 한번 펼치면 모두 읽을 때까지 절대로 내려놓을 수 없는 책을 쓰다니. 아, 나는 내려놓았지만 아무 소용도 없었어. 거기 다 있으니까. 앞으로도 거기 영원히, 고스란히 남아 있을 테니까, 안 그래? 매일매일 세상에 있는 누군가가 이 책을 집어 들고 읽게 될 거고, 그럼 난 또 강간당하는 거지. 당신이 한 짓은 바로 그거야. 그 자식을 대신해서 끝장을 내 준 거지. 당신은 내 동의 없이 나를 짓밟았어. 그 자식이 그랬던 것처럼. 당신도 나를 강간한 거야. 친아버지인데, 나를 강간했던 거야!"

"그건 공평하지 못해." 캔틀링은 말했다. "네게 상처를 줄 생각은 추호도 없었어. 이 책에서…… 주인공인 니콜은 강하고 총명해. 괴물은 니콜이 아니라 바로 그 사내야. 그자는 온갖 이름들을 쓰지. 공포는 수없이 많은 이름을 가지고 있지만, 그 얼굴은 단 하나이기 때문이야. 그러니까 그는 한 명의 사내가 아니라, 암흑이 체화(體化)한 존재고, 우리들 모두를 잡으려고 기다리고 있는 무의미한 폭력, 우리를 파리처럼 가지고 노는 신, 이 모든 것의 상징인 거고—."

"그자는 나를 강간한 사내라고! 상징이 아니라!" 미셸은 너무나도 큰 소리로 절규했고, 그런 분노 앞에서 리처드 캔틀링은 뒷걸음질 치는 수밖에 없었다. "아냐. 그는 그냥 소설의 등장인물에 불과해. 그자는…… 미셸, 네가 상처 받은 건 나도 알아. 하지만 네가 겪어야 했던 일에 대해 사람들은 알아야 하고, 생각해 봐야 해. 그건 삶의 일부니까. 삶에 관해 얘기해 보고, 거기서 의미를 찾는 건 문학이 해야 할 일이고, 내가 하는 일이야. 누군가는 네 얘기를 했어야 했어. 난 그걸 진실로 만들려고 노력했고, 최선을 다해서—."

눈물에 젖고 벌겋게 달아오른 딸의 얼굴은 한순간 거의 짐승처럼 보였다. 알아볼 수 없을 정도였고, 비인간적이었다. 이윽고 기묘하게 침착한 표정이 얼굴을 가로질렀다. "하나는 제대로 맞췄더군." 그녀는 말했다. "니콜에겐 아버지가 없었으니까. 내가 어렸을 적에는 울면서 아빠한테 달려가서 아픈 곳을 보여 줬지. 그건 우리만 아는 특별한 비밀이었어. 하지만 책에서 니콜은 아버지가 없었어. 그 괴물한테 그 역할을 넘겼거든. 책에서 어디가 아픈지 보이라고 얘기하는 건 언제나 그 작자야. 정말이지 얄궂어. 정말 당신은 교활해. 그자가 그렇게 말하면 정말로 현실에서 빠져나온 듯한 느낌을 주거든. 실물보다 더 진짜 같은 느낌이니. 당신은 그걸 제대로 썼어. 책에서 괴물은 이렇게 얘기하지. 어디가 아픈지 얘기해 보라고. 괴물의 대사였어. 니콜은 아버지가 없어. 죽었으니까. 그래, 그것도 맞아. 나도 아버지가 없으니까. 그래, 아버지 따윈 없어."

"감히 나한테 그런 말을 하다니." 리처드 캔틀링은 말했다. 그로 하여금 그런 말을 하게 만든 것은 내면의 공포였다. 수치심이었다. 그러나 밖으로 나온 것은 분노였다. "네가 무슨 일을 겪었든 간에 그것만은 용납할 수 없어. 나는 네 아버지니까."

"아냐." 미셸은 미친 듯이 히죽거리며 그에게서 뒷걸음질 쳤다. "아냐. 내겐 아버지가 없고, 당신에겐 자식이 없는 게 맞아. 책에 나오는 것들을 제외하면 말이야. 그것들이 당신 아이야. 당신의 유일한 자식들이지." 이렇게 말하고 그녀는 몸을 돌려 그의 곁을 지나쳤고, 현관 복도를 달려갔다. 그녀는 그의 서재 문 앞에서 멈춰 섰다. 저러다가 무슨 짓을 할지도 모른다는 불안감이 캔틀링을 엄습했다. 그는 그녀 뒤를 따라 달렸다.

그가 서재에 도착했을 때 미셸은 이미 단검을 찾아내서 행동에 나서고 있었다.

●○

리처드 캔틀링은 침묵하고 있는 전화기 옆에 앉아 대형 괘종시계의 시침이 어둠을 향해 째깍거리며 나아가는 광경을 바라보고 있었다.

세 시에, 네 시에, 다섯 시에 미셸의 번호에 전화를 걸어 보았다. 대답한 것은 언제나 기계, 조롱하는 듯이 그녀 목소리로 말하는 기계였다. 그가 남기는 메시지는 점점 더 절망적으로 변해 갔다. 집 밖이 어둑어둑해지고 있었다. 빛이 스러지고 있었다.

포치 위를 걷는 소리는 들리지 않았고, 현관문을 두드리는 소리도 들리지 않았고, 낡은 놋쇠 초인종이 그를 소환하는 귀에 거슬리는 금속성도 들리지 않았다. 무덤처럼 고요한 오후였다. 그러나 밤의 어둠이 주위를 덮었을 때 그는 그것이 밖에 있다는 사실을 알고 있었다. 갈색 종이로 포장된 커다란 사각형 소포가. 그가 잘 아는 필체로 주소를 써 넣은 소포가. 안에 초상화가 들어 있는.

그가 제대로 이해하지 못했기 때문에, 그녀가 가르쳐 주고 있는 것이다.

시계가 째깍거린다. 어둠이 더 짙어졌다. 현관문 밖에서 그를 기다리는 존재의 느낌이 집 안 전체를 가득 채우는 듯했다. 그의 두려움은 몇 시간 동안이나 커져 가고만 있었다. 그는 안락의자 위에서 무릎을 꿇고 앉아 있었다. 멍하게 입을 벌리고 생각하고, 기억한다. 잔인한 웃음소리를 들었다. 어둠 속에서 희미하게 빨간색으로 빛나며 움직이고, 원을 그리는 담배 끄트머리를 보았고, 살갗에 와 닿는 그것의 작고 뜨거운 입맞춤을 상상했다. 오줌, 피, 눈물을 맛보았다. 온갖 종류의 폭력을 경험했고, 성폭력을 경험했다. 그자의 손, 그자의 목소리, 그자의 얼굴, 얼굴, 얼굴. 십여 개의 이름을 가진 등장인물. 그러나 공포는 단지 하나의 얼굴만을 가지고 있을 뿐이다. 그의 막내. 그의 아기. 그의 괴물 같은 아기.

너무나도 오랫동안 글을 쓸 수 없었어. 캔틀링은 생각했다. 그걸 그 아이한테 이해시킬 수만 있다면. 글이 나오지 않는다는 것은 일종의 불능 상태나 마찬가지다. 그는 작가였지만, 그건 이미 끝난 일이다. 남편이었지만, 아내는 이미 죽었다. 아버지였지만, 딸은 회복하고 뉴욕으로 돌아가 버렸다. 그를 홀로 남겨 두고. 하지만 그 마지막 날 밤, 그의 품에 안겨서 그녀는 이야기를 해 주었고, 어디가 아픈지를 보여 주었고, 그에게 모든 고통을 남겨 두고 갔다. 그걸 내가 어떻게 했어야 한단 말인가?

그 뒤에도 잊을 수가 없었다. 계속 그 생각만 했다. 머릿속에서 그 모양을 바꾸고, 그것을 이해하기 위한 말을, 장면을, 상징을 모색하기 시작했다. 추악했지만 그것은 인생, 강렬하고 생생한 인생이었다. 그것은 캔틀링이라는 제분기가 빻을 수 있는 곡식이었고, 바로 그가 필요로 하던 것이었다. 그녀는 어디가 아픈지를 그에게 보여 주었고, 그는 그것을 모두에게 보여 줄 수 있었다. 저항하려고 했다. 저항을 시도했던 것이다. 단편과 에세이를 하나씩 쓰고, 몇몇 서평도 썼다. 그러나 그것은 돌아왔다. 밤마다 그에게 돌아왔다. 절대 거부당하지 않겠다는 듯이.

그는 그것을 글로 옮겼다.

"유죄야." 캔틀링은 어두운 방 안에서 말했다. 그가 이 말을 입에 담자, 일종의 체념에 가까운 감정과 함께 공포가 걷히는 것을 느꼈다. 그는 유죄였다. 그는 그런 짓을 했다. 그리고 그 죄과를 받을 것이다. 당연히 그래 마땅하다.

리처드 캔틀링은 일어서서 현관으로 갔다.

소포는 그곳에 있었다.

집 안으로 끌고 들어와서, 포장한 채로 층계를 올라갔다. 다른 것들과 함께 걸어 놓을 작정이었다. 더너후와 씨시와 베리 레이튼의 초상과 함께, 나란히. 그렇다. 그는 망치를 가지고 와서 신중하게 장소를 정한 다음 못을 박았다. 그런 다음에야 포장을 끄르고 안에 있던 얼굴을 바라보았다.

그 어떤 화가도 하지 못했던 방식으로 그녀를 포착하고 있었다. 얼굴의 선, 각지고 높은 안골, 잿빛이 도는 헝클어진 금발뿐만 아니라, 내면의 성격까지 보여 주고 있었던 것이다. 정말로 젊고 생기 있고 자신감에 차 있었고, 강인함을, 용기를, 고집스러움을 볼 수 있었다. 그러나 무엇보다도 마음에 드는 것은 그녀의 미소였다. 정말 사랑스러운 미소였고, 그녀의 얼굴 전체를 밝히고 있었다. 예전에 알고 지내던 누군가를 생각나게 하는 미소였다. 누군지는 생각나지 않았다.

리처드 캔틀링은 짧게나마 기묘한 안도감을 맛보았다. 뒤이어 그보다 더 큰 상실감이 찾아왔다. 이 상실감은 너무나도 끔찍하고 결정적이고 완전무결했기에, 그가 숭배하는 글의 힘조차도 미치지 못한다는 사실을 알았다.

그러자 그런 느낌이 사라졌다.

캔틀링은 뒤로 물러나서 팔짱을 끼고 네 장의 초상화를 찬찬히 뜯어

보았다. 실로 훌륭한 솜씨다. 보고 있으면 집 안에 그들이 와 있다는 느낌을 받을 정도로.

더너 후, 나의 장남, 내가 그렇게 되고 싶었던 존재.

씨시, 나의 진정한 연인.

베리 레이튼, 현명하고 지친 나의 분신.

니콜, 결코 가지지 못했던 나의 딸.

그의 가족. 그의 등장인물. 그의 아이들.

●○

몇 주 뒤에 훨씬 작은 소포 하나가 도착했다. 상자 안에는 그가 쓴 소설 네 권과 청구서 그리고 다음 의뢰를 할 용의가 없는지를 묻는 화가의 예의 바른 메모가 들어 있었다.

리처드 캔틀링은 그럴 생각이 없다는 답변을 보내고 수표로 청구 금액을 지불했다.

어느 작가의 초상

김상훈(SF평론가)

20세기 SF의 역사는 잡지의 역사였다. 근대소설에 '과학'을 도입한 위대한 교부(敎父) 에드거 앨런 포는 작가인 동시에 잡지 편집자였고, SF의 아버지로 간주되는 H. G. 웰스와 쥘 베른의 작품들 상당수도 잡지에 게재되었다. 1926년 4월에 휴고 건스백이 창간한 〈어메이징 스토리스〉는 사이언스 픽션 장르의 탄생을 알린 신호탄이었다. 향후 90여 년에 걸쳐 미국을 중심으로 창간되고, 폐간되고, 복간된 수백 종의 SF 잡지들은 상업적인 제약하에서도 민감하게 시대정신을 반영하며 장르의 구심점 역할을 수행해 왔다. SF 잡지의 편집자와 작가와 독자 들은 밀접하게 교류하며 일찍이 유례를 볼 수 없을 정도로 강한 연대 의식으로 맺어진 '팬덤'[1]을 형성했다. 절대다수가 팬덤 출신이었던 신인들은 치열한

---

1 '신봉자'라는 뜻의 fan과 영지나 왕국을 의미하는 접두사 'dom'을 결합한 이 신조어는 원래는 협의의 SF 독자층을 지칭하던 용어였다.

경쟁을 뚫고 데뷔하기 위해 몇백 장의 불채택 통지를 받는 것도 마다하지 않고 성공할 때까지 퇴고와 투고를 계속했다. 극소수의 예외를 제외하면 거의 모든 작가가 잡지를 통해 등단했고, 등단한 뒤에도 꾸준하게 중단편들을 게재하며 친정인 팬덤과의 접점을 유지했다. 1980년대 이전에는 장편조차도 잡지에 분할 연재하는 것이 일반적이었으며, 잡지를 거치지 않고 처음부터 하드커버 단행본으로 신작을 낸다는 것은 성공한 작가의 상징이었다.

조지 R. R. 마틴은 바로 이런 전통적인 출판 환경에서 자라나서 데뷔했으며, 《조지 R. R. 마틴 걸작선: 꿈의 노래》(이하 《꿈의 노래》)는 그런 그의 문학적 여정과 떼려야 뗄 수 없을 정도로 밀접하게 얽혀 있는 팬덤과의 관계를 통시적으로 보여 주는 기록이기도 하다. 1권 해설에서도 언급했듯이 작가이자 비평가인 토머스 M. 디시는 〈판타지 앤드 사이언스 픽션〉 1981년 2월호에 실린 에세이에서 마틴을 필두로 하는 노동절 그룹(Labor Day Group)의 작가들이 라이프스타일[生活樣式] SF로 지칭되는, 과도하게 팬덤을 의식하고 주제 의식을 결여한 직인적(職人的)인 작품들을 양산함으로써 SF 전체의 질의 저하를 가져왔다고 맹비난했다. 마틴은 출판계 전체에 상당한 파문을 일으킨 디시의 LDG 비판에 대해, 위대한 예술은 대중적일 수 없고 대중소설은 예술이 되지 못한다는 뉴웨이브 진영의 암묵적인 논리에는 "아무 설득력도 없다"며 강한 어조로 반박했다. 이런 반응은 팬덤 "밑바닥부터 올라온" 마틴의 체험과도 무관하지 않겠지만, 한 걸음 더 나아가서 진짜 소설이란 (장르를 막론하고) "테제와 안티테제 그리고 그 변증법적 산물로서의 진테제"라고 단언하는 대목에서 마틴의 주장은 단순한 반론을 넘어 정치적, 문학적 매니페스토의 양상을 띠기 시작한다.

대중문학을 이른바 순수문학의 대립 항에 놓는 전(前)세기적인 (마틴의 표현을 빌리자면 저속한) 이분법은 캐나다 작가 마거릿 애트우드의 예에서 볼 수 있듯이 한국 문학만의 전유물은 아니며, 종종 장르 내부에서조차도 타 장르에 대한 배척이라는 형태로 발현되곤 한다. 이와 관련해서 마틴이 본서의 작가 〈서문〉에서 피력한 '가구의 법칙'은 곧잘 장르의 그런 타자화 경향에 대한 위트 넘치는 반론으로 받아들여지는 경우가 많지만, 좀 더 분석적인 시각에서 바라본다면 장르 구분의 무의미함을 적극적으로 설파했다기보다는 소설의 필수 요소인 서사와 은유의 중요성을 역설한 귀납적인 도덕률에 가깝다. 마틴의 주장대로 모든 서사는 궁극적으로는 심적 갈등을 둘러싼 "낡은 이야기"로 귀속될지도 모르지만, 그것이 애당초 당사자의 도구적(가구적?) 선택을 가능하게 해 준 우주관(宇宙觀)의 본질적인 차이까지 설명해 주지는 않기 때문이다[2]. 라이프스타일 SF의 가장 큰 약점 중 하나가 외연 확대에 대한 무관심함 내지는 자기 완결성[3]이었다는 점을 감안하면, 의도적으로 여러 장르를 넘나든다는 행위는 마틴에게는 역설적으로 작가로서의 정체성을 보강해 주는 요소로 작용했을 공산이 커 보인다.

---

2 장르는 절충적일 수는 있어도 편의주의적인 미메시스의 대상은 될 수 없으며, 메타 인식을 결여한 'SF 기법'이나 '추리 기법'의 기계적 차용은 필연적으로 실패할 수밖에 없다는 지적이 나오는 것도 바로 이런 이유에서다.
3 1970년대에 부상한 일본 대중문화의 '오타쿠' 개념과도 맞닿아 있는 특징이다.

그런 맥락에서 《꿈의 노래》 4권 전체를 차지하고 있는 제9장 〈갈등하는 마음〉의 라인업은 걸작선인 동시에 작가의 인생을 돌아보는 회고문집(Retrospective)이기도 한 이 책의 마지막 장답게 매우 시사적이다. 첫 주자인 〈포위전〉(1985)은 슬릭 잡지인 〈옴니〉에 실린 작품으로 정신적 시간 여행이라는 아이디어와 역사적 사실과의 정밀한 상호작용이 돋보이는 단편이며, 1권에 수록된 〈습작 시대〉의 역사소설 〈요새〉를 SF의 형태로 20년 만에 되살려 냈다는 점에서 편찬자인 마틴의 의도가 엿보인다. 중편 〈스킨 트레이드〉(1988)는 초등학생 시절의 습작에서 〈잃어버린 땅에서〉(1982)에 이르기까지 마틴이 쓴 판타지의 단골 소재였던 늑대인간을 또다시 등장시킨 하이브리드 호러다. 잉글랜드의 거장 클라이브 바커의 단편 〈금지된 곳(The Forbidden)〉(1985)[4]에서 쓰인 '소환'의 아이디어에서 영감을 얻어 아메리카 선주민들의 스킨워커(Skin-walker) 전승을 하드보일드의 무대에 이식한 듯한 느낌을 주는 이 중편은 여러 방면에서 호평을 받았고, 이듬해인 1989년도의 세계 환상문학상을 수상했다. 3권의 작가 〈서문〉에도 나와 있듯이 마틴은 할리우드 생활이 끝나 가던 1991년에 〈스킨 트레이드〉의 드라마화를 추진했지만 결국은 우선순위에서 〈도어웨이즈〉에게 밀려 성사되지 않았다. 그러나 2015년 들어 HBO 계열의 시네맥스에서 원작자인 마틴을 책임 프로듀서로 초빙, 이 중편의 드라마화를 재추진 중인 것으로 알려지면서 또다시 화제에 올랐다. 〈스킨 트레이드〉는 〈와일드카드〉 시리즈와 더불어 예전부터 꾸준하게 영화화 소문이 돌던 작품이기도 했지만, 그 이면에는

---

4 훗날 바커 본인에 의해 〈캔디맨〉(1992)이라는 제목으로 영화화된 바로 그 작품이다.

작가로서 〈얼음과 불의 노래〉 시리즈의 집필에 매진하면서도 할리우드와의 끈을 여전히 놓지 않고 있는 마틴의 숨은 노력이 있었던 것으로 알려졌다. 뭐든 버리지 않고 일단 보관해 두면 좋은 일이 생긴다는 예의 좌우명이 빛을 발했다고나 할까.

마틴의 운명을 갈라놓은 야심작 《아마겟돈 래그》(1983)의 집필에 매진하던 시기에 발표한 〈불완전한 베리에이션〉(1982)은 엑스퍼트급 체스 플레이어이자 노스웨스턴 대학 체스팀의 주장을 맡기도 했던 마틴이 쓴 유일한 체스 SF다. 〈천 개의 세계〉에 속한 작품들과는 달리 현대를 무대로 한 자전적인 중편이며, 체스라는 상징적 게임을 통해 여러 번의 좌절을 겪고 실의에 빠진 중년 주인공의 부활을 은유하는 마틴의 노련한 수완이 돋보인다. 참고로 원제인 〈Unsound Variations〉는 승리가 힘들거나 불가능한 체스의 오프닝들을 의미하는데, 제6장의 작가 〈서문〉에서도 언급되는 로저 젤라즈니의 휴고상 수상 단편 〈유니콘 베리에이션〉(1981)을 염두에 두고 붙인 제목으로 보인다.

〈아시모프스 사이언스 픽션〉지에 게재된 〈유리꽃〉(1986)은 마틴이 용두사미격으로 종영된 〈환상특급〉 시즌 2와 〈와일드카드〉 시리즈의 출간에 모든 에너지를 쏟아붓던 시기에 단독으로 발표한 유일한 단편 SF다. 화려함과 그로테스크함이 공존하는 〈천 개의 세계〉 신화 체계를 구성하는 가장 중요한 인물 중 하나인 클레로노마스가 직접 등장하는 이 단편은 마틴이 토로했듯이 이 시리즈의 (아마) 마지막 작품이자 오마주로서 쓰였는데, 작가업과 프로듀서업의 간극에서 고민하던 당시 그의 심리 상태를 반영한 듯한 섬세하고 우수에 찬 필치가 인상적이다.《꿈의 노래》제9장의 핵심 주제이기도 한 불멸과 재생을 화두로 삼아, 〈리아에게 바치는 노래〉이래 마틴이 줄곧 천착해 온 "유한한 수명을 가진 존재인 인간에게 가치 있는 행동이란 무엇인가?"라는 철학적 명제를 가장 순수하고 명확한 형태로 추출해 냈다는 측면에서도 〈천 개의 세계〉의 대미를 장식하기에 모자람이 없는 유려한 걸작이다.

본서의 작가 〈서문〉에서도 언급되었듯이 《꿈의 노래》원서에서 〈유리꽃〉다음에 오는 작품은 〈떠돌이기사(The Hedge Knight)〉(1998)다. 〈얼음과 불의 노래〉시리즈의 프리퀄에 해당하는 〈덩크와 에그〉연작의 첫 작품이자 거장들의 유명 판타지 시리즈들의 신작을 망라한 초호화 앤솔러지 《레전드》(1998)에 수록되어 출판계의 화제를 불러모은 중편이지만, 은행나무에서 별도로 출간된 〈덩크와 에그〉중편집《세븐킹덤의 기사》(2014)에 다른 역자의 번역으로 이미 수록된 탓에 본서에서는 부득이 제외했다. 〈떠돌이기사〉는 집필 시기상으로는《꿈의 노래》에 실린 모든 작품을 통틀어 가장 나중에 쓰인 '최신작'이기도 하다. 이 중편이 탄생한 경위에 관해서는 본서의 작가 〈서문〉에 자세히 나와 있지만,《레전드》가 인기를 끌며 증쇄를 거듭하던 2003년에《GRRM》초판에 재수록된 것은 상업적 리스크가 큰 두꺼운 걸작선을 기꺼이 출간해 준 독립 출판사 서브테레이니언에 대한 마틴의 배려가 작용한 결과이리라.

이 걸작선의 마지막 작품인 네뷸러상 수상작 〈아이들의 초상〉(1985)은 상술한 〈유리꽃〉과 마찬가지로 조지 R. R. 마틴 회고문집으로서의

《꿈의 노래》의 성격을 뚜렷하게 부각시켜 주는 문제작이다. 네뷸러상이
나 휴고상의 선정 과정에서 후보에 오른 작품의 'SF로서의 부적절함'이
도마에 오르는 것은 판타지가 SF를 능가하는 시장으로 성장한 1990년
대 이후에는 흔히 볼 수 있는 일이 되었지만, 판타지 고유의 반복적인 서
사가 배제된 〈아이들의 초상〉은 환상소설이라기보다는 소설 창작이라
는 예술 활동의 딜레마와 그 대가를 적나라하게 고백한 작가 호러라고
부르는 편이 더 적절할지도 모른다. 비일상적이며 어떤 의미에서는 착
취적이 될 수밖에 없는 창작자의 심리를, 모호함의 외투를 두르기는 했
지만 일상의 '광기'와 병치(並置)한 대담함이 작가와 편집자 들로 이루
어진 네뷸러상 심사진의 심금을 울렸다고나 할까. 이 작품의 무대가 된
가상의 강변 도시 페로가 70년대 중반 마틴이 대학 강사로 일하던 아이
오와 주 듀브크를 모델로 하고 있다는 점은 명백하지만, 작중 인물들의
초상화라는 소도구를 통해 잇달아 투영되는 주인공의 다면적인 심상(心
象)은 작가인 마틴이 상업성과 예술가로서의 본능 사이에서 고민하던
1985년 당시의 심정을 고스란히 보여주고 있다고 해도 과언이 아니다.

●○

　《꿈의 노래》는 필연인 동시에 우연의 산물이다. 필자가 3년 전에 지
금도 마틴의 단독 작품집으로서는 최상의 선택으로 간주되는 중단편집
《샌드킹》(1981)의 출간을 기획하고 있었을 때, 국내의 마틴 전문 출판사
가 된 감이 있는 은행나무의 《꿈의 노래》 감수 및 번역 의뢰를 받았기 때
문이다. 《샌드킹》에 실린 일곱 편이 아니라 그 다섯 배에 육박하는 수의

대표작들을 국내 독자들에게 소개할 수 있다는 생각에 가슴이 뛰었던 것을 기억한다. 세대가 다르기는 해도 베이온에서 20마일밖에 떨어져 있지 않은 장소에서 청소년기를 보냈던 필자에게 어린 시절의 경험을 다룬 마틴의 〈서문〉들은 무척 각별하게 다가왔고, 이지적이면서도 희로애락이 뚜렷한 그의 작품 세계를 우리 글로 옮기는 작업도 상상했던 것 이상으로 즐거웠다. 그 탓에(?) 번역 기간이 길어졌음에도 불구하고, 언제나 도움과 격려를 아끼지 않으셨던 편집부의 박나리 씨와 이경란 씨에게 이 자리를 빌려 감사의 말씀을 드린다.

조지 R. R. 마틴 저작 목록[1]

장편

1. 스러져 가는 빛(Dying of the Light, 1977)
2. 윈드헤이븐(Windhaven, 1981) – 리사 터틀과 공저
3. 피버 드림(Fevre Dream, 1982) – 국내판(2014)
4. 아마겟돈 래그(The Armageddon Rag, 1983)
5. 망자의 손(Dead Man's Hand, 1990) – 존 J. 밀러와 공저. 〈와일드카드〉 #7
6. 헌터스 런(Hunter's Run, 2008) – 가드너 도즈와, 대니얼 에이브러햄과 공저

작품집

1. 리아에게 바치는 노래(A Song for Lya and Other Stories, 1976)
2. 별과 그림자의 노래(Songs of Stars and Shadows, 1977)
3. 샌드킹(Sandkings, 1981)
4. 죽은 자들이 부르는 노래(Songs the Dead Men Sing, 1983)
5. 나이트플라이어(Nightflyers, 1985)
6. 터프 항해기(Tuf Voyaging, 1986)

---

1 국내 미출간 작품인 경우는 원칙적으로 원제를 병기했으며, 본서에 포함된 중단편들은 볼드체로 표시했다.

7. 아이들의 초상(Portraits of His Children, 1987)
8. 사중주(Quartet, 2001)
9. GRRM: 조지 R. R. 마틴 걸작선(GRRM: A RRetrospective, 2003) - 본서
10. 드림송(Dreamsongs, 2007) - 9를 두 권으로 분책한 판본
11. 스타레이디 / 패스트 프렌드(Starlady / Fast-Friend, 2008)

중단편(연도별)

1967년 • **어둠이 두려운 아이들** - 〈스타 스터디드 코믹스〉 10호(팬진)

1971년 • **영웅** - 〈갤럭시〉 2월호

1972년 • **샌브레타로 나가는 출구** - 〈판타스틱〉 2월호
• **두 번째 종류의 고독** - 〈아날로그〉 12월호

1973년 • 어둡고, 어두운 터널(Dark, Dark Were the Tunnels) - 〈버텍스〉 12월호
• 야간 근무(Night Shift) - 〈어메이징〉 1월호
• 오버라이드(Override) - 〈아날로그〉 9월호
• 지엽적 사건(A Peripheral Affair)
  - 〈매거진 오브 팬터지 앤드 사이언스 픽션〉 1월호
• 슬라이드쇼(Slide Show) - 《Omega》 앤솔러지
• **새벽이 오면 안개는 가라앉고** - 〈아날로그〉 5월호

1974년 • FTA - 〈아날로그〉 5월호
• 스타라이트를 향해 달려라(Run to Starlight) - 〈어메이징〉 12월호
• **리아에게 바치는 노래** - 〈아날로그〉 6월호. 〔휴고상 수상〕

1975년 • **일곱 번 말하노니, 살인하지 말라** - 〈아날로그〉 7월호
• 마지막 슈퍼볼 게임(The Last Super Bowl Game) - 〈갤러리〉 2월호
• 흡혈귀들의 밤(Night of the Vampyres) - 〈어메이징〉 5월호
• 도주자들(The Runners) - 〈매거진 오브 판타지 앤드 사이언스 픽션〉 9월호
• 윈드헤이븐의 폭풍(The Storms of Windhaven) - 〈아날로그〉 5월호. 〈윈드헤이븐〉 시리즈. 리사 터틀과 공저

1976년 • 노온의 괴수 - 《Andromeda 1》 앤솔러지. 〈터프〉 시리즈
• 컴퓨터가 돌격! 이라고 외쳤다(The Computer Cried Charge!) - 〈어메이징〉 1월호
• 패스트 프렌드(Fast-Friend) - 《Faster than Light》 앤솔러지

- …단 하루의 어제를 위해(…for a single yesterday) -《Epoch》앤솔러지
- 구더기의 저택에서(In the House of the Worm)
  -《Ides of Tomorrow》앤솔러지
- **라렌 도르의 외로운 노래** - 〈판타스틱〉 5월호
- **미트하우스 맨** -《Orbit 18》앤솔러지
- 그레이워터 스테이션(Men of Greywater Station)
  - 〈어메이징〉 3월호. 하워드 월드롭과 공저
- 그 누구도 뉴피츠버그를 떠나지 않는다(Nobody Leaves New Pittsburg)
  - 〈어메이징〉 9월호
- 별 고리의 다채로운 불길 역시(Nor the Many-Colored Fires of a Star Ring)
  -《Faster than Light》앤솔러지
- 패트릭 헨리와 목성과 조그만 빨간 벽돌 우주선(Patrick Henry, Jupiter, and the Little Red Brick Spaceship) - 〈어메이징〉 12월호
- 스타레이디(Starlady) -《Science Fiction Discoveries》앤솔러지
- **재로 된 탑** -《Analog Annual》앤솔러지

1977년
- **비터블룸** - 〈코스모스〉 11월호
- **스톤 시티** -《New Voices in Science Fiction》앤솔러지
- 전쟁터에서 보낸 주말 -《Pastimes》앤솔러지

1978년
- 그의 이름은 모세(Call Him Moses) - 〈아날로그〉 2월호. 〈터프〉 시리즈

1979년
- **샌드킹** - 〈옴니〉 8월호. 〔휴고상, 네뷸러상 수상〕
- 군함(Warship) - 〈매거진 오브 판타지 앤드 사이언스 픽션〉 4월호. 조지 플로런스-거스리지와 공저
- **십자가와 용의 길** - 〈옴니〉 6월호 〔휴고상 수상〕

1980년
- **아이스 드래곤** -《Dragons of Light》앤솔러지
- **나이트플라이어** - 〈아날로그〉 4월호 〔세이운상 수상〕
- 외날개(One-Wing) - 〈아날로그〉 1월호, 2월호. 〈윈드헤이븐〉 시리즈. 리사 터틀과 공저.

1981년
- 추락(The Fall) - 〈어메이징〉 5월호. 〈윈드헤이븐〉 시리즈. 리사 터틀과 공저.
- **수호자** - 〈아날로그〉 10월호. 〈터프〉 시리즈
- 니들맨(The Needle Men) - 〈매거진 오브 판타지 앤드 사이언스 픽션〉 10월호
- **멜로디의 추억** - 〈트와일라이트 존 매거진〉 4월호

1982년
- 마감 시간(Closing Time) - 〈아이작 아시모프스 SF 매거진〉 11월호
- **잃어버린 땅에서** -《Amazons II》앤솔러지

- **불완전한 베리에이션** – 〈어메이징〉 1월호

1983년
- **원숭이 다이어트** – 〈매거진 오브 판타지 앤드 사이언스 픽션〉 7월호

1985년
- 떡과 생선(Loaves and Fishes) – 〈아날로그〉 10월호. 〈터프〉 시리즈
- 하늘의 양식(Manna from Heaven) – 〈아날로그〉 12월호. 〈터프〉 시리즈
- 역병의 별(The Plague Star) – 〈아날로그〉 1월호, 2월호. 〈터프〉 시리즈
- **아이들의 초상**
  – 〈아이작 아시모프스 SF 매거진〉 11월호. 〔네뷸러상, SF크로니클상 수상〕
- 두 번째 방문(Second Helpings) – 〈아날로그〉 11월호. 〈터프〉 시리즈
- **포위전** – 〈옴니〉 10월호

1986년
- **유리꽃** – 〈아이작 아시모프스 SF 매거진〉 9월호
- 막간극 1~5(Interlude 1~5) – 《Wild Cards》 앤솔러지. 〈와일드카드〉 시리즈 #1
- **셸게임** – 《Wild Cards》 앤솔러지

1987년
- 주비 1~7(Jube 1~7) – 《Aces High》 앤솔러지. 〈와일드카드〉 시리즈 #2
- **서양배를 닮은 사내** – 〈옴니〉 10월호. 〔브램 스토커상 수상〕
- 겨울의 한기(Winter's Chill) – 《Aces High》 앤솔러지. 〈와일드카드〉 시리즈 #2

1988년
- 모두가 왕의 말(All the King's Horses)
  – 《Down and Dirty》 앤솔러지. 〈와일드카드〉 시리즈 #5
- **재이비어 데스몬드의 후기** – 《Aces Abroad》 앤솔러지. 〈와일드카드〉 시리즈 #4
- **스킨 트레이드** – 《Night Visions 5》 앤솔러지. 〔세계 환상문학상 수상〕

1996년
- 드래곤의 피(Blood of the Dragon)
  – 《아시모프스 사이언스 픽션》 7월호. (《왕좌의 게임》에서 발췌.) 〔휴고상 수상〕

1998년
- 떠돌이 기사 – 《Legends》 앤솔러지. (《세븐킹덤의 기사》〔은행나무, 2014〕에 수록).

2000년
- 드래곤의 길(Path of the Dragon)
  – 〈아시모프스 사이언스 픽션〉 12월호. (《검의 폭풍》에서 발췌)

2001년
- 온통 검고 희고 빨간(Black and White and Red All Over)
  – 중편집 《사중주(Quartet)》에 수록된 미완성 장편의 일부
- 스타포트(Starport) – 중편집 《사중주》. 드라마 대본

2003년
- **죽음의 유산** – 《GRRM》에 수록(1968년작)

- 크라켄의 촉수(Arms of the Kraken) – 〈드래곤〉 #305.《까마귀의 향연》의 외전
- **요새** –《GRRM》(1968년작)
- **도어웨이즈** –《GRRM》. 드라마 대본
- 캐멀롯의 마지막 수호자(The Last Defender of Camelot)
  –《GRRM》한정판에 수록된 〈환상특급〉의 대본(로저 젤라즈니 원작)
- **인적 드문 길** –《GRRM》.〈환상특급〉 오리지널 대본

2004년
- 그림자 쌍둥이(Shadow Twin) – 6월에 SciFi.com에 연재된 중편이며 장편
  《헌터스 런》(2008)의 뼈대가 되었다. 가드너 도즈와, 대니얼 에이브러햄과 공저.
- 맹약기사 –《Legends II》앤솔러지.《세븐킹덤의 기사》(은행나무, 2014)에 수록)

2005년
- 캘리밴의 장난감(The Toys of Caliban)
  –〈서브테레이니언 #1〉에 수록된 〈환상특급〉의 대본(테리 매츠 원작)

2008년
- 십자군(Crusader) –《Inside Straight》앤솔러지.〈와일드카드〉 #18

2009년
- 타른 하우스의 밤(A Night at the Tarn House)
  –《Songs of the Dying Earth》앤솔러지

2010년
- 신비기사 –《Warriors》앤솔러지.《세븐킹덤의 기사》(은행나무, 2014)에 수록)

2013년
- 겨울의 바람(The Winds of Winter) –《드래곤과의 춤》영문판에 수록.
  (미출간 〈얼음과 불의 노래〉 제6부에서 발췌)

2014년
- 와일드카드: 로우볼(Wild Cards: Lowball) –〈라이트스피드(Lightspeed)〉
  10월호(해당 앤솔러지에서 발췌)

〈와일드카드〉 시리즈[2] _____

1. Wild Cards(1987)   2. Aces High(1987)
3. Jokers Wild(1987)   4. Aces Abroad(1988)
5. Down and Dirty(1988)   6. Ace in the Hole(1990)

---

2 조지 R. R. 마틴이 창시한 슈퍼히어로물의 설정에 입각한 SF 앤솔러지 시리즈이며, 편찬자인 마틴을 포함한 여러 작가의 중단편과 장편을 포함하고 있다.

7. Dead Man's Hand(1990)
9. Jokertown Shuffle(1991)
11. Dealer's Choice(1992)
13. Card Sharks(1993)
15. Black Trump(1995)
17. Death Draws Five(2006)
19. Busted Flush(2008)
21. Fort Freak(2011)
23. High Stakes(2016)

8. One-Eyed Jacks(1991)
10. Double Solitaire(1992)
12. Turn of the Cards(1993)
14. Marked Cards(1994)
16. Deuces Down(2002)
18. Inside Straight(2008)
20. Suicide Kings(2009)
22. Lowball(2014)

〈얼음과 불의 노래〉 시리즈

장편

1. 왕좌의 게임(A Game of Thrones, 1996)
   - 국내판 구판(2000), 신판(2005), 개정판(2016)
2. 왕들의 전쟁(A Clash of Kings, 1999)
   - 국내판 구판(2006), 신판(2006), 개정판(2017)
3. 검의 폭풍(A Storm of Swords, 2000) - 국내판(2005)
4. 까마귀의 향연(A Feast for Crows, 2005) - 국내판(2012)
5. 드래곤과의 춤(A Dance with Dragons, 2011) - 국내판(2013)
6. The Winds of Winter - 근간
7. A Dream of Spring - 근간

외전(Tales of Dunk and Egg)

• 세븐킹덤의 기사(A Knight of the Seven Kingdoms, 2015) - 국내판(2014)

자료집

• 얼음과 불의 세계(World of Ice and Fire, 2014)
   - 일라이오 M. 가르시아 Jr., 린다 앤턴슨과 공저

조지 R. R. 마틴 걸작선: 꿈의 노래 4
갈등하는 마음

1판 1쇄 인쇄 2017년 5월 29일
1판 1쇄 발행 2017년 6월 7일

지은이 · 조지 R. R. 마틴
옮긴이 · 김상훈
펴낸이 · 주연선

총괄이사 · 이진희
편집 · 심하은 백다흠 강건모 이경란 최민유 윤이든 양석한
디자인 · 김서영 이지선 권예진
마케팅 · 장병수 김한밀 최수현 김다은
관리 · 김두만 유효정 신민영

(주)은행나무
121-839 서울특별시 마포구 양화로11길 54
전화 · 02)3143-0651~3 | 팩스 · 02)3143-0654
신고번호 · 제 1997-000168호(1997. 12. 12)
www.ehbook.co.kr
ehbook@ehbook.co.kr

잘못된 책은 바꿔드립니다.

ISBN 978-89-5660-228-8 04840
ISBN 978-89-5660-187-8 (세트)